LA POLÍTICA TURÍSTICA

*Gobierno y Administración Turística en España
(1952-2004)*

LA POLÍTICA TURÍSTICA

Gobierno y Administración Turística en España (1952-2004)

María Velasco González

Ayuntamiento de Burriana

tirant lo b lll anch
Valencia, 2004

Copyright ® 2004

En caso de erratas y actualizaciones, la Editorial Tirant lo Blanch publicará la pertinente corrección en la página web www.tirant.com (http://www.tirant.com).

Director de la colección:
DAVID BLANQUER

© MARÍA VELASCO GONZÁLEZ

© TIRANT LO BLANCH
EDITA: TIRANT LO BLANCH
C/ Artes Gráficas, 14 - 46010 - Valencia
TELFS.: 96/361 00 48 - 50
FAX: 96/369 41 51
Email:tlb@tirant.com
http://www.tirant.com
Librería virtual: http://www.tirant.es
DEPOSITO LEGAL: V -
I.S.B.N.: 84 - 8456 - 220 - 4
IMPRIME: GUADA IMPRESORES, S.L. - PMc

Quiero agradecer a Juan Luis Paniagua, Catedrático de Ciencia Política y de la Administración, el haberme insistido en que estudiara el turismo desde la perspectiva politológica, su conocimiento y apoyo me han permitido finalizar este libro. Igualmente agradezco la confianza depositada por la Secretaría General de Turismo (Secretaría de Estado de Comercio y Turismo, Ministerio de Economía) que me adjudicó una Beca "Turismo de España" para la realización de mi Tesis Doctoral, documento que ha servido de base para la presente publicación.

Índice

INTRODUCCIÓN

PRIMERA PARTE
LOS CONCEPTOS

CAPÍTULO 1
EL SISTEMA TURÍSTICO

CAPÍTULO 2
LA POLÍTICA TURÍSTICA

CAPÍTULO 3
CONCEPTOS ESENCIALES DE LA POLÍTICA TURÍSTICA

PARTE SEGUNDA
LAS FASES

CAPÍTULO 4
LOS INICIOS (1951-1962). LEGADO DE LA POLÍTICA TURÍSTICA (I)

CAPÍTULO 5
EL DESARROLLO TURÍSTICO (1962-1974). LEGADO DE LA POLÍTICA TURÍSTICA (II)

CAPÍTULO 9
LA COOPERACIÓN (1996-2004)

PARTE TERCERA
EL ANÁLISIS DE LA POLÍTICA TURÍSTICA

CAPÍTULO 10
LOS INSTRUMENTOS DE POLÍTICA TURÍSTICA

CAPÍTULO 11
EL IMPACTO DE LOS FACTORES EXTERNOS EN LA POLÍTICA TURÍSTICO

CAPÍTULO 12
CONCLUSIONES

ÍNDICE DE CUADROS

PRIMERA PARTE

CAPÍTULO 1

CAPÍTULO 3

SEGUNDA PARTE

CAPÍTULO 4

CAPÍTULO 5

CAPÍTULO 6

CAPÍTULO 7

CAPÍTULO 8

CAPÍTULO 9

TERCERA PARTE

CAPÍTULO 10

CAPÍTULO 11

PRÓLOGO

Cuando en junio del 2004 me visitaron Juan Luis Paniagua y María Velasco, a quien yo conocía de su infancia por relaciones familiares, y me pidieron si podría escribir un prólogo para la tesis doctoral de María, que el Profesor Paniagua había dirigido, dije que sí, con la sensación del que se compromete por no saber decir que no.

Aprovechando las vacaciones de verano empecé a leer el libro y, conforme avanzaba, me fue interesando progresivamente, de forma que terminó siendo una lectura enormemente ilustrativa e instructiva para mi.

Con este principio ya pueden Vds. entender que considero esta tesis un estupendo trabajo sobre la política turística en España, un tema en el se ha trabajado poco académicamente y sobre el que yo, como profesional del turismo desde hace más de veinticinco años, tanto en el sector privado como en el público, he reflexionado mucho, sobre su historia, su estructura, su funcionamiento y todo lo que con esa actividad está relacionado.

El turismo, como actividad económica de cierta importancia, nació en el siglo XIX con el desarrollo de los ferrocarriles y el barco de vapor y era practicado por las minorías ricas del mundo occidental. Los motivos para viajar, que a lo largo del tiempo han cambiado y se han desarrollado enormemente, eran entonces básicamente culturales, de salud, de disfrute de la naturaleza, comerciales y religiosos. En esa época nacen las primeras agencias (Thomas Cook) a las que se encarga la organización de los viajes, tanto individuales como familiares.

Durante la segunda mitad del siglo XIX y la primera mitad del Siglo XX, el turismo crece de forma significativa, pero sin sobresaltos, dependiendo de las situaciones económica del mundo y de los períodos de paz y guerra. Así el período entreguerras hasta la gran depresión (1918-1930) fue una época floreciente para los viajes.

Pero después de la Segunda Guerra Mundial surge una revolución en el mundo de los viajes. El crecimiento económico continuado que se produce en el mundo occidental entre 1945 y 1973 y la aplicación por los Gobiernos europeos (socialdemócratas) y americano (New Deal de Roosevelt) de políticas económicas keynesianas de distribución de renta, junto con la implantación en esa misma época de las vacaciones pagadas para los trabajadores, producen una nueva clase media masiva que por primera vez tiene resueltos los grandes problemas de la subsistencia: alimentación, vestido, vivienda, sanidad, educación y pensiones, y que tiene tiempo libre y renta disponible. Como además todo el desarrollo industrial del planeta se produjo en el siglo XIX en las zonas frías del norte (Gran Bretaña, Países Nórdicos, Alemania, los Estados del Norte de USA, etc...) esa población que vive en zonas frías decide viajar en sus vacaciones hacía las zonas templadas, con mucho mejor clima y culturas diferentes. Se genera, de forma casi espontánea, una demanda masiva de viajes hacia el sur templado (en USA hacía La Florida, California, etc..., en Europa hacía Francia, Italia y España y Grecia).

Esa demanda, a la que se han incorporado esas nuevas clases medias de las que antes hablábamos, no había sido prevista y la oferta no estaba preparada para ello. Surge una nueva figura en el negocio turístico que es el Turoperador, un nuevo tipo de empresario que asume el riesgo de fletar un avión entero hacia un destino y comprar ocupación hotelera en grandes dimensiones, con lo que los costes disminuyen drásticamente, y venderlos al por menor como un paquete conjunto. La reducción de los costes se traslada directamente a los precios, que caen en picado, lo que a su vez ensancha enormemente el mercado de los viajeros y la demanda explota.

Así nace el turismo de masas, que es un negocio diferente del turismo tradicional. Se dirige a otros lugares y se gestiona de otra forma y con otros agentes. El turismo de masas se dirige a los climas templados y cálidos del sur, en donde se busca el sol y la playa. En Europa se dirige hacia el Mediterráneo. Hasta 1936 los flujos turísticos mas importantes se dirigían hacia París, las grandes ciudades culturales italianas, Londres y Suiza. El turismo de masas se dirige hacía Mallorca, Benidorm, Costa del Sol, Costa Brava, Canarias, etc....

Aunque se llaman de la misma manera, turismo, son dos negocios diferentes. El turismo tradicional sigue desarrollándose desde 1950 con éxito, aunque de manera más equilibrada. El turismo de masas sufre una auténtica explosión.

El crecimiento de la demanda es tan brutal que no hay manera, durante muchos años, de satisfacerla. La oferta no estaba preparada y, además, durante más de veinte años el *establishment* económico del mundo, y específicamente el español, no cree que el turismo de sol y playa vaya a ser un negocio estable a largo plazo, lo considera solo una moda pasajera y decide no invertir en el sector. Esto conduce a que, salvo en pequeños intervalos de tiempo, en España desde 1960 hasta el año 2001, la demanda turística de sol y playa haya sido superior a la oferta y esto haya creado un modelo en el que todo estaba centrado en el desarrollismo hotelero e inmobiliario, pues todo lo que se construía se ocupaba y se vendía.

Ha habido algunos períodos de crisis, 1973 (crisis del petróleo) y 1990-93 (Guerra del Golfo y sobrevaloración de la peseta), pero el resto del tiempo el modelo ha estado basado en una demanda superior a la oferta, con lo que no han existido políticas comerciales y de marketing, los hoteleros no vendían, se dejaban comprar. No conocían a sus clientes finales, solo negociaban una vez al año con los principales turoperadores y eso bastaba. Ese es el modelo turístico que está actualmente en crisis, no el de sol y playa.

A partir de 1990 la oferta mundial de sol y playa es mayor que la demanda y por lo tanto, a nivel global, el modelo sufre un profundo cambio. Pero se producen un conjunto simultáneo de conflictos, tanto en el Mediterráneo oriental como en el norte de África, que hacen que España se convierta en un "destino refugio" y que el modelo tradicional pueda continuar (terrorismo kurdo en Turquía e Islamista en Egipto y el Magreb, guerra de Yugoslavia, desplome de los Países del Este, etc...).

Cuando en estos tres últimos años la situación de muchos de nuestros posibles competidores (Turquía, Egipto, Bulgaria, Croacia, Túnez, etc...) se ha ido normalizando, el sector turístico en España se ha encontrado con su realidad: la oferta es mayor que la demanda por primera vez de forma estable, hay que competir y ya no se puede competir solo en precios. Una habitación estándar en un hotel de playa en el mundo se ha convertido en una *commodity* y se vende al precio mas barato y España, por su nivel de vida y de salarios, ya no puede competir en precios.

Se necesita por tanto redefinir los destinos de forma que se diferencien de los demás, que tengan identidad propia, que tengan un conjunto de características y atractivos que permitan que nuestro cliente prefiera venir a España que a otros país aunque seamos mas caros. Ese es el reto del presente, redefinir nuestros destinos y nuestros productos, dotarlos de identidad diferencial, individualizarlos y hacerlos mas atractivos para los clientes.

¿Pero quienes son esos clientes? Han cambiado mucho de aquellos que venían en los años 50 y 60. Son mas activos, han viajado mas, son mas exigentes, pero, salvo estas generalidades, sabemos muy poco de ellos. Hasta ahora no nos había resultado necesario conocerlos bien. Los hoteles nos los llenaban los *turoperadores*, nos bastaba con conocer a los Jefes de contratación de éstos. En las nuevas circunstancias eso ya no nos basta y aún así carecemos de la información necesaria sobre nuestros clientes.

El centro del éxito hoy esta en conocer bien a nuestro cliente, como en cualquier otro producto de gran consumo. Qué ilusiones tiene, qué desea encontrar, qué busca con su viaje. Un cliente que entra en una agencia de viajes a comprar un viaje, no compra un producto material, compra la satisfacción futura de una ilusión. Compra por tanto, en gran medida, intangibles y todo esto es lo que hay que conocer para poder satisfacer al cliente.

Se habla continuamente de calidad. Pero qué es la calidad en el turismo, es por supuesto la prestación de un conjunto de servicios con esmero, competitividad y cuidado, pero sobre todo es la satisfacción del cliente, de sus ilusiones, esperanzas, etc... Es decir, de intangibles. Y no tenemos la información adecuada. No tenemos aún suficientes estudios serios y profundos de sociología del ocio de los ciudadanos de nuestros grandes países emisores. Sabemos, en alguna medida, por qué vienen los turistas que nos visitan, pero no sabemos por qué no vienen los que se quedan en sus casas o viajan a otros países.

La política turística también debe basarse hoy en conocer en profundidad a nuestro cliente potencial y real y ofrecerle aquello que quiere y espera encontrar con la competitividad necesaria.

Y, para terminar, una última idea: el turismo no es un sector económico, sino un actividad que engloba a muchos sectores. Un turista que visita un país es usuario de un mínimo de sesenta servicios prestados por diferentes instituciones públicas y privadas, de las cuales no más de cinco son específicamente turísticas; las demás son infraestructuras físicas, de telecomunicación, sanitarias, culturales, deportivas, etc...

La política turística es hoy analizar en cada destino, y en cada momento, cuál de esos sesenta servicios imprescindibles se está convirtiendo en el cuello de botella del desarrollo de la actividad y ayudar a que desaparezcan esas dificultades.

La Administración Pública tiene por tanto que liderar la actividad turística pues sólo ella tiene la posición y los medios para resolver los problemas de esta actividad multisectorial, sólo ella puede tener una visión de medio y largo plazo y la obligación de pensar en el bien de todos. Esta es mi visión de lo que es hoy la política turística y la coyuntura turística mundial y española en la que nos encontramos.

La lectura del libro que hoy se publica me ha ayudado a formarme y a elaborar muchas de las ideas que he expuesto, recoge una amplísima información y la analiza y la valora de forma racional y razonable, la correlaciona con otras variables y saca conclusiones útiles y válidas.

Una sugerencia final es que el trabajo continúe y se pueda profundizar en la correlación entre las políticas turísticas y la situación de la demanda en cada momento. Probablemente las conclusiones a las que se llegasen también fuesen muy iluminadoras.

JAVIER GÓMEZ-NAVARRO NAVARRETE
Ex-Ministro de Comercio y Turismo

INTRODUCCIÓN

La introducción de un libro suele contener una referencia al origen del trabajo que se publica. En esta ocasión, tratándose de un libro sobre política turística, la explicación se convierte en un obligado punto de partida, tanto por las características del objeto, el turismo, como por ser el primer trabajo que plantea su análisis desde la Ciencia Política.

El turismo es un hecho social, económico, cultural, político... Más que hablar de la complejidad del turismo, que remite a una idea falsa de que el análisis del hecho turístico revistiera una particular complicación debido a su propia naturaleza, habría que hablar de la variedad de facetas que lo componen. La diversidad de aspectos que pueden observarse en el devenir del hecho turístico lo convierte en un objeto de investigación interesante para diversas disciplinas[1].

Esta pluralidad de enfoques de investigación es una cara de la moneda; la otra es el conocimiento transdisciplinar acumulado sobre el turismo que existe en el momento actual y que no puede ser obviado por ningún investigador, independientemente de su procedencia científica. Y es el investigador quien debe tener presente esta dualidad: su trabajo partirá de una perspectiva y marco teórico concreto, lo que le permitirá establecer un diálogo científico con su propia área de conocimiento, pero al tiempo procurará contribuir al crecimiento del conocimiento compartido por el conjunto de expertos en turismo, lo que también le

---

[1] Es frecuente encontrar reflexiones escritas sobre la desequilibrada relación entre la enorme importancia del turismo en nuestro país y los exiguos esfuerzos en investigación que se ha dedicado a esta actividad. España es el segundo destino turístico a nivel mundial. En 2002 entraron a nuestro país 78,9 millones de personas, de las cuales 51,7 millones se consideran turistas por haber pernoctado al menos una noche. Casi cincuenta y dos millones de personas que viajan, se alojan, consumen, participan en actividades culturales, utilizan los servicios públicos... Esto supuso un ingreso 37.000 millones de euros, que cubrieron el 80% del déficit por cuenta corriente de la balanza de pagos y que representaron más del 12% de nuestro PIB y más de un 10% del empleo del país.

obligará a mantener un diálogo paralelo con otras áreas de conocimiento diferentes. Este doble proceso es muy enriquecedor, aunque conlleva el riesgo de no encontrar fácil acomodo en ningún campo académico estrictamente definido.

Este libro es el resultado de una investigación sobre la política turística que se aborda desde la Ciencia Política y más concretamente desde el marco teórico del Análisis de Políticas Públicas, enfoque que ha experimentado un gran desarrollo en los últimos años. El Análisis de Políticas aporta una nueva perspectiva desde la que analizar los objetos tradicionales de la investigación politológica y genera reflexión y conclusiones teóricas sobre los resultados más evidentes y tangibles del sistema político: las políticas públicas. También las políticas públicas, como objeto de investigación, reclaman un análisis interdisciplinar que combine conocimientos de ciencias diversas y también son estudiadas desde disciplinas concretas: existe un análisis económico de políticas públicas, un análisis sociológico, psicológico y, también, un análisis estrictamente politológico del objeto, marco que configura el cuerpo teórico del presente trabajo.

1. APROXIMACIÓN AL MARCO TEÓRICO

El marco teórico del Análisis de Políticas que se ha configurado en los últimos cincuenta años está conformado por dos tipos de propuestas. En primer lugar, las que consideran que las políticas públicas son el resultado de un proceso político que reclama el interés principal y por lo tanto se centran en el estudio de aquél. Son las propuestas teóricas cuya preocupación central es el Poder, el Estado o las relaciones del Sistema Político y que observan a las políticas públicas como indicadores de los procesos políticos. Y, en segundo lugar, las que consideran las políticas como procesos sustantivos que merecen un análisis específico. Son las propuestas que facilitan la contextualización de los procesos de elaboración, de puesta en marcha o de efectos de una política.

Ambos enfoques son complementarios: las propuestas del primero conforman nuestra compresión del sistema político (Meny y Thoenig, 1992:45) y las del segundo enfoque nos permiten analizar una realidad observada conforme a un instrumental teórico determinado (Parsons, 1996:67).

En esta investigación, y en relación con el primer tipo, han resultado muy influyentes los trabajos sobre el poder que se elaboraron como respuesta crítica al pluralismo de los años cincuenta en EE.UU. (Dahl, 1961). El enfoque pluralista presuponía un poder diseminado entre múltiples actores con intereses diversos. Ninguno de ellos tendría una posición completamente preeminente que le permitiera actuar de forma autónoma, lo que les obligaría a efectuar transacciones que se traducirían en determinadas políticas públicas (Polsby, 1980).

Las críticas a esta imagen destacarán los conflictos y su gestión, el poder o los sistemas de cooperación (Richardson y Jordan, 1979). Para nuestro estudio resultaron especialmente reveladoras las discusiones teóricas sobre el concepto de poder que hay detrás de los análisis pluralistas de políticas públicas (A tiene poder sobre B si puede lograr que B haga algo que de otra manera no haría, concepción del poder muy cercana a la visión weberiana del mismo) y que utilizan como argumento principal el hecho de que dicho axioma no es capaz de explicar otra forma de poder igualmente efectiva: el poder que ejerce A cuando utiliza sus energías para crear o reforzar valores políticos y sociales o prácticas institucionales que limitan el ámbito del proceso político a la consideración de aquellos temas que son inocuos para A (Barchrach y Baratz, 1962). Hasta entonces la decisión se había configurado como un elemento central en las investigaciones sobre el poder y las políticas públicas pero a partir de ese momento aparece un concepto que complementa la noción de "decisión" desde una perspectiva puramente politológica en cuanto que analiza otras formas del poder: la no-decisión. La no-decisión es un concepto diferente de la decisión de no actuar o no decidir, es un concepto complementario: la voluntad de apartar ciertas cuestiones del proceso decisorio. Y al igual que tras la decisión se desarrollaron análisis del proceso decisorio (*decision making*), con la no-decisión, se abre el campo del estudio de los instrumentos y recursos que pueden movilizarse para desviar del proceso político determinadas cuestiones (*non decision making*) (Bachrach, 1970). El último paso se da con la afirmación de que existe una tercera forma de poder, más difusa y difícil de demostrar: el poder que se ejerce para evitar que surja el conflicto al negar la posibilidad de creer en que las cosas puedan ser distintas. Con este último argumento se amplían a tres las dimensiones del poder: la primera es el conflicto observable entre actores respecto de temas clave (perspectiva pluralista), la segunda es la que se desarrolla en los conflictos encubiertos sobre asuntos potenciales (A ejerce poder sobre B cuando le impide manifestarse en contra de los intereses de A) y la tercera implica la utilización del poder para dirigir las preferencias de los ciudadanos, con lo que no existe ni conflicto abierto, ni latente (Lukes, 1974). Además, el proceso es acumulativo: una vez que se tienen los recursos para ejercer poder en una de las dimensiones, resulta más fácil alcanzar los recursos necesarios para controlar las tres dimensiones del fenómeno.

Otros autores, bajo la corriente denominada neopluralismo, investigan el papel preeminente de los grupos empresariales, manteniendo del pluralismo clásico el reconocimiento de que el dominio por parte de grupos no afecta a todas las parcelas de decisión, quedando espacios en donde la participación es mayor. Lindblom representa, según algunos críticos, la convergencia entre pluralismo y marxismo, *"hay una zona cautiva en la formulación de políticas, la cual comprende en general, todas aquellas áreas que afectan más directamente a los intereses de grupos empresariales, es decir, las políticas económicas, industriales y de relaciones laborales. En estas áreas el gobierno favorece los intereses de los grupos empresariales porque sus decisiones determinan el comportamiento económico que, a su vez, influye en las posibilidades de reelección del gobierno"* (Marsch, 1996:283).

Por otro lado, también reconocemos la influencia en nuestro trabajo de los análisis neoinstitucionalistas. El neoinstitucionalismo es la recuperación del objeto tradicional de investigación politológica —las instituciones— para ser abordado desde distintas metodologías de investigación social y bajo una nueva perspectiva que permita salvar las limitaciones de conocimiento de las que se acusaba al enfoque en su versión clásica. Su objeto sería el análisis de instituciones, entendidas como conjuntos de reglas socialmente aceptadas y de concentraciones de recursos (March y Olsen, 1984, 1989, 1996; Weaver y Rockman, 1993; Goodin, 1996; Selznick, 1996; DiMaggio y Powell, 1999; Peters, 1999; Scharpf, 2000).

Nos han interesado especialmente los trabajos que cuestionan la legitimidad basada en la eficacia de las instituciones y que compelen a los actores de la acción pública a consolidar una nueva legitimación basada en la eficiencia (Rosenbloom, 1986; Lauffer, 1989; Bañón, 1993, 1997; Brugué, 1996; Hood, 1990; Baena, 2000). Los diferentes estudios desarrollados en el seno de la Ciencia de la Administración, tienen un enorme impacto en el análisis de políticas: los estudios realizados en el ámbito de la Teoría de las Organizaciones (Mintzberg, 1984; Ramió y Ballart, 1993), que analizan cuestiones relativas al conocimiento de las estructuras que sustentan la acción pública (VV.AA. 1991) o de los recursos humanos que la implanta y ejecuta (Barzelay, 1992; Olías, 1995; Farazmand, 1997); las reflexiones sobre las relaciones de la Administración con el sistema político (Niskasen, 1971; Hood, 1983; Rose, 1984; Subirats, 1991; VV.AA. 1997; Lynn y Wildasky, 1999; Peters, 1999); las investigaciones sobre las teorías de la decisión (Hirschman, 1983; March, 1988, 1989; Dunleavy, 1991), los sistemas de información (Lane, 1993) o los más recientes sobre relaciones intergubernamentales (Wright, 1988; Morata, 1991; Garret y Tsebelis, 1996; Mondragón, 2001)... todos estos trabajos son de aplicación directa al campo de las políticas públicas[2].

En relación con el segundo tipo de propuestas teóricas que mencionamos (las propuestas centradas en las políticas públicas como procesos, en lugar de cómo indicadores del sistema político) han de conocerse las aportaciones que, de manera acumulativa, han ido configurando los que se consideran conceptos básicos de la disciplina.

En un primer momento los autores se centraron en el estudio de los aspectos relacionados con la decisión, siendo la pregunta clave cómo se decide y el principal reto cómo podría mejorarse el proceso decisorio (Braybrooke, 1970; Allison, 1971; Simon, 1977; Elmore, 1980; March, 1988; Nigro, 1984).

A esta primera cuestión se añadirá el interés por conocer qué temas forman parte del conjunto de cuestiones sobre las que se decide. Aparece el concepto de agenda, y los estudios sobre sus características y funcionamiento (Cobb y Elder, 1971, 1972; Baumgartner, 1991; Hill, 1993; Kingdom, 1995; Aguilar, 1996). Directamente derivado de ello, surgen los primeros análisis sobre la definición de los problemas que estructuran las políticas públicas (Becker, 1996).

Mientras en el campo más genérico de la Ciencia Política se elaboran críticas al enfoque pluralista, centradas en los problemas que tiene para explicar cuestiones relacionadas con la participación en el poder, en el análisis de políticas públicas cobran especial importancia las inves-

---

[2]   Iremos subrayando el sentido de esta sucesión de referencias en la exposición de los resultados de la investigación contenidos en el libro.

tigaciones sobre los actores que intervienen y la gestión del conflicto que la lucha origina (Jordan, 1981, 1987, 1993; Marsh, 1991, 1992; Atkinson, 1992; Warden, 1992; Heritier, 1993; Dowling, 1995; Jordana, 1995; Rhodes, 1996; Kickett, 1997; O'Toole, 1997; Mandell, 1999).

Al mismo tiempo, comienza la reflexión sobre el papel de las administraciones públicas y su posición en el proceso decisorio de las políticas públicas. Tras la constatación de los primeros fracasos de las políticas de los setenta aparecen los estudios sobre implantación (Pressman y Wildavsky, 1973; Bardach, 1977; Elmore, 1980; Mazmanian y Sabatier, 1983; Sabatier, 1986; Subirats, 1988; Younis, 1990; Aguilar, 1996; Ingram, 1999), sobre terminación (Bardach, 1976; DeLeon, 1982; Hogwood, 1985) y, con una importancia creciente, los estudios sobre la evaluación de las políticas públicas (Monnier, 1991; Subirats, 1991; Fisher, 1995; Alvira, 1997; Ballart, 1997; Verdung, 1997 y Weiss, 1997; Ross, 2002; Bañón, 2003).

Encontramos así los elementos básicos que conforman el análisis de las políticas públicas: agenda, definición de problemas, decisión, actores, implantación, terminación y evaluación. Esta enumeración coincide con las fases identificadas por los autores que trabajan el estudio de las políticas desde el enfoque secuencial. La descripción de cada uno de los elementos es reelaborada continuamente y no existen definiciones completamente aceptadas por la doctrina, pero el conjunto de elementos se han convertido en una red de conceptos básicos sobre la que se apoyan las nuevas hipótesis de trabajo.

El enfoque secuencial o circular ("textbook approach") ha recibido múltiples críticas. Una parte de la doctrina mantiene que el uso, aunque sea para fines analíticos, de la imagen *escalonada* de las políticas públicas perturba la comprensión de su realidad y, aunque se justifique metodológicamente por la posibilidad de analizar cada uno de los momentos de manera separada, no es capaz de explicar el proceso de manera integrada.

En la actualidad existen distintas propuestas que tratan de superar los problemas de dicho enfoque. Hemos estudiado con especial detenimiento aquellas que observaban una política pública durante un periodo lo suficientemente extenso como para que pudiera detectarse una modificación en la política analizada (Sabatier y Jenkins-Smith, 1993). Estas propuestas se complementan con los trabajos sobre actores realizados desde una triple perspectiva: la identificación y análisis de las diferentes categorías de agentes que intervienen en el proceso de las políticas públicas; la investigación de los mecanismos de acceso a los ámbitos decisorios y, por último, la construcción de modelos que, enfocando en primer término el funcionamiento del sistema de relación entre los diversos actores, realizan propuestas teóricas genéricas del funcionamiento del sistema político.

Desde esta ultima perspectiva, de relación entre actores, se desarrollan diversas propuestas que han configurado un área de estudio e investigación muy fructífera. Estos análisis reciben el nombre de enfoques reticulares, ya que es esta metáfora de red lo que les da un carácter de homogeneidad (Heclo, 1974 —comunidades centradas en políticas— Marsh y Rodhes, 1992 —redes centradas en problemas— o Sabatier y Jenkins-Smith, 1993 —coaliciones de defensa—).

En este contexto de autores aparece otro ámbito de trabajo que nos resulta de especial interés: la importancia de los sistemas de creencias, valores e ideas en la configuración de las estructuras reticulares (Fisher y Forrester, 1993; Majone, 1997). Esta importancia del sistema de creencias y valores como factor que estructura los diferentes actores en torno a una política concreta, hace que se las califique de "comunidades epistémicas" (Subirats, 1998).

Todas estas teorías, propuestas y enfoques han estado presentes, en algún grado, en nuestro trabajo de investigación aunque nos hemos guiado primordialmente por las propuestas que analizan políticas públicas concretas en periodos de tiempo extensos, con el objetivo de observar los procesos de modificación de sus contenidos. Los momentos de cambio permiten concentrar la atención sobre las relaciones entre los subsistemas de políticas y su entorno, las formas de agregación de intereses en un área de política concreta, la vinculación entre diferentes arenas políticas, el impacto de decisiones de otros niveles de gobierno, o las causas que facilitan el cambio en la orientación de una política pública (Sabatier, 1991; Sabatier y Jenkins-Smith, 1993).

2. EL OBJETO DE NUESTRO ESTUDIO

Este libro pretende ofrecer un análisis relativamente integrado de la política turística que se ha diseñado e implantado en nuestro país. El

objeto de nuestro trabajo es la política turística desarrollada por el Gobierno Central desde el año 1951, en el que se crea el Ministerio de
Información y Turismo, hasta marzo del año 2004, final del segundo
gobierno del Partido Popular. Vamos a explicar algo más detalladamen-
te cómo llegamos a esta formulación.

Cuando se habla del turismo es indiscutible la relevancia de su faceta
económica, en especial en España, aunque este aspecto no deba ocultar
otras implicaciones menos analizadas y que se derivan fundamentalmente
del hecho de que en el desarrollo de la actividad turística se emplean
bienes públicos de muy distinta naturaleza como componentes
irrenunciables del mismo. Si la oportunidad económica fue clave en su
incorporación a las agendas de gobierno de los países occidentales, han
sido las profundas contradicciones que emergen en su desarrollo las que
han exigido que se completara la reflexión sobre el turismo desde otras
perspectivas. Los impactos positivos y negativos del turismo se hacen
más evidentes en las últimas décadas por el significativo crecimiento de
la actividad y la reflexión sobre éstos coincide con el afianzamiento de
nuevos valores como el desarrollo sostenible o la conservación de los
entornos naturales y culturales. El conjunto de relaciones que despliega
el turismo precisan de actuaciones políticas transversales que necesitan
un alto nivel de coordinación entre los diversos actores implicados y
que exigen, inevitablemente, decisiones públicas.

Estos argumentos iniciales nos permitieron considerar que la política turística podía tener un lugar entre el conjunto de análisis políticos
sectoriales que ya incorporan, junto a las temáticas tradicionales más
cercanas al análisis de las políticas que afectan al núcleo del Estado de
Bienestar —como la política educativa, la sanitaria o la de protección
social—, otros ámbitos menos visibles en los que también se producen
diferentes procesos de articulación y gestión de recursos humanos, simbólicos y materiales —la política de telecomunicaciones, de medio ambiente o las políticas culturales—[3].

---

[3]   Seguimos la propuesta de Gomá y Subirats de estructurar la oferta de políticas públi-
      cas en relación con los ejes tradicionales de articulación del sistema político: eje
      socioeconómico (políticas de la economía y políticas del bienestar); eje territorial
      (como las políticas de financiación de las Comunidades Autónomas) y realidades emer-
      gentes (como las políticas de medio ambiente, de inmigración o de igualdad de géne-
      ro). (Gomá y Subirats, 1998:16).

En la configuración de la investigación tuvimos en cuenta que no existían trabajos previos que, desde la Ciencia Política, hubieran realizado una aproximación a la actuación de los poderes públicos en materia turística, lo que condicionaba la perspectiva de partida e invitaba a un análisis de contenido.

Además se nos planteó una segunda cuestión; el turismo, en la dimensión que lo caracteriza y determina, comienza tras la segunda Guerra Mundial y es inmediatamente incorporado a los ámbitos públicos de decisión. Analizar un periodo temporal de unos cincuenta años es un objetivo demasiado extenso, pero acotarlo implicaba renunciar a una perspectiva sincrónica que tomase como punto de partida la génesis del propio objeto.

El tercer y último elemento que condicionaba la estrategia de la investigación venía impuesto por el compromiso asumido en el inicio de la investigación[4]: el ámbito territorial de referencia de la investigación tenía que cubrir la totalidad del territorio nacional. Para desarrollar un trabajo sobre política turística era necesario determinar los niveles de decisión gubernamentales que se tendrían en cuenta y, según el requisito del programa, o se optaba por el nivel del Gobierno Central o, si se incorporaba la actuación de los gobiernos de las Comunidades Autónomas, resultaba obligado analizar lo acaecido en los diecisiete ámbitos propios de decisión. Como el ámbito temporal era ya demasiado extenso, se decidió utilizar, como nivel competencial de análisis, el Gobierno Central.

Los tres aspectos mencionados configuran un trabajo que abarca un ámbito temporal extenso, con una perspectiva sustantiva o de contenido

---

[4] El presente libro se basa en la tesis doctoral desarrollada bajo los auspicios del Programa "Turismo de España" de la Secretaría de Estado de Comercio, Turismo y Pymes (Ministerio de Economía y Hacienda) con el que se persigue incentivar la realización de tesis doctorales que profundicen en la investigación del turismo desde diferentes áreas de conocimiento. En ese marco se defendió la oportunidad de incorporar a las materias que han sido objeto de dicha convocatoria (materias jurídicas, económicas, medioambientales, sociológicas, urbanismo, planificación del territorio, historia del arte, nuevas tecnologías, comunicación y marketing), el campo de conocimiento de la Ciencia Política y de la Administración, como un área de trabajo que puede aportar resultados de interés, tanto en el ámbito de la reflexión teórica, como en el de la investigación aplicada para la acción pública en materia de turismo.

María Velasco González

muy variada y cuyo único límite ha sido reducir la unidad de investigación a la política turística del Gobierno Central, planteándose realizar
un estudio de análisis de contenidos.

Como objetivo general, el trabajo realiza una investigación
exploratoria (Bartolini, 1994), que permite reunir información suficiente sobre la política turística en España y desarrollar hipótesis que puedan ser posteriormente investigadas desde perspectivas diferentes. Como
objetivos específicos, este estudio pretende los siguientes:

1. Proponer una definición de política turística, determinando los
   límites de tal expresión, los contenidos de la misma, destinatarios
   y los instrumentos.

2. Analizar las principales actuaciones de política turística desarrollada durante el Régimen Franquista desde el año 1951 hasta la
   Legislatura Constituyente de 1977, para determinar las características que definen la política turística que heredan los gobiernos
   democráticos *(policy legacies)*.

3. Estudiar las políticas turísticas de los gobiernos de UCD, del
   PSOE y del PP, con intención de que fuera posible establecer
   periodos identificables, para su posterior comparación en la investigación.

4. Analizar el uso que se hacía de los principales instrumentos de
   política turística y utilizar las diferencias detectadas para establecer las fases de la política turística.

5. Comprobar si los momentos de cambio en la política turística
   pueden ser relacionados con variaciones externas (cambio de Régimen, cambio de los gobiernos en el poder, etc.).

6. Extraer conclusiones, en especial sobre si alguna de las modificaciones de las variables externas conllevan un proceso de cambio
   en la política turística del Gobierno Central durante el periodo
   analizado.

3. DISEÑO Y METODOLOGÍA DE LA INVESTIGACIÓN

La investigación que dio origen al presente trabajo pretendía establecer conclusiones en términos de tendencias, no en términos de

causalidad. De entre las variedades de análisis de las políticas públicas se optó por el enfoque de análisis de contenidos o de correlato para, aprovechando la extensión del periodo, establecer indicadores que permitiesen investigar una única unidad de análisis —la política turística del Gobierno Central— y un número alto de características, desarrollando una estrategia que buscaba la denotación del objeto de investigación (Sartori, 1995) o, siguiendo otra terminogía, de carácter intensivo (Anduiza, Crespo y Méndez, 1999:60).

Se centró en un estudio de caso interpretativo o explicativo que podría caracterizarse como de comparación intracaso, por contener comparaciones sucesivas del mismo objeto en diversos momentos temporales. La doctrina argumenta que el estudio de caso no tiene posibilidad de producir ninguna generalización o teoría causal dotada de alguna veracidad, por lo que carece de relevancia para perspectivas teóricas que se encuadran en el paradigma explicativo; a pesar de ello, se defiende el valor de un análisis que toma en consideración una gran cantidad de propiedades del caso y que pretende esclarecer, en términos descriptivos y de argumentación factual, la complejidad de un fenómeno político-social (Bartolini, 1996:71).

Para el desarrollo del trabajo era posible adoptar dos posiciones iniciales: considerar la política turística analizada como un proceso que depende de otros factores que la determinan (sociales, económicas, institucionales...) o, al contrario, considerar la política como un proceso que causa efectos en la realidad en donde pretende intervenir. La elección de la posición estaba determinada tanto por el objeto de estudio como por el marco teórico que estructura el análisis. En este caso investigábamos un rango temporal amplio, con el objetivo de observar el proceso de evolución de los contenidos de las políticas turísticas y con la referencia de las teorías que se centran en explicar el cambio en las políticas públicas. Todo ello nos llevó a considerar la política turística como un proceso que se ve determinado por factores políticos y sociales independientes.

La unidad de análisis[5] sería la política turística y los indicadores que permitían comprobar cuándo se producía una variación son los deno-

---

[5] Según Smelser (1976:172-174), la unidad de análisis debe ser apropiada al problema teórico planteado, causalmente relevante a los problemas que se estudian, empírica-

minados instrumentos de la política turística (definidos en el Capítulo 3, se consideran instrumentos de la política turística: los instrumentos organizativos, los planes generales, los programas, los instrumentos financieros, los instrumentos normativos y los instrumentos de comunicación).

Una vez comprobado como se comportan dichos indicadores en el tiempo, se contrasta el papel de los factores más relevantes que identificamos como variables independientes: variables políticas (cambio de régimen político; alternancia de gobierno y tipo de gobierno), económicas (crisis del sector turístico) e institucionales (variación en el Ministerio al que se adscribe la materia y cambio en los responsables políticos de ésta), intentando ver cuál de ellos es el más influyente.

MARCO DEL ANÁLISIS

Unidad de análisis	Fases de la política turística del Gobierno Central

Unidad de observación	Mandatos de los Ministros responsables

Variable dependiente	La política turística

Indicadores de la variable	1. Instrumentos organizativos 2. Planes Generales 3. Programas 4. Instrumentos normativos 5. Instrumentos financieros 6. Otras acciones

Variables independientes	1. Políticas: cambio de régimen político; alternancia de gobierno y tipo de gobierno. 2. Económicas: crisis del sector. 3. Institucionales: variación del Ministerio; cambio en los responsables políticos.

(Fuente: Elaboración propia)

---

mente invariable respecto a su criterio clasificador, debe reflejar el grado de disponibilidad de datos sobre ella y, en la medida de lo posible, basarse en un procedimiento repetible.

4. ESTRUCTURA DEL LIBRO

El presente libro se estructura en tres partes diferenciadas.

En la primera parte se recogen nuestras reflexiones sobre el turismo como objeto de atención de los Gobiernos y objetivo de una política determinada y sobre la política turística, para encontrar claves internas que permitan construir su análisis de forma coherente. En el Capítulo 1 se presenta el turismo desde una perspectiva integradora que, utilizando la imagen de un sistema, incluye las diferentes facetas que lo componen: los actores turísticos, las actividades turísticas y los productos turísticos. En el Capítulo 2 se trata de construir un concepto de política turística y en el Capítulo 3 se reflexiona sobre cuáles son sus objetivos, instrumentos y destinatarios.

La segunda parte contiene la construcción y descripción de la principales fases de la política turística que tendrán contenidos y estilos diferenciados. Para ello, se exponen las diversas acciones públicas que lleva a cabo el Gobierno Central en materia de turismo durante el periodo escogido, organizando la información conforme a un criterio temporal y un criterio sustantivo o de contenido. El criterio temporal es la utilización de la cronología de los sucesivos mandatos de los ministros que, en distintos departamentos ministeriales, se han hecho cargo de este sector. El criterio sustantivo ha llevado a organizar las actividades reseñadas de cada mandato conforme a los instrumentos de política turística (instrumentos organizativos, planes generales, programas, instrumentos normativos, instrumentos financieros e instrumentos de comunicación). En la propuesta de fases de política turística se distingue entre las que se corresponden con el legado del régimen Franquista, Capítulos 4 y 5, y las fases de la etapa democrática —desde 1977 hasta el 2004— años en los que, junto a la consolidación del turismo, se afrontan las primeras crisis del sector (Capítulos 6, 7, 8 y 9).

En la tercera y última parte se indaga sobre la evolución de cada uno de los instrumentos de política que el Gobierno ha utilizado para intervenir en el turismo individualmente considerado objeto del Capítulo 10. Una vez que conocemos las modificaciones en los instrumentos trataremos de observar si pueden relacionarse con hechos externos a la política turística comprobando cómo inciden algunas variables políticas, económicas e institucionales en el rediseño de los objetivos o instrumentos de los decisores públicos, a lo que se dedica el Capítulo 11.

Por último, en el Capítulo 12 expondremos las conclusiones sobre los diferentes puntos del trabajo.

Primera Parte
LOS CONCEPTOS

INTRODUCCIÓN

El objeto del presente trabajo es la política turística. Nos interesa conocer, por ejemplo, cómo ha evolucionado la idea que los decisores públicos han tenido sobre el turismo, qué problemas han considerado que tenía el sector turístico o cuáles otros eran generados por el desarrollo de la actividad, qué soluciones se han propuesto, o cómo se han modificado las ideas según se implantaban las acciones.

Nuestro esfuerzo no se ha centrado en investigar el turismo o alguno de sus componentes, sino en observar el hecho fenómeno turístico desde la perspectiva de la Ciencia Política, situándonos en la posición en que lo haría un analista de políticas o, incluso, un responsable público que hubiera de hacerse cargo de esta parcela de la realidad. Aún así, nuestra reflexión debe dar comienzo con unas consideraciones sobre el concepto de turismo que vertebra este trabajo y que hemos construido acudiendo a una imagen sistémica. La relación entre los elementos del sistema turístico se convierte en el referente básico y el conjunto de interacciones entre ellos delimita un campo de la acción pública que denominaremos la arena de la política turística (Capítulo 1).

Tras ello, podremos centrar nuestra atención en un segundo asunto. A pesar de la importancia del turismo como fenómeno socioeconómico y cultural y de ser objeto de acción pública durante más de cincuenta años no existe prácticamente literatura que analice la posición del Estado respecto del turismo, la evolución de la intervención pública o, en el caso de existir, los programas de acción gubernamentales diseñados para esta actividad. Reflexionaremos sobre las cuestiones que pueden haber influido en que el análisis de política turística sea escaso y casi inexistente desde una perspectiva politológica y propondremos una definición de política turística que permita avanzar en dicha línea de investigación (Capítulo 2).

Por último, dedicaremos un capítulo al desarrollo de algunos elementos básicos que designan aspectos sustantivos de la política turística. Su identificación y posterior depuración pretende contribuir a la construcción de un entramado conceptual básico que permita detectar, de entre todos los aspectos que configuran la política turística, aquéllos que resultan relevantes para la investigación. La propuesta de cuáles son los factores críticos de la política turística habrá de hacerse de manera paulatina, con la participación de otros investigadores, nosotros exponemos nuestra posición con la pretensión de que se convierta en un estímulo para la depuración de los conceptos. Los elementos sobre los que reflexionamos son las funciones del Estado en relación con el turismo y los objetivos, instrumentos y destinatarios de la política turística (Capítulo 3).

Capítulo 1
EL SISTEMA TURÍSTICO

El turismo, como todo fenómeno social, presenta una naturaleza compleja. Se le denomina multifacético, multi-sectorial, multiforme..., adjetivos todos que pretenden insistir en la dificultad de comprender en su totalidad un hecho que pone en relación aspectos muy diversos y que puede ser analizado desde distintas perspectivas.

Si realizamos una descripción de cada uno de sus componentes de manera sucesiva podríamos decir que el turismo es una actividad social y una actividad económica, producidas ambas por el sector público y el sector privado, y que genera impactos socio-culturales y económicos[6].

Si destacáramos la imagen de elementos que se relacionan diríamos que el turismo, en su cotidiano desarrollo, implica la interrelación de actores públicos, privados y del tercer sector, actuando desde cualquiera de los subsectores en los que la actividad se diversifica, y los bienes materiales e inmateriales que constituyen la esencia de los diferentes productos turísticos que hoy se ofertan, configurando lo que podríamos denominar el sistema turístico[7].

---

[6] Para consulta sobre los diversos componentes del turismo y su desarrollo conceptual actual ver, en otros, las actas de los Congresos de la AECIT (1995, 1996, 1997, 1998, 1999, 2000, 2001, 2002) y de los Congresos de la Fundación Universidad Empresa (VV.AA.: 1998, 1999, 2000, 2001, 2002).

[7] La idea de representar los fenómenos sociales como sistemas fue introducida en el campo de la Ciencia Política por Easton (1953,1965). El autor propuso entender el sistema político como un conjunto de elementos interrelacionados, en donde las entradas (demandas y apoyos sociales) accedían a la "caja negra" del proceso decisorio que las reconvertía en salidas (decisiones y políticas públicas) transformándose, de nuevo, en estímulos de nuevas demandas y apoyos. La metáfora recibió críticas importantes: se utiliza el sistema biológico como referente-imagen siendo aquel un sistema con un nivel de regularidades mucho mayor que el sistema político; parece que se trata de un modelo descriptivo, pero la idea de sistema presenta un orden ideal que no existe en la realidad: las demandas, muchas veces, se crean o inducen desde la

Nos extenderemos algo más en ambas representaciones.

El turismo es, al tiempo, la actividad social de desplazarse a un entorno diferente del lugar de residencia habitual con intención de regresar, y el sector económico que sustenta dicha actividad.

Como actividad social ha ido ocupando, de manera paulatina, una posición estable entre las actividades que de manera ordinaria, aunque con diferentes niveles de frecuencia, realizan los ciudadanos. Al superarse el criterio de la motivación para distinguir entre viajes y turismo, se subsumen desplazamientos motivados por razones distintas al ocio y el turismo se ve afectado por otras características de las sociedades actuales, como la movilidad geográfica laboral o la globalización económica, que conllevan patrones de comportamiento asimilables a los turísticos.

Como actividad económica baste señalar que, según la OMT, en los últimos quince años los ingresos por turismo internacional han crecido 1,5 más deprisa que el PIB mundial. En 1998, el turismo internacional representó un 8 por 100 de los ingresos mundiales totales por exportaciones, lo que significó que el turismo internacional fue el sector que generó más ingresos, por delante de los sectores del automóvil, la industria química, la industria alimenticia o el petróleo. La OMT estimó que el 4 por 100 del empleo mundial eran puestos de trabajo directos en el sector y que son millones los puestos de trabajo indirectos (OMT, 1999). Tras la coyuntura provocada por los atentados del 11 de septiembre en Nueva York, el turismo vive una etapa de incertidumbre que no puede llegar a calificarse de crisis, en la que, sin haberse dado un descenso del volumen total de actividad, se ha provocado un cambio en el comportamiento de los turistas, que han aumentado su preferencia por

---

propia caja negra (Cotarelo, 1982), las decisiones y políticas no siempre se ponen en marcha, siendo suficiente, en algunos casos, la imagen de que se va a actuar, más que la propia actuación (Edelman, 1971); además, el funcionamiento de la caja negra no es uniforme: suponiendo que la demanda es formulada y accede al núcleo decisorio, éste no es un mecanismo de conversión sujeto a funcionamientos predeterminados, de hecho, ni siquiera es un núcleo, son varios, compuestos por actores diversos, con distintos intereses y recursos (Hall, 1997:22). A pesar de las críticas, la metáfora sigue teniendo una altísima utilidad para representar, de un modo accesible, la complejidad de los fenómenos compuestos por elementos identificables que se relacionan entre sí.

los destinos de sus propios países o que, en caso de desplazarse, prefieren hacerlo por coche o tren. Aún así, los datos globales son positivos: los ingresos mundiales por turismo internacional ascendieron en 2003 a 474.000 millones de dólares (501.000 millones de euros), lo que representa 1.300 millones de dólares diarios o unos 675 dólares por cada llegada turística (OMT, 2003).

En relación con los viajes de ocio, las previsiones que hace esta institución hasta el año 2020 señalan un crecimiento sostenido en todas las variables: incremento del porcentaje de la población que accederá a la actividad; aumento, por tanto, del número de turistas; mayor número de viajes al confirmarse la tendencia de fraccionar los periodos de vacaciones; aumento de los países receptores; motivaciones diferenciadas; mayor diversidad en los productos turísticos que se ofertan para cubrirlas... (OMT, 1998).

El turismo descansa tanto en el sector público, como en el sector privado. Siendo un fenómeno basado en un sector económico básicamente privado, una parte fundamental de la oferta que caracteriza al producto turístico son bienes públicos que los Estados gestionan (naturaleza, historia, cultura...) y bienes públicos que los Estados producen (seguridad, infraestructuras, sistema sanitario...).

De hecho, los expertos señalan como un elemento diferenciador de enorme peso en la oferta estos bienes, cuya protección y gestión escapa ampliamente de las manos del sector privado.

El turismo genera impactos económicos y socioculturales. En cuanto a impactos económicos, el primero de estos efectos, al menos el que primero llamó la atención de los decisores públicos, es la importancia que la actividad tiene en la balanza de pagos. Más tarde se han ido sumando el carácter dinamizador del turismo como motor de desarrollo económico en zonas con graves dificultades para mantener otras actividades, el carácter intensivo en empleo del sector, las economías externas que produce, etc. En cuanto a impactos no económicos, la actividad origina dinámicas que entran en conflicto, de manera creciente, con valores que han ido ascendiendo en la escala de los ciudadanos de las sociedades postindustriales occidentales, como la protección del medio ambiente (problemas de contaminación o de consumo de agua), de uso abusivo del territorio (saturación de determinadas zonas, o crecimiento desigual de infraestructuras públicas) o la preocupación por la defensa del patrimonio cultural, tanto frente a la extensión de una pseudo-cultura global que acaba por destruir expresiones culturales minoritarias que han de adaptarse a las necesidades de los nuevos visitantes, como frente a los problemas de gestión, concretos pero en extremo preocupantes, como el límite de capacidad de carga de bienes culturales que se han convertido en grandes atractivos turísticos.

Desde una perspectiva dinámica, representando el turismo con una imagen de sistema[8], encontramos que el fenómeno pone en relación tres subsistemas: el subsistema de la acción turística, el subsistema de los actores y el subsistema de los productos turísticos (cuadro 1.2).

CUADRO 1.1.:EL SISTEMA TURÍSTICO

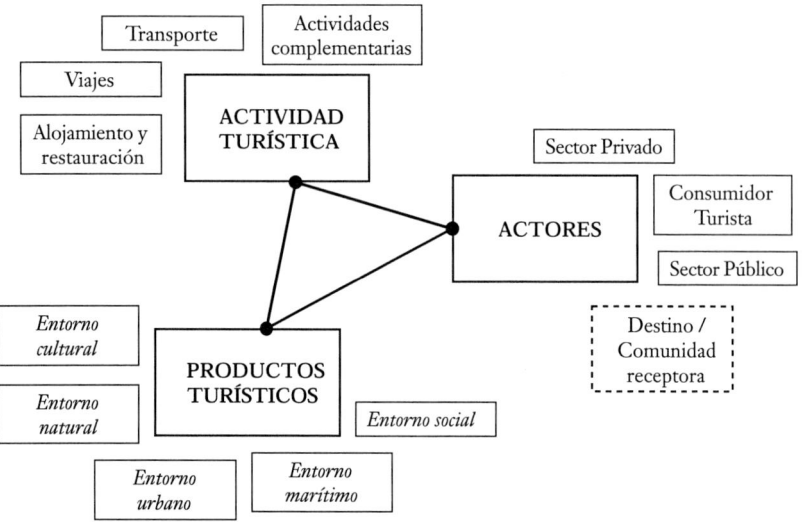

(Fuente: Elaboración propia)

---

[8] Otros autores han utilizado previamente esta imagen como Acerenza, 1984:168 y, especialmente, Vera et alli (1997:40 y ss.) aunque no compartimos la descripción que realizan de los componentes que tendría el sistema turístico.

1. LAS ACTIVIDADES TURÍSTICAS

En el **subsistema de actividad turística** encontramos el entramado de actividades que hacen posible la acción en sí, mediante la provisión de determinados bienes y servicios al mercado, dentro de un esquema de funcionamiento que es continuamente re-diseñado tanto por el sector público, como por el privado.

Los cuatro tipos básicos de actividades son: las tendentes a facilitar el alojamiento y manutención de los turistas, las que tienen por objeto la organización y facilitación del viaje, las que realizan de hecho el transporte y las que prestan servicios complementarios[9].

1) Las actividades que tienen que ver con el alojamiento y manutención, son los subsectores empresariales del *alojamiento* (con toda la gama de establecimientos que existen: Paradores, hoteles, hostales, campings, ciudades de vacaciones, apartamentos de alquiler, etc.) y de *restauración* (restaurantes, bares, cafeterías, catering, etc.)[10].

En nuestro país, desde los años sesenta, el sector hotelero se convirtió en el núcleo tradicional de las reflexiones sobre el sector turístico y, por motivos similares, fue objeto de una intervención pública sostenida con distintos objetivos: control de precios, sistemas de clasificación homogéneos reconocibles por consumidores extranjeros o nacionales, garantizar niveles de seguridad e higiene, potenciar el aumento de calidad...

El subsector de la restauración siempre recibió una atención menor, tanto por ser considerado como complementario del anterior como por la complejidad que suponía diferenciar la cuota de actividad relacionada con el turismo de la que no estaba en relación con el mismo.

2) Las actividades que tienen por objeto la *intermediación* o comercialización del viaje, se llevan a cabo por las agencias de viajes

---

[9]   Lo que nosotros llamamos subsistema de actividad turística constituye el núcleo de una disciplina tradicional de los estudios de turismo que recibió el nombre de "estructura del mercado turístico". Las publicaciones sobre este tema profundizan sobre lo expuesto (Dorado y García, 1995; Fernández Fuster, 1997; Vogeler, 2001).

[10] Cerra y otros (1990); Dorado (1996); Martorell (2002).

(minoristas), los turoperadores (mayoristas) y las de carácter mixto (agencias mayoristas-minoristas)[11].

Las acciones públicas han desarrollado una actividad de reglamentación y control del tejido empresarial y, por otro lado, políticas de protección del consumidor que, especialmente ante los turoperadores, se encuentra en una posición de desigualdad manifiesta.

Los nuevos sistemas informáticos han favorecido la aparición de las actividades de *distribución*, sistemas como los GDS conforman una nueva actividad que, junto a otros sistemas de gestión de información como el propio Internet, plantean una nueva realidad al subsector dedicado a la organización del viaje.

3) Las actividades relacionadas con el *transporte* se articulan en torno a los agentes que, desde empresas públicas o privadas, explotan el transporte turístico por carretera (tren, vehículos de alquiler, autobuses, etc.), por mar (alquiler de embarcaciones, cruceros, etc.) o por aire. La actividad pública comprende desde el desarrollo normativo de la actividad, hasta la explotación directa[12].

4) Los *servicios complementarios* son todos aquellos que facilitan o enriquecen la estancia del turista. Pueden encuadrarse aquí desde los servicios de información, prestados por guías o empresas especializadas, hasta ofertas de ocio, como los parques temáticos.

Todos estos aspectos reclaman una relación intensa entre una pluralidad de actores públicos y privados. Pluralidad en cuanto al número y en cuanto a los intereses que representan. El turismo afecta a los subsectores mencionados y, por su carácter de fenómeno transversal, condiciona y se ve condicionado por decisiones públicas sobre economía, obras públicas, medio ambiente o planificación del territorio, entre otros. Competencias que recaen con distinto título en las diversas administraciones territoriales.

[11] González (1997); Albert (1999).
[12] Juan y Peñalosa (1980); Madrazo (1984); Blasco (2001).

2. LOS ACTORES TURÍSTICOS

El **subsistema de actores turísticos** está compuesto por tres grupos diferenciados: los decisores públicos con competencia en la materia; los agentes privados que sustentan el sector turístico y el consumidor turista[13].

1) En materia de turismo los *actores públicos* con competencia pertenecen a los tres niveles territoriales de gobierno: estatal, autonómico y local.

El artículo 148.1.18 de la Constitución Española dispone que las Comunidades Autónomas podrán asumir competencias en materia de: "promoción y ordenación del turismo dentro de su ámbito territorial", recogiéndose la competencia exclusiva en materia de turismo en todos los Estatutos de Autonomía[14].

Las funciones que se reserva el Gobierno Central son: a) Las relaciones internacionales, informando a las Comunidades Autónomas de los convenios internacionales que afecten al turismo para que éstas puedan aportar las medidas necesarias para su ejecución; b) La coordinación de la ordenación general de la actividad turística; c) Legislación en materia de agencias de viajes que operen en más de una Comunidad Autónoma; d) Promoción y comercialización del turismo en el extranjero y las normas y directrices a las que se sujetarán las Comunidades Autónomas cuando lleven a cabo actividades de promoción turística en el extranjero y d) Las condiciones de obtención, expedición y homologación de los títulos profesionales del turismo.

---

[13] Existiría un cuarto grupo diferenciado, la comunidad receptora o el destino. Pero hemos preferido incorporarlo como "destinatario" de las políticas públicas, ya que, hasta la fecha, no puede afirmarse que haya ocupado un lugar entre los actores relevantes del sistema turístico.

[14] País Vasco: Art. 10.36 EA; Cataluña: Art. 9.12 E.A.; Galicia: Art. 27.21 EA; Andalucía: Art. 13.17 EA; Principado de Asturias: Art. 10.1.ñ. E.A.; Cantabria: Art. 22.16 E.A.; La Rioja: Art. 8.1.15 E.A.; Región de Murcia: Art. 10.1.n E.A.; Comunidad Valenciana, Art. 31.12 E.A.; Aragón: Art. 35.1.17 E.A.; Castilla-La Mancha: art. 31.1.ñ E.A.; Canarias: art. 29.14 E.A.; Navarra: art. 44.13 LORAFNA; Extremadura: art. 7.17 E.A.; Islas Baleares: art. 10.9 E.A.; Comunidad de Madrid: art. 26.16 E.A. y Castilla y León: art. 26.15 E.A.

Asimismo, los municipios tienen recogida su competencia en el artículo 25.2 m) de la Ley 7/1985 de Bases del Régimen Local, aunque en el desarrollo de sus actuaciones asumen de hecho un protagonismo mayor, en tanto que son los actores que gestionan las múltiples cuestiones que aparecen relacionadas con la percepción del destino turístico concreto y las tensiones que sufre la comunidad receptora[15].

El carácter transversal hace que otros actores públicos, aún no teniendo un título competencial directo, se conviertan en agentes estratégicos, al diseñar y poner en marcha actuaciones con incidencia directa. La búsqueda de sistemas de coordinación administrativa ha sido una constante en el desarrollo de la política turística en todos aquellos países en que el turismo se convirtió en un factor económico estratégico.

Además de las figuras administrativas tradicionales, existen otros entes públicos, creados al amparo de múltiples fórmulas instrumentales, que ejercen un papel a medio camino entre lo público y lo privado[16].

2) Los *actores privados*, de los que forman la parte fundamental los representantes de los subsectores que describíamos en el epígrafe anterior.

Junto a ellos encontramos a los representantes de los sectores que suministran los bienes básicos para el mantenimiento de la actividad y los subsectores complementarios.

Además encontramos, bajo diferentes formas jurídicas, instituciones que representan distintos intereses privados no lucrativos directamente afectados por el turismo[17].

---

[15]   La legislación estatal sobre la organización municipal prevé que se puedan desarrollar regímenes especiales municipales si existen características especiales que así lo aconsejan. Este sería el caso de los municipios turísticos. Las formas que la figura de municipio turístico ha ido adoptando, cuya potencialidad real depende de las normativas de las Comunidades Autónomas, son analizadas por Suay y Rodríguez (1999) y Razquin (2000).

[16]   Las diferentes figuras creadas por el sector público, o por el sector público junto con el privado, se desarrollan más adelante al estudiar los instrumentos organizativos.

[17]   Son instituciones cuya labor principal es la reflexión (Asociación Internacional de Expertos en Turismo, Asociación Española de Expertos en Turismo), la difusión de una modalidad de turismo (Bureau International du Turisme Social —BITS—, Asociación Internacional de Turismo Social —IAST—),o incluso la realización de viajes culturales, deportivos o sociales.

3) El turismo tiene un *consumidor especial*, el turista, cuyo rasgo diferenciador es su condición de "ciudadano temporal". La reflexión sobre este aspecto es aún muy escasa, pero encierra cuestiones de enorme interés en tanto que plantea el conflicto de actuación de los decisores públicos para una población flotante que no participa del régimen habitual de derechos y obligaciones en su territorio.

La debilidad que supone residir ocasionalmente en un entorno desconocido justifica una protección singular por parte de los poderes públicos[18].

Por otro lado, las características objetivas de determinados grupos de turistas son el punto de partida para articular determinados productos que podríamos denominar "productos basados en el perfil": el turismo de la tercera edad, el turismo para jóvenes o el turismo para discapacitados ("turismo accesible"), englobados todos dentro del denominado turismo social[19], o los productos turísticos diseñados y organizados para un grupo específico de trabajadores, como sería el caso de los viajes de incentivos[20].

3. LOS PRODUCTOS TURÍSTICOS

El **subsistema de productos turísticos** comprende el entramado de recursos que han sido elaborados por el sector y transformados en

---

[18]   Diferentes autores reflexionan sobre la particular posición jurídica de estos "residentes temporales", ver, entre otros Morell (2000).

[19]   Fernández Marcos (1959); Lanquar (1984); VV.AA. (1986, 1992, 1993, 1997); Ortega (1989); OMT (1992); Secretaría General de Turismo (1993), Unión Europea (1996); Marcos y otros (2003). En especial, Muñiz (2001), con un trabajo monográfico, en el que encontramos la siguiente definición de turismo social "*el conjunto de actividades que genera una demanda turística caracterizada esencialmente por sus escasos recursos económicos, de manera que el acceso al ocio turístico puede producirse sólo mediante la intervención de unos agentes operadores que actúan tratando de maximizar el beneficio colectivo*" (2001:43).

[20]   Los viajes de incentivos constituyen un producto específico, altamente especializado, cuyo objetivo es convertir un viaje en un elemento de motivación en trabajadores de una empresa y aprovechar la realización del mismo para desarrollar políticas de recursos humanos de la propia empresa. Su especificidad radica, precisamente, en que no se trata de organizar el viaje en sí, sino de trabajar con los responsables de recursos humanos de las empresas para garantizar el funcionamiento del programa.

ofertas. Hemos optado por hablar de productos turísticos en lugar de recursos por considerar que debíamos de concentrarnos en la imagen de la actividad turística y no en la potencialidad que supone los diferentes desarrollos de los bienes.

Los hemos agrupado en cinco categorías de referencia que deben ser consideradas como meros instrumentos analíticos que permiten una exposición organizada de los productos turísticos que se desarrollan en relación con ellas: entorno marítimo, entorno natural, entorno urbano, entorno social y entorno cultural.

CUADRO 1.2. PRODUCTOS TURÍSTICOS

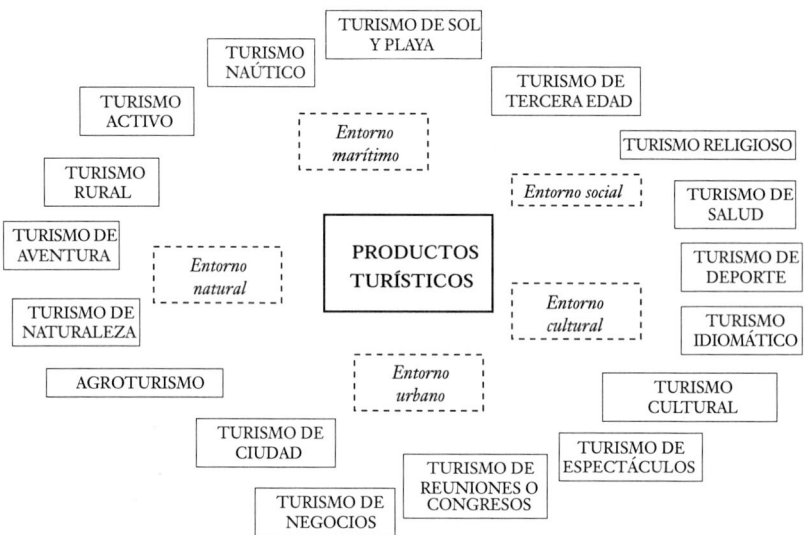

(Fuente: Elaboración propia)

1) En el *entorno marítimo*, la línea de costa, con los municipios costeros y el mar, se desarrolla como producto básico el **turismo de sol y playa**[21], que también recibe el nombre de turismo de litoral. Ocupa el porcentaje más alto del total del mercado, superando el 70 por 100. Fue, y

---

[21]   Vera (1991); Molina (1996); Turespaña (1999); Fraile (2002).

sigue siendo, el producto básico de nuestro país como destino turístico, especialmente en los dos archipiélagos, Canarias y Baleares, en Cataluña y en Andalucía. Los problemas de mayor importancia vinculados a este producto son, desde la perspectiva del sector económico, la estacionalidad[22], desde la sociología, los problemas relacionados con la aculturación y los impactos del turismo de masas, y desde la perspectiva de la gestión pública, todos los relacionados con la planificación de nuevas zonas y la problemática de las zonas saturadas.

También se desarrolla en este entorno el **turismo náutico**[23]. En instalaciones náutico-deportivas, España ocupa el tercer lugar en Europa, tras Italia y Francia en dichas instalaciones se realizan actividades de pesca, vela o actividades subacuáticas. Los **cruceros**[24] son un producto en etapa de claro crecimiento.

2) El *entorno natural* comprende aquellas partes de la geografía en donde el contacto con el medio natural se convierte en un elemento central de la actividad turística. Los tipos de turismo que se desarrollan en este entorno son el turismo rural, el agroturismo y el turismo activo.

El **turismo rural**[25] es un producto turístico cuyo objetivo es el contacto con el medio rural[26]. El turismo rural es aún un producto desvertebrado tanto por su relativa juventud, como por la peculiaridad del empresariado que lo promueve, en su mayor parte trabajadores del sector primario que ven una oportunidad de reconversión de sus activi-

---

[22] *"Los múltiples estudios realizados en este sentido revelan como única solución válida, la gestión sostenida del destino desde una óptica exclusivamente turística, lo que se resume en asumir, por parte de la población receptora, la actividad turística como prioritaria en un destino y gestionar los recursos e infraestructuras del mismo acorde, tanto a sus propias necesidades, como a las de las de la demanda de visitantes"* (Rossel, 2000:649)

[23] Méndez de la Muela (1998, 2002); Instituto de Turismo de España (1999); Esteban (2000); Cano (2001).

[24] Instituto de Turismo de España (1999).

[25] Bote (1988); Bardón (1990); Castroviejo (1992); Muñoz de Escalona (1992, 1994); Marchena (1993); Instituto de Estudios Turísticos (1994); VV.AA. (1994, 1995); Blanco (1996); Valenzuela (1997); Butler (1999); Valdés (2000).

[26] Ya en el año 1967 se definía por la Administración Turística el turismo rural como el producto cuya motivación era *"el acercamiento hacia los atractivos naturales y culturales del área rural"* y que atraía a turistas interesados en *"deportes de caza y pesca, el turismo itinerante, de carácter naturalista o cultural, el turismo vacacional, de descanso y el turismo de estancia corta o de fin de semana"* (Ministerio de Información y Turismo, 1967:54).

dades tradicionales. Se desarrolló inicialmente en Navarra, Aragón y Andalucía, con el impulso que supusieron los programas europeos, especialmente el Programa Leader en los primeros años de la década de los noventa[27]. En la actualidad recibe una atención preferente en todas las Comunidades Autónomas, en especial las del interior y norte del país. Engloba dos subproductos: el agroturismo, o turismo que se realiza en explotaciones agrícolas o ganaderas del medio rural que aún mantienen su actividad principal, y el turismo en medio rural.

El **agroturismo** también fue un producto potenciado desde la Unión Europea, su característica distintiva es que se buscaba que fuera el propio agricultor o ganadero quien, en sus granjas o caseríos que seguirían manteniendo la actividad tradicional, debía convertirse en pequeño empresario turístico. En nuestro país se ha desarrollado en el País Vasco y, algo menos, en Cataluña.

El **turismo activo**[28] se basa en la realización de un deporte en naturaleza. Es uno de los productos turísticos más jóvenes pero, según los análisis, con mayor potencial. Se trata de disfrutar de la naturaleza pero no de forma contemplativa, sino mediante la práctica de un deporte que sólo puede practicarse en ese entorno. Se ha incorporado a la oferta desde el momento en que hay empresas especializadas en organizar dichas actividades. *"Está habitualmente asociado a otros segmentos de mercado como turismo rural, el ecoturismo y turismo de aventura"* (Costa et allí; 2000:779).

También podrían englobarse en este entorno las actividades tradicionales que tradicionalmente se consideraban de **turismo deportivo**[29]: el golf, el esquí, la caza y la pesca fluvial.

3) En el *entorno urbano* se desarrolla el turismo de ciudad o turismo urbano y el turismo de negocios y congresos.

---

[27] *"Del total de fondos movilizados por la iniciativa Leader I en España, el 51,8% se destinaron al desarrollo turístico de las zonas rurales, lo que supuso una inversión en esta actividad de 24.541 millones de pesetas... El impacto del Leader I en lo que a turismo rural se refiere ha sido indiscutible"* (Soret, 2000:725).

[28] VV.AA. (1995); Garau (2000); Neil y otros (2000).

[29] VV.AA. (1983, 1985, 1999); Secretaría General de Turismo (1985, 1987a, 1987b; 2001, 2002); Arcas (1993); Martos (1999); Tudela (1999); Blanquer (2002); Latiesa (2002).

Se denomina **turismo urbano**[30], de ciudad, o metropolitano al producto turístico cuyo atractivo principal es la ciudad, globalmente considerada. La ciudad con sus elementos estructurales (patrimonio edificado, comercio especializado, casinos, etc.) o coyunturales (acciones de atracción) se convierte en el destino turístico.

El turismo urbano "*se ha caracterizado por el paso desde una concepción romántica de la visita urbana... hacia una consideración del turismo urbano en estrecha relación con el disfrute del patrimonio histórico monumental y los recursos comerciales y de negocio de la ciudad... la última fase del proceso evolutivo de la ciudad turística la componen nuevas formas de turismo urbano y metropolitano, caracterizadas por la ampliación, segmentación y especialización de la demanda, junto al desarrollo de procesos de fragmentación, flexibilización y tecnologización de la oferta conforme a los nuevos desafíos de un mercado cada vez más competitivo*" (Cases y Marchena, 1999:655).

El **turismo de negocios**[31] engloba distintos productos turísticos cuya característica común es que el viaje responde a cuestiones profesionales.

Las Ferias[32], o encuentros para la exhibición de productos, han perdido su carácter puramente comercial y se han convertido en espacios de intercambio de información, más allá de los productos innovadores que se presenten en ellas. Entre los diferentes formatos que tales encuentros tienen, se distingue entre ferias (con una periodicidad determinada) y exposiciones (sin periodicidad); generales y sectoriales (según su contenido), ámbito geográfico que abarcan y público al que van dirigidas (profesionales, público en general o mixtas).

Dentro del turismo de reuniones ocupa un lugar destacado el **turismo de congresos o reuniones**[33] reúne una amplia tipología de encuentros durante los cuales profesionales de una misma área intercambian conocimientos, información y se facilita, mediante el contacto personal, la creación de redes personales entre ellos. Adoptan formatos diferen-

---

[30] Bote (1995); Campesino (1996, 1998); Marchena (1995, 1998); Ortuno (1995); Page (1995); Latiesa (1999).
[31] Puchalt (2000).
[32] VV.AA. (1989); Fayos-Solá (1993); OMT (1998); Spain Convention Bureau (1997, 1998, 1999, 2002, 2003); Sebastián (1999); Aguilar y otros (2000); Instituto de Turismo de España (2002).
[33] Herrero (2000), Valle (2002).

ciados: congresos, conferencias, reuniones, simposios, cursos, jornadas, seminarios, convenciones, etcétera.

Como producto turístico resulta de interés el hecho de que el consumidor-tipo tiene un poder adquisitivo medio/alto, con una media de gasto más alta que la existente en otras modalidades y más repartida provocando un impacto económico disperso. Con intención de fomentar su práctica y promocionar una ciudad como sede de la actividad se crean los "Convention Bureau" encargados de comunicar de manera global todos los aspectos que intervienen en este tipo de turismo: la calidad de la sede en donde se realice el congreso, el nivel de infraestructuras de comunicación de la ciudad, la capacidad y calidad hotelera y los atractivos turísticos complementarios.

4) En el que hemos denominado *entorno social* se desarrollan productos turísticos en los que la motivación del turista está relacionada con otros valores sociales que se imponen al valor ocio.

El **turismo de salud**[34] es, como vimos, un producto vinculado a los mismos inicios de la actividad turística. Se desarrolló alrededor de balnearios que ofertaban, además de un espacio para el ocio, la cercanía de manantiales de aguas mineromedicinales con propiedades curativas para distintas afecciones. Tras varios años en que prácticamente desapareció, al imponerse una idea de ocio desvinculada de la mejora de la salud, ha vuelto a resurgir, tanto en su idea original, mediante la oferta de terapias de distinto tipo, como en una nueva concepción, en la que pretende cubrir la demanda de espacios de descanso y tranquilidad opuestos al ritmo diario de vida estresante o al ritmo de acción de otros productos turísticos.

El **turismo religioso**[35] presenta como motivación central la participación en la celebración de una actividad de culto, no la simple visita a monumentos religiosos para su contemplación. Existen destinos cuya única oferta gira alrededor de una manifestación religiosa (como Lourdes o Fátima) y ésta pone en marcha a la industria turística. En coherencia con una de las tesis de este libro, que defiende que el turismo que nosotros analizamos es una actividad que se configura y desarrolla en el siglo

---

[34] Melgosa (2000), Rodríguez (2003).
[35] Esteve (2002).

XX, consideramos que no puede afirmarse que las peregrinaciones religiosas de la Edad Media, como el Camino de Santiago, deban verse como las primeras manifestaciones de turismo religioso.

5) En el *entorno cultural* estarían todas las manifestaciones de la cultura, materiales e inmateriales que se convierten en la motivación central del producto turístico.

La cultura ha sido una motivación histórica del viaje que se intensificó durante el Siglo XVIII en Europa cuando la alta aristocracia inglesa comenzó a mandar a sus hijos, como complemento de su formación, a conocer *in situ* los exponentes más reconocidos del patrimonio cultural europeo. Por emulación, durante el Siglo XIX, será la burguesía urbana la que comience a realizar viajes de esa naturaleza. Esa es la razón por la que las primeras iniciativas en nuestro país, tanto públicas como privadas, destinadas a promocionar el turismo hacia España utilizaran los bienes culturales como elemento básico de la promoción.

El **turismo cultural**[36], tal y como lo entendemos hoy, se intensifica en la década de los ochenta, momento en que coincide una etapa de madurez del mercado turístico con un cambio en las tendencias de las motivaciones del turista que reflejan la revalorización social de la cultura y la recuperación de ésta como elemento fundamental en el ocio. Si observamos la oferta de turismo cultural podemos distinguir entre el *turismo de Patrimonio Cultural* y el que tiene por objeto *eventos culturales efímeros* (conciertos, festivales, happenings...).

El Patrimonio Cultural, y las actividades que se generan en torno a él, se convierten en el núcleo de una tipología de turismo: los Bienes de Patrimonio Cultural (monumentos, museos, yacimientos, parques arqueológicos...), las rutas culturales o las exposiciones de Bienes de Patrimonio, son objeto de interés de un número creciente de turistas.

---

[36] Ashworth y Tunbridge (1990); Boniface (1993); OMT/ICOMOS (1993); Prentice (1993); Ashworth y Larkham (1994); Vera (1995); Campesino (1996, 1998); Richards (1996); Troitiño (1996); Magaz (1996); AECIT (1997); Marchena (1998); OMT (1999); Herrero (2000); Bensusan (2001); Calle (2001); Cebrián (2001); Instituto de Turismo de España (2001a, 2001c, 2002); Fraile (2002); VV.AA. (2002) García Hernández (2003).

Las investigaciones llevadas a cabo en los últimos años sobre la oferta y la demanda cultural han permitido que se elaboren propuestas sobre qué es el turismo cultural, cuáles son sus consumidores y cuáles sus ofertas más consolidadas. Una de las que ha generado mayor consenso es entender el turismo cultural como aquel viaje cuya motivación está relacionada con el aprendizaje, más concretamente con el conocimiento de manifestaciones culturales que ayuden al enriquecimiento humano (Richards, 1996). En este sentido, los Bienes de Patrimonio Cultural son especialmente interesantes puesto que ya han sido previamente escogidos por su representatividad cultural.

Pero el crecimiento del turismo de patrimonio cultural acarrea una problemática compleja que vuelve a poner de manifiesto la necesidad de reflexionar sobre la naturaleza de la actividad.

> *Cualquiera que sea su motivación y los beneficios que entraña, el turismo cultural no puede considerarse desligado de los efectos negativos, nocivos y destructivos que acarrea el uso masivo e incontrolado de los monumentos y los sitios. El respeto a éstos, aunque se trate del deseo elemental de mantenerlos en un estado de apariencia que les permita desempeñar su papel como elementos de atracción turística y de educación cultural, lleva consigo la definición y el desarrollo de reglas que mantengan niveles aceptables.* (Carta del Turismo Cultural. ICOMOS, 1976) .

El conjunto de bienes, materiales e inmateriales, que conforman el Patrimonio Cultural viven en la actualidad la tensión entre la oportunidad que podría representar el ser apreciados y defendidos por un número cada vez mayor de ciudadanos y los riesgos que supone la actividad turística para estos bienes que, por diferentes razones, son especialmente sensibles. Cuestiones como el uso turístico de bienes que deben mantener el uso social que les es propio y que se ve profundamente alterado por la actividad turística, el acceso a bienes y monumentos culturales de titularidad privada, la expectativa generada respecto a determinados bienes de patrimonio que reciben un altísimo número de visitantes, la reinversión de parte de los beneficios de la actividad en el mantenimiento, protección y mejora o la protección de bienes culturales delicados como el patrimonio etnográfico, conforman distintos aspectos del debate actual sobre la actividad. Esta problemática es un claro exponente de la necesidad de que el sector público asuma un papel activo para lograr un desarrollo sostenible.

Dentro del turismo cultural merece una mención el **turismo idiomático**[37], que empieza a ser tenido en cuenta en nuestro país muchos años después de que fuera un producto básico en los de habla inglesa. Se considera que forman parte de esta categoría aquellas personas que vienen a aprender español y participan de un programa de formación impartido por universidad, escuelas oficiales de idiomas o escuelas privadas. Las diferentes tipologías de alumnos permite que se configuren también diversos programas: para menores con un programa en tutoría, grupos profesionales con lenguaje especializado...

Con esta imagen de relaciones entre actores, actividades y productos es posible evidenciar la multiplicidad de perspectivas que componen el turismo. Pero, al tiempo, también queda de manifiesto que la complejidad no significa que no pueda describirse de una manera sencilla el ámbito de la realidad para el que se diseñan e implantan las políticas públicas turísticas.

---

[37] Instituto de Turismo de España (2001b, 2001c, 2002); Pérez Navarro (2002).

Capítulo 2
LA POLÍTICA TURÍSTICA

La importancia del turismo en la economía nacional, su capacidad de equilibrar las balanzas de pagos, los efectos multiplicadores de una actividad del sector de los servicios que genera un alto nivel de empleo, la atracción de capital inversor externo, el hecho de que las inversiones subsecuentes queden, en su mayor parte, radicadas en el país que las capta, la posibilidad de ser utilizado como instrumento de desarrollo en zonas que carecen de otras alternativas, la alta inversión en infraestructuras públicas que conlleva, los problemas que genera la falta de planificación urbanística... Todas estas cuestiones ya eran conocidas por los gobiernos en los años sesenta y setenta del pasado siglo y no sólo por el de España, también por el de Estados Unidos, Inglaterra, Francia, Alemania, Italia o Suiza, entre otros países.

Hasta la II Guerra Mundial, el turismo había crecido lo bastante como para llamar la atención de los gobiernos occidentales y, una vez finalizada aquella, se incorpora como ámbito de actuación en el Plan Marshall de ayudas al desarrollo europeo. Durante los años posteriores, en la mayor parte de los gobiernos occidentales se crea algún tipo de estructura gubernamental con el objeto de intervenir en el sector. Y también es el momento en que el hecho turístico comienza a investigarse de forma estable por determinadas áreas de conocimiento[38].

---

[38]   Desde el origen, y al igual que ocurre con cualquier fenómeno que recibe la atención de una comunidad científica, dan comienzo los diversos intentos de definir el objeto de estudio y las primeras reflexiones sobre si existía una metodología propia que permitiera hablar de una "Ciencia del Turismo" y, salvo alguna postura individual (caso del geógrafo Jovicic que defendía que el turismo debía ser la base de una nueva ciencia, la "turismología", que haría uso de metodologías provenientes de otras disciplinas), los investigadores mantienen que la horizontalidad del fenómeno no permite que ninguna de las parcelas de conocimiento existentes sea capaz de explicarlo en su totalidad. El análisis del turismo debe realizarse desde diversas disciplinas haciendo uso de los marcos teóricos y las metodologías propias desarrolladas en los diversos ámbitos científicos.

Desde la Economía se empezará a trabajar sobre diversas cuestiones como la elaboración de conceptos que permitieran medir las distintas variables macroeconómicas que el turismo implica[39]; la relación entre turismo y desarrollo[40]; dentro del campo de la Economía Política se analiza la política económica aplicable al sector[41], o el denominado turismo social, turismo fomentado por los poderes públicos o por organizaciones sindicales similar a un programa de política social que trata de facilitar a colectivos de trabajadores con rentas bajas el disfrute de esta actividad[42].

Desde la Sociología, entendiendo que la nueva actividad modifica las conductas de quienes la realizan así como de las sociedades receptoras, la reflexión abarca el rol del turista, el papel del propio turismo en la sociedad, o los problemas de aculturación e impacto social de la actividad[43].

En el área de la Psicología los análisis se centraron en los estudios de motivaciones, que luego serían aplicados en otras parcelas de conocimiento. En un área intermedia, aparecen los primeros trabajos sobre promoción de la actividad, tanto desde el sector privado como desde el sector público, estudios que se han ido desarrollando conforme avanzaban los conocimientos de marketing y de comercialización de bienes y servicios, gracias al perfeccionamiento de las técnicas de investigación social.

En el ámbito de la Geografía se analizan los impactos que en el territorio produce el turismo, las corrientes o flujos turísticos, la ordenación del territorio, o la planificación de los recursos existentes[44], entre otros aspectos.

[39] Figuerola (1976, 1985), Lanquar (1991).
[40] Bote (1980, 1988, 1993, 1996 b).
[41] Cals (1987); Figuerola (1993); Aguiló (1996); Aguiló y Vich i Martorell (1996), Bote (1996 a), Pellejero (1999); Monfrot (2000).
[42] Lanquar (1984) y Múñiz (2001). Este último, un monográfico sobre turismo social, contiene una interesante descripción de la evolución de éste en nuestro país y de los programas que existen en la actualidad.
[43] Álvarez Sousa (1994); Méndez Muela (2003) hace un recorrido exhaustivo por el proceso de evolución de la disciplina de la sociología del turismo, señalando los temas que se han convertido en áreas de trabajo dentro de ésta y los autores que las han desarrollado.
[44] Gómez (1988); Marchena (1989); Vera (1990); Gunn (1994); Aguiló (1996); Vera y otros (1997); Blanquer (2002), Ivars (2004). Antón i Clave y otros (1996), realizan

En este contexto resulta significativo que la política turística no ha llamado la atención de los analistas de políticas. La inexistencia de análisis al respecto ha contribuido a que los especialistas en turismo nunca hayan considerado a la política un factor significativo ni hayan echado de menos un análisis politológico del turismo. Veremos como puede interpretarse este vacío.

1. EL TURISMO Y EL ANÁLISIS DE POLÍTICAS PÚBLICAS

La falta de interés de los analistas de políticas por la acción pública en materia de turismo puede explicarse por la confluencia de tres factores: la propia evolución de la disciplina de análisis de políticas públicas, el concepto de turismo que prevalece en la mayoría de los enfoques teóricos y la escasa reflexión que ha existido para construir una definición de turismo que resulte adecuada para un análisis de política turística.

Respecto al primero de los factores mencionados, el desarrollo de la disciplina del análisis de políticas es reciente y los análisis de políticas sectoriales se centraron inicialmente en las políticas que presentan una relación más directa con el núcleo del Estado del Bienestar, esto es, con las políticas sociales y económicas.

Tras la II Guerra Mundial dos tendencias coinciden en fomentar el desarrollo de una disciplina cuyo objeto de análisis central fueran las políticas públicas. Por un lado, el propio desarrollo que estaban experimentando las Ciencias Sociales: motivados por los éxitos conseguidos en otras parcelas de conocimiento, los científicos sociales abogan por analizar los problemas sociales desde una perspectiva más "científica" con el apoyo de los métodos de investigación que están perfeccionándose de manera paralela y con la intención de generar conocimiento suficiente como para que sea posible ayudar a los gobiernos a resolver los

---

para la revista Estudios Turísticos una completa descripción de las distintas líneas de investigación que, en especial desde principios de los noventa, se han desarrollado desde el ámbito de la Geografía.

problemas a los que se enfrentan. Por otro lado, el crecimiento de la intervención de los Gobiernos, con la evolución y consolidación del Estado del Bienestar, precisa de conocimiento experto sobre cómo operar en una creciente variedad de campos.

Comienza el análisis del funcionamiento de las políticas públicas, concepto en el que conviven la acción de los Gobiernos, los métodos y técnicas utilizados por los decisores, los criterios para valorar la oportunidad de las acciones, la relación de éstas con la realidad, los resultados o los límites. Una necesidad que es demandada por los propios políticos, impulsando las investigaciones que generen herramientas de apoyo en la toma de decisiones y la administración de recursos. El impulso favorece que entre los analistas de Ciencia Política aumente el interés por el objeto y que se descubran otras perspectivas que enriquecen, a su vez, diversos análisis teóricos más relacionados con los enfoques tradicionales de su área de conocimiento. Poco a poco se construye la disciplina del Análisis de Políticas[45].

---

[45] El punto de arranque de la disciplina de análisis de políticas se identifica con el nacimiento de un área de trabajo específica en la Universidad de Chicago dirigida por Charles Merriam (quien defiende que el desarrollo del método científico permitirá a los investigadores sociales obtener éxitos similares a los logrados por las Ciencias Naturales). En 1951, un discípulo de éste, Harold Lasswell, publica junto a Daniel Lerner lo que se puede considerar el "texto fundador" de la disciplina: *The Policy Sciences: Recent Developments in Scope and Method*. Lasswell piensa en un trabajo científico cuyo objeto de estudio —las políticas públicas y su elaboración— sea el elemento común que vertebre diferentes conocimientos de disciplinas diversas, el enfoque multidisciplinar será lo que permita analizar la complejidad y riqueza de las políticas públicas.
Desde ese momento las publicaciones sobre el Análisis de Políticas Públicas se multiplican y, con ellas, las polémicas propias de un ámbito de estudio incipiente: desde el objeto de estudio, hasta la metodología adecuada. El mapa de posiciones se va complicando: frente a la multidisciplinariedad (necesaria para trabajar en un campo de la realidad tan complejo), surge la especialidad (defendida desde distintas disciplinas, aunque especialmente desde la Economía, a través del Rational Choice); frente a una posición normativa (que entiende el análisis de políticas desde el "deber ser" del principal instrumento del estado democrático) se extiende el enfoque conductista (más preocupado por el método); frente a los relativistas (que niegan la posibilidad de un conocimiento objetivo de la realidad) los positivistas, y frente a la orientación a problemas (centrada en dar solución a cuestiones presentes en la realidad), la reflexión teórica no contingente.
En 1971, Lasswell expone de nuevo sus ideas sobre cómo debería ser la disciplina. Veinte años después de su primer artículo, sigue manteniendo una posición similar,

En relación con el segundo de los factores que mencionábamos al principio del epígrafe, el concepto del turismo que prevalece, esta actividad ha sido tradicionalmente enfocada como un bien de consumo producido por un sector económico determinado y adquirido en el mercado por los ciudadanos. Esto tiene una consecuencia fundamental: si el turismo es un bien, el mercado es el responsable de su gestión y el Estado, en el caso de intervenir, debe hacerlo con el único fin de corregir las posibles disfunciones que se produzcan en dicha parcela del mercado. La consecuencia es que se reduce la política turística a una política económica sectorial y al turismo a un hecho económico más. Pero nuestra intención es completar ese concepto. Es un hecho incontrovertible que los productos turísticos son bienes de consumo, pero también que entre los componentes esenciales de dicho producto se encuentran bienes públicos de la importancia del territorio, la cultura o el medio ambiente y, como han mostrado las investigaciones sobre las motivaciones de los

---

aunque en ese momento incide en la importancia de la distinción, hoy ya clásica, entre los distintos objetivos que puede perseguir el Análisis de Políticas Públicas, poniendo cierto orden entre los diversos trabajos que compartían un mismo objeto de estudio (Lasswell: 1971). El autor afirma que las investigaciones cuyo objeto son las políticas públicas, pueden perseguir dos objetivos claramente diferenciados: pueden realizarse con el fin de obtener conocimiento *del* proceso o con el fin de obtener conocimiento *para* el proceso.

Los resultados del primer tipo de trabajos servirán para aumentar el campo teórico que trata de explicar cómo se elaboran y cuál es el funcionamiento de las políticas públicas, desde cualquiera de las perspectivas que puede abordarse. Dichas investigaciones plantean preguntas del tipo: cómo se definen los problemas, cómo se construyen las agendas, cómo se formulan las políticas, quién y cómo toma las decisiones, quién y cómo implanta los programas o cómo se evalúan los impactos. Además de qué relaciones existen entre todos estos conceptos.

Los resultados del segundo tipo de trabajos, cuyo objetivo es generar conocimientos que puedan utilizarse en el mismo proceso de elaboración de las políticas, servirán para mejorar las diferentes capacidades intelectuales que se movilizan con la aplicación de técnicas de análisis, de cálculo o de construcción de escenarios prospectivos que ayuden al proceso.

En Estados Unidos, para entonces, los analistas que se sitúan en el extremo del positivismo y cuyo trabajo principal es el desarrollo de métodos y sistemas, como las técnicas de análisis económico o la Investigación de Operaciones (OR), acaban defendiendo para sí el término de Policy Analysis, mientras que los que defienden una posición más cercana al paradigma interpretativo y, por tanto, contextual, hablan de Policy Sciences. En los países continentales se ha ido consolidando el término Análisis de Políticas que engloba ambas posiciones.

turistas, que son estos componentes de naturaleza pública los elementos más valorados en la elección de los consumidores[46]. Los productos turísticos son productos y como tal forman parte del mercado, pero se construyen sobre playas, montañas, fiestas populares..., esto precisa una reflexión más pausada sobre el papel del Estado o, al menos, una reflexión sobre si puede resultar de interés analizar la política turística desde un enfoque diferenciado del de la política económica tradicional.

El último de los factores que puede influir en la poca atención prestada a la política turística por los politólogos es la escasa reflexión sobre el turismo como objeto de la política. No existe una definición de política turística, de hecho, tampoco existe una definición consensuada sobre el turismo más allá de la construida con fines estadísticos y que se basa en la caracterización del turista. Esta es una limitación para la comprensión del turismo como hecho político, económico y social que se suma a otros problemas expuestos por Hall y Jenkins sobre el análisis de la política turística como *"la falta de atención prestada al proceso de elaboración de las políticas turísticas, con la consecuente falta de datos comparados y estudios de casos; la falta de marcos teóricos y analíticos bien definidos, y la limitada cantidad de datos, cuantitativos y cualitativos, del fenómeno"* (Hall y Jenkins, 1995:5).

2. EL OBJETO DE LA POLÍTICA TURÍSTICA

Si nos preguntamos qué es el turismo, la respuesta no es sencilla. Esta dificultad está relacionada con los problemas para establecer los límites del hecho turístico. La definición que goza de mayor consenso se basa en la identificación del sujeto que realiza la actividad, el turista, y determina que el turismo es el conjunto de *"las actividades que realizan las personas durante sus viajes y estancias en lugares distintos al de su entorno habitual, por un periodo de tiempo consecutivo inferior a un año, con fines de*

---

[46]   Estos recursos sobre los que se fundamenta la oferta turística tienen características peculiares propias de los bienes públicos: son libres y tienen un coste de oportunidad cero; permiten una gestión alternativa y simultánea y, en caso de que exista un precio (como sería el canon pagado por una empresa que realiza un viaje por el río Tajo) el precio no obedece a mecanismos del mercado (Lazquin, 2001).

ocio, por negocio y otros motivos" (Comisión de Estadística de las Naciones Unidas, 1993). Turismo es, por tanto, lo que hacen los turistas. Si a un politólogo le propusieran definir la política cómo lo que hacen los políticos, o a un economista definir la economía como las actividades realizadas por los agentes económicos, se negarían en rotundo. Pero esta definición estadística tiene su sentido y ha resultado de una utilidad enorme para conocer datos sobre el hecho turístico, aunque debemos afirmar que no sirve para cualquier investigación.

Ampliar el concepto incorporando la totalidad de las relaciones e impactos que genera el turismo ha sido el objetivo fallido de muchas definiciones construidas por expertos en turismo. La naturaleza del turismo es multifacética y cada uno de los aspectos que lo componen mantiene relaciones esenciales con el resto. Al aproximarnos al hecho turístico aparece una actividad social que genera relaciones peculiares en los núcleos receptores del turismo; una actividad individual que responde a motivaciones personales del propio sujeto, enraizadas con aspectos culturales y sociales colectivos; una actividad que se sustenta en un sector económico que, sólo en parte, puede ser equiparado a una industria y en el que participan de manera indirecta la casi totalidad de los sectores productivos de un país... Perspectivas, todas ellas, que pueden ser destacadas, con mayor o menor intensidad, según los intereses intelectuales de las diversas disciplinas que lo estudian.

Quizá no sea posible consensuar un concepto de turismo más allá de la definición estadística que existe y posiblemente, tampoco sea necesario, bastaría con que el investigador acepte la coexistencia de enfoques teóricos y metodologías diversas y que explique qué aspecto del hecho turístico puede ser analizado desde el marco teórico de su ámbito de conocimiento. Si no se precisa qué y cómo será investigado, el análisis del turismo corre el riesgo de deslizarse hacia dos posiciones extremas: utilizar la definición consensuada que, al servir a fines estadísticos, vacía completamente de contenidos cualitativos el fenómeno, o incorporar en la investigación la casi totalidad de las actividades socioeconómicas a las que éste afecta.

Este problema, que afecta profundamente a las investigaciones sobre el turismo, se reduce en aquellas disciplinas que han trabajado sobre este hecho de manera sostenida en el tiempo y que cuentan con un sedimento de conocimiento turístico formado por los resultados acumulados en los análisis anteriores; tomemos el ejemplo de la Economía. Para la Economía el problema era inicialmente el mismo: cómo aislar las informaciones necesarias para poder observar la naturaleza del turismo con herramientas diseñadas para analizar sectores más compactos y cómo hacerlo evitando convertir la economía del turismo en una simple amalgama de los principales sectores productivos. ¿Cómo calcular la participación del subsector cafeterías, que dan servicio a residentes y no residentes, en la economía turística?, ¿y la del pequeño comercio? En este campo del conocimiento, los estudios ininterrumpidos a lo largo de cincuenta años han generado una base teórica suficiente como para que, desde planteamientos acordes con el marco teórico, se estén superando actualmente los problemas derivados de las definiciones parciales de la economía del turismo o del sector turístico. Hoy es posible abordar la complejidad del fenómeno económico utilizando una estrategia de unificación de análisis parciales del comportamiento económico del turismo a través de las denominadas cuentas satélites del turismo, que están siendo implantadas ya en las contabilidades nacionales de Canadá, Estados Unidos, República Dominicana, Francia, Noruega o España (O.M.T., 1999a, 1999b). Los economistas están resolviendo el problema metodológico de la extensión del fenómeno estudiado mediante la elaboración de un modelo teórico que permite integrar piezas de información económica dispersas y obtener así una idea global del peso económico del turismo en el conjunto de la economía de un país.

En cambio, en el campo del Análisis de Políticas no existe una tradición de investigaciones que hayan analizado el turismo, por lo que se carece de pensamiento crítico suficiente como para que se hayan superado estos problemas iniciales. En este ámbito no es posible utilizar la definición de turismo mencionada, basada en la actividad del turista, para relacionar el hecho turístico con el cuerpo teórico de la disciplina y poco se ha trabajado en la construcción de una imagen de turismo significativa para la disciplina. Por ello cuando se habla de política turística se comenten con frecuencia dos errores que están relacionados con este problema: considerar que la política turística es todo —como si turismo fuese todo—, o considerar que la política turística existió siempre —como si el turismo hubiese existido siempre—.

Cuando se reflexiona sobre la política turística, se describe un conjunto acciones que los gobiernos implantan con la intención de intervenir en esta actividad socioeconómica y este conjunto engloba un número casi ilimitado de aspectos: la política de fronteras (el aumento o disminución de las formalidades necesarias para facilitar la entrada o salida de un país a los no residentes), la política económica, la fiscal, la de comunicaciones, la de infraestructuras, la de seguridad ciudadana, la industrial, etc. La política turística se convierte en un objeto de análisis amorfo y sin límites, por lo que no es fácil saber si se trata de una arena política diferenciada, si la política turística es un componente de una política sectorial mayor o si, finalmente, la acción pública que gobiernos y administraciones realizan en relación con el turismo se sitúa en un espacio de nadie. Por esta razón no encontramos acertada la propuesta de considerar dos "tipos de política turística", distinguiendo entre política turística general y específica[47], siendo la primera el conjunto de acciones políticas que pudieran afectar al turismo y la política específica aquellas diseñadas exclusivamente para el sector.

En nuestra opinión, y por lo dicho anteriormente, sólo tiene sentido calificar un conjunto de acciones gubernamentales como política turística cuando las decisiones se adoptan con la intención de intervenir, expresamente, en el sector turístico. Es evidente que, por la propia naturaleza de la actividad, decisiones adoptadas en otros ámbitos competenciales tendrán impacto en el turismo. Una política de protección al consumidor que establezca mecanismos de denuncia más ágiles beneficiará al grupo de consumidores que se denominan turistas; una política de aumento de la seguridad ciudadana beneficia, no sólo a los residentes, sino a los visitantes; una política medioambiental de protección de entornos naturales, genera espacios de mayor calidad que mejoran el producto turístico. De igual forma, políticas diseñadas para otras áreas de la sociedad utilizan el turismo como factor a tener en cuenta: las políticas de reconversión industrial o pesquera, proponen al turismo como actividad económica alternativa, las políticas de rehabilitación de centros históricos de la ciudad, cuentan con el turismo como factor de impulso...

Una de las propiedades de las cuestiones sociales destacada en el Análisis de Políticas es su interdependencia (Subirats, 1992, 1994) y el

---

[47] *"La primera cubre áreas generales que pueden tener consecuencias significativas para el turismo, positivas o negativas, la segunda son las que tienen relación directa con el desarrollo y regulación del ocio y la industria turística"* (Jeffries, 2001:104).

reflejo en la acción pública es que un programa público diseñado para intervenir en cualquier ámbito tendrá efectos en otros espacios sociales. Pero esto no impide que, a efectos analíticos, sea posible y recomendable distinguir el área al que se dirige la política de los efectos o impactos de ésta en otras arenas. De hecho, en un mismo gobierno las políticas implantadas para intervenir en ámbitos distintos pueden, incluso, provocar efectos contradictorios, pero los analistas de políticas dan por conocido que el Estado no actúa como un todo (Marsh, 1983). Lo que tampoco impide que se defienda a pertinencia de abordar investigaciones que busquen sistemas de coordinación entre políticas que afectan a diferentes aspectos del fenómeno turístico o que eviten problemas de colisión de las políticas turísticas de diferentes niveles de gobierno. A efectos analíticos la distinción entre política turística general y específica no resulta en absoluto clarificadora.

Esa misma tendencia expansiva conduce a rastrear los orígenes de la política turística en tiempos remotos[48] olvidando que el turismo se desarrolla en el momento histórico en que lo hace el Estado de Bienestar, siendo los propios especialistas en turismo los que señalan la evolución de dicho modelo estatal[49] como una de las causas del despegue de la actividad. Hoy se sigue distinguiendo entre un turismo de masas y un turismo "de elite" cuando se observan diferencias entre productos turísticos pero, si se analiza la posición del Estado y la política turística, la distinción puede hacer olvidar que han sido las cifras globales del sector el factor que ha determinado la intervención de los gobiernos y el desarrollo de la acción pública.

---

[48] Ni el turismo, ni la política turística existió siempre. Es posible leer que, Marco Polo es *"la piedra angular para el desarrollo de la política turística"* (Edgell, 1999:8) o que *"los Gobiernos y sus administradores proporcionaban* (los servicios) *esenciales para el comercio y el viaje... La facilidad con la que el Apóstol San Pablo pudo viajar por el Imperio Romano es un testimonio de la eficiencia de su sistema administrativo"* (Elliot, 1997:21). Estas afirmaciones se incluyen en textos que, sin embargo, contienen interesantes aproximaciones a la política turística en la actualidad, lo que destaca la falta de reflexión politológica sobre una definición de turismo que resulte adecuada para la disciplina.
[49] Si el turismo nace a partir del Estado del Bienestar es improcedente indagar el origen de la acción de los Gobiernos en el campo del turismo retrotrayéndonos a formas estatales anteriores a ésta, si se quiere ser coherente con el marco de análisis.

3. LA DEFINICIÓN DE POLÍTICA TURÍSTICA

Para construir una definición de política turística hemos de partir de los conceptos de turismo y de política pública. En ninguno de los dos casos existe un acuerdo sobre una única definición, conviviendo propuestas que optan por destacar distintos aspectos que están presentes en ambas realidades.

En relación con la definición de turismo proponemos utilizar la elaborada por McIntosh y Goeldner[50]: "*El turismo puede ser definido como el conjunto de los fenómenos y las relaciones que tienen lugar debido a la interacción de los turistas, empresas, gobiernos y comunidades anfitrionas en el proceso de atracción y hospedaje de tales turistas y otros visitantes*" (McIntosh y Goeldner, 1984).

La elección de esta definición se debe a las siguientes razones:

– Se distancia de la perspectiva de una definición basada en las características del turista, así omite cualquier detalle sobre la duración de la estancia, la motivación del viaje o el lugar de alojamiento.

– Pretende captar la idea de un hecho dinámico que relaciona diferentes actores y diversos objetivos, por lo que responde a la metáfora reticular de amplio uso en los análisis de políticas.

– Enumera a todos los actores implicados: el consumidor turista, el sector económico privado, el sector público y la sociedad receptora del fenómeno, haciendo a todos partícipes del resultado final.

Además, permite superar la posición disciplinar de partida más consolidada. El predominio de la idea de que el turismo es un bien de consumo, y la supremacía de la disciplina económica en su estudio, ha potenciado que se asuma sin ningún cuestionamiento que una de las caras del fenómeno, la económica, absorbe cualquier otra realidad que pueda participar en él. Por ello se analiza la política turística como una política sectorial de la política económica[51] y se afirma que "*la política turística se*

---

[50] Para un análisis de las distintas definiciones del turismo ver Muñoz de Escalona (1992).
[51] En un artículo publicado en la Revista del Instituto de Estudios Turísticos y titulado "*La investigación en el ámbito de la Política Turística*", los autores recorren las principa-

deriva de la económica general, con la que mantiene elementos comunes (...) el objetivo fundamental que persigue la política turística del Estado español es elevar el grado de competitividad global del sector turístico nacional de manera que continúe contribuyendo a la creación de riqueza y empleo y, por ende al bienestar de la sociedad" (Monfort, 2000:17). Los análisis económicos de la acción del Gobierno en el sector turístico hablan de "políticas de oferta" (en las que engloban los planes o programas que inciden en alojamientos, infraestructuras, desarrollo de nuevos productos, etc.), de "políticas de demanda" (o conjunto de acciones que influyen sobre el comportamiento de los visitantes, como las acciones de promoción) y construyen un tercer conjunto en el que incluyen otras acciones que denominan "complementarias", aunque puede considerarse que afectan al núcleo del producto turístico (como las acciones de planificación, de control de impactos o de formación).

En nuestra opinión, existen factores que invitan a analizar la política turística como una política pública substantiva y a hacerlo desde un punto de vista politológico, más allá de que parezca razonable pensar que lo "político" también tenga un espacio en la política turística[52].

---

les aportaciones teóricas que se han publicado en nuestro país en relación con dicho tema. Todas las publicaciones que son citadas, salvo una excepción —un trabajo de 1955 de Arrillaga que más tarde comentaremos— son análisis de la dimensión económica de la política turística (Aguiló y Vich i Martorell, 1996).

[52] El primer libro publicado en nuestro país que se acerca a la política turística desde una perspectiva politológica es de José Ignacio de Arrillaga y fue editado en el año 1955, fecha en que también son incipientes los estudios de Análisis de Políticas. La definición de la política turística que utiliza Arrillaga es muy imprecisa: *"La política turística es, como su nombre indica, la acción del Estado dirigida al estímulo y protección de los intereses turísticos nacionales"* (Arrillaga, 1955:5), sin embargo, el conjunto del trabajo tiene un planteamiento notable. Arrillaga analiza los medios que el gobierno debe utilizar para lograr el crecimiento de la actividad, destaca el papel de la planificación turística, detecta los principales actores que han de ser tenidos en cuenta para el diseño de una política turística y organiza las acciones según el fin que persigan. Para el autor, los medios son: el control estadístico, el control sobre servicios, las medidas de estímulo, la ejecución directa por parte del Estado de ciertas acciones turísticas, el fomento de la investigación y la enseñanza y la propaganda e información. Lo que él llama "órganos de política turística" reflejan el concepto actual de actores: organizaciones privadas (Centros de Iniciativa, agrupaciones regionales y nacionales), asociaciones turísticas, organizaciones obreras, órganos administrativos y organizaciones internacionales. Defiende que las políticas turísticas pueden dirigirse a intervenir en la actividad turística o en los bienes turísticos. En relación con los bienes turísticos

Por otro lado y en relación con el concepto de política pública, expusimos que el Análisis de Políticas indaga sobre el proceso de elaboración de políticas públicas en los sistemas políticos democráticos. El interés en las políticas parte de la convicción de que, en los Estados contemporáneos organizados bajo el modelo socioeconómico de Estado de Bienestar, las políticas públicas son reflejo de las grandes preocupaciones de la Ciencia Política: las fuentes del poder, el reparto del mismo, la participación en el gobierno... Una vez reconocida una preocupación común, los focos de investigación concretos del Análisis de Políticas se diversifican y atienden, entre otros, a problemas políticos relacionados con la legitimidad del sistema (como la participación en el proceso o la eficacia de las políticas), los diferentes aspectos directamente relacionados con el proceso de elaboración de las políticas (como la formación de la agenda de los decisores o la evaluación de las acciones), o al estudio de factores que facilitan o dificultan los cambios en las políticas públicas[53].

Esta diversidad de intereses de investigación conlleva una multiplicidad de definiciones de la política pública. Nosotros optamos por la que describe una política como *"un conjunto de decisiones interrelacionadas (...) que tienen por objeto la selección de objetivos y de los cauces para alcanzarlos en una situación específica"* (Jenkins, 1978:15).

Nuestra preferencia se basa en que, dicha propuesta, no utiliza, como elemento básico el concepto de "problema social", ni recurre a la referencia de conflicto social para determinar la pertinencia de la interven-

---

habla de: política cultural, política de embellecimiento nacional, política de espectáculos y diversiones, política artesanía, política del turismo por negocios, política balnearia y política deportiva.
En 1974 otro autor, Joan Cals, publica "Turismo y Política Turística en España". El libro parte de un punto de vista de política económica considerando como instrumentos de política turística el control de precios, el crédito turístico, las empresas públicas, las actuaciones sobre infraestructura y las campañas de promoción. A pesar de la perspectiva económica predominante contiene interesantes reflexiones que caracterizan el periodo de política turística del Régimen Franquista (Cals, 1974).

[53]   Existen muy pocos estudios que relacionen algunas de las teorías o enfoques del análisis de políticas con el turismo, lo que no impide que los expertos reclamen desde hace tiempo su estudio: *"Un estudio del turismo que se defiende como multidisciplinar no puede ser completo sin la aportación del análisis de uno de los factores relevantes que lo integran, las políticas turísticas"* (Kosters, 1984:612).

ción del Estado. La idea de "problema"[54] está presente en la mayoría de las definiciones de política pública y con referencia al turismo la supresión de este matiz resulta necesario. La acción pública en materia de turismo aparece cuando la actividad resulta de interés a los gobiernos. El interés es puramente económico, derivado del efecto positivo en las balanzas de pagos por el movimiento de divisas que genera, así que, cuando aparece la política turística, el Estado no se enfrenta a un problema sino a una oportunidad. Una oportunidad básicamente económica que, con el paso del tiempo, será matizada con argumentos gradualmente más complejos. La consideración del turismo como oportunidad económica será un factor determinante para comprender la posterior aparición de problemas políticamente no enfrentados y relacionados con el desarrollo turístico.

A la definición de política pública ha de añadirse la referencia al sector concreto de la sociedad al que se dirige o la referencia a un espacio geográfico dado (Meny y Thoenig, 1992). En el caso del turismo, el conjunto de decisiones relacionadas que persiguen determinados objetivos tienen en su punto de mira los *"fenómenos y las relaciones que tienen lugar debido a la interacción de los turistas, empresas, gobiernos y comunidades anfitrionas en el proceso de atracción y hospedaje de tales turistas y otros visitantes".* El ámbito sustantivo de la política turística serán las relaciones que se producen entre los actores del sistema turístico para fomentar y gestionar la estancia ocasional de ciudadanos en espacios de su competencia.

Estas características substantivas del turismo nos permiten proponer la siguiente definición de política turística: **Política turística es el conjunto, articulado y coherente, de decisiones y actuaciones que llevan a cabo los gobiernos en el ámbito territorial de su competencia, con la intención de alcanzar unos objetivos determinados, en relación con los hechos de distinta naturaleza que genera el proceso de atracción, estancia o residencia ocasional de ciudadanos.**

---

[54] El análisis de los problemas sociales, su definición, interdependencia y resolución constante son objeto de una amplia reflexión. Ver Subirats (1991, 1992, 1994); García Ferrano y otros (1992); Mény y Thoenig (1992) Aguilar Villanueva (1996 c) y Becker (1996).

La definición propuesta contiene los elementos que permiten hablar de una política turística[55]:

1. La política es un conjunto de decisiones y actuaciones. Las decisiones únicas no constituyen una política, ni los planes para subsectores turísticos específicos (como los planes de modernización hotelera) o para productos turísticos determinados (como el programa de vacaciones para la tercera edad). Además, el conjunto debe ser articulado y coherente, es decir, es necesario que exista una concepción común de referencia, una idea de qué es el turismo y cómo debe desarrollarse globalmente. Los Planes de Desarrollo de la etapa franquista respondían a la idea de crecimiento sostenido del sector turístico, los Planes *Futures* de la etapa socialista a la idea de aumentar la competitividad del turismo español considerándolo como una industria y el Plan PICTE de la etapa conservadora a la idea de aumentar la calidad del mismo.

2. Las acciones han de llevarse a cabo. Esto no significa que todas las acciones contempladas deban ser finalmente ejecutadas sino que ha de rebasarse la mera voluntad política expresada en una manifestación pública o en un documento elaborado y dar comienzo la puesta en marcha de lo previsto. Un indicador claro de que la voluntad política se convierte en una decisión pública es que la política tenga asociado un presupuesto suficiente y que éste se ejecute.

3. El conjunto de acciones se impulsa por un gobierno en el ámbito territorial de su competencia. Es decir, la política ha de ser elaborada e implantada por la autoridad legítima para hacerlo, por lo que resulta perfectamente compatible que coexistan la política turística del Gobierno Central y la liderada por cada Comunidad Autónoma.

4. Deben determinarse objetivos concretos que, de manera explícita, permitan conocer las metas que el gobierno se propone alcanzar en un plazo determinado. Una política que sólo contuviera ideas vagas y objetivos generales no permitiría su posterior implantación.

5. Los objetivos de la política deben considerar los distintos asuntos que están relacionados con el turismo.

---

[55] Jones (1984); Nagel (1991); Villanueva (1992a); Meny y Thoenig (1992); o Parsons (1995).

6. Por último, deben tenerse en cuenta los dos grandes conjuntos de acciones: las destinadas a atraer a los turistas y las destinadas a permitir su estancia. El turismo no sólo es lo que ocurre una vez ha llegado el sujeto de la actividad sino también todo lo que se realiza para que el turista tome la decisión de venir al país (acciones que superan el mero ámbito de la promoción) y se desencadenen el resto de actividades.

De esta forma quedan recogidas las características que debe tener una política pública desde un punto de vista descriptivo: carácter institucional (que sea elaborada por la institución pública legítima), carácter decisorio (los actores deciden el sentido de lo que se aborda); carácter comportamental (implica actuaciones, no sólo ideas) y causal (el conjunto de acciones pretende producir un impacto en algún ámbito) (Aguilar, 1996b).

Capítulo 3
CONCEPTOS ESENCIALES DE LA POLÍTICA TURÍSTICA

1. LAS FUNCIONES DEL ESTADO EN MATERIA DE TURISMO

Si ha existido una actividad sostenida del Estado en relación con el turismo, ¿qué funciones ha asumido éste?, ¿cuál ha sido el papel que los gobiernos han desarrollado dentro del sistema turístico?, ¿porqué es necesario que el Estado asuma un papel activo en el turismo?[56]. Estas y otras cuestiones surgen cuando reflexionamos sobre las relaciones Estado-turismo y en su respuesta aparece una primera realidad: no resulta posible hablar de un solo modelo de acción pública turística.

La función que asume el Estado en relación con el turismo varía según el sistema político, el grado de desarrollo económico general y el de desarrollo turístico concreto del país considerado. A pesar de ello, la Organización para la Cooperación y el Desarrollo Europeo (OCDE) construye un relato genérico sobre los cambios del papel que el Estado ha asumido en el sistema turístico[57] y propone considerar que las fun-

---

[56] Algunos expertos en turismo explican la necesidad de una política turística acudiendo a las propias características del sector: la importancia de las externalidades que genera y de los contactos intersectoriales que implica (Gartner, 1999:157), aunque parece necesario profundizar en esta cuestión.

[57] El Comité de Turismo de la OCDE publica desde 1970 unos informes anuales que describen las principales características de la acción pública en materia de turismo de los países miembros y de Yugoslavia. Los informes recogen los objetivos y prioridades de las políticas turísticas de cada país y las principales medidas adoptadas y su objetivo es hacer un seguimiento de los desarrollos conseguido por cada uno de ellos. La función de estos informes es doble: el intercambio de información entre los responsables políticos y los gestores públicos con responsabilidad en materia turística en dichos países, y el promover un consenso compatible con los objetivos de desarrollo turístico de la propia OCDE.

ciones asumidas por los gobiernos han ido variando durante el siglo veinte conformando diferentes fases en las que cambia el rol que el Estado asume frente al turismo. Las etapas que identifica se corresponden a su vez con estadios del propio desarrollo turístico y permiten entender los argumentos que han utilizado los gobiernos para defender que existiera una política turística (OCDE, 1989).

La primera de las etapas se corresponde con los momentos iniciales del desarrollo del turismo y refleja la coincidencia en el tiempo entre el interés de los Estados y el nacimiento de la actividad[58]. La OCDE explica la función del Estado en esos momentos con la idea de "*el Estado como promotor*". La promoción incluye las acciones que persiguen la expansión del hecho turístico en general y, en particular, las que tienen por objetivo dar a conocer el destino y estimular la demanda. La OCDE describe cómo las técnicas de propaganda, que habían comenzado a utilizarse por los gobiernos durante la Segunda Guerra Mundial y que se extienden a partir de los años sesenta, favorecen que los Estados asuman la promoción del país en el extranjero como función principal, lo que ejercen a través del diseño e implantación de campañas en el exterior y mediante la apertura, como herramienta fundamental, de oficinas de información en el extranjero[59]. La posición privilegiada del Gobierno respecto del conjunto de actores para asumir esta función se convierte, a su vez, en un argumento que fortalece la propia intervención pública en el turismo.

"*El Estado como estímulo*", resume el rol de los gobiernos durante un periodo temporal que puede solaparse con el anterior y en el que los

---

[58] *El hecho de que el Comité de Turismo de la OCDE fuese creado en el momento que se creaba la propia organización, muestra que la importancia del turismo para el desarrollo de los Estados miembros era ya reconocida al principio de los sesenta. Entre 1950 y 1959 el turismo se había incrementado diez veces en Grecia, cuatro veces en Alemania, Austria, Portugal y Turquía, tres veces en Holanda y dos en Irlanda, Italia, Suiza e Inglaterra, y era obvio que esta tendencia se estaba acelerando"* (OCDE: 1989).

[59] *"El mayor énfasis de las políticas turísticas nacionales descansó en publicidad e información. Como el turismo, la industria publicitaria experimentó un boom en los sesenta. El crecimiento de los mass media y la toma de conciencia de la posibilidad que ofrecía su uso para influir en las opiniones impulsó a los gobiernos a utilizar estas nuevas técnicas para promover e incrementar el turismo en sus países"* (OCDE: 1989).

gobiernos asumen la función de generar las condiciones adecuadas para que la actividad turística pueda despegar. Esto implica la construcción de infraestructura pública suficiente como para permitir la llegada de turistas (aeropuertos, puertos y carreteras de acceso al país) o su movimiento dentro del país (carreteras interiores) y la puesta a punto de recursos públicos que puedan ser productos turísticos (como los cotos de caza y pesca, la habilitación de zonas de costa, etc.). Pero también es necesario estimular al sector empresarial para que comience a invertir en esta nueva actividad apoyando acciones ejemplares e incluso participando en el sistema turístico como un proveedor de servicios más.

A estas dos funciones se superpone una tercera, que fortalece las razones puramente políticas de una intervención cada vez más intensa. El turismo estaba demostrando ser una actividad capaz de movilizar a un elevado número de ciudadanos y las cifras apuntaban además un crecimiento rápido. Los decisores públicos observan que la creación de infraestructuras se convierte en el instrumento básico del diseño de los flujos turísticos en su país, así aparece la función del *"Estado como planificador turístico"*.

Pero el éxito de la actividad turística genera una serie de consecuencias negativas que obliga a los decisores públicos a replantearse su papel. Los buenos resultados de la actividad en la década de los sesenta traen consigo una subida de precios que afecta a los consumidores y a la posición internacional del país como destino y un aumento de los abusos con los clientes que, como no hablan la lengua y no conocen las costumbres, se sienten especialmente desprotegidos. *"Los gobiernos fueron, a partir de ese momento, responsables no sólo de atraer turistas, sino también de protegerlos, como consumidores, durante su estancia. Los precios de los menús turísticos y de las tarifas fueron controlados, se estableció un sistema de clasificación de hoteles más rígido, y durante el periodo 1965-1967 algunos países introdujeron el seguro opcional de viajeros. Un número creciente de países reguló las actividades de las agencias de viajes. Las políticas turísticas nacionales se fueron gradualmente adaptando a las necesidades de los turistas, que cada vez eran más exigentes. El énfasis empezó a variar de cantidad a calidad"* (OCDE: 1989). Esta nueva función de regulación de la actividad conlleva intensificar las acciones de lo que tradicionalmente se ha llamado ordenación del turismo y supone que el Estado asume el papel de garante frente a los ciudadanos. Este papel de responsable del buen funcionamiento de la actividad se verá ampliado cuando comiencen a modificarse los valores relacionados con el desarrollo y haga su aparición el concepto de sostenibilidad[60].

Por último, a las facetas de fomento, estímulo, planificación, ordenación y protección se suma el papel de coordinador. La crisis de los años setenta y ochenta muestran la necesidad de fortalecer el sector. El Estado habrá de asumir la función de mejorar la competitividad de su sector turístico frente a la competitividad de otros países.

La aparición de las distintas funciones descritas no generan un proceso de sustitución sino de acumulación: los Gobiernos no abandonan la función anterior para asumir una nueva, adaptan sus instrumentos para mantener ambas.

Aunque el Estado ha ido asumiendo de manera gradual el conjunto de funciones descritas, en gran parte de los países europeos se plantea abiertamente qué sentido tenía que los gobiernos mantuvieran un papel tan activo en el sistema turístico, especialmente en el clima de reducción del Estado dominante en la década de los ochenta. La presión para reducir el gasto público cuestiona la legitimidad de los recursos invertidos en promoción y se plantea la equidad de invertir recursos públicos en una industria determinada y no hacerlo en otras[61]. Este tipo de reflexiones, enmarcadas en un momento en que se está recortando el papel del Estado, conlleva la reestructuración de las administraciones turísticas estatales de muchos de los gobiernos occidentales y la necesidad de abordar una nueva reflexión sobre el papel de los Estados en el turismo.

---

[60] Y no sólo relacionado con la idea de sostenibilidad turística. Otros organismos internacionales también ayudaron a ampliar las perspectivas de las políticas turísticas nacionales en otros niveles. En 1966, por iniciativa de la UNESCO y de la Asamblea Consultiva del Consejo de Europa, varios países miembros establecieron comisiones especiales para colaborar con estas instituciones en la definición de la relación que presidiría la protección del patrimonio natural, histórico y cultural y su uso turístico.

[61] *"¿Pueden los gobiernos continuar justificando el uso de los impuestos de los contribuyentes para soportar y promocionar el desarrollo turístico cuando, en la mayoría de los países miembros, no existen tales fondos y apoyos para otras industrias? ¿No sería quizá más efectivo invertir los fondos en las regiones más pequeñas y pobres y en las medianas y pequeñas empresas más que en la totalidad del sector? Más importante, ¿Están los gobiernos legitimados para hacer promoción turística en el contexto general del GATT? ¿No se podría esto interpretar como una actividad comercial distorsionante?".* (OCDE: 1989).

CUADRO 3.1.: EVOLUCIÓN DE LAS FUNCIONES DEL ESTADO EN RELACIÓN AL TURISMO

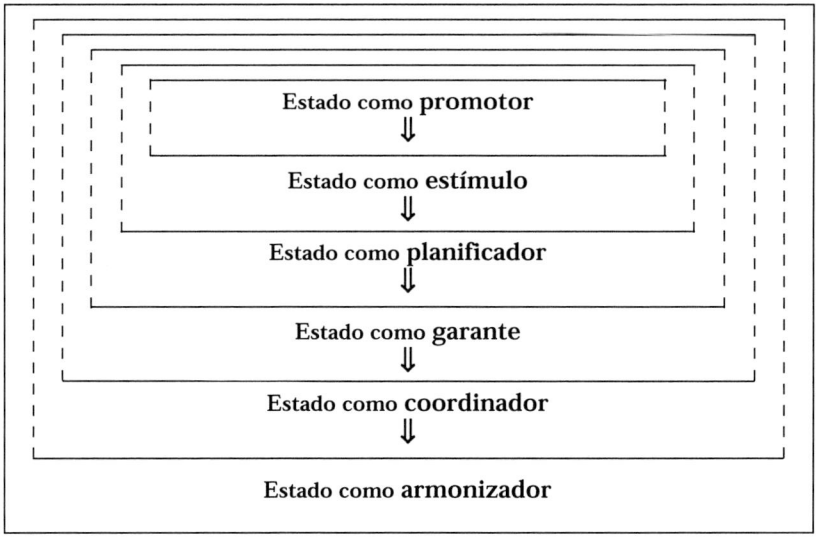

(Fuente: Elaboración propia, basado en OCDE, 1989)

2. OBJETIVOS DE LA POLÍTICA TURÍSTICA

Utilizaremos las fases propuestas por la OCDE para describir también la evolución de los objetivos que los gobiernos persiguen con la política turística. Los objetivos, además de estructurar el discurso público de los decisores turísticos, son el núcleo de los planes y programas aprobados y puestos en marcha por los gobiernos[62].

En la fase de desarrollo de la actividad, cuando el Estado actúa como promotor, el Gobierno tiene dos tipos de objetivos: los puramente eco-

---

[62]　Para elaborar este epígrafe hemos utilizado como referencia los documentos de planificación del Gobierno Central de nuestro país. A pesar de ello, los datos recogidos en la bibliografía que hace referencia a la política turística de otros países europeos parece indicar que la evolución de los objetivos ha sido similar, utilizando un nivel de simplificación similar al del relato de funciones de la OCDE.

nómicos y los políticos. Entre los objetivos económicos, dada la juventud de la propia actividad y el desconocimiento de los impactos que tendrá la misma, sólo se plantea aumentar el ingreso de divisas para beneficiar la balanza de pagos. Los objetivos políticos son el apoyo al derecho a viajar libremente, recogido en el Punto 5 de la Declaración Universal de los Derechos del Hombre (derecho al cambio de residencia y de trabajo, al desplazamiento y a los viajes) y el apoyo al desarrollo del turismo como instrumento para la paz, ya que supone un mejor conocimiento de otras culturas[63].

En la siguiente fase, cuando el Estado asume la función de estímulo, los objetivos económicos se amplían. Se trata de conseguir no sólo el equilibrio de la balanza de pagos, sino la creación de un tejido empresarial cuya única actividad sea el turismo, lo que traerá consigo la creación de puestos de trabajo y la dinamización de sectores complementarios. Este objetivo se completa con otro que persigue la implicación del sector privado en la expansión de la actividad. Acciones de "efecto demostración" o el apoyo al desarrollo turístico mediante la construcción por el Estado de infraestructura turística en zonas no explotadas se convierten en el arquetipo. En relación con los objetivos políticos, y en el caso de España, el objetivo del Estado es que el turismo se convierta en un instrumento de propaganda beneficiosa para el Régimen Franquista ya que los turistas, en opinión del Gobierno, regresaban a sus países con una imagen del país muy distinta a la generada por los medios de comunicación.

En la etapa en que el Estado asume también funciones de planificador, en la política turística comienzan a aparecen como objetivos primordiales la canalización de los flujos turísticos hacia territorios menos favorecidos que no tienen la posibilidad de generar otro tipo de industria. La construcción de infraestructura básica, la aprobación de instrumentos de planificación específicos o las ventajas fiscales para las empresas que radicasen su actividad en determinadas áreas, fueron las acciones prototipo de la fase.

---

[63]   En la Conferencia de las Naciones Unidas sobre Viajes Internacionales celebrada en Roma en 1963, se defienden las ventajas económicas, la importancia social, educativa y cultural y la contribución importante que aporta el Turismo al entendimiento y compresión internacional (Fernández Fuster, 1997:38).

Durante el período del Estado como garante, los objetivos centrales estuvieron relacionados con la idea de aumentar el control sobre las distintas relaciones que se dan en el sistema turístico. La política turística también debía servir para poner orden y evitar situaciones de abuso. Los objetivos fueron la ordenación de los subsectores, clarificando las actividades de las empresas turísticas y las obligaciones y derechos de los sujetos que las ejercían, la protección de los turistas y la intervención en destinos que, habiéndose desarrollado en una etapa en donde el Estado no había ejercido ninguna función real de control, comienzan a sufrir ya problemas graves de saturación y falta de planificación.

En las dos últimas fases las condiciones del entorno han cambiado y los objetivos no son de crecimiento y desarrollo sino de adaptación y mejora.

En la fase del Estado como coordinador aparecen nuevos fines de la política turística: el apoyo a los procesos de reconversión empresarial, mediante programas de refuerzo de las acciones de rediseño organizativo, de crecimiento, de modificaciones en los procesos productivos o de simple modernización técnica de las empresas; la construcción de una cultura de trabajo en común entre los subsectores y las acciones tendentes a generar nuevos productos.

Por último, en la etapa del Estado como armonizador la política turística persigue mejorar el producto turístico ante un mercado cada vez más sofisticado y ante problemas públicos de difícil gestión. Las acciones relacionadas con la calidad y la nueva forma de trabajar en los destinos necesitan de una mayor implicación del sector privado y conllevan la aparición de objetivos que buscan la consolidación de estructuras variadas cuyo fin sea la cooperación entre los actores.

CUADRO 3.2.: EVOLUCIÓN DE LOS OBJETIVOS DE LA POLÍTICA
TURÍSTICA

Estado como promotor ⇓	– Aumentar ingreso divisas - Proteger el derecho a viajar libremente – Potenciar el turismo como instrumento de paz
Estado como estímulo ⇓	– Potenciar el desarrollo de la actividad turística – Fomentar la participación del sector privado – *Turismo como instrumento de propaganda política (España)*
Estado como planificador ⇓	– Canalizar corrientes turísticas hacia regiones desfavorecidas
Estado como garante ⇓	– Proteger a los consumidores / turistas – Reglamentar los subsectores – Ordenar el desarrollo de los destinos
Estado como coordinador ⇓	– Apoyar la modernización de las empresas turísticas – Poner en común a los subsectores turísticos – Favorecer el diseño de nuevos productos
Estado como armonizado	– Apoyar la creación de organismos de cooperación – Fomentar la implicación del sector privado en las acciones conjuntas

(Fuente: Elaboración propia)

3. INSTRUMENTOS DE LA POLÍTICA TURÍSTICA

Para la disciplina del Análisis de Políticas resulta acostumbrado que los actores públicos, independientemente de la arena política en la que trabajen, dispongan de herramientas variadas que utilizan de forma simultánea. En las políticas públicas coexisten instrumentos económicos, de planificación, de fomento, etcétera, que son destinados a la consecución de los objetivos propuestos en cada arena concreta.

El objeto del presente libro es la política turística del Gobierno Central entre los años 1951-2004[64]. La pregunta que nos resultaba de mayor interés era cómo había cambiado la política turística durante dicho periodo y qué hechos podían haber facilitado que se produjera un cambio. Para ello recopilamos información sobre qué habían hecho los sucesivos Gobiernos y, tras un primer trabajo con los datos, propusimos agrupar las acciones en conjuntos coherentes.

La reflexión nos llevó a proponer seis grupos. Observamos que un conjunto de acciones se centraban en la creación o modificación de organizaciones cuyo objetivo era el turismo, o alguna de sus facetas; además, los Gobiernos aprobaban Planes generales, que podíamos diferenciar de otro tipo de instrumentos que denominamos programas; junto a este tipo de acciones el recurso a las normas era el núcleo de los que llamamos instrumentos normativos y los estímulos económicos de diverso tipo los de los instrumentos financieros; para finalizar propusimos agrupar un conjunto de acciones que buscaban la comunicación sobre la actividad. Veremos las principales características de cada uno de ellos[65].

3.1. Instrumentos organizativos

Cuando nos referimos a instrumentos organizativos situamos nuestro foco de interés en las estructuras organizativas públicas o de naturaleza mixta con responsabilidades sobre el turismo. En la actualidad existe una gran multiplicidad de estructuras con alguna responsabilidad pública sobre la materia por lo que resulta imprescindible proponer una clasificación, aunque sea con carácter tentativo. Las analizaremos agrupándolas en: estructuras administrativas tradicionales, estructuras ejecutivas y estructuras de cooperación.

a) Existe un primer grupo en la que se encuadran las que denominaremos *estructuras administrativas tradicionales*.

---

[64] Para una descripción del diseño de la investigación, ver la Introducción al libro.
[65] Estas son las categorías que también utilizaremos en la exposición descriptiva de las actuaciones en política turística del Gobierno Central, en cada uno de los Capítulos dedicados a ello.

La OMT las llama Administraciones Nacionales del Turismo (National Tourism Administration o NTAs) y las define como:

> *(1) Organismo del gobierno central, con responsabilidad adminis-trativa en materia de turismo al más alto nivel u, Organismo del gobier-no central, con capacidad de intervención directa en el sector turístico.*
>
> *(2) Todos los organismos administrativos, dentro del gobierno na-cional, con competencias para intervenir en el sector turístico. (OMT, 1996)* .

En este grupo estaría un Ministerio responsable del turismo, o una Secretaría de Estado de Turismo, o la Secretaría General de Turismo...

b) En un segundo grupo estarían las *estructuras ejecutivas* dependien-tes de las anteriores (orgánica, funcional o financieramente) de las que puede hacer uso el Gobierno para el cumplimiento de sus fines.

La OMT las denomina Organizaciones Nacionales del Turismo (National Tourism Organization o NTOs) y las define como:

> *Otros organismos oficiales o gubernamentales de inferior nivel— que pueden estar incorporados en el órgano superior o ser autóno-mos— y que pueden ser reconocidos como los órganos ejecutivos de las administraciones nacionales de turismo. Entre estos cabe también incluir a las organizaciones centrales que están financiera o legalmen-te ligadas a las NTAs.*
>
> *Un ejemplo fundamental son las Organizaciones Nacionales de Turismo (también denominadas Oficinas Nacionales de Turismo) , que se definen como: organismo autónomo público, semi-público o priva-do, creado o reconocido por el Estado como el órgano competente a escala nacional para la promoción, y en algunos casos marketing, para atraer el turismo internacional (OMT, 1996)* .

Es el caso de organismos autónomos o entes públicos que persiguen objetivos concretos de política turística y, precisamente por la cualidad de sus objetivos, se les dota de una naturaleza jurídica particular. La Escuela Oficial de Turismo fue, hasta su incorporación a la Universi-dad, un organismo de estas características. Turespaña sería el ejemplo más claro y se correspondería exactamente con el segundo párrafo de la definición, las denominadas Oficinas Nacionales de Turismo.

Esta doble estructura de organizaciones se repite en otros niveles territoriales y son de aplicación a éstos las denominaciones y definicio-nes (por ejemplo, Turgalicia o Turmadrid).

La empresas públicas podrían formar parte de esta categoría, aunque estén sometidas al tráfico privado. La sociedad anónima de capital público "Paradores de Turismo de España", podría ser el mejor ejemplo.

c) Por último, existe un tercer grupo mucho más difuso. En los últimos años, y en relación profunda con el nuevo papel de los gobiernos como coordinadores, facilitadores o armonizadores, surgen un conjunto de entes cuya característica común es que responden a la idea de cooperación.

Dentro de estas *estructuras de cooperación* podemos distinguir los órganos de cooperación de naturaleza estrictamente pública (para los que reservaremos el término específico de órganos de cooperación) de aquellos otros que reúnen a agentes privados, públicos e institucionales (a los que llamaremos instituciones de cooperación).

Los órganos de cooperación de naturaleza pública son de dos tipos: los que se convierten en un espacio de colaboración para agentes públicos provenientes de diferentes campos (caso de la Comisión Interministerial de Turismo) y los que crean un espacio de trabajo para agentes públicos con responsabilidades en el turismo, en distintos niveles competenciales (como por ejemplo, la Conferencia Sectorial de Turismo, que reúne a los máximos responsables turísticos del Gobierno Central y de las Comunidades Autónomas, o la Mesa de Directores, en la que participan los decisores públicos del nivel de Director General de ambos niveles territoriales)[66].

Las instituciones de cooperación son organizaciones formalmente independientes que, sin embargo, asumen responsabilidades en el ámbito turístico semejantes a las que hasta ahora ha tenido la Administración Pública.

Dentro de esta categoría encontramos instituciones diferentes con características propias que hemos organizado según el principal objetivo que persiguen: el desarrollo de un destino, el desarrollo de una tipología de turismo o la dinamización turística de un área.

---

[66] Más adelante se analiza la evolución de estas estructuras de cooperación del Gobierno Central.

Los entes gestores de planes de desarrollo turístico en destino (planes de dinamización, de excelencia o de calidad en destino) tienen autonomía formal para conseguir los objetivos determinados en cada uno de los planes, aunque su dependencia financiera de distintas administraciones les coloquen en una posición singular dentro de este grupo. Las instituciones creadas para desarrollar o un producto o una tipología de producto son, por ejemplo, los "Convention Bureau". Las instituciones dinamizadoras de la actividad turística reciben diversos nombres (Centros de Iniciativas Turísticas, Centros de Desarrollo Turístico Local...) y se convierten en nodos de comunicación que distribuyen información y trabajan para potenciar el turismo en un espacio en donde la actividad no esté muy desarrollada.

CUADRO 3.3.: CLASIFICACIÓN DE LAS ESTRUCTURAS ORGANIZATIVAS TURÍSTICAS RELACIONADAS CON EL SECTOR PÚBLICO

		INDEPENDIENTES	DEPENDIENTES JURÍDICA, ORGÁNICA O FUNCIONALMENTE DE OTRAS ORGANIZACIONES PÚBLICAS
NATURALEZA	PÚBLICA	**ÓRGANOS ADMINISTRATIVOS TRADICIONALES** – Ministerio – Secretaría de Estado – Secretaría General	**ÓRGANOS EJECUTIVOS LIGADOS A OBJETIVOS CONCRETOS** – Turespaña – Escuela Oficial de Turismo (antes de su incorporación a la Universidad)
	MIXTA	**INSTITUCIONES DE COOPERACIÓN** – Ente Gestor de Plan de Dinamización o Plan de Excelencia – Institución creada para desarrollar un producto o una tipología de turismo – Instituciones dinamizadoras de la actividad turística en un espacio geográfico determinado	**ÓRGANOS DE COOPERACIÓN** – Comisión Interministerial del Turismo – Conferencia Sectorial del Turismo – Mesa de Directores Generales de Turismo
	PRIVADA		**EMPRESAS PÚBLICAS** – Paradores de Turismo (Sociedad Anónima de capital público)

(Fuente: Elaboración propia)

Las propiedades de los instrumentos organizativos son:

- En relación con el ámbito al que se dirigen, es la propia Administración Turística la destinataria de estos instrumentos.
- Tiene carácter vinculante para la Administración.
- Su objeto básico es la auto-organización del sector público vinculado al turismo.
- Y sus objetivos son concretos.

3.2. Planes generales

Un plan general es el instrumento político básico que contiene el conjunto de acciones cuyo fin es intervenir en el sector turístico en su totalidad. Es el resultado de un proceso de planificación y conlleva la determinación de unos objetivos, la identificación de unos instrumentos para alcanzarlos y la dotación de los medios necesarios para su cumplimiento. Sólo consideraremos que estamos delante de este instrumento si hay un documento explícitamente elaborado, publicado y difundido como instrumento programático y si es aprobado con intención de servir de guía de acción durante un periodo concreto. De esta manera no analizaremos como plan general los planes de actuación que de manera verbal se comunican a la prensa, ni la exposición de los objetivos que el responsable del Departamento o el máximo decisor en materia turística realiza ante la Comisión Parlamentaria correspondiente, ni la reconstrucción retrospectiva de lo actuado incorporada en una memoria...

Las propiedades del instrumento son:

- Ámbito: se dirige a la totalidad del sector.
- Tiene carácter programático, convirtiéndose en el referente de actuación de la Administración Turística durante el espacio temporal en que esté vigente.
- Su objeto es el impulso y la planificación del conjunto del sector.
- Sus objetivos son generales, aunque se implanten acciones concretas.

En relación con estas características están las cuestiones de mayor interés para el Análisis de Políticas.

a) Un plan contienen la argumentación básica sobre el porqué y el cómo un gobierno interviene en el turismo. Se convierten en el instrumento de comunicación de la acción pública, elemento básico en un modelo de Estado en donde la acción de los poderes públicos ha de argumentarse (Majone, 1989).

b) Además, los planes generales permiten inferir la idea básica que el gobierno tiene respecto del turismo, concentran la filosofía de acción y muestran los valores comunes a todos los decisores. En un plan se expresan los denominados "marcos conceptuales" o formas de seleccionar, organizar, interpretar y dotar de sentido a realidades complejas que comparten los principales agentes públicos y privados del ámbito de referencia (Rein y Schön, 1993:146), es decir, la forma de entender el turismo, sus componentes esenciales, sus problemas, los que tienen solución y los que no. Un plan encierra una realidad compleja de ideas, valores y creencias.

c) Por último, un plan es también el compromiso entre el sector público y el sector al que va dirigido. Es la concreción en un documento de la oportunidad del pacto entre las partes y, por su objetivo de aunar opiniones, necesita generar adhesión intelectual tanto de los analistas como de los destinatarios finales del mismo. Hood y Jackson analizaron las razones por las que algunos planes tenían un mayor "factor de aceptación" e hicieron depender éste concepto de que el plan hubiera resuelto con mayor o menor acierto la elaboración de las siguientes consideraciones:

1. Un plan debe contener una simetría entre el problema que el decisor público pretende solucionar y la solución que él mismo plantea.

2. Por la propia ambigüedad de la realidad, ha de hacer un buen uso de la metáfora para alcanzar poder persuasivo.

3. Esa misma ambigüedad debe quedar reflejada en el documento, pues será la formula que permita atraer a los diversos grupos interesados en el ámbito al que se dirige.

4. Todo plan debe hacer especial énfasis en los beneficios públicos que pretende generar más que en beneficios privados, aunque estos también puedan existir.

5. Debe realizar una selección de argumentos y pruebas para favorecer las conclusiones deseadas, desechando las contrarias.

6. Por último, el plan debe despejar, en el propio documento, las posibles fuentes de dudas sobre la argumentación.

La reflexión de los autores es perfectamente aplicable a los Planes de Turismo que mayor impacto han tenido, como más adelante veremos.

3.3. Programas

En ocasiones no resulta sencillo diferenciar entre un plan y un programa ya que los términos son utilizados por la Administración sin demasiado rigor.

Si uno observa la acción pública en un determinado ámbito, en nuestro caso el turismo, puede comprobar que cuando los decisores diseñan una acción para intervenir pueden adoptar distintos enfoques: desde un amplio rango de visión con un menor grado de detalle, hasta un enfoque muy cercano a un asunto centrándose en los pormenores. La referencia fotográfica nos permite crear una imagen útil.

Hemos dicho que un plan es un conjunto articulado y coherente de acciones cuyo objeto es el turismo globalmente considerado; construye una imagen amplia con menor detalle. Un programa, al igual que un plan, conlleva la determinación de unos objetivos, la identificación de unos instrumentos para alcanzarlos y la dotación de los medios necesarios para su cumplimiento, pero se diferencia en que sus objetivos son concretos; en este caso provee de una imagen más redonda pero con un alto grado de detalle.

Las propiedades del instrumento son:

– Ámbito: Los programas son acciones, o conjuntos de acciones, que tienen como ámbito de desarrollo un subsector turístico concreto (alojamientos, viajes...), un producto turístico específico (turismo cultural, turismo de congresos...), un perfil de turistas específico (turismo de tercera edad, turismo joven, turismo social...) o una temática concreta del turismo (sostenibilidad, concentración, seguridad...).

– Tiene carácter voluntario, en el sentido de que depende de los actores que pudieran estar interesados en dicho plan el participar o no.

- Su objeto es el impulso y la planificación de un aspecto concreto del turismo (subsector, producto turístico específico, perfil de turistas específico o temática concreta).
- Y sus objetivos son concretos. Por ejemplo, el *Programa de Modernización Hotelera* tenía dos objetivos: rejuvenecer las instalaciones y, mientras existían establecimientos cerrados por obras, reducir la oferta de plazas hoteleras. El *Programa "Becas Turismo de España"* persigue también dos objetivos: que aumente la investigación turística y, al ser un tipo muy concreto de investigación, la que se realiza en los departamentos universitarios, que aumente el número de investigadores en el país. El *Programa de Turismo de Tercera Edad* ha visto modificado su nombre por el de *Programa de Vacaciones para mayores y para mantenimiento del empleo en zonas turísticas*, destacando así, en el nombre del programa su doble fin. O, el *Plan de Impulso al Turismo Cultural e Idiomático*, a pesar de su nombre, es un programa cuyos objetivos son de estímulo a esta tipología concreta de turismo.

3.4. Instrumentos normativos

Encuadraremos dentro de los instrumentos normativos cualquier norma legal de carácter vinculante y de aplicación directa, que incida en la totalidad del sector, la ordenación de un subsector concreto, o la regulación de cualquiera de los componentes de la actividad turística. Es decir cualquier Ley, Real Decreto, Decreto, Orden, etc. que verse sobre clasificación hotelera, el turismo rural, la normativa de seguridad en las actividades de turismo náutico...

Por cuestiones metodológicas, a la hora de sistematizar la información no consideraremos dentro de esta categoría los actos normativos cuyo fin sea la puesta en marcha de cualquiera de los otros instrumentos especificados (por ejemplo, no se considera instrumento normativo las órdenes ministeriales que regulan el crédito turístico, o los reales decretos que modifican un instrumento organizativo, ya que, en estos casos, estamos ante una exigencia formal para la legitimación de un instrumento político que puede encuadrarse en otra de las categorías). De otro modo, la práctica totalidad de las acciones públicas podrían ser consideradas instrumentos normativos.

Las propiedades de los instrumentos organizativos son:

- Ámbito: Pueden dirigirse a la totalidad del sector o a un ámbito concreto (subsector turístico, producto turístico o temática específica).
- Tienen carácter vinculante, como cualquier otro instrumento normativo.
- Su objeto es la ordenación del ámbito al que se dirige.
- Los objetivos de cada instrumento normativo son concretos.

3.5. Instrumentos financieros

Los instrumentos financieros son el conjunto de estímulos económicos cuyo objeto es el apoyo financiero a la totalidad de la iniciativa privada del sector turístico (el crédito turístico), a un subsector turístico concreto (el crédito hotelero), o a la iniciativa privada que trabaja en una tipología de turismo determinada (turismo rural). En cualquiera de los tres casos el instrumento financiero se diseña teniendo en cuenta los objetivos del plan o el programa al que se vincula, o dicho de una manera más general, los objetivos concretos de la política turística. Por ejemplo, el crédito hotelero se destina al sector de alojamientos, pero un año puede aplicarse a la mejora de las condiciones de seguridad de los establecimientos y otro a la sustitución de las fuentes de energía convencional por energía sostenible.

Los instrumentos financieros se articulan a través de cualquiera de las fórmulas previstas en la ley: créditos, ayudas económicas reembolsables, subvenciones...

Las propiedades de este tipo de instrumentos son:

- Ámbito: Pueden dirigirse a la totalidad del sector o a un ámbito concreto (subsector turístico, producto turístico o temática específica).
- Tiene carácter voluntario, en el sentido de que depende de los actores que pudieran estar interesados en utilizar el instrumento financiero hacer uso del mismo o no.
- El principal objeto es el fomento.
- Los objetivos pueden ser generales o concretos.

3.6. Acciones de comunicación

Este último conjunto, agrupado bajo la denominación de acciones de comunicación, está constituido por diversas acciones aparentemente poco homogéneas que son promovidas por la Administración y que persiguen varios objetivos: difundir la actividad turística entre el conjunto de la sociedad, generar espacios de comunicación entre los profesionales del turismo o favorecer la creación de una tribuna de reflexión sobre el turismo.

Son instrumentos de divulgación que tratan de mostrar la trascendencia de una actividad como la turística cuya importancia y complejidad es poco percibida por la sociedad. Por su propia naturaleza no son acciones que se impongan, sino que tienen carácter voluntario.

El conjunto más reconocible en la política turística de nuestro país son los estímulos honoríficos que, bajo la denominación común de Premios Nacionales del Turismo, pretendían difundir la actividad y mostrar el esfuerzo realizado por los profesionales más destacados. También estarían dentro de este grupo de instrumentos los encuentros entre profesionales del sector y administración turística en los Congresos Nacionales de Turismo.

Las propiedades de los instrumentos de comunicación son:

- Ámbito: Pueden relacionarse con la totalidad del sector o con un ámbito concreto (subsector turístico, producto turístico o temática específica).
- Tiene carácter voluntario.
- El principal objeto es la difusión del turismo.
- Los objetivos son concretos.

Cualquiera de los instrumentos descritos pueden ser utilizados por los distintos niveles gubernamentales con competencia en turismo. Aunque no todos sean utilizados o no todos lo sean en el mismo momento, es la opción de poder hacer uso de algunos de los instrumentos lo que nos permite distinguir una política turística de otro tipo de iniciativas públicas. Reflexionar sobre si existe la posibilidad de poner en marcha los diferentes instrumentos se convierte en una forma útil de comprobar si estamos ante un conjunto de acciones que podrían calificarse como una política pública o no.

CUADRO 3.4.: PROPIEDADES DE LOS INSTRUMENTOS DE POLÍTICA TURÍSTICA

	ÁMBITO	CARÁCTER	OBJETO	OBJETI-VOS
INSTRUMENTOS ORGANIZATIVOS	Administración turística	Vinculante para la administración	Auto-organización	Concreto
PLANES GENERALES	Totalidad del sector	Programático	Impulso y planificación del turismo	General
PROGRAMAS	Subsector concreto, o producto turístico, o perfil turista o temática concreta	Voluntario para los afectados	Impulso y planificación de un subsector o área temática	Concreto
INSTRUMENTOS NORMATIVOS	Totalidad del sector / Subsector, producto, perfil o temática.	Vinculante	Ordenación	Concreto
INSTRUMENTOS FINANCIEROS	Totalidad del sector / Subsector, producto, perfil o temática.	Voluntario para los afectados	Fomento	General Concreto
ACCIONES DE COMUNICACIÓN	Objetivo concreto	Voluntario	Difusión del turismo	Concreto

(Fuente: Elaboración propia)

4. DESTINATARIOS DE LA POLÍTICA

En el primer Capítulo caracterizamos el turismo como un sistema formado por el subsistema de actividad turística (o entramado de actividades que constituyen la acción turística), el subsistema de productos turísticos (que comprende los diferentes recursos que se utilizan para construir las tipologías de productos turísticos) y el subsistema de actores turísticos. Señalamos también como los actores podrían agruparse fundamentalmente en tres: actores privados, públicos y turista, aunque una nueva categoría, el destino, comienza a ser considerado un sujeto más en el conjunto. En este epígrafe pretendemos completar dicha descripción para adecuarla a un análisis de políticas observando quienes son los destinatarios de los distintos planes, programas o acciones que se aprueban e implantan desde el gobierno.

La política turística, a través de los planes y los programas públicos, tiene como objetivo o la totalidad del sector turístico o una parte del mismo (subsector concreto, producto turístico, perfil determinado de turista o temática concreta) pero en cualquiera de los dos supuestos siempre se dirigen a todos o a alguno de los siguientes destinatarios:

1.– Las propias organizaciones públicas. Es el caso de las reestructuraciones administrativas, la creación de nuevos órganos de decisión o participación, o cualesquiera otras que incidan en moldear la capacidad organizativa de la administración turística.

2.– Los actores privados. Nos referimos principalmente a los empresarios turísticos a los que se dirigen los planes y programas que apoyan el desarrollo del sector, que incentivan ciertas actividades turísticas, respecto de otras, que fomentan programas de formación de los empleados turísticos o que ordenan la actividad turística que éstos desarrollan. Otros actores privados, o del denominado tercer sector, no han sido objeto de demasiada atención por parte de la acción pública.

3.– El consumidor turista. Las acciones públicas dirigidas a este colectivo son, por un lado, las que protegen a este conjunto particular de consumidores mediante sistemas que les garanticen una menor indefensión previa, frente a las grandes empresas, o fórmulas para reclamar a posteriori, en caso de que existan problemas durante su estancia en un entorno diferente al habitual. Por otro lado, constituyen el núcleo central de las acciones de promoción del gobierno.

4.– Finalmente existe otro grupo de destinatarios, de contornos más difusos que los anteriores, que podríamos agrupar en el término "destino". Los destinos se han convertido, como espacios catalizadores del hecho turístico, en los destinatarios de gran parte de los programas públicos actuales. Se busca con ello acercar el nivel decisorio implicado al territorio en donde pretenderse incidirse.

CUADRO 3.5. ACCIONES DE POLÍTICA TURÍSTICA SEGÚN
DESTINATARIOS

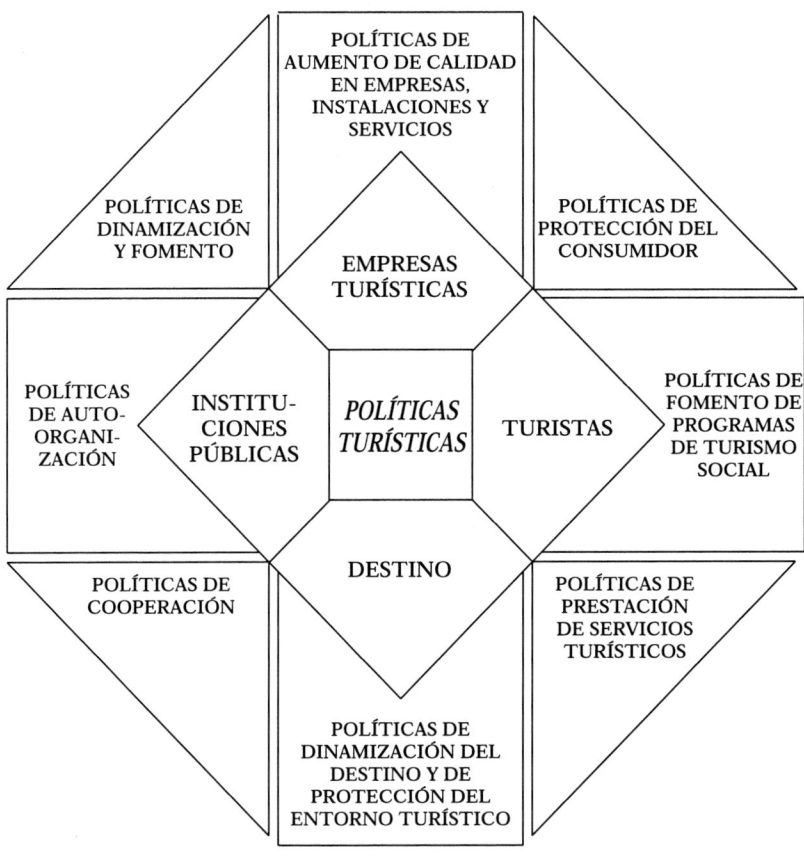

(Fuente: Elaboración propia)

Para observar cómo distintos destinatarios son objeto de distintas acciones públicas representaremos en una imagen un ejemplo de los instrumentos considerados referidos a los principales destinatarios.

CUADRO 3.6. EJEMPLOS DE ACCIONES DE POLÍTICA TURÍSTICA SEGÚN DESTINATARIOS

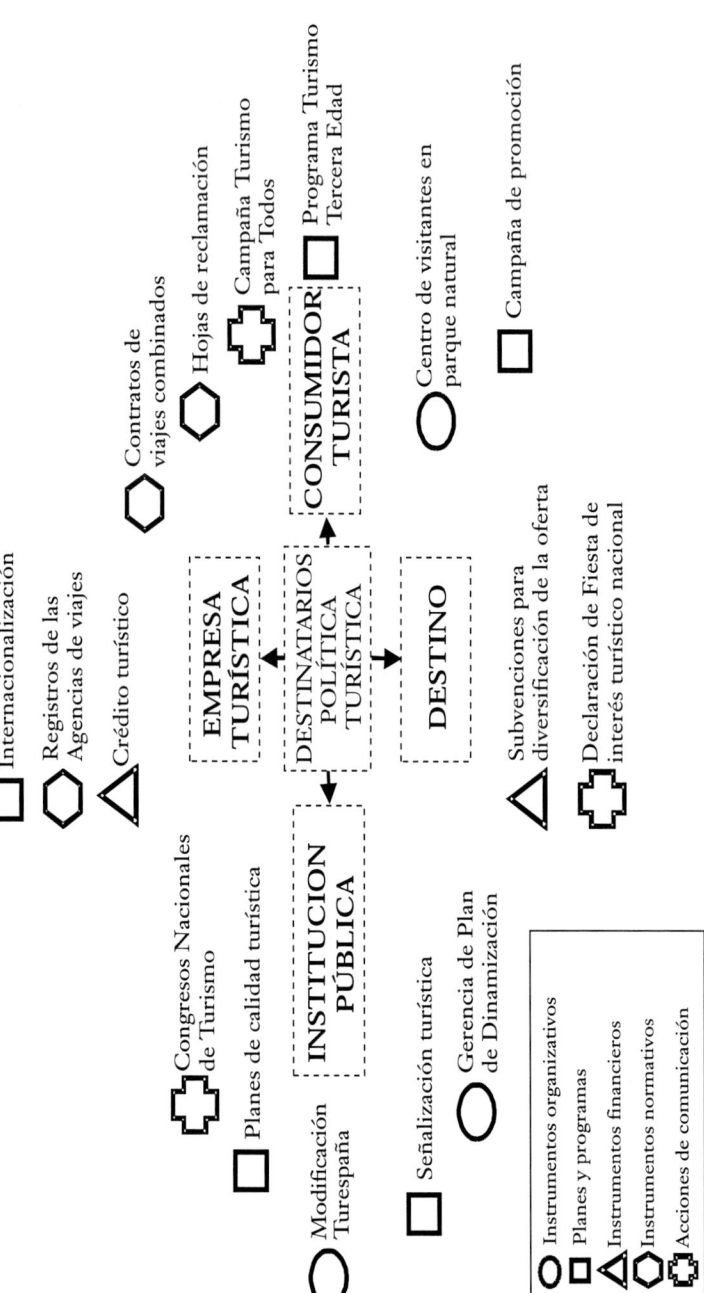

(Fuente: Elaboración propia)

Podemos completar el análisis de los destinatarios de la política con una referencia a los afectados por ésta o los interesados en ésta.

El estudio de los agentes que se ven afectados por una política pública se ha desarrollado especialmente en el ámbito de la evaluación de políticas. En este entorno conceptual se habla de los "stakeholders" o individuos que tienen algún interés en un programa público y se distinguen tres grupos de interesados en una política pública: los agentes, es decir las personas que diseñan, ponen en marcha el programa público (los que lo formulan, los que lo financian, los que detectan las necesidades locales, los que toman las decisiones, los proveedores de materiales, instalaciones..., el que contrata la evaluación y el personal que pone en marcha el programa); los beneficiarios del programa (los beneficiarios directos o personas para quienes fue diseñado el programa, los beneficiarios indirectos y las personas que ganan algo por el hecho de que el programa esté en marcha) y las "víctimas" (los grupos sistemáticamente excluidos; grupos que sufren efectos colaterales negativos, o las personas que sufren costes de oportunidad) (Bustelo, 2000).

Aplicado al sector turístico, reconocemos a los agentes que ponen en marcha los programas, a los beneficiarios y, en especial, a las "víctimas". Los últimos análisis sobre la comunidad receptora de la actividad turística muestran que el turismo supone uno de los factores sociales de mayor impacto en la vida diaria. No sólo en situaciones extremas de riesgo de cambios socioculturales, procesos de aculturación o de pérdida de usos y manifestaciones culturales propias, también en situaciones en donde el problema es la saturación del espacio vital cotidiano y su conversión en un espacio de ocio para los ajenos ahogando la realidad de sus habitantes.

Parte Segunda
LAS FASES

INTRODUCCIÓN

En esta segunda parte del libro procederemos a construir un relato de las principales fases de la política turística, agrupando en etapas coherentes las acciones públicas en materia de turismo.

La política turística ha avanzado en el tiempo conformando distintas etapas en las que una idea preside la acción pública y varias iniciativas se articulan para construir la imagen de referencia sobre qué debe hacerse. Nuestro objetivo es caracterizar cada una de las fases y en su exposición mantendremos un mismo esquema:

a) **Descripción de las principales actuaciones**

Las acciones que se relatan están ordenadas conforme a dos criterios:

–   Un criterio temporal: las acciones se agrupan en periodos, que corresponden a mandatos ministeriales.

–   Un criterio sustantivo: las acciones se agrupan en instrumentos organizativos, planes generales, programas, instrumentos normativos, instrumentos financieros y otras acciones (la aproximación teórica de cada uno de ellos se ha realizado en el Capítulo anterior).

b) **Análisis de la fase**

La interpretación de cada una de las fases se realiza mediante la caracterización de los referentes básicos y una reflexión sobre el rasgo sustantivo que marcó el estilo de cada una de ellas[67].

---

[67]   Inicialmente partimos del concepto de "estilo de la política", idea que relaciona dos pares de conceptos. Uno se centra en el momento de reacción de los decisores públicos: tendencia a anticipar problemas —estilo anticipatorio— o a reaccionar cuando los problemas surgen —estilo reactivo—, y un segundo par de conceptos analiza el modo en que se negocian las acciones: estilo de consenso, frente a estilo de imposición de decisiones. (Richardson, 1982; Gomá y Subirats, 1998). Pero en la elaboración del Capítulo nos dimos cuenta de que debían incorporase otras cuestiones que

En relación con las fases de la política turística detectadas hay que diferenciar en primer lugar, y por cuestiones metodológicas, la etapa de política turística que se corresponde con el Régimen Franquista de la etapa constitucional. La etapa franquista se analiza para poder construir el referente del legado político que hereda el primer gobierno democrático en materia de turismo.

b.1) Periodo pre-constitucional

En el periodo preconstitucional, distinguimos dos fases.

- La primera transcurre durante los años 1951-1962. Durante esos once años, el planteamiento de la política turística se desarrolla tomando como referente el denominado "Plan Nacional de Turismo".

- La segunda fase, tiene como punto de partida un documento ajeno al Gobierno, el Informe del Banco Mundial de 1962, a partir del cual da comienzo la sucesión de los Planes de desarrollo Económico y Social. Todos incorporan un capítulo dedicado al turismo y se constituyen en la guía de acción en la materia hasta 1974. Los tres Planes consecutivos, a pesar de ser documentos que evolucionan en el planteamiento y en los objetivos contenidos, comparten similitudes suficientes como para conformar una etapa coherente. Otros elementos, más allá de los Planes, confirman esta afinidad, como veremos inmediatamente.

b.2) Periodo constitucional

En el periodo democrático, distinguimos cuatro fases.

- La primera de ellas tiene su origen en las postrimerías de la Dictadura ya que da comienzo en el año 1974, tres años antes de las primeras elecciones democráticas y se mantiene hasta 1983. En 1974 el Gobierno aprueba lo que denomina "Paquete de medidas urgentes para el Turismo". El conjunto de medidas, aunque no suponga formalmente un plan general, contiene los elementos que lo convierten en un referente de actuación en materia turísti-

---

también definían el carácter de la fase. Decidimos modificar el nombre del epígrafe para no generar confusiones, aunque mantuviéramos la referencia a la idea de "estilo", como conjunto de rasgos distintivos y singulares.

ca para los decisores públicos. La filosofía contenida en las nuevas acciones se mantiene vigente, no sólo hasta el cambio de régimen político y primer gobierno constitucional, sino que marcará las líneas de actuación en la materia durante los sucesivos mandatos de ministros de UCD. También en este caso, existen otros indicadores que permiten argumentar la singularidad del periodo considerado.

- La segunda fase del periodo democrático, transcurre desde 1983, hasta 1991. Esta fase está caracterizada por una profunda modificación en los instrumentos organizativos y el rediseño definitivo de competencias entre el Gobierno Central y las Comunidades Autónomas, con el consecuente replanteamiento del papel de aquel en la materia turística.

- La tercera fase, comprendida entre los años 1991 y 1996, se inicia con un cambio en la ubicación ministerial de la materia turística y el mandato del que será el cuarto ministro socialista en materia de turismo. Describiremos con posterioridad las características de la fase, en la que la nueva perspectiva de la política turística del Gobierno Central queda expresada en los Planes de Competitividad del Turismo Español, denominados *Futures* 1992-1995 y *Futures* 1996-2000.

- La cuarta y última fase, da comienzo con la llegada al poder del gobierno del PP. Si bien los dos documentos de política turística defendidos en el periodo (el Plan de Estrategias y Actuaciones de la Administración General del Estado en materia turística de 1997 y el Plan Integral de Calidad Turística Española) comparten cuestiones relevantes con los de la etapa anterior, existen otros elementos que permiten argumentar que estamos en presencia de una período diferenciado.

María Velasco González

CUADRO 4.1.: FASES DE LA POLÍTICA TURÍSTICA

Periodo	Fase	Situación política
1951-1962	**Inicios** *(Legado de la política turística I)*	*Régimen Franquista*
1962-1974	**Desarrollo** *(Legado de la política turística II)*	
1974-1983	**Modernización**	Transición y Gobierno UCD
1983-1991	**Adaptación institucional**	Gobiernos PSOE
1991-1996	**Innovación**	Gobiernos PSOE
1996-2004	**Cooperación**	Gobiernos PP

(Fuente: Elaboración propia)

Capítulo 4
LOS INICIOS (1951-1962). LEGADO DE LA POLÍTICA TURÍSTICA (I)

En este capítulo se describen las principales actuaciones de política turística que se desarrollan durante los primeros cincuenta años del siglo XX (epígrafe al que hemos denominado "antecedentes de la política turística") y se analiza la fase que transcurre durante once años de política turística del Régimen Franquista que dan comienzo con la creación del Ministerio de Información y Turismo en 1951.

1. LOS ANTECEDENTES DE LA POLÍTICA TURÍSTICA

Antes de 1951 existen acciones que apoyan, fomentan, coordinan o regulan el turismo en nuestro país. Pero los rasgos del turismo durante los primeros años del siglo XX son tan diferentes de los que adopta a partir de los años cincuenta que no resulta posible establecer comparaciones. Por ello, aunque sea necesario explicar brevemente lo ocurrido en esa etapa inicial por ser los antecedentes de la política turística, lo acaecido entonces no forma parte de nuestro análisis.

Como hemos señalado, en los últimos años del siglo XIX y durante los primeros del siglo XX aparecen los primeros signos de lo que, a partir de los años cincuenta, será el turismo de masas. De manera casi simultánea, en distintos países occidentales, los gobiernos emprenden las primeras acciones de intervención en el sector[68].

---

[68] Para ampliar la información sobre el periodo ver los trabajos de Fernández Fuster (1989, 1991); Pellejero (1992, 1994, 2000) y Bayón (2000).

En los análisis de esa etapa inicial es común la referencia a un impulso que surge de la sociedad civil y se concreta, especialmente en Francia, en la extensión de asociaciones de ciudadanos interesados en la promoción del viaje como un medio de extensión de la cultura y como un nuevo espacio para el comercio. Estas asociaciones recibían el nombre de Sindicatos de Iniciativas y Turismo y reunían "*fuerzas locales o provinciales de autoridades, empresarios y otros interesados en la promoción del turismo en su esfera tradicional*" (Bayón y Fernández, 1999: 28). Realizaban labores de difusión, organizando conferencias o coloquios sobre la nueva actividad; se presentaban como interlocutores ante los distintos niveles de gobierno para explicar en qué consistía y cuáles eran las ventajas de la misma, promovían campañas de promoción, etcétera.

En España, con una influencia directa del modelo francés, aparecen las primeras "Sociedades de Atracción de Forasteros", derivadas en un principio de la "Asociación de Fondistas y similares de España". Se regían por la Ley de Asociaciones de 1887 y la Ley de Sindicatos de 1906 y pronto pasarán a llamarse Centros de Iniciativa y Turismo.

Estos Centros de Iniciativa y Turismo comenzaron a redactar inventarios del patrimonio cultural y natural de la zona geográfica de su influencia, facilitaban información sobre transportes y vías de comunicación, hospedajes y otros asuntos de interés y, con el objetivo de hacer más eficaz su función, empezaron a abrir pequeñas oficinas en las ciudades que ya recibían un número significativo de turistas y que se constituían en centros de información turística para los visitantes.

1.1. La Comisión Nacional (1905-1911)

El interés por el turismo cala pronto en las instancias políticas: mediante Real Decreto de 6 de octubre de 1905 se crea la **Comisión Nacional para fomentar en España las excursiones artísticas y de recreo del público extranjero.**

En el preámbulo de dicho Real Decreto aparece, por primera vez en nuestro ordenamiento, la palabra "turismo" entendido como una actividad desarrollada por un segmento de ciudadanos de clase alta y vinculada al disfrute de naturaleza y cultura. Esta primera expresión de los poderes públicos sobre la actividad inaugura también el argumento del interés público en el turismo por el efecto económico que tiene en la balanza de pagos.

> *≈...Reúne España condiciones análogas a Suiza y a Italia, así por su topografía y su clima por cuanto los monumentos artísticos y la riqueza de recuerdos históricos y, sin embargo, estas incursiones de extranjeros no han logrado la debida importancia, a causa, sin duda, de incurias y apatías lamentables, hijas de nuestro carácter nacional. Función propia de la iniciativa privada debe ser aquí, como lo ha sido en otras naciones, impulsar y desarrollar el turismo; pero ante la falta de esa acción social, el Estado se cree en el deber de dar el ejemplo y de estimular a todos en la tarea patriótica de fomentar las incursiones de extranjeros en nuestra patria.*
>
> *Entre los medios eficaces que las naciones emplean para mantener su riqueza en creciente desarrollo y para lograr que su moneda tenga un valor legal efectivo, hay que poner en primer término el mantenimiento de una balanza económica favorable, de una balanza en la cual los ingresos de todo género sean mayores que los gastos. Esos ingresos de la balanza económica de las naciones no se forman exclusivamente de las mercancías que se exportan; tienen, por el contrario, otras muchas fuentes, y entre ellas se encuentra la creciente afición a viajar, que constituye en el extranjero un deporte de todas las clases sociales, y especialmente de las más acomodadas. Consta por recientes estadísticas, del más autorizado origen, que países como Suiza o Italia, que han favorecido esta corriente de excursionistas extranjeros, obtienen ingresos por valor de unos 200 millones de francos al año Suiza y unos 500 millones de liras Italia..≈* (Real Decreto de 6 de octubre de 1905; preámbulo) .

Esta Comisión Nacional no se insertó dentro del aparato administrativo, sino que mantuvo un carácter independiente, —"*antes de que existiese un órgano en el seno de la administración (...) ya existía una personificación instrumental*" (Blanquer, 1999: 106)— y fue concebida como un instrumento para lograr un único objetivo: el apoyo a la difusión en el exterior de los destinos turísticos del país que se consideraban con un mayor atractivo.

Las competencias que asume están orientadas a la captación de turistas extranjeros y a la coordinación de algunas acciones en el interior del país para facilitar el viaje a estos primeros visitantes. Para ello se le encomendó el diseño y divulgación en el extranjero de itinerarios de viajes por España; la realización de gestiones con las compañías de ferrocarriles que permitieran organizar y establecer tarifas especiales para los turistas, así como el estudio de las posibilidades de construir trenes rápidos que facilitaran la conexión entre diferentes destinos; la concertación con Ayuntamientos, Diputaciones u otras entidades que fuera conveniente, sobre programas de mejora de los alojamientos, cuya inspección dependía de aquéllos; la publicación y difusión en el extranjero de datos históricos, descripciones de nuestros monumentos y cuanto se considerara útil para la mejor apreciación de las bellezas artísticas y naturales; y, por último, *"cualesquiera otros trabajos o gestiones que (...) se consideren conducentes al propósito de favorecer la excursión a España de público extranjero".*

Además de abordar tímidamente lo que más tarde serían funciones básicas de la política turística —la ordenación del sector y la promoción turística— da comienzo una línea de actuación que se ha mantenido a lo largo del siglo: organizó cinco congresos internacionales sobre turismo con la intención de constituirse en el agente gestor de un foro de comunicación de expertos en la materia. Los congresos fueron en Zaragoza en 1908; en San Sebastián en 1909; en Toulouse, en 1910; en Lisboa en 1911 y, el último, en Madrid en 1912, que se celebró cuando ya la Comisión no existía.

Después del Congreso de Zaragoza, se publica, *"De las grandes ventajas económicas que producirá el turismo en España"*[69], escrito por Carlos Arcos y Cuadra, diplomático. El título ya indica el propósito del escrito y contiene algunas reflexiones que se han visto confirmadas con el paso de los años. Señalaremos algunas de ellas: *"El turismo aumenta el consumo, y, por lo tanto, la producción agrícola e industrial; hace necesaria la instalación de hoteles, fondas y hospederías, dando mayor valor a la propiedad urbana; aumenta la circulación de viajeros, proporcionando mayores ingresos a las sociedades de transportes, favorece el comercio y es, sin duda, el medio más eficaz, por el ingreso de dinero que produce, para que nuestra moneda alcance un valor efectivo, resolviendo el problema de los cambios (...) Cuando España (...) llegue a ser el centro del turismo europeo (cosa muy probable como demostraré), entonces se reconocerá el inmenso servicio que han prestado esos promotores (...) Una de las tesis que sostengo es que el turismo es una industria"* (Arcos y Cuadra, 1970).

---

[69] Se considera el primer libro sobre turismo aparecido en nuestro país. Se publicó una reproducción del mismo en la Revista de Estudios Turísticos, n.º 27 (1970), pp: 35-85.

1.2. La Comisaría Regia para el Desarrollo del Turismo (1911-1928)

La Comisión llevaba seis años funcionando cuando en 1911, y mediante Real Decreto de 19 de junio, se creó la **Comisaría Regia para el Desarrollo del Turismo,** que se hace depender de la Presidencia del Consejo de Ministros[70].

A la Comisaría Regia se le suma un órgano colegiado: la **Junta Superior de Turismo,** compuesto por funcionarios de distintos ámbitos competenciales para trabajar sobre temas turísticos. De este modo, desde los primeros años se reconoce una de las principales características del turismo, su carácter transversal y la subsecuente necesidad de sistemas de coordinación entre los distintos departamentos públicos implicados. Y también, desde entonces, dan comienzo las dificultades para que dicha coordinación sea efectiva.

Durante los diecisiete años de actividad, la Comisaría Regia procuró consolidar la oferta de productos de alta calidad, atractivos para el tipo de ciudadano que viajaba y que pertenecía a los sectores económicos europeos de mayor capacidad adquisitiva y de consumo. Desde una concepción del turismo similar a la que sirvió de base para estructurar la Comisión Nacional, a la Comisaría Regia se le encomendó procurar el desarrollo del turismo y la divulgación de la cultura popular a través de los siguientes cometidos:

≈Proponer las medidas conducentes a la vulgarización de los conocimientos elementales del arte y el aumento de la cultura artística colectiva; vigilar la conservación eficaz y procurar la exhibición adecuada de la España artística, monumental y pintoresca; promover y sostener las relaciones internacionales que las necesidades de la época actual exijan en materias artísticas; facilitar el conocimiento y estudio de España, procurando la comodidad de los alojamientos, la seguridad y rapidez de las comunicaciones y el acceso a las bellezas naturales y artísticas de nuestra Patria, y desarrollar por los medios más eficaces, las relaciones espirituales, sociales y económicas que enlazan América con España≈ (Real Decreto de 19 de junio de 1911) .

---

[70] Todos los autores que describen el periodo coinciden en que la labor desarrollada por la Comisaría Regia estuvo determinada por la personalidad del Comisario que se nombró: el Marqués de Vega Inclán.

Se está pensando en un turismo basado en la oferta cultural, centrada en los bienes de patrimonio histórico-artístico, que pasan a depender de la Comisaría Regia, y en un turista que comienza a ser considerado como un consumidor peculiar que debe ser protegido, aunque el concepto tampoco sea comparable al actual. Quizá lo más llamativo, de entre las acciones que se le encomiendan, sea la referencia al desarrollo de relaciones con América, aunque no llegarán a fructificar en ninguna iniciativa destacable.

La Comisaría desarrolla una abundante actividad. De entre las acciones dedicadas expresamente al turismo podemos destacar: en primer lugar, y en relación con la política de alojamientos, es en esa época cuando se construyen los grandes hoteles de lujo de las principales ciudades españolas y la Comisaría empieza a fomentar la construcción de alojamientos dirigidos a turistas con menor capacidad adquisitiva. Por otro lado, dentro de las acciones de protección de los bienes turísticos, se trabaja en la Ley de Parques Nacionales de 1916, incorporando a nuestro ordenamiento la preocupación inicial por la conservación de espacios naturales singulares. En uno de ellos, el Parque Nacional de Gredos, se construye el primer Parador Nacional de Turismo; con este alojamiento estatal da comienzo una de las actividades más significativas de la acción pública en la materia. Y por último, en cuanto a promoción exterior, aún no se manejaban estudios de mercado y nada se sabía de la segmentación de las campañas, así que los esfuerzos se centraban en los países cuyos ciudadanos tenían un poder adquisitivo mayor: Estados Unidos y Reino Unido. Con ese fin se inaugura la Exposición Española de Turismo en Londres de 1914 (Zabía, 2000: 427).

1.3. Patronato Nacional de Turismo (1928-1938)

En 1928, mediante Real Decreto 745/1928 de 25 de abril, se suprime la Comisaría Regia integrándose en un nuevo organismo que se llamó el **Patronato Nacional de Turismo**, organismo de naturaleza autónoma dependiente del Consejo de Ministros.

El Patronato actuaba por medio de un Comité y un Consejo General del Turismo. En el Comité se crearon tres Delegaciones: la Delegación de Arte, encargada del inventario y conservación de los bienes de patrimonio histórico; la Delegación de Propaganda, y la Delegación de

Viajes, con competencias para organizar excursiones a lugares artísticos e históricos, para conservar y gestionar la información sobre vías de comunicación y para realizar labores de inspección en la hostelería.

En coherencia con sus funciones, se le afectan los siguientes Patronatos: Casa de Cervantes, Casa y Museo del Greco y Sinagoga del Tránsito de Toledo, Museo Romántico de Madrid, la Comisaría Regia del Teatro Real y el Patronato de la Montaña de Montseny.

Se le asignó como partida presupuestaria el 50 por 100 de lo obtenido por el Seguro Obligatorio de Viajeros y Ganados Vivos. Se determinó que lo ingresado por dicho concepto sería considerado recursos propios del Patronato. Para sorpresa de la propia Administración, que no había generado ninguna previsión de la cifra, resultó que los ingresos fueron cuantiosos y el Patronato hubiera podido realizar una labor más destacable si no se hubiera ido fragmentando los ingresos y cediéndolos para fines distintos. Su labor también estuvo condicionada por la turbulencia política del periodo, con cada cambio de régimen acaecido durante los once años de existencia, cambiaba su estructura (Pellejero, 1992: 20-22).

Durante la etapa del Patronato, el concepto de turismo que manejan los decisores públicos se modifica en varios aspectos.

Se reconoce por primera vez que la variedad del territorio procura productos turísticos diferenciados y que, por ello, sufren y ocasionan problemas distintos. Se crea una estructura administrativa de base territorial que permitirá trabajar en cada uno de los espacios de manera independiente. El territorio se divide en cinco zonas atendiendo a su "carácter arquitectónico o ambiental": a) Región Central, b) Región Cantábrica, c) Aragón, Cataluña y Baleares, d) Levante y e) Andalucía, Canarias y Protectorado español en Marruecos, y en cada una de ellas se nombra un Delegado Regional. La diversidad del territorio también pretende abordarse desde los Sindicatos de Iniciativas. En 1935 se crea la Federación de Sindicatos de Iniciativa y Turismo, y se establece que tales agrupaciones pudieran ser declaradas "asociaciones de utilidad pública", lo que significaba que recibían subvenciones municipales o provinciales para la ejecución de sus actividades, convirtiéndose, de hecho, en entidades que trabajaban según los criterios de la administración pública.

En segundo lugar, comienza a darse mayor importancia a la política de promoción exterior (el Reglamento de 12 de junio de 1932 aprueba la posibilidad de establecer, en las ciudades extranjeras que así se aconsejase, oficinas de información y propaganda) y a las labores de información que han de realizarse una vez que los turistas llegan al país. Se editan los primeros carteles turísticos para difundir la imagen turística, iniciándose la promoción basada en el uso de soportes gráficos.

Además, y en relación con el sector de alojamientos, se desarrolla algo la capacidad de inspección, pero sin potestad sancionadora, y se llevan a cabo acciones de gran importancia: *"la publicación de la guía oficial de hoteles, la creación de la placa de hotel recomendado por el PNT, la organización del crédito hotelero y la implantación del libro oficial de reclamaciones"* (Bayón, 1999: 34-36). Además se crea la Red Nacional de Paradores y Albergues, a los que se suma la construcción de hosterías y de refugios de montaña.

A esto habría que añadir la creación de la Cámara Oficial Hostelera, organismo corporativo dependiente del Ministerio de Economía Nacional, que se creaba por iniciativa del sector con el fin de defenderse del intrusismo al que empezaba a verse sometido. A la Cámara *"estaban obligados a colegiarse todas las personas naturales y jurídicas dedicadas a la explotación de la industria hotelera o restaurantes de primera y segunda categoría"*. (Pellejero, 1992: 24).

En resumen, la labor del Patronato, además de continuar las acciones emprendidas por la Comisaría Regia, amplió la visión que la Administración tenía del fenómeno y avanza en la consolidación de la ordenación o regulación de los aspectos esenciales del sector.

1.4. El Servicio Nacional de Turismo (1938-1939)

Durante la Guerra Civil, en 1938 y mediante Ley de 30 de enero, se crea el **Servicio Nacional de Turismo** que se integra en el Ministerio del Interior. Paralizada la actividad es destacable, por infame, la organización de las llamadas "Rutas de Guerra" (Decretos de 25 de marzo y 29 de octubre de 1938), que traían a turistas europeos a visitar ciudades y frentes españoles durante la Guerra Civil.

Sí hay que hablar de la reglamentación de la industria hotelera de 8 de abril de 1939 por la que se aumenta el control sobre dicho subsector, se establece el primer sistema de clasificación de establecimientos y, en relación con éste, comienza una de las acciones públicas más discutidas de la política turística franquista: el sistema de control de precios del sector hotelero.

1.5. La Dirección General de Turismo (1939-1951)

Mediante Ley del 8 de agosto de 1939, los Servicios se convierten en Direcciones generales. La **Dirección General de Turismo**, pasa a depender del Ministerio de Gobernación y se estructura en las secciones de: Propaganda; Deportes; Alojamientos, Transportes, comunicaciones y turismo comercial; Información; Central; de Contabilidad y el Departamento de Rutas Nacionales (Fernández Fuster, 1991: 479). En 1941 se crean las Juntas Provinciales y Locales de Turismo.

Durante el final de la contienda, en los años de la II Guerra Mundial y en la posguerra española, por razones obvias, no existe turismo, aunque se llevan a cabo algunas acciones concretas.

Se regula la actividad de las Agencias de Viajes, mediante orden de 19 de febrero de 1942, creándose la Comisión Permanente de Agencias de Viajes y convirtiéndola en Comisión Consultiva de la Dirección General de Turismo en 1948. En ella participaban las doce agencias de viajes más representativas del país y fueron, de hecho, el subsector protagonista frente a la administración hasta el año 1963, en que la Comisión Consultiva se suprime y el papel pasa a ser asumido por el subsector de alojamientos.

Se crea la Póliza del Turismo, mediante Ley de 17 de julio de 1946.

En marzo de 1942 se autoriza al Banco de Crédito Industrial para establecer un servicio de crédito hotelero destinado a la construcción de establecimientos hoteleros. El servicio se dotó con fondos por valor de 25 millones de pesetas, abriendo la línea de financiación pública para la empresa turística.

Por Decreto de 13 de octubre de 1949 se constituye la primera empresa pública cuyo ámbito de actividad es el sector turístico: Autotransporte Turístico Español, S.A. (ATESA), que se integra en el INI. *"El fin social de esta nueva empresa era la explotación de los transportes por carretera con fines turísticos"* (Pellejero, 1992, 36) y para ello se la dotó de un parque de autocares y de vehículos dando comienzo su actividad como empresa de transportes y de alquiler de coches, con o sin conductor.

En 1950, también dentro del INI, se crea la "Comisión Gestora de la Empresa Nacional de Turismo" encargada del diseño de una empresa nacional de turismo que construyera alojamientos en zonas de interés turístico, instalaciones para la práctica de diversos deportes y difundiera la artesanía española. La Comisión realiza varias propuestas que son sucesivamente ignoradas. Finalmente, como veremos, la Empresa Nacional del Turismo se crea en 1963 (Pellejero, 2000: 118 y ss.).

Durante los años que hemos encuadrado bajo el rótulo "orígenes" el turismo se desliza lentamente de ser una actividad realizada por una elite de ciudadanos que buscaban el contacto con la naturaleza y la cultura, a ser una actividad de masas. Esto hacía necesaria la creación de una oferta intermedia, con una mayor capacidad de acogida y más orientada a lo que se convertiría en el producto esencial de nuestro país: el turismo de sol y playa.

Es necesario que la II Guerra Mundial finalice y que en los principales países europeos dé comienzo una etapa de crecimiento económico sostenido y la extensión de políticas sociales (con mejoras que tenían efectos directos, como las vacaciones remuneradas) para que el turismo alcance una dimensión tal que hará que varíe su propia naturaleza y se convierta en una actividad social significativa. Cuando el turismo entre en la fase de expansión podremos hablar de un fenómeno social complejo que requiere de los decisores públicos no un conjunto de acciones, sino una política.

Veremos ahora la fase que hemos denominado "inicios" y que transcurre desde 1951, fecha de creación del Ministerio de Información y Turismo, hasta 1962, año del Informe del Banco Mundial.

2. PRINCIPALES ACTUACIONES DEL PERIODO

A partir del año 1945 comienza en España la fase de expansión del turismo. Esta etapa, que finaliza en 1973, año de la primera crisis del petróleo, se caracteriza por el crecimiento continuado de todas las variables: número de turistas, número de plazas de alojamiento, número de agencias de viajes, construcción de infraestructuras, cuantía de las inversiones públicas y privadas, etcétera. En el año 1950 llegaron a España 456.968 turistas extranjeros. Doce años más tarde, en 1962, la cifra se había multiplicado por catorce, llegando a nuestro país 6.390.369 turistas extranjeros. Durante ese periodo el número de turistas que elegían España como destino crecía a más del doble anual.

El Régimen Franquista tiene una doble perspectiva sobre el fenómeno turístico que se mantendrá hasta la transición política: la económica y la política.

Por un lado, el turismo se consolida en los primeros años de la década de los sesenta como la principal actividad exportadora[71], aportando los ingresos en divisas necesarios para mantener equilibrada la balanza de pagos, lo que convierte a la actividad en un sector vital para la economía del Régimen.

Por otro, supone el movimiento de miles de ciudadanos europeos que visitan nuestro país, lo que para los sectores más inmovilistas del régimen implica el riesgo político del contacto con otras culturas, aunque para otros se veía como una oportunidad de propaganda política del Régimen.

Finalmente el argumento decisivo para un apoyo gubernamental sostenido al desarrollo de la actividad es su peso económico, pero el razonamiento político que va ganando espacio es el del beneficio que supone para el Régimen la impresión positiva que los turistas se llevan de su estancia en España, con los consiguientes rendimientos políticos positivos. Según los representantes del Régimen estas impresiones, individualmente transmitidas, permitían contrarrestar *"la imagen tendenciosa que se ofrece de la situación española por gran parte de los órganos de opinión de cada país* (que) *tropieza con el testimonio de una masa cada vez mayor de extranjeros que han visitado España"* (Ministerio de Información y Turismo, 1964: XLIX).

---

[71]   Resulta muy ilustrativa la narración de Costa y Jiménez sobre el contexto económico: la exportación de cítricos servían de base para elaborar el presupuesto anual de divisas que se movía en cifras cercanas a los doscientos millones de dólares. Cuando, negociando el texto del I Plan de Desarrollo, se estableció como cifra indicativa de ingresos turísticos para el cuatrienio que finalizaba en año 1967 mil millones de dólares, se tardaron nueve meses en convencer a la Comisaría del Plan para que aprobara la propuesta. En sólo dos años, a finales de 1965, ya se había superado la cifra. Las divisas pasaban a depender del sector turístico (Costa y Jiménez, 1999: 469-470).

La importancia política del turismo, en su faceta de soporte de imagen y comunicación, trae consigo que esta actividad, que podría haberse considerado como un subsector económico, se vincule en 1951 al Ministerio encargado de la información y propaganda del Régimen: el Ministerio de Información y Turismo. Formalmente se le encuadra, dentro de la organización pública, en la perspectiva que parece más útil a los intereses del Régimen, pero las tensiones generadas por ser una actividad económica tratada con criterios excepcionales se convertirá en el argumento sostenido por el empresariado y parte de la doctrina dominante para explicar el origen de los problemas que sufrirá el sector turístico como sector económico en la década de los setenta[72].

2.1. Gabriel Arias Salgado (julio 1951 - julio 1962)

La creación del Ministerio de Información y Turismo supone la fecha inicial de nuestra investigación. La importancia del mismo está relacionada con lo prolongado de su existencia: veintiséis años. Hasta 1977 existe con la misma denominación y similares competencias.

Durante los once primeros años al frente del mismo estará el Ministro Arias Salgado. Son los años en los que despega la actividad turística española impulsada por la recuperación económica de los vecinos países europeos. La importancia creciente de ésta no empece para que, en el Departamento, el turismo ocupe un lugar secundario. A pesar de ello, desde la Dirección General de Turismo, se desarrollan de manera coherente un conjunto de acciones que persiguen básicamente el incremento de la llegada de turistas extranjeros.

a) Instrumentos organizativos

Mediante la reforma Ministerial de 1951 se crea el **Ministerio de Información y Turismo**, que asume las competencias de la Subsecre-

---

[72] *"Puede decirse que uno de los errores graves en la organización de la política económica española estriba en haber confiado la regulación de la industria turística —industria clave dentro de nuestro sistema económico— a un departamento dominado por inquietudes de tipo político, informativo y humanístico, mal sintonizado y peor equipado para captar frecuencias económico-empresariales".* (Cals, 1974: 219).

taría de Educación Popular (antes integrada en el Ministerio de Educación Nacional) y de la Dirección General de Turismo (antes en el Ministerio de la Gobernación).

Siete meses más tarde se organiza la nueva **Dirección General de Turismo**, adjudicándosele competencias para *"inspeccionar, gestionar, promover y fomentar las actividades relacionadas con la organización de viajes, la industria hospedera y la información; la atracción y propaganda respecto de forasteros; y fomentar el interés dentro y fuera de España por el conocimiento de la vida y territorio nacional"*. Se nombra Director General de Turismo a Mariano de Urzáiz, que estará en el cargo durante todo el mandato del Ministro.

La administración periférica se articula en **Delegaciones Provinciales** del Ministerio de Información y Turismo y en **Juntas Provinciales y Locales de Turismo** (Arrillaga, 1969). La Juntas provinciales ejercían funciones muy similares a las de los **Sindicatos de Iniciativa y Turismo**, por lo que se establece que, en aquellas demarcaciones donde existiera un Sindicato de Iniciativa y Turismo declarado de utilidad pública, éstos asumirían las funciones de las Juntas.

Desde el momento en que los nuevos órganos ministeriales constituidos comienzan a trabajar en la redacción de un Plan de actuaciones para el sector, se hace evidente que gran parte de las acciones que deberían acometerse para lograr sus objetivos dependen de otros Departamentos Ministeriales. Una de las recomendaciones que contiene el primer Plan Nacional de Turismo confeccionado en nuestro país, es la de constituir una **Comisión Interministerial de Turismo**, con el fin de coordinar y promover actuaciones diversas que habían sido sancionadas como prioritarias[73]. Dicha Comisión Interministerial se crea en 1954 y estaría integrada por el Subsecretario de Presidencia de Gobierno, los Ministros de Asuntos Exteriores, Hacienda, Gobernación, Obras Pú-

---

[73] *"La necesidad de contar con un órgano colegiado en el que participen representantes de distintos Departamentos ministeriales, de entidades privadas, de entidades de tipo gremial y aún de personas individuales con especial competencia en la materia se ha experimentado desde que en España la Administración central se ha ocupado del turismo, y así ya se ha visto como existió una Junta Superior de Turismo (real decreto de 19 de junio de 1911), un Consejo General del Turismo (real decreto de 25 de abril de 1928) y una Comisión Consultiva de la Dirección General de Turismo (orden de 30 de abril de 1948)".* (Arrillaga, 1969: 136).

blicas, Comercio y de Información y Turismo. Se incorporan pues los más altos representantes de seis ministerios y se prevé que, si fuese necesario, se trabajaría bajo el formato de Ponencias, a las que podían incorporarse otros representantes con la misión de estudio y propuesta de temas específicos.

En 1958 comienza la actividad de prestación directa de servicios de alojamiento turístico por el Estado a través de un Organismo Autónomo, la **"Administración Turística Española" (ATE)**, creado por Decreto de 8 de agosto, que se hace depender orgánicamente de la Dirección General de Turismo. ATE se encargaría de tres actividades: en primer lugar, de la explotación turística y la gestión de los alojamientos propiedad del Estado. A partir de entonces, de ATE dependerá la "Red de Establecimientos Turísticos propiedad del Estado" que comprendían cuatro clases: Paradores, Albergues de carretera, Refugios de montaña y Hosterías. En segundo lugar, a ATE correspondería la gestión de los espacios de uso deportivo bajo la denominación de "Establecimientos Turísticos de Deporte", que eran los cotos de caza y pesca y el campo de golf de Torremolinos. Y, por último, debería de encargarse de la puesta en marcha de itinerarios turísticos, las denominadas "Rutas Nacionales de Turismo". A diferencia de los dos grupos anteriores, éste último no era un producto existente, sino una iniciativa que perseguía generar movimiento turístico en torno a la promoción de ciertos itinerarios (Arrillaga, 1969: 171).

También se crea ese mismo año el **Organismo Autónomo de la Póliza del Seguro**, encargada de la gestión y cobro de la póliza del turismo, que había sido establecida en el año 1946 y que se mantendría hasta 1964.

ATESA, dedicada al transporte turístico por carretera mediante autocares y coches de turismo, amplió sus actividades creando una red de circuitos en autocar y prestando servicios de alquiler de coches con o sin conductor.

En resumen, en once años la política turística cuenta con los siguientes instrumentos organizativos: un núcleo decisorio con nivel de Dirección General encargado de las directrices políticas y una estructura estable de administración periférica; dos organismos autónomos y una empresa pública, que participan directamente en los subsectores de alojamientos, transporte, comercialización y agencia de viajes; y un órgano de coordinación interadministrativa en el que están representados los más altos mandatarios de los Ministerios implicados.

b) Planes generales

En el año 1952 un órgano administrativo ajeno al Ministerio de Información y Turismo, la Secretaría General para la Ordenación Económico Social que dependía de Presidencia del Gobierno, elabora un documento al que denomina **Estudio para un Plan Nacional de Turismo.**

Dicho informe es la primera reflexión elaborada por la propia Administración sobre lo que representa el turismo para España y sobre las distintas acciones que sería conveniente ejecutar, desde el conjunto de los órganos públicos, para su fomento.

El objetivo del Estudio era *"sugerir criterios básicos para la posterior redacción de un plan de Turismo, en el que de manera sistemática se propongan las medidas adecuadas para atraer, aposentar y procurar satisfacción a dos millones de turistas al año. A tal fin se considera indispensable incrementar rápidamente nuestra capacidad de alojamiento, así como perfeccionar nuestras redes de comunicación y medios de transporte"* (Estudios para un Plan Nacional de Turismo. Secretaría General para la Ordenación Económico y Social, 1952: 19).

En su argumentación se defiende la importancia económica del turismo, especialmente por su capacidad para aportar divisas:

"Es evidente que la atracción de forasteros hacia un país, estimulada de diversas formas, puede llegar a constituir una de las ramas esenciales de su economía (...) baste decir, como dato inicial de un proceso de incalculable trascendencia, que la aportación de divisas realizada por el turismo durante el pasado año rebasó los 1.000 millones de pesetas" (Estudio para un Plan Nacional de Turismo. Secretaría General para la Ordenación Económico y Social, 1952: 18).

De esta manera da comienzo una visión de los objetivos que debe perseguir el gobierno que se mantiene hasta hoy: la política turística mide su grado de acierto en relación con el número de turistas que llegan al país y con la cifra global de divisas ingresadas por tal concepto.

Para lograr este objetivo general de alcanzar una cifra determinada de turistas extranjeros, los autores proponen llevar a cabo una serie de actuaciones que permitan:

a) Facilitar los trámites de frontera para que resultara menos gravosa la entrada y salida del país.

b) Ordenar la oferta según los distintos "objetivos de interés turístico", que los autores clasifican en: histórico-artísticos, el folklore, los relacionados con el descanso y recreo, los de carácter deportivo y los relacionados con la cultura y los negocios.

c) Construir o en su caso mejorar infraestructuras de transporte. Especialmente, desarrollar una red de líneas ferroviarias y de carreteras, teniendo en cuenta los destinos turísticos y mejorar los transportes marítimos y aéreos.

d) Aumentar la capacidad de alojamiento, con la explícita preocupación de que, una vez iniciadas las labores de promoción, ocurriera que la demanda superara a la oferta de alojamientos.

En 1952 no existían datos estadísticos que permitieran realizar estudios de prospectiva, por lo que cualquier hipótesis que intentara determinar una relación entre el crecimiento de la demanda y el crecimiento de la oferta necesaria para cubrirla era un ejercicio de pura especulación[74]. Unas rudimentarias operaciones les llevan a concluir que en el país existía un déficit de 26.000 habitaciones *"que sólo podría ser saldado por la iniciativa privada, en un plazo relativamente corto, si se eleva el tope del crédito hotelero"* (Estudio para un Plan Nacional de Turismo. Secretaría General para la Ordenación Económico y Social, 1952: 103).

Además de proponer que la cantidad fijada para el crédito hotelero ascendiera de 100 a 300 millones de pesetas, sugieren la posibilidad de utilizar otros instrumentos financieros para fomentar la construcción de alojamientos: que las nuevas instalaciones gozaran de exención temporal de la contribución urbana e incluso industrial; que se dedicara el

---

[74] Los autores proponen, para saber la cantidad de camas que deberían existir para dar alojamiento a los turistas (que supuestamente llegarían tras las acciones de promoción), un cálculo del siguiente modo: considerar el total de las camas existentes, más aquéllas en construcción o proyecto. Suponer que la mitad podría ser ocupada por turismo nacional, y comparar la cantidad de camas que restaban, con el número de llegadas que se producían en el mes de agosto, siendo *"preciso pues resolver el problema de alojamiento para el mes de agosto, con lo que quedará resuelto, automáticamente, para todo el año"* (Estudio para un Plan Nacional de Turismo. Secretaría General para la Ordenación Económico y Social, 1952: 99).

10 por 100 de las divisas obtenidas por turismo a la compra de materiales en el extranjero necesarios en los hoteles (ante la carencia en el país de materiales básicos, como la madera o el acero); que se permitiera establecer en los hoteles oficinas de cambio de divisas beneficiándose con un porcentaje sobre la operación los establecimientos en lo que se instalasen; o que se sacaran a concurso la construcción de hoteles en determinadas zonas con especial interés turístico, y, en el caso de que se quedasen desiertos, encomendárselo al INI.

e) Aumentar la cantidad presupuestaria destinada a propaganda en el exterior, especialmente en aquellos países cuya renta per cápita fuera lo bastante alta como para poder acceder al consumo de este producto.

f) Se recomienda montar una Escuela Superior de Hostelería, encargada de la formación de directores de hoteles.

Todas estas acciones, entienden los redactores, necesitarían de un desarrollo reglamentario que afectaba a distintos departamentos ministeriales y que suponía la aprobación de normas de distinta naturaleza[75].

---

[75] Al Ministerio de Información y Turismo le correspondería aprobar las siguientes:
– Decreto de ordenación de la industria hotelera.
– Ley estimulando la construcción de hoteles de "interés nacional", que llevaría implícito la exención tributaria del inmueble y cupos preferentes en los materiales de construcción en épocas de restricciones.
– Ley reguladora del Crédito Hotelero, aumentando su cuantía.
– Regulación sobre Agencias de Viajes.
– Decreto autorizando a la Dirección General de Turismo para crear Patronatos de ordenación de zonas turísticas.
– Creación de una Comisión Interministerial.
– Proyecto de ley para la construcción de una red de albergues de carreteras.
– Creación del Parque de automóviles de la Dirección General de Turismo.
– Reglamentación del Camping.
– Condiciones para declaración de "Ruta de interés turístico".
– Creación de Escuelas de Guías-Intérpretes y personal técnico de Agencias de Viajes.
– Creación de Escuelas provinciales de Hostelería para formación de aprendices y de una Escuela Superior de Hostelería para formación de directores de hotel.
Entre los años 1955 y 1966 la Comisión Interministerial de Turismo elabora los siguientes anteproyectos de ley: de fomento y propaganda; de zonas de interés turístico; del plan de albergues y paradores del turismo; de hostelería y del camping (Comisión Interministerial del Turismo, 1955a, 1955b, 1955c, 1956a, 1956b).

El Ministro de Información y Turismo, una vez conocido el contenido del Estudio, pide que se forme una Comisión integrada por miembros de la Secretaría General para la Ordenación Económico y Social y de la Dirección General de Turismo a la que se encarga la redacción de un **Proyecto de Plan.**

El documento de trabajo resultante incorpora el punto de vista de la Dirección General de Turismo sobre los distintos aspectos que se habían mencionado en el Estudio para un Plan Nacional de Turismo.

A diferencia de aquel, que destacaba únicamente las ventajas económicas de la actividad, en el Proyecto de Plan se destaca en primer término su carácter político:

> *≈Este incremento constante de turistas produce grandes beneficios a nuestro país, apreciándose, como primero y principal, el conocimiento directo de la realidad, tan desfigurada por una propaganda tendenciosa. Procede subrayarse que tal aumento del tráfico turístico demuestra, de manera fehaciente, que los turistas que nos han visitado constituyen nuestra mejor propaganda, al difundir por el mundo entero cuanto hayan podido ver y apreciar personalmente en nuestro hospitalario y acogedor país. A parte de este efecto de carácter eminentemente político, aporta... la cifra de mil seiscientos millones de pesetas aproximadamente en divisas* (Proyecto de Plan. Secretaría General para la Ordenación Económico y Social, 1952: 1) .

Se recogen los temas analizados en el informe anterior y se incorporan algunos otros. Los objetivos que se señalan son más precisos, recogiendo aspectos específicos y carencias concretas que conoce la Dirección General y que fueron ignoradas por un órgano que no trabajaba directamente en el sector:

– Se incorpora un capítulo específico sobre la Red de Alojamientos propiedad de Estado, con la previsión de construcción de nuevos hoteles y paradores y el incremento del número de albergues de carretera.

– Se señala la deficiente situación de los transportes marítimos y aéreos en los archipiélagos, reduciendo, en cambio, el capítulo dedicado a infraestructura de comunicaciones, que no era competencia del Ministerio de Información y Turismo.

– Aparece la necesidad específica de regular el camping, forma creciente de viajar por el país.

– Se defiende la conveniencia de crear un instrumento específico de planificación: las zonas de interés turístico, pues ya se prevén los efectos lógicos de la concentración de población en entornos no equipados para ello. El Proyecto de Plan se acompaña de anexos con las previsiones normativas que pretender desarrollarse, uno de ellos es el Borrador de Proyecto de Ley sobre Protección y Fomento de Zonas de Interés Turístico, *"cuya finalidad inmediata consiste en dirigir y centrar la acción oficial de ayuda y estímulo, no solo sobre aquellas zonas de territorio patrio señaladas tradicionalmente por el favor del turismo, sino también sobre aquellas otras que... ofrecen base inicial suficiente para transformarse con poco esfuerzo en zonas de interés turístico"* (Proyecto de Plan. Secretaría General para la Ordenación Económico y Social, 1952: 199).

– Por último, se incorpora una línea de actuación que afecta a un producto turístico concreto: el turismo de caza y pesca fluvial. El turismo deportivo había sido un campo tradicional de actuación de las instancias públicas dedicadas al turismo desde los primeros años del siglo, además de recibir la atención, por motivos personales, de los altos cargos del régimen.

En julio de 1953 se aprueba finalmente el **Plan Nacional de Turismo**, primer documento que establece un plan global de actuaciones para el sector. El Plan reproduce, en su mayor parte, el Proyecto de Plan expuesto, pero corrige el estilo e incorpora el discurso político del Ministerio:

> *≈ El incremento de la corriente turística felizmente progresiva que afluye a España produce grandes beneficios a nuestro país: el primero y principal es el conocimiento directo de una realidad desfigurada por la propaganda tendenciosa... Es preciso subrayar que este aumento del tráfico turístico demuestra, de manera fehaciente, que los turistas que nos han visitado constituyen uno de nuestros mejores medios de propaganda, al difundir por el mundo entero cuanto hayan podido ver y apreciar personalmente en nuestro país. A parte de este efecto de carácter eminentemente práctico, el turismo juega un doble papel en la economía española. Por una parte contribuye a activar numerosas ramas de las industriales y comerciales y, por otra, proporciona ingresos apreciables de divisas*. (Plan Nacional de Turismo. Ministerio de Información y Turismo, 1953: 11)

Todo ello lleva a afirmar que: *"La finalidad del presente Plan es la de elevar el turismo al rango de primer orden que tiene para la economía de otras naciones como Italia, Francia y Suiza. Tratamos de ordenar a gran escala la política del Gobierno en esta materia*" (Plan Nacional de Turismo. Ministerio de Información y Turismo, 1953: 3).

En cuanto a las acciones concretas, el Plan Nacional de Turismo recoge, en todos sus términos, las que contenía el Proyecto de Plan.

Seis años más tarde, en octubre de 1959, la Secretaría General Técnica del Ministerio de Información y Turismo prepara un nuevo documento: el **Anteproyecto de Bases para un posible nuevo Plan de fomento y promoción de Turismo**, en la línea del anterior. Este Anteproyecto no llegó a elevarse al Consejo de Ministros por estar incompleto, por lo que el documento de planificación que marca las directrices de actuación en los once años es el de 1953.

Un segundo plan, que nace y se elabora desde una perspectiva ajena, pero que tiene un gran impacto en el sector es el **Plan de Estabilización**, elaborado por el Gobierno en 1959 con la asistencia técnica de la OCDE y el Fondo Monetario Internacional.

El Plan de estabilización era un instrumento de política económica cuyo objetivo principal fue fijar el cambio de dólar a 60 pesetas, devaluando la peseta.

Para muchos autores es esta medida de política económica la que provoca el despegue definitivo de la actividad: "*La devaluación en 1960 de 42 a 60 pts/$ implicó un crecimiento en los Ingresos por Turismo del 130.5% en 1961*" (Román, 1972). Aunque otros, considerando la naturaleza multifactorial de los fenómenos sociales, relacionan el aumento con un conjunto de hechos que se producen de manera casi simultánea y que permiten un cambio de la coyuntura general del país, favoreciendo el ascenso de la actividad: la normalización de las relaciones diplomáticas, la entrada de España en los organismos internacionales[76], o el desarrollo de las infraestructuras de transporte y urbanización del país (Cals, 1974: 33).

Además de la devaluación, que reforzó la oferta turística del país en el extranjero al hacerla más competitiva en precios (ya de por si bajos),

---

[76] España formará parte de la OCDE en enero de 1955 y de la ONU en diciembre del mismo año.

el Plan de Estabilización sanciona la política de control de los precios turísticos. El control oficial de precios suponía que el Ministerio fijaba los precios de los alojamientos hoteleros, estableciendo un mínimo y un máximo por habitación según la categoría del establecimiento y, mediante un servicio de inspección y sanciones, vigilaba el cumplimiento de los mismos. Con ello se pretendía fortalecer el nivel de competitividad del sector y evitar abusos a los consumidores. La política de control de precios de hostelería, de marcado carácter paternalista, se mantuvo durante casi treinta años y fue ámbito de conflicto continuo con el empresariado. Éste luchó para demostrar la descapitalización que suponía la pérdida anual de beneficios por las diferencias entre las subidas ministerialmente aprobadas y el aumento del IPC, manejando estudios que demostraban, además del problema interno para el sector, que el turista era un consumidor al que el factor precio le resultaba menos relevante que otros. A pesar de ello, los responsables ministeriales prefirieron fomentar un modelo en el que el objetivo clave era el aumento del número de turistas y, desde su perspectiva, esto sólo era posible manteniendo los precios bajos.

c) Programas

No se puede hablar de la existencia de programas en los once años del Ministerio del Sr. Arias. En dos ámbitos, la planificación urbanística y la promoción, aparecen algunas actuaciones con cierto grado de cohesión, pero no la suficiente como para configurar una línea de acción diferenciada.

La Secretaría General para la Ordenación Económico y Social, independiente del Ministerio, elabora los primeros planes de ordenación turística: el Plan de Ordenación y Promoción Turística de Sierra Nevada (1953), el Plan de Ordenación Económico Social de las Islas de Fuerteventura (1951), y Hierro (1951); el Plan de Ordenación Turística de la Costa del Sol (1955), de Pirineos (1960) y de la Costa Dorada (1962). El Ministerio, a pesar de que lo había previsto en el Plan Nacional, no realiza ninguna acción concreta en este ámbito.

La promoción se limita al exterior y utiliza medios escasos: la publicación de material de información turística, que se distribuye en los que se consideran principales países emisores, y la asistencia a los congresos internacionales que se celebran en Nueva York, Londres o París.

d) Instrumentos normativos

Durante el mandato de Arias Salgado, se aprueban las siguientes normas:

En relación con la *reglamentación de la profesión*:

- Orden Ministerial de 10 de junio de 1957 por el que se aprueba el **Estatuto de los Directores de Empresas Turísticas**.

En relación con la ordenación de los *principales subsectores*:

- Decreto 4 de abril de 1952 sobre **Albergues y Paradores**.
- Orden Ministerial de 22 de marzo de 1955 sobre **Agencias de Viajes**.
- Decreto 14 diciembre 1956 de reglamentación de **Campings**.
- Orden Ministerial de 3 de mayo 1957, que regula el subsector de **Cafeterías**.
- Decreto de 14 de junio de 1957, por el que se aprueba el **Reglamento de la Industria Hotelera**.

En relación con el sistema de control:

- Decreto 4 de agosto de 1952 sobre **normas y sanciones**.

e) Instrumentos financieros

El Plan Nacional de Turismo utiliza como principal instrumento financiero el crédito hotelero, diseñado para fomentar la construcción de nuevos establecimientos. Originariamente dotado con 25 millones de pesetas en 1942, la cantidad de que disponía en 1953 era de 100 millones de pesetas, aunque se había recomendado que se elevaran hasta los 300 millones de pesetas.

El crédito se aplicaba a la construcción de nuevos alojamientos o, en mucho menor grado, mejora de los existentes.

Los diversos análisis del crédito hotelero muestran que no fue bien dotado aunque, al mismo tiempo, tampoco eran elevadas las solicitudes. La rentabilidad del sector, especialmente según avanza el desarrollo turístico en España, y la dificultad en su tramitación burocrática, son razones que se utilizan para explicar el poco uso que se hizo de este instrumento.

f) Acciones específicas

En los años cincuenta se desarrollan los núcleos turísticos más importantes del país mediante la iniciativa del sector privado en conjunción con los ayuntamientos. Benidorm, Canarias, Baleares y la Costa del Sol (específicamente Marbella y Torremolinos) son creados por el trabajo personal, francamente imaginativo, de empresarios o alcaldes[77].

El Ministerio se mantiene al margen de estas acciones. Aunque tampoco interviene en la planificación del crecimiento urbanístico, lo que conlleva un desarrollo urbanístico depredador[78].

Durante el mandato del Sr. Arias se organizan dos acontecimientos que atraen a un gran número de visitantes: el Congreso Eucarístico de Barcelona, en 1952, y el Año Santo Jacobeo de 1954. Ambos se consideraron desde una óptica puramente religiosa. El Camino de Santiago se convertiría en un itinerario turístico durante el siguiente Año Santo, el de 1965.

3. ANÁLISIS DE LA FASE

En el primer epígrafe del presente Capítulo hemos descrito como, durante los primeros cincuenta años del siglo veinte, el turismo comienza a configurarse como un fenómeno económico y social que despierta el interés de los gobiernos. Durante esos años iniciales el turismo es una actividad de ocio realizada por ciudadanos que pertenecían a los sectores económicos europeos de mayor capacidad adquisitiva y cuya motivación relacionaba el viaje con las ideas de salud o cultura. Por esta razón los gobiernos de los primeros países occidentales que asumen la promoción de su país como destino turístico centran su atención en los bienes culturales o naturales que pudieran resultar de interés al visitante extranjero. En España se crea la *Comisión Nacional para fomentar en España las excursiones artísticas y de recreo del público extranjero* en 1905, cuya denominación refleja la idea. En 1911 es sustituida por *la Comisaría Re-*

---

[77] Ver trabajos sobre Canarias, Benidorm, Costa del Sol y Baleares en Bayón (ed.) (2000).
[78] Jurdao (1990).

gia para el desarrollo del Turismo quién asume la difusión y conservación del patrimonio artístico del país y algunos objetivos, modestos, relacionados con facilitar los accesos a dichos espacios y asegurar la comodidad de los alojamientos turísticos. La labor es continuada desde 1928 por el *Patronato Nacional de Turismo* con una perspectiva similar y la vinculación del turismo con los recursos culturales y naturales conlleva que le fueran adscritos ciertos museos —como la Casa de Cervantes, Casa y Museo del Greco o Museo Romántico de Madrid—, algunas infraestructuras culturales —como el Teatro Real de Madrid—, o recursos naturales —el Patronato de la Montaña de Montseny—. En 1938, el Patronato será sustituido por la *Dirección General de Turismo* que, dadas las circunstancias sociales y económicas, sólo acomete la elaboración de algunas acciones concretas. Estos primeros cincuenta años del siglo XX, constituyen en España un periodo de "acción por emulación", los Gobiernos del país conocen el modelo de turismo y de consumo turístico de los países cercanos e imitan las actuaciones que allí se desarrollan. Pero esas primera actuaciones dejan una herencia nada despreciable: la conciencia en el sector público de que puede desarrollarse una política específica para el turismo.

Teniendo en cuenta el concepto del turismo que hemos descrito, no resulta demasiado chocante que, en la reestructuración administrativa del Régimen Franquista de principios de los años cincuenta, los decisores públicos optaran por que la Dirección General de Turismo se integrara, junto a la de Educación Popular, en un mismo departamento ministerial. Además, las otras competencias del Ministerio, permitirían controlar una vertiente del fenómeno turístico que comenzaba a percibirse como especialmente importante: la "propaganda" que los turistas realizaban de lo que estaba ocurriendo en el país cuando volvían a sus lugares de origen. En la reflexión de carácter político no se tiene en cuenta la naturaleza del problema, sino la utilidad de la actividad para el Régimen.

En 1951 se crea el Ministerio de Información y Turismo dando comienzo la primera fase diferenciada de la política turística. Desde la Dirección General de Turismo, que tendrá un mismo Director General durante los once años de la etapa, se elabora el primer plan general de intervención pública en el turismo, el Plan Nacional de Turismo de 1953; se inicia una regulación más sistemática de los subsectores de alojamientos, agencias de viajes y restauración, aprobándose, igualmente el Estatuto de Directores de Empresas Turísticas, el régimen de inspección y sanciones y el Seguro Obligatorio de Viajeros. También en esta fase se crea la estructura periférica del Ministerio, la Comisión Interministerial de Turismo, los organismos autónomos ATE y Póliza del Seguro, y la empresa pública ATESA.

La evolución del número de llegadas de visitantes responde a un crecimiento sostenido, como puede observarse en la tabla de datos siguiente:

CUADRO 4.2.: EVOLUCIÓN DE ENTRADAS DE VISITANTES EN LA FASE DE INICIO (1951-1962)

AÑO	ENTRADAS TOTALES	INCREMENTO
1951	1.263.197	68,53%
1952	1.710.273	35,39%
1954	1.952.266	14,15%
1955	2.522.002	29,18%
1956	2.728.002	8,17%
1957	3.187.015	16,83%
1958	3.593.867	12,77%
1959	4.194.686	16,72%
1960	6.113.256	45,74%
1961	7.455.262	21,95%
1962	8.668.722	16,28%

(Fuente: Instituto de Estudios Turísticos)

Aunque la composición de los mismos refleja una realidad social en donde el turismo no es la actividad de la mayoría de las personas que cruza la frontera:

CUADRO 4.3.: DESAGREGACIÓN DE LOS VIAJEROS ENTRADOS EN
ESPAÑA DURANTE 1951

VIAJEROS ENTRADOS EN ESPAÑA DURANTE 1951		
Nacionales		
Españoles residentes en el extranjero que han visitado España en 1951		72.633
Extranjeros		
Entrados con pasaporte	Con visado de entrada	507.766
	Con visado de tránsito	168.489
Entrados sin pasaporte	Con autorización por 24 horas, en en plazas fronterizas	189.067
En tránsito por puertos	Pasajeros de buques extranjeros con autorización para visitar ciudades	325.242
Total		1.263.197

(Fuente: Ministerio de Información y Turismo, 1952: 18).

La fase de la política turística que hemos denominado *"inicio"* finalizará en el año 1962, cuando se cree la Subsecretaría de Turismo y den comienzo los Planes de Desarrollo.

3.1. Referentes básicos

Si observamos la política turística de la *fase de inicio* veremos que los decisores públicos parecían tener claro el objetivo y las funciones que debían asumir en relación con la intervención en el turismo, aunque era menos evidente que tuvieran una idea meditada y madura sobre la propia actividad turística.

a) Concepto de turismo

En aquellos años iniciales no existía una definición consensuada de turismo o turista. En el Anteproyecto del Plan se había utilizado la expresión *"afluencia de forasteros"* como sinónimo de turista —lo que no era sorprendente en la época— entendiendo por tal a *"todos los viajeros que penetran en una Nación, (...) constituyendo todos ellos, en mayor o menor grado, un instrumento de aportación de divisas. No procede excluir* (a ninguno) *a efectos de nuestro Plan, toda vez que ello podría inducir al error de atribuir, a un número no real de visitantes, el volumen integro de divisas ingresadas"* (Ministerio de Información y Turismo, 1952: 2). Esto significaba entender el turismo como la afluencia de residentes en el extranjero y los ingresos turísticos como la suma de las divisas contabilizadas, incluyendo las procedentes de la emigración. En el Plan Nacional definitivo se opta por suprimir cualquier definición de turismo o de turista evitando así complicaciones conceptuales.

Las propuestas argumentales se sustituyen por una frase categórica: *"creemos que la importancia política y económica que para nuestra Patria tiene el turismo es un axioma y, por tanto, no necesita demostración"* (Ministerio de Información y Turismo, 1952: 11), a pesar de la cual los redactores del Plan sí elaboraron argumentos que defendían las ventajas de la actividad y, salvo el argumento político, el resto de beneficios que se predican del turismo coinciden con los que se expresan en nuestros días[79]:

> *El incremento de la corriente turística felizmente progresiva que afluye a España produce grandes beneficios a nuestro país: el primero y principal es el **conocimiento directo de una realidad desfigurada** por la propaganda tendenciosa...*
>
> *Es preciso subrayar que este aumento del tráfico turístico demuestra, de manera fehaciente, que los turistas que nos han visitado constituyen uno de nuestros mejores medios de propaganda, al difundir por el mundo entero cuanto hayan podido ver y apreciar personalmente en nuestro país.*
>
> *Aparte de este efecto de carácter eminentemente práctico, el turismo juega un **doble papel en la economía española**. Por una parte contribuye a **activar numerosas ramas de las industriales y comerciales** y, por otra, proporciona ingresos apreciables de divisas.*
>
> *Si la industria hotelera se beneficia particularmente del movimiento turístico, éste ejerce una influencia no despreciable sobre otras actividades como los transportes, los espectáculos y los comercios... además esta corriente beneficia a otras actividades industriales y agrícolas que suministran productos de consumo o bienes de equipo a las industrias turísticas, sube de pronto la importancia para España de una buena política de turismo.*

---

[79] La negrita de las citas que apoyan la exposición del presente Capítulo es nuestro.

No es menos considerable el interés en el plano social que una parte de estos ingresos se transforma directa o indirectamente en salarios y remuneraciones fijas.

Por último en el plano fiscal, el Estado, las Provincias y los Municipios se benefician de una parte importante de esos ingresos. Difícilmente calculables, por otra parte, puesto que la percepción se efectúa en diferentes estadios o fases de la producción o de los cambios.

Pero si este aspecto del turismo en la economía española merece ponerse de relieve el otro aspecto, relativo a la importación de divisas es, efectivamente, tan importante para la balanza de pagos, que no creemos necesite justificación alguna. Incluso la repatriación de moneda nacional es suma importante, ya que ha contribuido ampliamente al saneamiento de la peseta en plazas extranjeras...». (Ministerio de Información y Turismo, 1953: 11-12) .

En este primer Plan Nacional de 1953 no se identifica ningún factor que pudiera considerarse problemático —salvo la advertencia del problema que supondría promocionar España de forma tan eficaz, que llegaran más turistas de los que pudiera darse alojamiento— ya que en una fase tan primaria de desarrollo turístico no se había presentado aún ninguna dificultad.

b) Objetivos de los decisores públicos

Podemos afirmar que la política turística tiene un doble referente: un objetivo, aumentar la llegada de turistas y alojarlos, y dos funciones, promocionar la actividad turística —en la doble vertiente de promoción del país como destino y difusión de la actividad dentro de sus fronteras para estimular la participación del sector privado en el desarrollo de la industria turística— y concienciar al resto de los decisores públicos de que era necesaria su participación para la expansión del turismo.

Con estas ideas el Plan Nacional establece:

«*La finalidad primordial del presente plan es la de elevar el turismo al rango de primer orden que tiene para la economía de otras nacionales como Italia, Francia o Suiza. Tratamos de ordenar a gran escala la política del gobierno en esta materia y preparar en nuestra Patria alojamiento y servicios para las estancias o vacaciones anuales de 2.000.000 de extranjeros»* (Ministerio de Información y Turismo, 1953: 3)

El objetivo general del Plan no podía ser más concreto, se trataba de atraer y dar alojamiento a dos millones de extranjeros que vinieran al país a disfrutar de sus vacaciones anuales —hay que tener en cuenta que el fraccionamiento de las vacaciones comienza a acusarse en los mercados a partir de la década de los ochenta, hasta entonces el periodo vacacional era uno y prolongado—.

De las funciones que los decisores públicos parecen dispuestos a asumir, la promoción de la actividad resulta más sencilla. El Plan contempla diversas actuaciones tendentes a atraer un mayor número de turistas:

- Invertir más en promoción, especialmente en Norteamérica, Suiza e Inglaterra, por ser los países con mayor renta per cápita.

- Redirigir los flujos turísticos, mediante la creación de "zonas de interés turístico", entendidas como espacios territoriales sin explotación turística y en los que se pudiera construir una oferta que resultara atractiva todo el año.

- La simplificación de los trámites de fronteras.

- O, en relación con las tipologías de turismo que pudieran ser de interés para los turistas, se singulariza el aprovechamiento de los recursos de caza y pesca fluvial, el turismo deportivo se constituye en el primer producto incorporado en los documentos de planificación públicos antes incluso que el turismo de sol y playa.

Y también contempla diversas acciones para estimular la participación del sector privado:

- Se aprueba el instrumento financiero del crédito hotelero, aplicable en la construcción de nuevos alojamientos. Se trata de *"construir nuevos hoteles y paradores de adecuada calidad y capacidad suficiente para dar alojamiento a la totalidad de los turistas que nos visitan en las épocas de más afluencia"* (Ministerio de Información y Turismo, 1953: 5).

- Se propone también aumentar el número de albergues y reglamentar los campamentos turísticos para que pudieran aumentar su número

- Se establece un plan de construcción de paradores y albergues para ampliar la Red de Alojamientos Turísticos del Estado y situarlos en zonas sin desarrollo turístico para atraer una primera demanda.

– Y aparece, por vez primera, la necesidad de aumentar la formación de los trabajadores del sector, para lo que se propone la creación de Escuelas Regionales de Hostelería y de una Escuela Nacional de Turismo.

La segunda función, estimular la construcción de infraestructura pública para el desarrollo de la actividad es una cuestión más espinosa. La principal preocupación de los decisores públicos del turismo es la mejora de la red de transportes del país —tanto por carretera, como ferrocarril, marítimos y aéreos—, pero ello no dependía del Ministerio.

En el Anteproyecto de Plan de 1952 se había incorporado una reflexión sobre qué instituciones, ajenas al Ministerio, deberían hacerse cargo de la gestión de los objetivos que no eran competencia de la Administración turística. Así, por ejemplo, se recomendaba al Ministerio de la Gobernación la aprobación de las normas tendentes a facilitar los trámites de fronteras; al Ministerio de Hacienda que adaptase la normativa vigente respecto de Aduanas a la entrada y salida de objetos por los turistas; al Ministerio de Obras Públicas que diera solución a los problemas planteados con relación a la concesión de líneas de transportes por carreteras, que se revisaran los servicios de ferrocarril y se construyeran nuevos recorridos de interés turístico; o al Ministerio de Agricultura, que revisara la legislación sobre pesca fluvial y caza.

El establecimiento de acciones a ejecutar por otras instituciones suponía una injerencia en la competencia de otras autoridades por lo que se suprimió toda referencia a otros ministerios en el Plan Nacional de 1953, pero la conciencia de que los objetivos de la política turística no podrían alcanzarse sin la participación de otros decisores públicos lleva a la creación de la Comisión Interministerial de Turismo.

La *fase de inicio* se caracteriza por el descubrimiento de una actividad en expansión que supone una oportunidad económica para los gobiernos. Por ello el Estado decide fomentar su desarrollo, para lo que resulta imprescindible generar argumentos políticos que apoyen la intervención pública en este nuevo fenómeno que tiene aún fronteras difusas y no ha alcanzado un nivel de desarrollo suficiente como para plantear disfunciones serias.

3.2. Rasgo sustantivo: el descubrimiento de la actividad

El rasgo sustantivo de este periodo es el descubrimiento del turismo por parte de algunos decisores públicos. Aún no existe una reflexión madura sobre la actividad turística y, a pesar de ello, sí encontramos que la Administración ha asumido un claro papel de fomento.

La coherencia de la fase se apoya en dos pilares: un mismo plan general que permite comenzar a tantear cuál es el espacio que debe ocupar la política turística y un mismo decisor durante todo el periodo: el Director General.

En las dos primeras fases de política turística, ésta y la siguiente, no resulta correcto utilizar el concepto teórico de "estilo de políticas"[80] que se ha elaborado teniendo en cuenta el funcionamiento de los regímenes democráticos (y que tienen en cuenta dos ejes: la política podría anticiparse a los problemas o por el contrario reaccionar cuando ya existen y, por otro lado, la política puede negociarse con los demás actores o imponerse a éstos).

Las características del Régimen Franquista impiden hablar de negociación de las acciones con los actores afectados. Los Sindicatos Nacionales de Hostelería, Transportes y Comunicaciones, que podían formar parte de las ponencias de la Comisión Interministerial de Turismo, al igual que los Sindicatos de Iniciativa y Turismo (asociaciones de ciudadanos cuyo objetivo era la promoción de turismo en una zona concreta) fueron convertidos, de hecho, en órganos ejecutores de la política ministerial, en un procedimiento de corporativismo claro; el Estado diseñaba sus políticas, e implantaba sus decisiones. Aunque, utilizando la imagen, sería posible afirmar que con el Plan Nacional de 1952 los decisores públicos en materia de turismo asumieron un estilo anticipatorio, tratando de fomentar el crecimiento de una actividad que era casi inexistente y que esta idea de promoción se convirtió en el referente político de la etapa analizada.

---

[80] Véase nota 67.

Capítulo 5
EL DESARROLLO TURÍSTICO (1962-1974). LEGADO DE LA POLÍTICA TURÍSTICA (II)

En los últimos años de la década de los cincuenta se produce un cambio en el Régimen Franquista y el turismo no es el único espacio en donde comienza una nueva etapa que, en la política económica, se traduce en la planificación indicativa.

La segunda de las fases identificadas tiene como punto de arranque un hecho ajeno a la política turística: el Informe del Banco Mundial de 1962 que modificará profundamente el enfoque con que los decisores ministeriales abordan la política turística.

Durante los doce años de la fase de desarrollo se suceden los mandatos de los Ministros Fraga Iribarne (1962-1969), Sánchez Bella (1969-1973) y Liñán y Zofro (1973-1974) y la imagen que preside la actuación en estos años es la del triunfal crecimiento del sector.

1. PRINCIPALES ACTUACIONES DEL PERIODO

1.1. Manuel Fraga Iribarne (julio 1962 - octubre 1969)

En agosto de 1962, el Banco Internacional de Reconstrucción y Fomento (hoy, Banco Mundial) presenta al Gobierno un **Informe sobre la Economía Española.**

El Informe formula recomendaciones para una política de desarrollo, propone criterios para la inversión pública durante los cinco años siguientes y sugiere la forma en que el Gobierno podría perfeccionar la organización administrativa para lograr el desarrollo económico (Banco Mundial, 1962: 8)[81].

En dicho documento se incluye un capítulo expreso sobre el turismo que se elaboró tomando como base un análisis encargado al economista suizo Krapf[82].

En el Informe del Banco Mundial se defiende la oportunidad económica que representa el turismo para España por la confluencia de varios factores favorables. Como factores internos destacan el clima soleado y agradable, la existencia de *"muchas playas atrayentes"*, las atracciones históricas y culturales, *"el encanto natural del pueblo"*, los precios comparativamente bajos, el confort de las instalaciones hoteleras y el buen servicio.

Como factores exógenos señalan aquellos que en otras partes de Europa han favorecido los viajes internacionales: la prosperidad económica de los otros países, el aumento de los propietarios de automóviles, el desarrollo de los transportes aéreos, la liberación de los controles de divisas o la simplificación en las normas de viajes y de las formalidades de aduanas (Banco Mundial, 1962: 78-79).

Las actuaciones que se recomiendan llevar a cabo afectan a los ámbitos de infraestructuras, de alojamiento, de prestación de servicios turísticos por parte de la administración, de formación y de reorganización administrativa:

– Para potenciar el crecimiento de la actividad se recomienda, como acción previa imprescindible, mejorar las infraestructuras de comunicaciones y los transportes públicos (que ya habían sido objeto de un capítulo completo en el Informe).

---

[81]   Su contenido se organiza en los siguientes epígrafes: 1) directrices generales de la política de desarrollo; 2) orientaciones generales de la economía (con recomendaciones expresas sobre política económica exterior); 3) política de transportes (insistiendo en la necesidad de mejorar las infraestructuras y medios de transporte existentes), 4) intervenciones en la política agraria; modernización de la planta industrial y en la política energética, y 5) actuaciones que podrían realizarse en tres sectores que son considerados de importancia central: turismo, enseñanza y vivienda.

[82]   Krapf era considerado, y aún hoy mantiene dicho prestigio, como uno de los mayores expertos en turismo y uno de los "padres" de la disciplina.

- Se aconseja fomentar el crecimiento de la oferta hotelera mediante la mejor utilización de la existente y la construcción de nuevos hoteles. Para ello, se considera el crédito hotelero como un instrumento esencial, por lo que se propone incrementar su cantidad global a 500 millones de pesetas pero aumentando el tipo de interés que se aplica a los beneficiarios ya que "*no existe necesidad de ofrecer incentivos hasta tal punto, toda vez que las perspectivas del negocio hotelero son favorables*" (Banco Mundial, 1962: 80), señalando, por otra parte, que los "*fondos para la expansión del turismo deberían concentrarse principalmente en áreas ya existentes de actividad turística*".

Si bien se aboga por una política de estabilidad de precios de los alojamientos, se recomienda la sustitución del entonces vigente sistema de control oficial de precios. Se proponía que fueran los propios hoteleros los que establecieran libremente los precios, los comunicaran al ministerio y éste se encargara de vigilar que son esas tarifas las que finalmente se aplican a los turistas.

En relación con los hoteles propiedad de Estado se recomienda que "*el Estado se dedique a instalaciones relativamente modestas, evitando fuertes capitalizaciones y que venda a los intereses privados las instalaciones de su propiedad localizadas en áreas donde el capital privado pueda hacerse fácilmente cargo de ellas*" (Banco Mundial, 1962: 81).

- Se sugiere, así mismo, la ampliación de las escuelas de hostelería dirigidas por los Sindicatos, para que los trabajadores del sector aumenten su cualificación y completen su formación con la enseñanza de idiomas.

- También se señala la necesidad de reorganizar la estructura administrativa dedicada al turismo: "*La Misión estima que el papel del Gobierno sigue siendo decisivo y su principal tarea es la de proveer la estructura adecuada dentro de la cual la iniciativa privada pueda operar con la máxima eficacia (...) el Gobierno debería procurar la mejora de su propia organización administrativa y estimular la mejora de las organizaciones locales*" (Banco Mundial, 1962: 79).

Habiendo estado inactiva la Comisión Interministerial creada en 1954, entre otras razones por el alto número de miembros que la componían, se "*recomienda la constitución de una pequeña comisión permanente interministerial (...) cuyos miembros permanentes deberían limitarse a los más íntimamente relacionados con el turismo, o sea, además del representante del Ministerio del ramo, los de los Ministerios de Comercio, Hacienda y Obras Públicas y del Sindicato de Hostelería"*.

Se indica que se dé al turismo un papel más preeminente dentro de la Administración creando un órgano independiente de mayor rango, llegándose expresamente a hablar de una Subsecretaría (Banco Mundial, 1962: 82).

– Por último, se menciona la necesidad de aumentar el gasto en promoción, de potenciar la creación de Centros de Iniciativa y Turismo Locales y de mejorar las estadísticas sobre la actividad.

A la luz de las acciones que se emprendieron los decisores públicos tuvieron en cuenta gran parte de las recomendaciones y comenzaron a trabajar en la dirección señalada.

a) Instrumentos organizativos

Un mes después del Informe del Banco Mundial se crea una **Subsecretaría de Turismo**, mediante Decreto 2298/62, de 8 de septiembre, con dos funciones principales: una genérica: asistencia al ministro en la política turística general, y una más específica: elaborar el capítulo de turismo para el Plan Nacional de Desarrollo, ejecutando después las medidas resultantes del mismo.

Se le asignaron competencias para *"fomentar el interés, dentro y fuera de España por el conocimiento de la vida y territorios nacionales; promover, gestionar, regular e inspeccionar las actividades relacionadas con la organización de viajes, la industria hospedera, los servicios relativos al turismo y la información, atracción y propaganda respecto a forasteros"* (Art. 1, Decreto 2298/62).

De ella dependía una Secretaría General Técnica (cuyo nombre inicial fue *servicio ordenador*) que realizaba estudios, preparaba las exposiciones y certámenes, reunía documentación de materias propias del departamento y contaba con un servicio de obras y construcciones de interés turístico.

La Subsecretaría de Turismo será suprimida en 1967 como consecuencia de los planes de reducción del gasto público.

Se crean dos Direcciones Generales: de Promoción del Turismo y de Empresas y Actividades Turísticas.

La **Dirección General de Promoción del Turismo** ejercería competencias en materia de coordinación del turismo, orientación y regulación de la información y propaganda turística, relaciones públicas, formación profesional y fomento del turismo. Asume la promoción interna y externa, comenzándose a trabajar en la idea de España como destino.

De la Dirección General de Promoción del Turismo dependía el Registro de Denominaciones Geoturísticas, en donde se inscribían nombres de zonas que pretendían comercializarse con una marca común (Costa de la Luz, Costa del Azahar, Costa del Sol, Costa Dorada, etcétera).

La Dirección General de Promoción sufre distintas reorganizaciones, paralelas a los cambios en el Ministerio, pero sus competencias no se ven alteradas en substancia, al contrario, crecerán corroborando la importancia creciente del papel del Estado en la promoción turística.

La **Dirección General de Empresas y Actividades Turísticas** desarrolla las competencias de ordenación de empresas y establecimientos de hostelería, alojamientos, instalaciones turísticas, agencias de viaje, transporte de carácter turístico o deportes relacionados; de vigilancia respecto de la profesión; así como de sancionar las infracciones que se cometan en las materias de su jurisdicción. Es decir, la regulación del sistema turístico en contacto con el sector privado.

También ésta Dirección General sufrirá distintas reorganizaciones sin que alteren significativamente sus funciones y competencias.

En 1962, y bajo la figura de "servicio público centralizado", se crea el **Instituto de Estudios Turísticos** con el objeto de realizar investigaciones sistemáticas sobre el turismo *"que permitan conocer del modo más exacto posible sus distintos aspectos, así como su evolución y tendencias"*.

Un año más tarde se crea la **Escuela Oficial de Turismo**, que dependería del Instituto, se diseña el Plan de Estudios provisional que implantará en todas las escuelas y se establece que todos los alumnos pasarán un examen de reválida en la Escuela Oficial. Se regula el reconocimiento a los Centros de enseñanza turística no oficial que, a partir de ese momento, recibirán el nombre de centros "legalmente reconocidos".

Mediante Orden de 12 de noviembre de 1962, se regulan las relaciones del Ministerio con las **Oficinas de Turismo en el Extranjero.** También en 1963 se crea una sociedad anónima, la **Empresa Nacional de Turismo (ENTURSA)**, integrada en el INI, cuya finalidad sería *"la construcción de alojamientos turísticos y complejos deportivos a ellos anejos y la creación y mejor de cotas de caza y pesca"* (Pellejero 2000:136). Entursa se dedicaría, fundamentalmente, a hoteles de gran calidad y a servicios de catering.

ATESA compra Marsans el 25 de agosto de 1964, con lo que se refuerza la actividad de agencia de viajes en el sector público.

La Subsecretaría asume la competencia directa sobre el Organismo Autónomo de Administración Turística Española (ATE) que mantiene el mismo Director General hasta 1975.

Por orden de 28 de febrero de 1963, las Juntas Provinciales de Turismo se ordenan bajo la figura de **Junta Central de Información Turismo y Educación Popular (CITE)** y se regulan las funciones de ésta y de las **Juntas Provinciales y Locales**, que pasan a ser delegaciones de la Central. La estructura administrativa periférica se perfecciona.

Se reorganiza la **Comisión Interministerial de Turismo** modificando los representantes, que ya no serán Ministros, y poniéndola bajo la presidencia del Subsecretario de Turismo (cuando éste desaparezca pasará a presidirla el Director General de Promoción del Turismo). Se procede a ajustar la composición tanto por los cambios que se habían producido en el sector, como por los que introducía la Ley de Centros y Zonas de Interés Turístico Nacional. *"El proceso de crecimiento del fenómeno turístico y su complejidad obligan a un nuevo análisis de la situación centrado básicamente en la consideración de que la ordenación y planificación del turismo concierne a la política general del Gobierno"* (Exposición de motivos, Decreto 1893/1964, de veinticinco de junio, se reorganiza la Comisión Interministerial de turismo).

Se suprime el **Organismo Autónomo "Administración de la Póliza de Turismo"** (Decreto 2149/67, de 19 de agosto), ya que el impuesto que administraba fue sustituido por el impuesto sobre tráfico de empresas.

Se regulan los **Centros de Iniciativa y Turismo**, a pesar de ser asociaciones privadas que reunían a personas interesadas en la promoción del turismo en una zona o destino turístico, aprobándose un modelo de reglamento que debía de ser adoptado por cada uno de ellos.

El reglamento determinaba las funciones y el funcionamiento de los Centros de Iniciativa y obligaba a incluir un artículo en los Estatutos de dichas asociaciones con el siguiente texto: "*Las actas de las reuniones que celebre tanto la Junta General como la Junta Directiva, deberán ser sometidas a la aprobación de la Subsecretaría de Turismo, así como la memoria anual de actividades desarrolladas y propuestas para el próximo ejercicio*".

El Ministerio defendió que "*La Subsecretaría de Turismo (...) necesita conocer y, en su caso, regular* (sus actividades) *en evitación de que su oportunidad o fines puedan estar en pugna con las directrices generales, convenientes en cada momento a la política nacional turística*" (Ministerio de Información y Turismo; 1966: 56).

Esta regulación, convertía a los Centros de Iniciativa y Turismo, en actores privados que implantaban las políticas de aquel[83].

b) Planes generales

En septiembre de 1962, la Subsecretaría de Turismo, elabora un documento de trabajo titulado **Algunas ideas para la elaboración de las bases de un Plan Nacional de Turismo. Informe al Consejo de Sres. Ministros sobre puntos fundamentales del Plan de Promoción del Turismo.**

El documento comienza señalando la importancia del turismo en la economía española, especialmente tras la estabilización monetaria del año 1959 que —según el texto— tuvo un impacto directo en el incremento de la actividad en 1961.

Tras ello analiza cuestiones de distinta naturaleza, reflejo de que se amplía la perspectiva desde la que la Administración aborda el turismo.

En primer lugar, se defiende la necesidad de conocer los recursos turísticos para poder promocionarlos y para contar con un catálogo sistemático de estos se propone elaborar un inventario nacional.

---

[83] Esta es una forma de actuación típica de los regímenes totalitarios en los que el propio Estado es quien crea los actores privados que reconoce y con quienes se relaciona.

> ≈ *Un conocimiento detallado de la oferta turística tanto para pla-
> near su propaganda, como para su puesta en valor mediante la dota-
> ción del correspondiente equipo en cuanto el actualmente existente
> pueda ser deficitario. El inventario de atractivos turísticos supone una
> catalogación ordenada de todos aquellos motivos, principalmente
> naturales, que pueden suponer aliciente para la atracción del turis-
> mo. El inventario Turístico Nacional no sólo sirve de base inexcusable
> de partida para la puesta en marcha del programa de promoción... se
> piensa organizar... una exposición pública que muestre, por provin-
> cias, las posibilidades españolas sin explotar o difícilmente explota-
> das* (Bases de un Plan Nacional de Turismo. Ministerio de Informa-
> ción y Turismo, 1962: 3-4) .

Por otro lado, ya en 1962, se exponen los problemas que está aca-
rreando la falta de planificación territorial y se propone la elaboración y
aprobación de una "ley de zonas turísticas"[84]. Resulta sorprendente que
la descripción de los problemas hace cincuenta años sea exactamente la
misma que se hace hoy. El hecho de que el Estado haya ejercido desde
aquellos años un papel activo en el sistema turístico, de que también
haya tenido un conocimiento expreso del problema y de que no se hayan implantado acciones de gobierno para paliar los efectos de este conflicto entre los objetivos del sector privado y los objetivos del Estado, es
una cadena de evidencias fácticas que tiene un alto contenido significativo a efectos analíticos[85].

> ≈ *El gran desarrollo turístico español de los últimos años (..) ha
> dado lugar a la aparición de fenómenos de congestión en determina-*

---

[84] Germen de la Ley de Centros y Zonas de Interés Turístico Nacional.

[85] La decisión, la decisión política, es una tema de trabajo central de la Ciencia Política
muy relacionado con el concepto del poder. La decisión de hacer algo resultaría, a
primera vista, el hecho básico de cualquier estudio de políticas públicas —los gobiernos deciden "hacer" para lograr determinados fines—, pero la decisión contiene,
como reflejo del ejercicio del poder, tantas dimensiones como éste (Luckes, 1974).
Esto significa que igual de importante es la decisión de no decidir sobre algo, es decir
cuando ante determinadas cuestiones se toma una no-decisión (Barchrach y Baratz,
1970). Esta idea plantea un problema al investigador: ¿cómo investigar un proceso
en el que se decide no actuar y del que, al contrario que cuando hay acción, no
quedan rastros? Los expertos señalan que un indicador claro de una no-decisión es la
existencia de áreas en las que existe un conflicto continuado y, a pesar de ello, quedan
sistemáticamente fuera de la acción pública (Crenson, 1971).

das zonas y localidades (..) . Por otra parte la especulación sobre terrenos y otras propiedades ha forzado y está forzando, cada día más, una concentración excesiva de edificación que supone, en ocasiones una esterilización turística a largo plazo (..) El estado de cosas indicado requiere una actuación ordenada y consciente o, en su defecto, aceptar el inmenso riesgo de una actuación privada, incontrolada y falta de coherencia en el desarrollo y explotación de nuestros atractivos turísticos (..) y, por consiguiente, es preciso instaurar una política activa por parte del estado, haciendo del mismo protagonista eficaz del desarrollo turístico (Bases de un Plan Nacional de Turismo. Ministerio de Información y Turismo, 1962: 6) .

Además, se encuentra en el texto una referencia a la necesidad de analizar y desarrollar el turismo interior, pero entendiendo por tal un producto similar al turismo social, es decir, turismo impulsado por el Estado con el objeto de que también los colectivos de rentas más bajas puedan disfrutar de la actividad. En este contexto se propone que *"se realicen residencias de funcionarios al amparo de sus mutualidades, se faciliten prestaciones y ayudas para disfrutar de otras residencias"* o se utilicen propiedades del Estado, reformándolas, para dicho fin (Bases de un Plan Nacional de Turismo. Ministerio de Información y Turismo, 1962: 9).

Otra sugerencia del documento es incrementar el crédito hotelero *"con la disposición de un fondo de cuatro mil millones de pesetas a distribuir en cuatro anualidades"* (Bases de un Plan Nacional de Turismo. Ministerio de Información y Turismo, 1962: 34) y la implantación de un nuevo instrumento financiero que lo complete: el crédito turístico para la construcción de otro tipo de instalaciones complementarias.

Por último, se plantea la conveniencia de prestar una mayor atención a los Sindicatos de Iniciativas y Turismo, tanto por el conocimiento de las realidades en las que actúan, como por ser instrumentos eficaces de implantación de determinadas acciones.

El documento pasa a formar parte de los informes que se manejaron para la redacción del primero de los planes de desarrollo económico.

Los **Planes de Desarrollo Económico** eran documentos de planificación indicativa en los que se exponían los objetivos que el Estado quería lograr en los principales sectores. Los planes se elaboraban por un órgano creado al efecto, la Comisaría del Plan, y contenían los programas a realizar en cuatro años. Se aprobaron los correspondientes a los periodos: 1964-1967, 1968-1971; 1972-1975 y 1976-1979, aunque este ultimo, por razones obvias, nunca llegó a aplicarse. Dentro de la Comisaría del Plan se crea una Comisión de Turismo, encargada de realizar los trabajos previos del capítulo dedicado a este sector, que participa así de los conceptos de desarrollo económico que se aplican a todos los sectores productivos.

Los capítulos dedicados al turismo se convierten en los instrumentos de planificación de la acción pública turística y contienen las características del modelo turístico que se quería implantar.

El turismo en esos años se convirtió de hecho en un instrumento generador de divisas perdiendo cualquier otro matiz que completase la visión del fenómeno, pero los redactores de los Planes reflexionan sobre las dificultades del sector e intentan, sin conseguirlo, que se extienda una idea más completa de las características y relaciones del sector.

Los sucesivos capítulos dedicados al turismo en los Planes de Desarrollo responden a un mismo esquema expositivo organizado en tres partes:

1) En primer lugar, se exponen los datos de la evolución del turismo, construyendo un "estado de la cuestión" y se reflexiona sobre la problemática del mismo.

2) En una segunda parte se establecen los objetivos a alcanzar tanto en relación con la demanda turística, como con oferta turística.

Los objetivos relacionados con la demanda se expresan en términos de previsión del número de visitantes extranjeros; la previsión de crecimiento de turismo interior; previsión del turismo de los españoles en el extranjero (que no se contempló en el I Plan)[86] y previsiones de la balanza turística (ingresos y gastos por turismo).

---

[86] Durante los años del despegue de la actividad, se consideraba que el turismo realizado por residentes en el extranjero era un flujo "negativo", ya que implicaba la salida de divisas. Por ello, existían algunas medidas de control de la actividad, como establecer un límite a la cantidad de moneda que podía cambiarse por divisas extranjeras cuando iba a realizarse un viaje. En cualquier caso, cuando el I Plan de Desarrollo es redactado, el poder adquisitivo y el nivel de vida de los españoles no permitía considerar este indicador como relevante. En el II Plan se estableció una cifra límite de 5,5 millones de españoles viajando al extranjero.

En cuanto a la oferta los indicadores eran: previsión del crecimiento de la industria hotelera medido en número de camas según categoría; previsión de la oferta extrahotelera (camping, apartamentos y fondas y casa de huéspedes); crecimiento estimado de las empresas turísticas auxiliares (cifras referidas a restaurantes, bares, cafeterías y tabernas, agencias de viajes y salas de fiesta) y previsiones de aumento de nuevos puestos de trabajo.

3) Y, finalmente, se enumeran las acciones que desarrollará el sector público para el cumplimiento de dichos objetivos.

El capítulo de turismo del **I Plan de Desarrollo Económico (1963-1967)** responde a la estructura comentada.

El turismo se entiende como un elemento económico fundamental por su peso "*como subsector decisivo, dentro del sector exterior, para el equilibrio de la balanza de pagos*" y por su capacidad "*para promover el desarrollo económico en zonas atrasadas*" (I Plan de Desarrollo. Comisaría del Plan de Desarrollo, 1964).

Da comienzo con una reflexión sobre el mismo señalando, como uno de los problemas principales para la planificación del sector, su carácter transversal y la dificultad que esto suponía para medir ciertos aspectos.

> *El tratamiento del turismo dentro de un plan de desarrollo tropieza, entre otras dificultades, con la de que, si bien constituye un claro subsector económico desde el punto de vista funcional, no es así en el aspecto orgánico. El fenómeno turístico incide directamente sobre subsectores como la hostelería, los servicios de esparcimiento, los transportes, el comercio y toda una serie compleja de servicios personales y profesionales* (I Plan de Desarrollo. Comisaría del Plan de Desarrollo, 1964: 11) .

El Plan examina la demanda turística, la oferta y su estructura, y la industria hotelera existente en ese momento. Con esos datos, analiza la capacidad de alojamiento para el turismo interior y el turismo extranjero y extrapola la necesidad de alojamiento que podía existir en el año 1967.

A partir de los resultados se establecen los objetivos generales del Plan que afectan a alojamientos hoteleros, extrahoteleros, industrias turísticas complementarias, urbanizaciones turísticas, infraestructura turística, propaganda turística, formación profesional y planeamiento de

150 *María Velasco González*

zonas turísticas y, en relación con los mimos, se determina un programa de inversiones y modos de financiación de las mismas.

La previsión de inversiones turísticas se resume en el siguiente cuadro.

CUADRO 5.1. PREVISIÓN INVERSIONES TURÍSTICAS EN EL I PLAN DE DESARROLLO Y CUANTÍA DE LA INVERSIÓN PÚBLICA

	PREVISIÓN DE INVERSIONES TURÍSTICAS (En millones de pesetas)		
AÑOS	TOTAL DE LAS INVERSIONES	TASA DE CRECIMIENTO	PREVISIÓN DE LA INVERSIÓN PÚBLICA
1964	10.615,2	—	315,1
1965	11.899,2	12.1	329,2
1966	13.259,5	11.4	373,9
1967	15.334,1	15.6	410
Se incluye: inversión pública, inversión privada en alojamientos e industria auxiliar e inversión en otros recursos turísticos.			

(Fuente: Basado en Figuerola, 1980)

Cuando la inversión se destinaba a construir obras de infraestructura turística, el Ministerio de Información y Turismo programaba y abonaba con cargo a sus créditos presupuestarios, pero era el Ministerio de Obras Públicas el encargado de redactar los proyectos, dirigir y vigilar las obras y expedir las certificaciones de obras. También las subvenciones eran otorgadas por el Ministerio de Obras Públicas.

Las acciones a desarrollar por la Administración en el cuatrienio de 1964 a 1967 se agruparon en torno a cuatro objetivos: atraer la demanda extranjera, fomentar y ordenar el turismo interior, ampliar la oferta turística y regular el mercado turístico.

1) Para atraer a la demanda extranjera se prevé:

– Aumento de los esfuerzos de propaganda turística dirigida a mercados exteriores.

– La acción de propaganda exterior se realizaría básicamente por la Administración Central. Los organismos públicos o privados de carácter local y regional podían, bajo supervisión de la Subsecretaría, realizar campañas de promoción.

- Promover el turismo fuera de estación, concediendo facilidades para la celebración de reuniones internacionales, tales como congresos o convenciones.
- Ampliación de la red de Oficinas del Turismo en el extranjero.
- Realización de estudios de mercado para localizar los mejores lugares para ampliar la Red de Oficinas de turismo en el extranjero.
- Creación de la Comisión de la Exposición Itinerante del Turismo Español (Expotur).
- Simplificación de trámites administrativos en las fronteras.

2) En cuanto a la expansión y ordenación del turismo interior, entendiendo que éste "*ha de cumplir dos condiciones: la de medio de manifestación de una promoción social (...) y actuar como regulador de la estacionalidad del turismo extranjero*" (I Plan de Desarrollo. Comisaría del Plan de Desarrollo, 1964: 64), se decide:

- Fomentar el escalonamiento de las vacaciones.
- Apoyo a la construcción de instalaciones que favorezcan el turismo social, como residencias de trabajadores, y a la utilización de las existentes, tales como balnearios u hoteles en temporada baja.
- Creación y funcionamiento de asociaciones, no mercantiles, cuyo objetivo sea la promoción del turismo social.

3) Respecto al objetivo de ampliación de la oferta turística, "*la Administración no puede limitarse a la mera función de vigilancia y ordenación de las iniciativas privadas, sino que ha de apoyar las mismas y ha de suplir su falta, en caso necesario*" (I Plan de Desarrollo. Comisaría del Plan de Desarrollo, 1964: 65). Por ello, se pretende:

- Aumento de la capacidad hotelera.
- Construcción de hoteles de categoría media.
- Ampliar alojamientos extrahoteleros.
- Inversión en infraestructura turística.
- Ampliación del crédito hotelero.
- Mejora de las infraestructuras existentes en zonas turísticas.

- Aprobación de la Ley de Zonas y Centros de Interés Turístico Nacional e instauración de crédito turístico como instrumento operativo de aquélla.
- Planeamiento de zonas turísticas.
- Acción directa de la Administración en la obtención del suelo turístico para ponerlo a disposición de la iniciativa privada en zonas no explotadas.
- Creación de la Empresa Nacional de Turismo encuadrada en el INI.
- Incrementar el apoyo financiero a la Administración Turística Española (ATE), ampliándose las hosterías y restaurantes dependientes de ésta.
- Extensión de la Red de Alojamientos propiedad del Estado.
- Desarrollo de estaciones de invierno.
- Aumento de facilidades para las inversiones extranjeras.

4) En relación con el último de los objetivos señalados, la regulación del mercado turístico, se determina que las acciones a realizar serán:

- Incremento de la formación profesional.
- Impulso de fijación de descuentos en temporada baja.
- Revisión de la clasificación hotelera.
- Realización de un censo de alojamientos extrahoteleros.
- Favorecer la creación de cadenas extrahoteleras.

El **II Plan de Desarrollo Económico** (1968-1971) incorpora la experiencia de los cuatro años anteriores y refleja un conocimiento más exacto del fenómeno turístico, aunque el concepto del turismo sigue siendo básicamente el mismo que estructuraba las acciones del I Plan: "*El turismo constituye un factor principal de equilibrio de la balanza de pagos, es elemento impulsor de determinadas zonas geográficas y permite a los españoles aprovechar el mayor tiempo disponible que la elevación del nivel de vida comporta*" (II Plan de Desarrollo. Comisaría del Plan de Desarrollo, 1967).

Los objetivos generales para los cuatro años son: aumentar la cifra de turismo de interior y de extranjeros, "*mantener la cifra de turismo español en viaje al extranjero en un valor inferior a 5,5 millones de personas*", potenciar otros productos turísticos, como el de nieve, y diversificar la estructura de la demanda.

El Plan comienza con el estudio de la demanda, de la oferta y de la adecuación entre ambas, poniendo de manifiesto los problemas que sufre el sector, derivados de la fuerte estacionalidad.

Al igual que en el documento anterior, se realiza una previsión de la demanda y se dimensiona la oferta global para atenderla.

El II Plan menciona como complemento indispensable de la oferta los sistemas y medios de transporte y de infraestructura urbanística — aspectos ya presentes en el I Plan— y el *"equipo infraestructural"*. Dicho equipo, según los redactores, lo componen: costas y playas, los ríos y embalses, las instalaciones turístico-deportivas, las estaciones de deporte de invierno, el termalismo y el turismo rural (de esta manera los redactores reúnen bajo un epígrafe único bienes públicos, instalaciones deportivas de uso turístico y dos productos turísticos específicos: termalismo y turismo rural). Es relevante porque, independientemente de la mayor o menor fortuna en su conceptualización, supone un esfuerzo por ampliar el concepto de "oferta turística".

Además se defiende la necesidad de la *"revalorización de atractivos turísticos"*, entendiendo por tales el patrimonio cultural, la defensa del paisaje y la ordenación del territorio. También aquí pretende modificarse el modelo de desarrollo turístico e intensificar el papel que el Estado debe asumir en el correcto uso turístico de bienes tan complejos como la cultura, el medio ambiente o el territorio.

En relación con las acciones de promoción ya se distingue entre las distintas formas que puede adoptar el producto turístico: turismo invernal, estival, cultural, de descanso, deportivo, social y juvenil, y se argumenta que la heterogeneidad exige acciones de promoción diversificadas.

En lo referente a reglamentación del sector u ordenación turística, se establecen seis ámbitos en los que debería actuar la administración: ordenación de los servicios de alojamiento (hostería, camping, apartamentos y otros alojamientos); ordenación de otros servicios turísticos (agencias de viajes, servicios de información turística, restaurantes y cafeterías, transportes turísticos); actuación directa del sector público en la oferta; ordenación comercial y profesional; tratamiento fiscal y crediticio y coordinación de la acción administrativa.

Se determina la inversión pública y los incentivos para la inversión privada, aprobándose líneas de crédito oficial para las siguientes acciones: crédito hotelero y construcciones turísticas (15.100 millones de pesetas); obras de urbanización e infraestructuras de Centros y Zonas de Interés Turístico Nacional (2.100 millones de pesetas); acondicionamiento de hospedajes turísticos en casas particulares (150 millones de pesetas); y corporaciones en zonas turísticas (1.900 millones de pesetas). La inversión total prevista para el periodo es:

CUADRO 5.2.: PREVISIÓN DE INVERSIONES TURÍSTICAS EN EL II PLAN DE DESARROLLO Y CUANTÍA DE LA INVERSIÓN PÚBLICA

PREVISIÓN DE INVERSIONES TURÍSTICAS (En millones de pesetas)			
AÑOS	TOTAL DE LAS INVERSIONES	TASA DE CRECIMIENTO	PREVISIÓN DE LA INVERSIÓN PÚBLICA
1968	25.916,7	69,0	903,7
1969	28.450,5	9,8	999,8
1970	31.513,0	10,8	1.110,1
1971	34.269,8	8,7	1.236,8
Se incluye: inversión pública, inversión privada en alojamientos e industria auxiliar e inversión en otros recursos turísticos.			

(Fuente: Basado en Figuerola, 1980)

Las acciones a realizar por la Administración se agrupan en dos apartados, que coinciden con los campos de acción de las dos Direcciones Generales: promoción y ordenación.

1) Las medidas de promoción que se proponen son:

– Favorecer la entrada de turismo extranjero aligerando los trámites de fronteras.

– Promover el turismo rural como apoyo a áreas económicas atrasadas.

– Facilitar la realización de urbanizaciones turísticas de calidad.

– Fomento de celebración de congresos y convenciones internacionales, en especial durante la estación baja.

– Apertura de nuevas zonas al turismo nacional y extranjero.

2) Las relativas a ordenación son:

– Ordenación del aprovechamiento turístico de los embalses.

- Legislación para la defensa del paisaje.
- Revisión del sistema de clasificación de establecimientos hoteleros.
- Ordenación del sector apartamentos y otros alojamientos extrahoteleros.
- Revisión de la legislación sobre agencias de viajes.
- Revisión de la legislación sobre "menú turístico".
- Ordenación específica sobre transportes turísticos.
- Introducción de mejoras en el sistema de explotación de los alojamientos turísticos, propiedad del Estado.
- Mantenimiento de una política de precios turísticos.
- Mayor control de calidad en los servicios turísticos.
- Apoyo a la implantación de sistemas, que mejoren la comercialización del sector.
- Fomento de la formación profesional.
- Revisión de los problemas de fiscalidad.
- Revisión del sistema de crédito, para la venta de apartamentos para extranjeros.
- Mejora de los sistemas de estadística y control del fenómeno.
- Mejora de la coordinación interdepartamental en materia de turismo.
- Vigorización y ampliación de funciones de la Comisión Interministerial de Turismo.

El I y el II Plan de Desarrollo serán los documentos básicos de política turística durante el mandato del ministro Fraga.

c) Programas

Durante este periodo se ponen en marcha programas concretos cuyo objetivo era fomentar la práctica de turismo alternativo al de sol y playa.

En 1967 se firma un Convenio entre la Dirección General de Promoción del Turismo y la Dirección de Capacitación Agraria, del Ministerio de Agricultura, por el que se crea el programa de **"Vacaciones en**

casas de labranza". Los objetivos eran ayudar a la mejora de las viviendas rurales y posibilitar el disfrute de vacaciones a precios razonables, en
plena naturaleza y dentro de un ambiente familiar. Además, también se
buscaba promocionar turísticamente nuevas zonas y fomentar el turismo social (Ministerio de Información y Turismo, 1969).

Para ello se articuló una línea de subvenciones que serían aplicables
a la mejora de la propia vivienda o a la instalación en ésta de un pequeño
restaurante, o a su remodelación si ya existía. La obtención de la ayuda
suponía además que el alojamiento se incluyera en la Guía Oficial del
programa, editada y distribuida por el Ministerio. Los precios de los
alojamientos se fijaban junto con la Dirección General de Empresas y
Actividades Turísticas.

Al programa, bien articulado, se le dotaron de fondos insuficientes,
aunque en algunas zonas rurales consiguió otros efectos beneficiosos,
permitiendo la mejora de las viviendas rurales que carecían de los servicios mínimos.

Otro programa del período fue el **Plan de promoción de estaciones de montaña o de turismo de nieve** (Orden Ministerial de 2 agosto de 1968) que pretendía consolidar la oferta turística invernal mediante el acondicionamiento y puesta en uso de estaciones de esquí.

El plan se basaba en el uso de tres instrumentos: las inversiones públicas en infraestructura básica, las subvenciones para infraestructura
técnica y la promoción del nuevo producto.

Las inversiones públicas previstas para la construcción de infraestructura básica, se orientaron a la construcción, en las estaciones
invernales de montaña elegidas, de carreteras, aparcamientos, suminis-
tros de agua potable, saneamientos, redes de energía eléctrica y alum-
brado.

Durante el II Plan de Desarrollo, se concedían subvenciones para
montaje de instalaciones, entendiendo por tales, remontes, cabinas, te-
lesillas, etcétera. A partir de 1971, se canalizaron a través de la figura de
"ayudas económicas reembolsables".

Durante los tres primeros años del programa, se consideraron cinco
zonas como beneficiarias del plan: Navacerrada-Cotos (Madrid), Valle
de Arán (Lleida), La Molina (Girona), Sierra Nevada (Granada) y Sallent
de Gállego (Huesca). A partir de entonces se amplió a otras estaciones.

CUADRO 5.3.: SUBVENCIONES PARA ESTACIONES DE MONTAÑA EN
EL II PLAN DE DESARROLLO

SUBVENCIONES PARA ESTACIONES INVERNALES DE MONTAÑA (En millones de pesetas)						
Años	Zonas					
	Navacerrada-Cotos	Valle de Arán	La Molina	Sierra Nevada	Formiagl	Otras zonas	Inversiones en infraestructuras
1968	—	—	—	7,5	6,0	—	105,2
1969	3,4	4,9	6,8	4,1	3,8	—	123,5
1970	8,0	3,6	4,0	5,8	2,9	—	131,1
1971	6,2	1,3	7,5	1,0	1,2	10,5	124,0

(Fuente: Figuerola, 1980. Basado en los Planes de Desarrollo)

En cuanto a programas de **promoción**, se ponen en marcha los siguientes:

- Se crea la EXPOTUR (Exposición Nacional de Recursos Turísticos de España), una exposición itinerante, organizada por primera vez en 1963, con muestras de los atractivos turísticos de distintas regiones españolas. La Expotur recorrió el país, logrando un importante impacto en la promoción de turismo interior y, aunque también se llevó a varias ciudades europeas, su impacto en el exterior fue menor.

- La promoción del turismo interior se completa con varias campañas de difusión interna, como "Conozca usted España" o "Conozca usted su provincia".

- Se trabaja en las primeras campañas publicitarias unificadas. Aparece el eslogan "Spain is different"; se diseña el Folleto Provincial Unificado y se planifican campañas de relaciones públicas en el extranjero.

- Se cuida especialmente la presencia de España en la Exposición Mundial en Nueva York.

Como última cuestión a señalar dentro de este epígrafe destacaremos varios planes de ordenación específicos elaborados por la Comisión Interministerial de Turismo que se muestra muy activa en este campo entre 1963 y 1968: el Plan de Ordenación, promoción y desarrollo turístico de Sierra Nevada (Comisión Interministerial de Turismo, 1963); el Plan de Ordenación Turística de la Costa de Huelva (Comisión Interministerial de Turismo, 1963), el Plan de estaciones invernales (Comisión Interministerial de Turismo, 1966) y el proyecto de desarrollo turístico del núcleo central de la Sierra de Guadarrama. No podemos explicar porqué después de tanta actividad, se desaprovecha este espacio común de trabajo del que se podrían haber obtenido muy buenos resultados.

d) Instrumentos normativos

El mandato es un periodo de gran actividad legislativa[87].

Como *normas de carácter general* se aprueban:

- Ley 48/63, de 8 de julio, sobre **Competencias en Materia Turística**, considerada por los juristas como una de las normas claves del mandato y la razón jurídica que permite al Gobierno una intervención legítima en el sistema turístico.

Comentamos que en el preámbulo de creación de la Comisión Nacional de 1905 se incorporaba por primera vez en nuestro ordenamiento la voz "turismo". En la Ley de Competencias Turísticas encontramos la primera definición del fenómeno: "*Movimiento y estancia de personas fuera de su lugar habitual de trabajo y residencia, por motivos diferentes de los profesionales habituales en quien los realiza*"[88].

La ley, de contenido habilitador, determina un amplísimo ámbito competencial para el Ministerio de Información y Turismo[89]. El artículo primero establece: "*Corresponde al Ministerio de Información y Turismo, la ordenación y vigilancia de toda clase de actividades turísticas, así como también el directo ejercicio de éstas, en defecto o para estímulo y fomento de la iniciativa privada*".

Específicamente se consideran materias turísticas la información turística —y las empresas que se dediquen a ello—, la propaganda turísti-

---

[87] En el periodo "*se inicia una tarea legislativa que, si bien no puede llamarse codificadora, presenta un acusado carácter sistemático, al menos en su aspecto formal*" (Arrillaga, 1969. 437).

[88] La definición se inspira en la propuesta, en 1963, por la Asamblea de Naciones Unidas sobre Turismo y Viajes Internacionales, y recomendada por la UIOOT (Unión Internacional de Organismos Oficiales de Turismo).

[89] Según J. Luengo (citado por Bayón, 1999), este primer artículo "*concreta, de manera inequívoca, la potestad administrativa en materia de turismo*".

ca pública y privada, el fomento de los viajes, la atracción de forasteros, todo aquello que afecte a empresas de hostelería y turístico, las agencias de viajes y la regulación de las profesiones turísticas.

 - Decreto 321/1965, de 14 de enero, regulador del **Estatuto de Empresas y Actividades Turísticas Privadas.**

El Estatuto entiende por empresas: *"a) las de hostelería, b) las de alojamiento turístico de carácter no hotelero, c) las agencias de viajes, e) las agencias de información turística, e) los restaurantes y f) cualesquiera otras que presten servicios relacionados con el turismo.*

Y por actividades turísticas privadas: *aquéllas que de manera directa o indirecta se relacionen o puedan influir predominantemente sobre el turismo, siempre que lleven consigo la prestación de servicios a un turista, tales como las de transporte, espectáculos, festivales, deportes y manifestaciones artísticas, culturales y recreativas, y especialmente las profesiones turísticas.*

Aunque se reconoce el acierto de distinguir entre empresas dedicadas al turismo directa o indirectamente y de convertir al turista en elemento diferenciador, algunos juristas entienden que la separación entre empresas y actividades estaba mal formulada y que hubiera sido mejor distinguir entre actividades esencialmente turísticas y actividades no exclusivamente turísticas (Arrillaga, 1969: 440).

De carácter específico y en relación con la *ordenación de los principales subsectores* se aprueban:

 - Orden Ministerial del 7 de noviembre de 1962 y de 28 de marzo de 1966, de **Operación Precios para Hostelería.**

Por la que se renueva la política de control de precios, con el mismo espíritu comentado, separándose del criterio que señalaba el Banco Mundial en su informe. Con intención de profundizar en esta fórmula se aprueba, mediante Orden de 30 de noviembre de 1967, una norma sobre la **inalterabilidad de precios** de determinados servicios turísticos.

 - Decreto 735/1962, de 29 de marzo, de **Agencias de Viajes**, que será desarrollado por Orden Ministerial de 26 de febrero de 1963.

Se define como la tarea principal de éstas mediar entre los viajeros y los prestatarios de los servicios y como sus funciones básicas la venta de servicios sueltos y la elaboración y realización de servicios combinados. La norma distingue los viajes organizados por agencias de viajes de los viajes organizados por otras entidades. Mediante Orden Ministerial de 12 de abril de 1966, se modifica la reglamentación de **Agencias de Viajes** para que puedan incorporarse en dicha reglamentación los turoperadores.

– Orden Ministerial de 31 de enero de 1964 sobre **Actividades Informativas Turísticas Privadas**, que son los servicios de orientación, información y asistencia al turista.

La Orden distingue entre profesionales (guía de turismo, guía-intérprete y correo de turismo) y las agencias. Establece los procedimientos para obtener el título en el caso de los profesionales y las licencias en el caso de las agencias, así como los servicios que prestan unos y otros.

– Orden Ministerial de 17 de marzo de 1965 de **Restaurantes**.

Regula la actividad de cuantos establecimientos sirvan al público, mediante precio, comidas y bebidas. Se regula la existencia de una carta de precios y un menú diario y las características que deben cumplir las instalaciones.

– Orden Ministerial de 18 de marzo de 1965 de **Cafeterías**.

Quedará definidas como los establecimientos, cualquiera que sea su denominación, que sirven al público platos fríos o calientes, principalmente en una barra o mostrador, para refrigerio rápido.

– Orden Ministerial de 28 de julio de 1966, sobre **Campamentos de Turismo**.

La norma incorpora cuestiones que afectan tanto a la acampada libre como a la actividad del camping. Ésta última se distingue por realizarse en terrenos delimitados y acondicionados en los que se pernocta en tienda de campaña, remolque o cualquier elemento fácilmente transportable. La Orden regula las clases de camping y las condiciones de servicios y seguridad que han de cumplir.

– Orden Ministerial de 17 de enero de 1967 sobre **Apartamentos, Bungalows y alojamientos turísticos no hoteleros**.

Intenta paliar un problema que sigue existiendo en la actualidad: la proliferación, sin ningún control administrativo, de este tipo de alojamientos que suponen una seria competencia al sector y una bolsa de economía sumergida.

– Orden Ministerial de 19 julio de 1968 para la **Clasificación de Establecimientos Hoteleros**.

Recoge los acuerdos adoptados en la I Asamblea Nacional de Turismo y establece el sistema de clasificación y descripción de condiciones y servicios en relación con la categoría que sigue siendo legislación de referencia hoy[90]. Se establece, además, la tramitación de los expedientes de apertura, clasificación y modificación de categoría de los establecimientos hoteleros.

- Orden Ministerial de 28 de octubre de 1968, sobre Ordenación Turística de las **Ciudades de Vacaciones**.

Aquellas en las que, además del alojamiento y manutención, existe la posibilidad de participar en actividades colectivas y practicar deportes al aire libre.

Normas relacionadas con la *planificación turística*:

- Ley de **Centros y Zonas de Interés Turístico Nacional** (Ley 197/63, de 28 de diciembre).

El espíritu de esta ley recoge el planteamiento más ambicioso e interesante del periodo pero por problemas de gestión posterior, y por la procelosa tramitación prevista para su funcionamiento, sus previsiones no llegaron casi a aplicarse.

Los crecientes problemas derivados de la falta de planificación urbanística de los municipios turísticos habían sido señalados diez años antes en el Plan Nacional de 1953. En 1963 los legisladores son conscientes de la imposibilidad de que puedan revertirse a su estructura original los municipios más deteriorados por el desarrollo turístico descontrolado, pero pretenden establecer un sistema para evitar el empeoramiento de dicha situación y para modificar esa tendencia en núcleos en los que aún no ha comenzado la presión turística.

Para ello se plantean un doble objetivo: establecer mecanismos de planificación para núcleos turísticos consolidados y mecanismos para otras zonas que, careciendo de actividad turística, pudieran orientarse a la misma[91].

---

[90] Distingue entre hoteles, hostales y pensiones, fondas y hoteles-apartamentos y los clasifica, según categoría, mediante el uso de un letra (H, HS...) y un símbolo, el número de estrellas. Además describe los establecimientos hoteleros de playa, de alta montaña, de temporada (no abiertos más de siete meses), sin servicios de comida, en estaciones termales y los moteles.

[91] En la actualidad otros programas tienen también en cuenta esta doble problemática, es el caso de los Planes de Excelencia Turística, para municipios que son destinos

En este segundo caso, se perseguía el fomento y creación de nuevos espacios turísticos, en lugares con *atractivos bastantes* (belleza natural, facilidades para los deportes, bienes de interés artístico u otras análogas) en los que *convenga coordinar los esfuerzos de la iniciativa privada y de la Administración*, así como aplicar los beneficios de la ley a los *complejos turísticos ya existentes* para *mejorar y adecuar sus instalaciones*, permitiendo una *explotación más racional*.

La figura de planificación que se diseñó era el Centro de Interés Turístico. Con ello se obviaba una denominación territorial más específica y se daba cabida a municipios, a un conjunto de ellos, o a urbanizaciones: *"el Centro de Interés Turístico es aquella área delimitada de territorio que, teniendo condiciones especiales para la atracción y retención del turismo es, previa su declaración como tal, ordenada racionalmente en cuanto a la urbanización, servicios e instalaciones precisas para su mejor aprovechamiento"*.

La Zona era un espacio geográfico en donde existían dos o más Centros de Interés Turístico. Podía iniciar la tramitación de la declaración de Zona el Ministerio, el Gobernador, las Diputaciones Provinciales, los Ayuntamientos, los Organismos del Movimiento o las Entidades Sindicales. Para la declaración de Centro también se consideraban a los promotores de obras, instalaciones o servicios turísticos.

Se elaboraba un Plan de Promoción Turística del Centro, tras su aprobación se redactaba el Plan de Ordenación Urbana, una vez aprobado éste, se procedía a declaración de "Interés Turístico Nacional". Cuando lo declarado era una Zona, se nombraba un Comisario de Zona que, salvo excepciones, era el propio Gobernador de la provincia.

Todas aquellas entidades que *"al amparo, o como consecuencia de los Planes de Promoción y Ordenación, realicen en un Centro o Zona declarado de "Interés Turístico Nacional" inversiones, obras, construcciones, instalaciones, servicios o actividades relacionadas con el turismo"* (Art. 21), podían acogerse a beneficios fiscales aduaneros, de uso y disfrute de bienes públicos y crediticios, estableciéndose un acceso preferencial a los créditos oficiales.

---

consolidados, y los Planes de Dinamización Turística, para destinos emergentes. Aunque sólo tienen en común con lo previsto en la Ley de Zonas y Centros la consideración de que, en el caso de planes de dinamización, también se exige que el municipio tenga "atractivos bastantes".

Se trataba de coordinar, mediante esta figura, la labor de los Ministerios de Hacienda, Obras Públicas, Vivienda, Gobernación e Información y Turismo, utilizando, para ello, a la Comisión Interministerial, que fue modificada una vez aprobada esta norma.

- Decreto 4297/64, de 23 de diciembre, que aprueba el **Reglamento de Centros y Zonas de Interés Turístico Nacional.**

Se reglamenta el procedimiento de declaración, los planes de promoción, las responsabilidades de los diferentes agentes implicados, las limitaciones para el ejercicio de actividades industriales y aprovechamiento de bienes de dominio público, el procedimiento para la obtención de los beneficios y las sanciones por incumplimiento.

El esfuerzo de ambas reglamentaciones se topó, no sólo con la resistencia del Ministerio de la Vivienda, que consideraba una interferencia en sus competencias de planificación, sino con las largas y lentas tramitaciones de los expedientes, que desincentivaron a los promotores privados que comenzaron a hacer uso del nuevo instrumento[92].

La Ley de Centros y Zonas de Interés Turístico no se derogaría hasta el año 1991, pero se hizo tan escaso uso de la misma que no logró ninguno de sus objetivos.

En relación con el *sistemas de control*:

- Decreto 3404/1964, de 22 de octubre, del **Seguro Turístico.**
- Orden Ministerial de 31 de marzo de 1964 del **Registro de Denominaciones Geoturísticas.**
- Orden Ministerial de 20 de noviembre de 1964, sobre **Registro de empresas y actividades turísticas.**
- Reglamento de 6 de marzo de 1969 sobre **Seguro Obligatorio de Viajeros.**

En relación con la *reglamentación de la profesión*:

- Orden Ministerial de 10 de junio de 1967 del **Estatuto de Directores de Empresas Turísticas.**

Otros instrumentos normativos:

---

[92] Así es destacado por los autores que analizan la norma el bajísimo número de expedientes tramitados y la duración de los procesos cuando se incoaban.

- Se aprueba el conjunto de instrumentos de fomento honoríficos. Se crea la **Orden del Mérito Turístico**, con dos modalidades: la Medalla al Mérito Turístico y la Placa al Mérito Turístico. (Real Decreto 35/62 de 27 de diciembre, desarrollado por Orden Ministerial de 21 de enero de 1963).

e) Instrumentos financieros

En este periodo se ponen en marcha distintos instrumentos de ayuda a la financiación a las empresas turísticas.

En los Planes de Desarrollo el elemento fundamental fue *el crédito hotelero*, que, desde 1965, pasa a ser gestionado por el Banco Hipotecario de España y el Banco de Crédito Industrial.

Se concedía para la construcción o ampliación de alojamientos cuya explotación se ajustara al contrato de hospedaje y su amortización podía llegar a un periodo de quince años.

Las previsiones y el análisis de lo que finalmente se concedió se reflejan en los siguientes cuadros:

CUADRO 5.4.: CRÉDITO HOTELERO EN EL I PLAN DE DESARROLLO Y EN EL II PLAN DE DESARROLLO

	PREVISIONES DEL CRÉDITO HOTELERO (En millones de pesetas)		CRÉDITO HOTELERO (En millones de pesetas)	
AÑOS	CUANTÍA	TASA DE CRECIMIENTO	CRÉDITOS CONCEDIDOS	TASA VARIACIÓN
1964	1.600	—	1.037,4	—
1965	1.800	12,5	1.577,1	52,0
1966	2.000	11,1	839,0	-46,8
1967	2.300	11,5	1.304,1	55,4
1968	3.200	39,1	1.518,1	16,4
1969	3.500	9,3	1.795,5	18,3
1970	3.900	11,4	3.703,5	106,3
1971	4.500	15,3	4.159,9	12,3
No se considera el crédito turístico en general				

(Fuente: Figuerola, 1980. Basado en los Planes de Desarrollo)

El crédito denominado "para construcciones turísticas" podía ser aplicado a la construcción de campos de golf, con un plazo de amortización de diez años, o para compra de equipo o mobiliario, en cuyo caso el plazo de reducía a cinco años. El crédito se concedía a un interés que rondaba el 9% (Favieres, 1999: 597).

Además, se abrieron otras líneas de crédito a las que podían acudir las empresas del sector:

- Créditos a corporaciones locales radicadas en zonas turísticas para planeamiento (derivado de la Ley de Centros y Zonas de Interés Turístico ya comentada).

- Créditos a personas físicas o jurídicas, para financiar obras en centros o zonas de interés turístico.

- Créditos a constructores y propietarios de viviendas en zonas turísticas, para financiar la construcción y venta de edificaciones a extranjeros en zonas turísticas. Esta línea de financiación, que sorprende un poco, se articuló de tal manera que hizo casi imposible su utilización, ya que era necesaria la compraventa, antes de la concesión. Se reformaría en el siguiente mandato.

- Créditos para acondicionamiento de hospedajes turísticos en casa particulares, vinculado al programa de turismo rural.

f) Acciones de Comunicación

El Ministerio decide convocar una serie de reuniones a las que se invita, fundamentalmente, a los decisores públicos que desde diferentes niveles territoriales intervienen en la política turística. La reflexión conjunta permitiría conocer la problemática percibida por otros agentes y, fundamentalmente, difundir las ideas políticas sobre el turismo del Ministerio, facilitando de este modo el apoyo de todos los agentes a su política.

Con este fin se convocan las **Asambleas Provinciales de Turismo** que se desarrollan durante el año 1963 en treinta y nueve capitales de provincia, y durante 1964 en las trece restantes. En ellas participaron representantes de las Diputaciones Provinciales, los Ayuntamientos y algunos representantes del empresariado (eran invitados por la administración, y salvo excepciones, habían sido galardonados con alguno de los premios que se concedían por el Ministerio, así que su presencia no garantizaba que representaran libremente la opinión del sector privado). El fin propuesto era el estudio de las posibilidades turísticas y los problemas turísticos en el ámbito provincial. *"Fue un auténtico revulsivo que puso los cimientos para obtener un auténtico Inventario Nacional de Recursos Turísticos"* (Herrera, 1999: 78).

También se convocan las **Asambleas Regionales de Turismo**, que suponían un paso intermedio entre las Provinciales y la Nacional, pero no tuvieron la importancia de las otras. Tenía una función más orientada a la coordinación en el ámbito regional en temas como las comunicaciones y el transporte, la propaganda del turismo interior o el establecimiento de zonas supraprovinciales de despegue turístico.

Un año después, por Orden Ministerial de 21 de enero de 1964, se convoca la **I Asamblea Nacional del Turismo**, celebrándose los días 18-23 de mayo de 1964. Reunió a varios centenares de participantes, todos designados de una u otra manera por las autoridades públicas: Jefes de servicio de la Subsecretaría de Turismo, delegados provinciales del Ministerio, personas y representantes que ostentaban alguna condecoración de mérito turístico, representantes de las provincias designadas por los Gobernadores Civiles y personas designadas por la presidencia (por propia iniciativa, o por solicitud). Como representantes del sector público acudieron cinco Subsecretarios y veinticuatro Directores Generales. *"No se trató de una confrontación de criterios entre la Administración y las empresas y profesionales turísticos y los usuarios... participaron funcionarios y personas sin tal condición, pero ninguna de estas últimas actuaba como representante del sector privado"* (Arrillaga; 1969: 238).

La intención manifestada de constituir un espacio de trabajo que se reuniera periódicamente, y no sólo cuando había Asamblea, se materializó en la creación de una Comisión Permanente que sería la encargada, entre las convocatorias, de hacer un seguimiento a la puesta en práctica de las conclusiones de la Asamblea.

Los temas de trabajo de la I Asamblea fueron[93]:

---

[93] La organización en temas es una propuesta nuestra que trata de sistematizar los asuntos en los que se trabajó y, sobre todo, comparar entre Asambleas.

1) Aspectos generales del turismo:
- El Turismo, la moral y las costumbres.
- Aspectos económicos del Turismo.

2) Subsectores turísticos:
- Alojamientos y Servicios Turísticos.
- Comunicaciones y Transportes.

3) Productos turísticos:
- Caza, pesca y Parques Nacionales.
- Rutas Turísticas.
- Promoción de estaciones invernales.
- Turismo Social.

4) Temas específicos:
- Formación Profesional.
- Propaganda Turística.
- Saneamientos y abastecimiento de agua en localidades turísticas.
- Zonas turísticas de nueva promoción.

Otro foro que se inaugura bajo el mandato del Sr. Fraga es la **I Asamblea Hispano-Luso-Americana-Filipina**, o de la *Comunidad Iberoamericana de Naciones*. Tuvo lugar en Madrid en el mes de abril de 1966 y se trataba de una iniciativa del Ministerio cuyo objetivo era convertir a España en referente en investigación y estudio de los problemas turísticos para los países de Iberoamérica. A esta I Asamblea acudieron expertos de veinticinco países, observadores de otros quince y varios representantes de organizaciones internacionales culturales, económicas y turísticas.

La importancia que tenía para la política del Ministerio se colige del hecho de que es España la que asume la creación de una Secretaría Permanente de la Asamblea integrada en el organigrama del propio ministerio.

Se trabajó en las siguientes comisiones:
- Cooperación Internacional en el Desarrollo del Turismo.
- Disposiciones básicas y organización turística en los países participantes.

- El fenómeno turístico y sus factores condicionantes.
- Empresas y Actividades Turísticas.
- Estadística y Econometría del Turismo.
- Estudios Superiores de Turismo.
- Formación Profesional Turística.
- Medios de Transporte y Comunicaciones.
- Promoción y Ordenación de Zonas Turísticas.
- Propaganda Turística.
- Turismo Interior y Turismo Social.

La **II Asamblea Hispano-Luso-Americana-Filipina** se celebró en Chile en septiembre de 1969.

Se trabajó en las siguientes comisiones:

- Cooperación Internacional.
- Organización del Turismo y Leyes relacionadas con el Turismo en los países participantes.
- El turismo y la sociedad contemporánea.
- Las Empresas y Actividades Turísticas, con especial consideración de las de alojamiento y Agencias de Viajes.
- Los medios de Transporte y Comunicaciones en la promoción del Turismo.
- Medios de Propaganda Turística.
- Promoción y Ordenación del Turismo.
- Formación Profesional Hotelera y de otras profesiones turísticas y Estudios Superiores.
- Turismo Interior y Turismo Social.

Se mantienen, como se observa, las líneas de trabajo abiertas en la reunión anterior, suprimiéndose la referente a estadística, que estaba siendo desarrollada en un foro internacional específico.

Otra de las acciones específicas de comunicación con gran impacto estuvo relacionada con la difusión social del turismo. La Administración Turística reconoció, desde el primer momento, que uno de sus objetivos era dar a conocer al conjunto de la sociedad la importancia del turismo para el país. Con esta intención, se ponen en marcha una de las acciones más conocidas del periodo: el conjunto de **"Medallas, Premios y distinciones"** que se establecen con el objetivo de despertar el interés de colectivos diversos[94].

Las Medallas al Mérito Turístico se imponían a personalidades cuya trayectoria profesional hubiera contribuido al perfeccionamiento del turismo en el país. Los premios y distinciones se destinaban a diferentes grupos, que fueron incrementándose con el paso de los años.

Para su enumeración los hemos agrupado en cinco grupos, teniendo en cuenta a quien se dirigían:

– Medios de comunicación: Premio "Vega Inclán" para periodistas españoles, Premio Nacional de Turismo para periódicos y revistas españoles, Premio Nacional de Turismo para Emisoras de Radio y Televisión Españolas y Extranjeras, y Premio Nacional de Turismo para periodistas extranjeros.

– Iniciativas privadas: Premio Nacional de Turismo para Centros de Iniciativa y Turismo y Premios Nacionales de Turismo para Estaciones de Servicio en Carretera.

– Iniciativas públicas: Diploma Nacional de servicios distinguidos al turismo para Diputaciones Provinciales, Premios Nacionales de Turismo de Embellecimiento y mejora de los pueblos españoles.

– Aspectos culturales: Libro de Interés Turístico, Premio Internacional de Música (con intención de "*fomentar la atracción artística hacia España... exaltando el interés turístico*"), Premios Nacionales de Turismo para películas de corto metraje de carácter turístico, Premio Español de Turismo para películas de largo metraje y Denominación honorífica de "Fiesta de Interés Turístico"[95].

---

[94] Esta iniciativa ha sido mantenida hasta la fecha, aunque algunos años dejaran de convocarse. Se han modificado las denominaciones, incorporando nuevos aspectos o suprimiendo otros, pero siempre ha estado activa.
[95] La denominación de Fiesta de Interés Turístico supuso un elemento de promoción de gran impacto. No sólo se mantiene, sino que su concesión, mediante Decreto, implica un procedimiento riguroso que no siempre se resuelve a favor del municipio que lo solicita.

- Relacionados con el ámbito educativo: Premio "Descripción y comentario de un viaje turístico escolar" entre estudiantes de enseñanza primaria y media, Premio "Cartilla turística escolar" y Premio Nacional de Turismo para alumnos de las Escuelas de Turismo y Hostelería.

1.2. Alfredo Sánchez Bella (octubre 1969 - junio 1973)

El Ministro Sánchez Bella ocupa la cartera unos cuatro años. En materia de turismo, las directrices básicas de política turística establecidas en los Planes de Desarrollo y la sistematización normativa desarrollada en los siete años del mandato del Ministro anterior han supuesto que la administración turística tenga una cada vez mayor competencia técnica en la materia. Las acciones llevadas a cabo parecen indicar una política de continuidad.

a) Instrumentos organizativos

Mediante Decreto 836/70, de 21 de marzo, se reorganiza el Ministerio de Información y Turismo, sin que las modificaciones supongan cambios significativos.

Se debe destacar, sin embargo, el impulso al **Instituto de Estudios Turísticos**, al que se da una mayor autonomía, se integra en la Secretaría General Técnica y se amplían sus funciones iniciales. A partir de este momento se encargará de la elaboración de estudios, investigaciones, dictámenes e informes sobre turismo encargados por el Ministro, la Subsecretaría, la Secretaría General Técnica o las Direcciones Generales, pero además será responsable de la tutela de la Escuela Oficial de Turismo, de la organización de otras actividades de formación y de la elaboración de planes de asistencia técnica.

Se reorganiza, de nuevo, mediante Decreto 3050/70, de 24 de julio, la **Comisión Interministerial de Turismo**, aumentando el número de representantes que la integran hasta diecinueve y convirtiéndola, de hecho, en una institución que no resulta operativa.

En relación con la actividad ministerial en el extranjero, el Decreto 377/1972, de 24 de febrero, regula las funciones y actividades de los **Consejeros de Información y Turismo en el exterior**. Se establece, entre las misiones de los Consejeros y Agregados, la de "*informar sobre la política turística del país correspondiente, orientación de las corrientes turísticas, medidas de promoción, regulación de la materia en todos sus aspectos...*"

Por último hemos de mencionar la creación, mediante Orden Ministerial de 10 de febrero de 1972, de un "*Grupo de Trabajo y una Comisión de Dirección para el estudio y perfeccionamiento de la actuación administrativa del Ministerio de Información y Turismo*". Resulta una iniciativa interesante pero, si llegaron o no a hacer algún trabajo, no hemos podido encontrar ningún documento en los archivos que lo atestigüe.

b) Planes generales

El **III Plan de Desarrollo Económico** (1972-1975) sigue la línea de los anteriores. No contiene ningún giro estratégico en las propuestas de política turística, aunque sigue apreciándose la acumulación de conocimiento experto sobre el turismo de las instituciones implicadas en la redacción del capítulo que nos ocupa.

Como en los Planes anteriores, tras analizar la demanda y la oferta turística, se establecen las directrices de la política turística. En esta ocasión se enumeran las directrices que sirven de guía para establecer más tarde objetivos concretos para el cuatrienio. Estas directrices son (Comisaría del Plan de Desarrollo, 1972: 58-61):

1. El impulso decidido de la actividad, como principio programático.

2. Aumentar los ingresos en divisas, para lo que "*se diversificará la acción, en orden a conseguir una demanda turística más cualificada, que produzca un mayor gasto medio por visitantes, además de seguir promocionando el aumento cuantitativo de la demanda tradicional*"[96].

Las herramientas para conseguir esto son: estímulo para crear nuevos productos turísticos que impliquen un gasto medio por turista más elevado, con equipos receptores y atractivos complementarios acordes

---

[96] Esta directriz recoge los términos de un debate clásico: qué resulta de mayor interés para un destino, una política turística que favorezca la llegada de más turistas con un ingreso medio bajo, o una política que favorezca que lleguen menos turistas, con un ingreso medio más alto.

con esta demanda que tendrá mayores exigencias de calidad y una promoción concreta para segmentos de población con un mayor nivel adquisitivo.

Se está pensando en los productos turísticos de *"congresos y convenciones, deportes de nieve, navegación de recreo, golf, modas, cultural y artístico, ferias, caza y pesca, residencial de retirados y jubilados"*.

3. Luchar contra la estacionalidad, buscando la promoción de dos temporadas: una dedicada al turismo de sol y playa y otra, complementaria, en donde se podría desarrollar otro tipo de turismo. Asimismo, buscando nuevos segmentos de públicos, e impulsando el turismo interior.

4. Actuar en los destinos según el grado de desarrollo turístico que presenten, distinguiendo entre tres niveles de desarrollo, con medidas diferentes según el grado.

5. En relación con la ordenación y aprovechamiento del suelo se pretende *"evitar la especulación del suelo de tal forma que sea posible disponer de los terrenos necesarios sin una inversión excesiva, ...conseguir una edificaciones acomodadas al ambiente y tipismo local y evitar los daños al paisaje con construcciones que atenten a la armonía del conjunto"*.

6. Acometer la realización de un programa de infraestructuras.

7. Utilizar el criterio de rentabilidad en aquellas actividades en que el Estado actuaba como empresario turístico: *"Para conseguir la más eficaz utilización de la oferta y los recursos turísticos del país, se dará la más alta prioridad al criterio de rentabilidad, que será tenido en cuenta por el sector público, tanto en sus propias explotaciones turísticas, como para conceder estímulo o apoyos (subvención, crédito, etc.) al sector privado"*.

8. Reforzar los programas de formación. De nuevo, una asignatura pendiente del sector nunca enfrentada.

9. Mantener la política de control de precios de los alojamientos, a pesar del enfrentamiento del sector.

10. Y, por último, en la línea del turismo social, se pretende estimular el *"turismo popular"* aprovechando el medio rural, fomentando la construcción de mesones y edificando hoteles, de una o dos estrellas, "burgos turísticos" (albergues adaptados al paisaje) y casas de labranza y de pescadores.

En relación con estas directrices generales, se establecen las inversiones y medios de financiarlas, y los programas que la administración se compromete a llevar a cabo.

Las actuaciones contempladas fueron:

1. Acciones de promoción del turismo exterior y del turismo interior (con campañas específicas, como "Conozca usted España", y con ayudas a particulares).

2. Alojamientos turísticos:

- Potenciación de la Red de Paradores (construyendo 32 nuevos y ampliando otros 52 que tenían un número muy bajo de plazas, lo que les hacía muy poco rentables).

- Programación y lanzamiento, por el Ministerio de Información y Turismo, de un proyecto para que la iniciativa privada construyera dos ciudades modélicas turísticas.

- Impulso a las ciudades y residencias de vacaciones.

- Creación de una red nacional de camping especial para "caravaning".

- Promoción de una red de treinta Burgos turísticos.

3. Otras acciones:

- Impulsar la formación profesional, mediante la creación de hoteles-escuela.

- Creación de Agencias de Turismo en el extranjero.

- Fomentar un tipo de restaurante en las carreteras que llevará el nombre de "Mesón Español".

- Ayuda a estaciones termales.

- Acciones sobre medio rural, tendentes a la conservación de parques naturales, zonas verdes y zonas de esparcimiento en el entorno de las grandes ciudades. A través del ICONA se pretendía construir vías de acceso a zonas recreativas, instalaciones de aparcamientos; construcciones de sendas para recorridos a pie o a caballo, señalización; construcción de refugios y cabañas y de miradores y establecimiento de puestos de socorro.

- Ordenación de costas y playas.

- Ayuda Oficial a puertos deportivos.
- Realización de obras de infraestructura y ayudas a estaciones de montaña.
- El Ministerio de Obras Públicas realizaría un plan de abastecimiento y saneamiento de aguas residuales en el Mediterráneo, Golfo de Cádiz, Baleares y Canarias.

La previsión de las inversiones para el desarrollo de todo lo previsto fueron:

CUADRO 5.5. PREVISIÓN DE LAS INVERSIONES TURÍSTICAS EN EL III PLAN DE DESARROLLO Y CUANTÍA DE LA INVERSIÓN PÚBLICA

	PREVISIÓN DE INVERSIONES TURÍSTICAS		
AÑOS	TOTAL DE LAS INVERSIONES	TASA DE CRECIMIENTO	CUANTÍA DE LA INVERSIÓN PÚBLICA
1972	63.401,4	85,0	1.645,8
1973	64.944,6	2,4	1.645,8
Se incluye: inversión pública, inversión privada en alojamientos e industria auxiliar e inversión en otros recursos turísticos.			

(Fuente: Basado en Figuerola, 1980)

c) Programas

Se continúa con el programa de **"Vacaciones en casas de labranza"**, con el objetivo de diversificar la oferta turística. Se incluyen algunas novedades respecto al programa inicial: se amplía el tipo de casas que pueden considerarse afectadas por el programa (incorporándose casas en estaciones de montaña y zonas de influencia y casas de pescadores), se suprime la posibilidad de aplicar el programa a mesones y las ayudas ya no serán subvenciones sino ayudas reembolsables o préstamos. Se mantiene el requisito básico de la convivencia con el dueño de la casa y se impone la obligación de mantenerla en el programa, al menos, cinco años.

El programa de **"Estaciones invernales de montaña"** se prolonga, utilizando, como instrumento financiero básico, las ayudas económicas reembolsables a inversiones en obras, instalaciones u otras adquisiciones.

CUADRO 5.6.: SUBVENCIONES PARA ESTACIONES DE MONTAÑA EN
EL III PLAN DE DESARROLLO

SUBVENCIONES PARA ESTACIONES INVERNALES DE MONTAÑA (En millones de pesetas)						
Años	Zonas					
	Navacerrada-Cotos	Valle de Arán	La Molina	Sierra Nevada	Formiagl	Otras zonas	Inversiones en infraestructuras
1972	1,7	1,5	4,5	1,8	—	20,5	70,0
1973							

(Fuente: Figuerola, 1980. Basado en los Planes de Desarrollo)

d) Instrumentos normativos

La actividad normativa no es tan intensa como en el mandato del ministro anterior, pero se continua con el trabajo de reglamentación.

En relación con la *ordenación de los principales subsectores* se aprueban las siguientes normas:

- Orden de 19 de junio de 1970 sobre **Restaurantes,** que incluye en la ordenación turística a cafés, bares, salas de fiesta, clubes y similares.
- Orden Ministerial de 12 de febrero de 1972, sobre **Apartamentos, Villas y Bungalows.** Un nuevo intento de reglamentar la actividad de alojamiento extrahotelera.
- Decreto de 7 de junio de 1973 sobre actividades de las **Agencias de Viajes,** que incorpora modificaciones a la normativa existente.

En relación con la *reglamentación de la profesión*:

- Orden Ministerial, de 11 de agosto de 1972 por la que se aprueba el **Estatuto de Directores de Establecimientos de Empresas Turísticas.**

Instrumentos de *planificación turística*:

- Decreto 3787/70, de 19 de diciembre, sobre los **requisitos mínimos de infraestructuras y dotaciones mínimas en zonas, centros y establecimientos turísticos.**

Se aprobó, al igual que la Ley de Centros y Zonas de Interés Turístico, con la oposición del Ministerio de la Vivienda.

Se establecieron como zonas de aplicación la Costa mediterránea, el Golfo de Cádiz, las Islas Baleares y las Islas Canarias. Ampliándose a las costas Cantábrica y Gallega dos años más tarde (mediante Decreto 467/1972, de 17 de febrero).

- Orden Ministerial de 9 de marzo de 1971 sobre determinación de **Zonas y Rutas Turísticas.** Se organiza el territorio nacional en zonas, al frente de las cuales se nombre un Comisario de Zona con labores, principalmente, de coordinación.

Las zonas eran:

Zona I.   *Costa Brava y Costa Dorada (Gerona, Barcelona y Tarragona).*

Zona II.   *Costa del Azahar y Costa Blanca (Castellón, Valencia, Alicante, Murcia, Teruel y Albacete).*

Zona III.   *Costa del Sol y Costa de la Luz (Almería, Málaga, Cádiz, Huelva, Córdoba, Sevilla, Granada y Jaén).*

Zona IV.   *Cornisa Cantábrica y Rías Gallegas (Guipúzcoa, Vizcaya, Santander, Asturias, Lugo, La Coruña, Orense, Pontevedra, León, Palencia, Burgos, Logroño y Álava).*

Zona V.   *Pirenáica (Navarra, Zaragoza, Huesca y Lérida).*

Zona VI.   *Baleares (Islas Baleares).*

Zona VII.   *Islas Canarias.*

Zona VIII.   *Madrid y su contorno monumental y artístico (Madrid, Toledo, Segovia, Ávila, Guadalajara, Soria, Ciudad Real y Cuenca).*

Zona IX.   *Lagos de Castilla (Occidental) Zamora, Valladolid, Salamanca, Cáceres y Badajoz.*

Se establecen como rutas:

Ruta 1.ª Camino de Santiago.

Ruta 2.ª Ruta del Quijote.

Ruta 3.ª Ruta del Arte Hispano-Musulmán.

Ruta 4.ª Ruta de los Conquistadores.

Ruta 5.ª Ruta del arte Románico.

Ruta 6.ª Ruta del Gótico.

Ruta 7.ª Ruta de la Fe.

Ruta 8.ª Ruta Colombina.

Ya vimos como la estructuración en zonas turísticas, reconociendo las peculiaridades territoriales de diferentes áreas, se produce en 1931, pero no se utiliza para el diseño real de acciones concretas. Las nuevas rutas tampoco se consolidaron, ni sirvieron de base a ninguna política concreta.

e) Instrumentos financieros

El crédito hotelero y para construcciones turísticas se duplica respecto al año anterior.

CUADRO 5.7.: CRÉDITO HOTELERO EN EL III PLAN DE DESARROLLO

PREVISIONES DEL CRÉDITO HOTELERO (En millones de pesetas)			CRÉDITO HOTELERO (En millones de pesetas)	
AÑOS	CUANTÍA	TASA DE CRECIMIENTO	CRÉDITOS CONCEDIDOS	TASA VARIACIÓN
1972	4.000	-11,1	8.732,8	109,9
1973	4.000	=		
No se considera el crédito turístico en general				

(Fuente: Figuerola, 1980. Basado en los Planes de Desarrollo)

En 1973 se crea una Comisión especial del crédito turístico y, ese mismo año, se determinan las actividades prioritarias a efectos de concesión de crédito oficial, lo que facilita las relaciones con el sector.

f) Acciones de Comunicación

Se mantiene la política de relaciones con Iberoamérica a través de la **III Asamblea Hispano-Luso-Americana-Filipina de Turismo**, que se celebró en Lima en octubre de 1971.

En esta tercera convocatoria se reduce a la mitad el número de comisiones de trabajo, ciñiéndose a temas más generales de los planteados en las Asambleas anteriores:

- Promoción y Propaganda Turística
- Economía, planificación y estudios de mercados turísticos
- Organización del Turismo
- Cooperación Internacional
- Turismo y Cultura

Entre las recomendaciones que se suscriben se señala la necesidad de que la promoción se base en estudios previos de mercado y motivación, se recuerda la necesidad de planificar el desarrollo del turismo en relación con la planificación global del desarrollo socioeconómico, y se insiste en que la planificación del territorio, con miras al desarrollo turístico, debe tener como objeto fundamental la preservación de la calidad del medio ambiente.

Por otro lado, se mantienen y amplían los **premios** a diferentes colectivos. Además de los anteriores, se aprueban nuevos dirigidos a los siguientes grupos:

- Medios de comunicación: Premio Nacional de Turismo para Revistas Españolas, Premio Nacional de Turismo para Diarios Españoles de Información General, Premio Nacional de Turismo para escritores y periodistas extranjeros y Premio para miembros de la federación Internacional de Periodistas y Escritores de Turismo

- Iniciativas privadas: Premios Nacionales de Turismo para empresas de alojamientos turísticos que dispongan de instalaciones infantiles especiales y Premios Nacionales y Regionales de Turismo para edificaciones de finalidad turística.

- Aspectos culturales: Premios para miembros de la Asociación Española de Escritores de Turismo y Concurso de carteles turísticos para las campañas de propaganda y publicidad turística del Ministerio de Información y Turismo.

1.3. Fernando Liñán y Zofío (junio 1973 - mayo 1974)

El Ministro Liñán, ocupa la cartera aproximadamente un año. Se procede a una pequeña reorganización ministerial y a la celebración de un foro internacional, pero no se recurre a nuevos instrumentos normativos, planes o programas. En tan poco tiempo no era posible nada más que mantener las políticas heredadas de mandatos anteriores con los instrumentos que estaban funcionado.

a) Instrumentos organizativos

En octubre de 1973, se reorganiza el Ministerio de Información y Turismo, cambiándose la Dirección General de Promoción por la **Dirección General de Ordenación del Turismo.**

En 1973, se intentan potenciar las funciones de estudio y asesoramiento de la **Comisión Interministerial** de Turismo. Se modifica su composición quedando integrada por veintinueve representantes de diversos ministerios e instituciones. En toda su historia nunca tendrá un mayor número de representantes.

b) Acciones de comunicación

Se celebra la **IV Asamblea Hispano-Luso-Americana-Filipina** de Turismo, en Caracas en septiembre de 1973.

Se mantiene la estructura de la anterior y se trabaja en los siguientes temas:

- – Cooperación Turística Internacional.
- – Clasificación Hotelera homologada.
- – Planificación del Desarrollo Turístico.
- – Turismo Social.
- – Formación Profesional.

Esta será la última ocasión en que se reúna la Asamblea. Diferentes motivos políticos, sumados a la crisis de 1973, acaban con un foro en donde España se constituyó en un referente del conocimiento turístico, especialmente para América Latina.

2. EL ANÁLISIS DE LA FASE

Durante esta fase la Administración turística española alcanza el mayor tamaño de su historia: se crean la Subsecretaría de Turismo, las dos Direcciones Generales, el Instituto de Estudios Turísticos, la Escuela Oficial de Turismo, y se impulsa la prestación de servicios turísticos por el Estado a través de ATE y ATESA, a las que se añade la empresa estatal ENTURSA.

Se procede —en un ritmo de producción legislativa sólo comparable a la llegada de visitantes— a la ordenación de los principales subsectores, a la regulación de los instrumentos de planificación, al establecimiento del régimen de infracciones y sanciones, a la aprobación de la ley de competencias turísticas... hasta cuarenta y tres normas de distinto rango tratan de dotar de un marco normativo a la actividad turística.

Se revitaliza el crédito turístico y se abren líneas de crédito específicas para acciones diversas: créditos a corporaciones locales radicadas en zonas turísticas para planeamiento; créditos a personas físicas o jurídicas para financiar obras en centros o zonas de interés turístico; o créditos a constructores y propietarios de viviendas en zonas turísticas para financiar la construcción y venta de edificaciones a extranjeros en zonas turísticas.

Comienzan campañas de promoción en el exterior más agresivas y campañas específicas de promoción en el interior —mediante la EXPOTUR y otros programas como Conozca Usted España—.

Se convocan las primeras Asambleas Provinciales que preparan la Asamblea Nacional de Turismo y se comienzan a celebrar las Asambleas Hispano-Luso-Amercicana-Filipina de Turismo, que será reunida en tres ocasiones.

Además, se institucionalizan el conjunto de premios y distinciones turísticas.

Son doce años de actividad frenética que responden a un modelo de política turística muy determinado.

Durante la *fase de desarrollo* la coyuntura turística fue más que favorable, manteniéndose un crecimiento sostenido durante los doce años. La llegada de turistas aumentaba de modo espectacular año tras año, al igual que los ingresos por tal concepto en la balanza de pagos.

CUADRO 5.8.: EVOLUCIÓN DE ENTRADAS DE VISITANTES EN LA
FASE DE DESARROLLO (1962-1974)

AÑO	VISITANTES TOTALES	INCREMENTO
1962	8.668.722	16,28%
1963	10.931.626	26,10%
1964	14.102.888	29,01%
1965	14.251.748	1,06%
1966	17.251.746	21,05%
1967	17.858.555	3,52%
1968	19.183.973	7,42%
1969	21.682.091	13,02%
1970	24.105.312	11,18%
1971	26.758.156	11,01%
1972	32.506.591	21,48%
1973	34.558.943	6,31%

(Fuente: Instituto de Estudios Turísticos)

La fase terminaría en el año 1974 tras la crisis económica del petróleo, crisis que tiene un importante impacto en el sector y que conlleva el
reconocimiento explícito de la superación del modelo de política turística anterior.

2.1. Referentes básicos

Señalamos que el Informe del Banco Mundial supone un cambio en
la concepción que del turismo tiene el Régimen Franquista. La doctrina
señala que el Informe presentaba *"un enfoque de desconfianza sobre la potencialidad de la actividad turística, caracterizando su demanda como coyuntural o de moda, fácilmente desviable de unos destinos a otros y, por consiguiente
poco estable a largo plazo. Este diagnóstico fue criticado por economistas y expertos españoles"* (Bote, 2000: 545). Pero, a pesar de la crítica, no puede
negarse que el Informe contiene grandes aciertos: singulariza al turismo
como un factor de desarrollo de especial importancia para el país, lo que
supone su incorporación en los documentos de planificación indicativa
con un capítulo específico; señala la necesidad de dotarle de un mayor y

mejor aparato administrativo; defiende el aumento de los apoyos financieros públicos al sector a través de un incremento de la cantidad destinada al crédito turístico, pero destacando que las perspectivas de negocio son tan buenas que debe diseñarse como instrumento de estímulo sólo a corto plazo; indica la urgencia de desarrollar estadísticas fiables e investigar el fenómeno; e insiste en la exigencia de formar a los trabajadores del sector.

Tras el Informe se suceden los Planes de Desarrollo Económico que se convierten en el elemento que dota de coherencia a la etapa. Son el I Plan de Desarrollo Económico y Social (1964-1967), el II Plan de Desarrollo Económico y Social (1968-1971) y el III Plan de Desarrollo Económico y Social (1972-1975)[97] y el turismo se incorpora en todos ellos.

La política turística de la *fase de desarrollo* puede caracterizarse por una euforia creciente que evaluaba el éxito de la gestión pública mediante la comprobación del aumento de las cifras turísticas. Se trataba de crecer en turistas, en alojamientos, en número de paradores, en normas, en acciones... El objetivo era alcanzar el máximo grado de desarrollo turístico, lo que se medía únicamente mediante datos cuantitativos.

a) Imagen del turismo

Pero, ¿cuál es la idea de turismo en esta *fase de desarrollo*? En ninguno de los Planes se expone directamente una definición del turismo, dando por sobreentendido el concepto de la actividad. Sin embargo, en el desarrollo de los textos sí encontramos referencias que indican cuál es la imagen del turismo que los redactores están utilizando para planificar el sector.

Así, en el I Plan de Desarrollo, podemos leer:

> ≈ *La programación realizada cubre la satisfacción de las necesidades de alojamiento, esparcimiento y utilización de servicios, correspondientes a personas nacionales o extranjeras que viajan, o permanecen en lugares distintos de los de su residencia habitual, funda-*

---

[97] El IV Plan de Desarrollo no llegó a implantarse. Se redactó durante los años 1974 y 1975 y —además de por razones cronológicas— su espíritu y contenidos reflejan la siguiente fase de política turística, en donde se ha incorporado.

mentalmente por motivos de distracción o recreo (I Plan de Desarrollo. Comisaría del Plan de Desarrollo, 1964: 11)

Dicha definición ya utiliza el criterio "permanencia fuera de su lugar
habitual" para caracterizar un hecho que se define desde la perspectiva
del turista (de modo similar a como se acordó en la Asamblea de Naciones Unidas sobre Turismo y Viajes Internacionales celebrada en Roma,
en 1963) y cuyo núcleo es el alojamiento, el ocio y los servicios. En
coherencia la política turística debe garantizar dicha oferta y, además,
debe garantizarla para un alto número de personas ya que, en opinión
de los decisores públicos, el hecho de que se consolide un turismo masivo es garantía de estabilidad del fenómeno económico.

> ⁼*Esto viene a confirmar las características tan diferentes que tiene
> el turismo, en su moderna concepción frente al turismo clásico, ofre-
> ciendo un **carácter masivo y organizado**, frente al individualizado y
> personal de otra época. **Esta característica es la que determina una
> estabilidad en el fenómeno turístico y asegura el desarrollo de una
> auténtica industria** de tal naturaleza. El viaje individual, no organi-
> zado a través de la comodidad de la agencia, es precisamente el que
> se retrae ante cualquier coyuntura negativa* (III Plan de Desarrollo.
> Comisaría del Plan de Desarrollo, 1972: 16)

De este modo queda construida la imagen de lo que debía perseguir la
política turística: el desarrollo de un turismo de masas basado en una oferta
de alojamiento y ocio sostenida por una industria que diera servicio a un
elevado número de visitantes. Para ello es necesario mantener un precio
competitivo, lo que origina el control de precios por el Gobierno, cuestión
que se convertirá en el principal problema para el sector.

Los argumentos que los decisores utilizan en los Planes para apoyar
una política basada en el crecimiento continuo de la llegada de visitantes y
en la construcción imparable de zonas turísticas, especialmente en la costa,
son fundamentalmente económicos. En los documentos de 1964, 1968 y
1972 el argumento del factor económico como garantía de beneficios para
el conjunto del país es prácticamente idéntico, aunque se enriquece incorporando paulatinamente nuevas facetas del impacto económico:

> ⁼*La importancia del sector turístico... se refleja... **en su aportación
> a la balanza de pagos**... por lo que ha de darse la mayor importancia
> al aumento de las cifras de turismo extranjero* (I Plan de Desarrollo.
> Comisaría del Plan de Desarrollo, 1964: 63) .

«*El turismo constituye un factor principal de* **equilibrio de la ba-** *lanza de pagos, es elemento impulsor de determinadas zonas geográficas y permite a los españoles aprovechar el mayor tiempo libre disponible que la elevación del nivel de vida comporta»* (II Plan de Desarrollo. Comisaría del Plan de Desarrollo, 1967: 96)

«*El turismo… facilita el conocimiento directo de la realidad geográfica y humana de España, acrecienta la renta nacional, mejora su distribución territorial e* **influye favorablemente en la balanza de pagos**» (III Plan de Desarrollo. Comisaría del Plan de Desarrollo, 1972: 5)

Por su parte, el argumento político esgrimido en los discursos de los Ministros de la etapa trata de anticiparse a las opiniones críticas que temían por la "contaminación moral" que suponía la "invasión pacífica" que se sucedía año tras año, oponiendo a los reparos ventajas simbólicas:

«*Si el aspecto y los contenidos económicos del turismo ofrecen datos tan convincentes y llamativos, los aspectos políticos y culturales no son de menor entidad. Merced al turismo, millones de extranjeros cada año tienen conocimiento directo y personal de nuestro suelo… convirtiéndose al regresar en testimonio irrecusable sobre España. La leyenda que impusieron en el mundo los poderes rivales de España a lo largo de luchas seculares y el extraño aislamiento consiguiente a ella, van a desaparecer bajo los efectos del conocimiento directo que proporciona el turismo. En lo político se reconoce ya un papel de primer orden en el fracaso de las campañas antiespañolas desencadenadas y sostenidas sistemáticamente con poderosos medios. La imagen tendenciosa que se ofrece de la situación española por gran parte de los órganos de opinión de cada país tropieza con el testimonio de una masa cada vez mayor de extranjeros que han visitado España*» (Ministerio de Información y Turismo, 1964: XLIX) .

b) Aspectos problemáticos que son destacados por los decisores públicos

Durante la *fase de desarrollo*, y por la propia expansión del modelo de crecimiento masivo, los problemas del turismo son cada vez más evidentes, pero una de las características más sobresalientes de la política de "*grandeu*", como calificó Cals a la etapa (Cals, 1974), fue la incapacidad de redirigir, mediante acciones decididas, alguno de los factores negativos ya conocidos y que, con el paso de los años, se convertirían en los problemas estructurales del sector y en contradicciones sociales profundas.

Los conflictos del modelo de desarrollo turístico fueron detectados desde los primeros años, pero era tal la necesidad que tenía el Régimen Franquista de la financiación de que le proveía el turismo que nunca se tomó ninguna decisión que conllevara ralentizar su expansión, aunque ello hubiera supuesto garantizar un mejor futuro.

Los Planes contienen análisis precisos sobre alguna de estas circunstancias. La estacionalidad, que en el caso de España tenía un carácter acusadísimo, ya que el sector se construía exclusivamente sobre el producto de sol y playa, era un problema del que se habla ya en 1964, pero las medidas que se proponen para combatirla resultaban tan lacónicas, frente al impulso del producto mayoritario, que indican por sí mismas la falta de compromiso real.

> *Para ampliar la capacidad competitiva del turismo y atenuar el ciclo estacional de los ingresos proporcionados por el turismo extranjero se promocionará la creación de estaciones invernales, tanto de mar, como de montaña* (COMISARÍA DEL PLAN, 1967: 96) .

El conocimiento turístico avanza y la percepción de las dificultades es preclara. La concentración también aparece como un problema serio en un análisis brillante que identifica las cuatro facetas que tiene este problema para el turismo del país.

> *El turismo adolece de una excesiva **concentración** en cuatro sentidos:*
>
> - *Concentración **geográfica** en el litoral mediterráneo y en el archipiélago balear, con el problema consecuente de la congestión, en algunos casos de esas zonas.*
> - *Concentración **temporal o estacionalidad**, con el problema derivado de la infrautilización de la capacidad de alojamientos turísticos fuera de temporada.*
> - *Concentración de **procedencias del turista**, con la consecuencia de una escasa diversificación del riesgo de cambios de coyuntura económica en los países de origen, y*
> - *Concentración de **motivaciones**, especialmente en sol y la playa, lo que motiva una excesiva especialización de la oferta turística*. (III Plan de Desarrollo. Comisaría del Plan de Desarrollo, 1973: 16) .

Los problemas que habían sido señalados en los documentos anteriores eran cada año más profundos. A la estacionalidad y la concentración, se sumaba el bajo gasto medio que realizaba cada turista: el sector turístico y la política turística habían optado por cantidad, frente a calidad. Los turoperadores extranjeros eran cada vez más fuertes; el dominio del mercado respondía a una razón de proximidad —se creaban en los países emisores, en contacto cercano con el mercado— y también a la falta de impulso al subsector de viajes español para que se estableciera en otros países, los Planes habían apostado por el subsector de alojamientos y, ante la falta de un subsector de intermediación fuerte en el país, la supremacía de los turoperadores extranjeros comenzaba a resultar asfixiante. Eran éstos los que negociaban con los hoteleros españoles los "paquetes" de viajes y las ganancias dependían de vender mucho, a bajo precio. De esta forma el turismo mayoritario que llegaba a las costas españolas eran ciudadanos europeos con baja capacidad de gasto. La opción del modelo de desarrollo turístico volvía a mostrar sus fortalezas y debilidades.

Por otro lado, hasta 1970 no se había aprobado una normativa que regulara las infraestructuras básicas necesarias en las zonas, centros y establecimientos turísticos, lo que significaba que lo construido en la década anterior podía tener deficiencias serias, no ya de confort y calidad, sino de servicios mínimos. Por su parte, la inversión en infraestructura pública no igualaba el ritmo imparable de la iniciativa privada, ni tampoco la Administración ejercía las potestades que le hubieran permitido frenar cualquier desarrollo urbanístico sin la adecuada planificación de los servicios públicos. La especulación y la falta de control urbanístico se constituían en los problemas más serios que se generaron en la etapa.

c) Actuaciones que se proponen

Si los problemas eran bien conocidos, parece una opción política consciente del periodo el apartar de la agenda de gobierno, de manera reiterada, las cuestiones que alertaban sobre la viabilidad del modelo. Igual de consciente que mantener durante doce años un mismo referente en la política turística, el crecimiento continuo, y un único objetivo general, aumentar el turismo extranjero y, con ello, las divisas.

≥ *El Plan de desarrollo pretende conseguir el máximo de capta-ción del turismo extranjero, al mismo tiempo que se satisfagan las necesidades derivadas del turismo interior. Se otorga al primero una mayor prelación, por cuanto su desarrollo supone, de modo directo e inmediato una ampliación de las necesidades de financiación exte-rior* (I Plan de Desarrollo. Comisaría del Plan de Desarrollo, 1964: 33) .

Para conseguir dicho objetivo se proponen actuaciones más concre-tas que reflejan tanto la enorme actividad que está realizando la Admi-nistración turística como el proceso de aprendizaje en que la propia Administración turística está inmersa, extremo especialmente evidente si se comparan los Planes sucesivos. Así, en el II Plan se indican:

1. Se promoverá la expansión del turismo extranjero, intensificán-dose la promoción en el exterior...

2. Se proseguirá la ordenación de la oferta turística y de las activi-dades del sector...

3. Para ampliar la capacidad competitiva del turismo español y atenuar el ciclo estacional de los ingresos proporcionados por el turis-mo extranjero se promocionará la creación de estaciones invernales, tanto de mar, como de montaña.

4. Se fomentará la expansión del turismo interior...

5. En aplicación de la Ley de Centros y Zonas de Interés Turístico Nacional se estimulará la reducción del periodo de maduración de las inversiones y la diversificación espacial de nuestra oferta turística.

6. Se mejorará la coordinación entre los diversos departamentos ministeriales

(II Plan de Desarrollo. Comisaría del Plan de Desarrollo, 1967: 98) .

En el III Plan de Desarrollo se especifican aún más los objetivos del Ministerio y en esta ocasión los redactores acudieron al recurso argumentativo que opone una acción-solución, a un problema detecta-do.

Los objetivos del III Plan de Desarrollo fueron:

≥ *1. A fin de obtener unos mayores ingresos en divisas, se diversificará la acción en orden a conseguir una demanda turística más cualificada, que produzca un mayor gasto medio por visitante, además de seguir promocionando el aumento cuantitativo de la de-manda tradicional.*

2. En orden a atenuar la estacionalidad turística, elevando la de-manda en las épocas e menor masificación, debe actuarse a través de una diversificación motivacional de la oferta adecuadamente promocionada.

3. Se encauzarán las acciones de política económica para conse-guir un armónico y adecuado desarrollo turístico de las distintas zonas turísticas españolas que cuentan con condiciones naturales ap-tas para un desarrollo de tal naturaleza.

4. Se proseguirá la ordenación y aprovechamiento del suelo ...

5. Con base a un inventario detallado de deficiencias e insufi-ciencias de infraestructura y servicios comunitarios , se formula un programa de actuaciones.

6. Se dará la más alta prioridad al criterio de la rentabilidad, que será tenido en cuenta por el sector público, tanto en sus propias ex-plotaciones turísticas, como para conceder estímulos o apoyos de cual-quier naturaleza...

7. Se atenderá particularmente a la formación, en número ade-cuado a las necesidades de las explotaciones turísticas, de los distin-tos tipos de profesionales de las actividades turísticas.

8. Se apoyará decididamente toda política de estabilidad interna de precios y se procurará arbitrar los medios necesarios para reducir los costes de las empresas y actividades turísticas.

9. Se emprenderán... las oportunas acciones para facilitar, estimu-lar y encauzar hacia actividades turísticas la mayor disponibilidad de tiempo libre y la creciente capacidad de compra que el progresivo aumento del nivel de vida está proporcionando a todos los españoles (III Plan de Desarrollo. Comisaría del Plan de Desarrollo, 1972: 57-6)

Para la consecución de todos los objetivos se utilizaron fundamen-talmente los instrumentos normativos que, en relación con los proble-mas de control de la planificación, no fueron eficaces.

Además, en el plano de los instrumentos financieros se aprobaron las líneas de crédito comentadas, pero se dotaron de fondos claramente in-suficiente para lograr los fines que la política turística perseguía. Los decisores públicos eran partidarios de que fueran los inversores extran-jeros los que asumieran la financiación de la industria turística, sector que daba grandes beneficios en tiempos muy cortos. Según sus propias palabras, las inversiones extranjeras *"suponen un doble interés... reducen las necesidades de financiación con cargo a capital español* (y proporcionan) *una permanente promoción de la demanda de turismo extranjero"* (I Plan de Desarrollo. Comisaría del Plan de Desarrollo, 1964: 66). El turismo español se hipotecaba en el exterior.

Tampoco se consiguió en esta fase que funcionara la Comisión Interministerial de Turismo, el órgano de coordinación creado con un planteamiento ambicioso y políticamente correcto.

> *El proceso de crecimiento del fenómeno turístico y su complejidad obligan a un nuevo análisis de la situación centrado básicamente en la consideración de que la ordenación y planificación del turismo concierne a la política general del Gobierno* (Exposición de motivos, decreto 1893/1964, de veinticinco de junio, se reorganiza la Comisión Interministerial de turismo) .

Los recelos competenciales y una de las normas no escritas básicas en los Gobiernos franquistas, la no-injerencia en asuntos de responsabilidad de otros Departamentos, imposibilitaron el funcionamiento de la Comisión Interministerial de Turismo. Algunos de los problemas que dejó la política turística del Régimen Franquista tuvieron su origen en la falta de implicación de otros Ministerios que, como fue el caso del Ministerio de la Vivienda o el de Obras Públicas, impidieron reaccionar con mayor firmeza en las cuestiones más complejas.

La coordinación con otros niveles territoriales nunca se institucionalizó, quedando reducida a la celebración de las Asambleas Nacionales que, más que coordinar, adoctrinaban sobre la política diseñada en el único núcleo de decisión existente.

2.2. Rasgo sustantivo: el triunfalismo de las cifras

El rasgo más característico de la etapa es el triunfalismo del desarrollo turístico, apoyado en el crecimiento sostenido tanto de la llegada de turistas, como de la oferta turística del país.

A la fase le dotan de coherencia los Planes de Desarrollo Económico y Social, que comparten un mismo objetivo —crecer— y adjudican unas mismas funciones al Estado en relación con el turismo: promover el turismo, estimular la expansión de la actividad y planificar su desarrollo canalizando las corrientes turísticas hacia regiones menos favorecidas.

Si el objetivo de los doce años fue crecer, la imagen del turismo que se constituyó en el referente para los decisores públicos fue la del turismo masivo, como garantía de estabilidad del fenómeno económico. Y, observando el periodo, podemos afirmar que el objetivo se alcanzó: sin ninguna duda España se convirtió en uno de los principales destinos del turismo de masas y las divisas generadas por la actividad fueron una pieza fundamental del desarrollo económico del país.

Pero a pesar de que en el referente de los Planes al Gobierno se le atribuían tres funciones —promotor, estímulo y planificador— sólo se centró en el desarrollo de dos, sin que existieran iniciativas que le permitieran asumir la tercera de ellas, la referente a la planificación.

El triunfo del modelo de crecimiento intensivo que se impuso generaba problemas que eran perfectamente conocidos por los decisores públicos en el momento en que se estaban expandiendo —también al mismo ritmo que el propio turismo—.

Esto es lo realmente significativo para un análisis politológico, no que existan problemas, sino que sólo se arbitren soluciones para parte de ellos. Como veremos, si consideramos la totalidad del periodo que estamos analizando, desde los años sesenta se han solucionado, o se han dedicado recursos apreciables para su solución, los problemas de escasa capacidad de alojamiento hotelero y extrahotelero; los problemas que generaba la política de control de precios y los problemas fiscales de las empresas turísticas; la falta de coordinación entre administraciones; la baja calidad de la oferta; la concentración en un solo producto turístico; la obsolescencia de las estructuras empresariales o la pérdida de competitividad. Pero se mantienen los problemas de formación y de planificación ordenada del crecimiento, con las cuestiones aparejadas de especulación y problemas de degradación medioambiental.

Por otra parte, la política turística de la fase se elaboraba para un sector que crecía a un ritmo muy acelerado, a lo que le ayudaba el propio Gobierno, por lo que el carácter reactivo se impuso en esos años.

Podemos terminar incorporando una cita que ilustra lo expresado: se estaba triunfando en las cifras, pero se estaba fracasando en su gestión.

En primer lugar, y sin por ello suspender la promoción del aumento cualitativo de la demanda tradicional y un alargamiento estacional en la utilización de nuestras instalaciones, nos propone-

mos una acción encaminada a conseguir una demanda turística más cualificada, que produzca un mayor gasto por visitante. También se intensificará el estímulo de nuevas modalidades turísticas, particularmente del turismo invernal y de nieve.

Procuraremos, en segundo lugar, un armónico y adecuado desarrollo de las diversas zonas turísticas españolas. Buscaremos, a través de criterios geoturísticos, revalorizar nuestro patrimonio turístico nacional y asegurar, al mismo tiempo, nuevos espacios de desarrollo, en particular en el interior de España.

Prestaremos una atención preferente a la defensa del ambiente y a la conservación de los rasgos típicos de las arquitecturas regionales, así como a la existencia, en todo caso, de la adecuada infraestructura complemento de nuestras instalaciones.

Un dilema con el que nos tuvimos que enfrentar y con el que todavía nos seguimos enfrentando es el que se origina como consecuencia de los precios de nuestra oferta. Aquí se trata de lograr el equilibrio entre unos precios que, sin dejar de ser remuneradores para la industria, sean competitivos. Por ello, las subidas por los servicios a ofrecer fueron aquilatadas al máximo por la Administración.

Por último, y teniendo en cuenta el acceso creciente de las masas nacionales e internacionales a este derecho al descanso y al ocio, el ministerio ha planteado el adecuado orden de preferencias en el III Plan de desarrollo para que el turismo se despliegue en sus aspectos sociales y humanos.

Para terminar esta enumeración no exhaustiva, mencionaré los esfuerzos que hemos emprendido para lograr la más eficaz utilización de la oferta, dando prioridad al criterio de rentabilidad, criterio que el departamento aplicará, tanto en lo que se refiere a sus propias explotaciones turísticas como a la concesión de estímulos de cualquier naturaleza al sector privado. (Discurso del Excmo. Sr. Ministro de Información y Turismo, Sr. Sánchez Bella, ante la Comisión de Información y Turismo de las Cortes Españolas en la sesión del 7 de julio de 1971) .

Capítulo 6
LA MODERNIZACIÓN (1974-1982)

La tercera de las fases de política turística identificadas da comienzo tras la crisis de 1973 que tiene un impacto muy serio en el turismo internacional y que, sumado a la situación del país, coloca al turismo español en una posición muy difícil.

El periodo es de gran inestabilidad política: son los últimos años del Régimen Franquista, el tiempo de la transición democrática, las primeras elecciones, los Gobiernos minoritarios de UCD... Como veremos, la transición política no fue solamente un proceso a gran escala, era necesario gestionar el cambio de sistema político en todos los espacios en donde existía una estructura política heredada de la etapa franquista. El grado de tensión en cada una de las arenas políticas iba a depender de las características de la política concreta y del grado de innovación que imponía en la misma la nueva configuración política; centrándonos en la política turística la transición en esta arena estaba condicionada por las características de la política turística heredada y por la intensidad del cambio que introducía la Constitución, que el caso del turismo fue mucho.

Los Ministros con responsabilidad en materia de turismo de esta tercera fase son: Cabanillas Gallas (mayo-octubre 1974); León Herrera (octubre 1975 - diciembre 1975); Martín Gamero (diciembre 1975 - julio 1976) y Reguera Guajardo (julio 1976 - julio 1977). Una vez que comienza a gobernar UCD, ocupan la cartera ministerial, García Diez (julio 1977 - mayo 1980), Gamir Casares (mayo-julio 1980), Álvarez Álvarez (julio 1980 - diciembre 1981) y, de nuevo, Gamir Casares (diciembre 1981 - diciembre 1982).

1. PRINCIPALES ACTUACIONES: 1974-1977 (LA TRANSICIÓN)

1.1. Pío Cabanillas Gallas (mayo - octubre 1974)

Cuando el Ministro Cabanillas llega al Ministerio, en el que permanecerá tan sólo cinco meses, la situación es crítica: la crisis económica de 1973 ha afectado seriamente al sector turístico y los empresarios reclaman, de forma unánime, una intervención decidida del Gobierno para cambiar una situación que califican de crisis estructural.

Los Planes de Desarrollo no contenían acciones que los empresarios percibieran como beneficiosas: el crédito hotelero, además de no ser alto, se destinaba a la construcción de nuevos establecimientos y no se tenía en cuenta que, por la mala calidad de los existentes, habían comenzado los problemas de renovación; la cantidad destinada a promoción era la más baja de los países que disfrutaban de una industria turística de dimensiones similares a la nuestra; el conjunto de beneficios fiscales vinculados a la Ley de Zonas y Centros de Interés Turístico no se estaban aplicando al no ponerse en marcha la declaración de las figuras de ordenación; la coordinación entre los distintos ministerios era inexistente; se mantenía la política de control de precios, lo que suponía una pérdida acumulada de beneficios para el subsector de alojamientos; la falta de atención hacia las empresas de intermediación, además de otros factores, había potenciado que la oferta española estuviera en manos de turoperadores extranjeros...

Pero la crisis del sector turístico, como afirmaría el siguiente Ministro León Herrera en un sincero y valiente discurso político, no era responsabilidad única de la política ministerial: el sector había estado inmerso en un proceso de crecimiento continuo que durante dos décadas había permitido obtener grandes beneficios, pero no había querido prever un cambio de aquella tendencia favorable y la propia forma de entender la actividad turística como una actividad coyuntural contribuía a que la situación fuera tan compleja: los establecimientos estaban obsoletos, ya que se habían construido invirtiendo lo mínimo; los hoteleros negociaban individualmente con los turoperadores para garantizarse su temporada, por lo que no había manera de establecer una negociación en común; no se invertía en innovación técnica ni en formación para los empleados...

a) Instrumentos organizativos

Tampoco tiene tiempo el Sr. Cabanillas para acometer profundas modificaciones durante los cinco meses de su mandato; aún así, modifica la estructura del Ministerio restaurando la figura de **Comisario de Turismo**, asimilado a una Dirección General. Se trata de recuperar el prestigio de uno de los primeros órganos de gobierno de la administración turística, la Comisaría de Turismo.

Por otro lado, se intenta impulsar la actividad del Instituto Español de Turismo, sin que se llegue a concretar en nada, y se refunde y modifica la normativa del **Organismo Autónomo Administración Turística Española (ATE)**, mediante Decreto 3169/74, de 24 de octubre.

b) Planes Generales

El 9 de agosto de 1974, y tras un encuentro de los responsables ministeriales con el empresariado que había tenido lugar durante la primavera en Palma de Mallorca, el Consejo de Ministros aprueba un **"paquete de medidas relativas al sector turístico"** con intención de implantar una *"nueva política turística"* que recogiera el compromiso adquirido con el sector de situar a la empresa en el centro de ésta.

Este "paquete de medidas" no era un plan, sino un conjunto de normas que trataban de impulsar al sector ante la situación de estancamiento que las cifras señalaban. El conjunto de disposiciones se presenta ante la prensa insistiendo en que se ha de comenzar a tratar el turismo como a cualquier otra industria y, por tanto, construyendo un régimen similar al de aquella. Aunque, más allá de las declaraciones en los medios de comunicación, este "paquete de medidas" no se acompaña de ningún texto, reflexión ni, mucho menos, de ningún discurso programático que contuviera una idea global del sentido de la acción.

Sin embargo, y a pesar de ello, este conjunto de acciones va a suponer, de hecho, un cambio en la política turística, en la idea del turismo que manejen los decisores y administradores públicos y, por tanto, en los programas que se implanten.

Por esta razón el "paquete de medidas de 1974"[98] debe ser considerado, en su conjunto, como un instrumento similar a un plan general, aunque las diferentes normas que lo componen puedan ser explicadas en los epígrafes que les corresponden.

Las normas aprobadas afectaban a:

- La estructura orgánica del Ministerio de Información y Turismo.
- La organización y actividad de los Centros de Iniciativas Turísticas.
- La ordenación de la oferta turística.
- La modernización de los establecimientos hoteleros.
- La consideración de las empresas turísticas como empresas exportadoras. Creándose un registro específico, el Registro de Empresas Turísticas Exportadoras, y, para las inscritas en el mismo, abriéndose el acceso al crédito para la exportación y a los créditos para realizar inversiones en el extranjero.
- La actividad de las Agencias de Viajes, sistemáticamente olvidadas en los Planes de Desarrollo.
- Se modifica el régimen de préstamos para la venta a extranjeros de viviendas en zonas turísticas.

c) Programas

Una de las normas aprobadas contenía el **I Plan de Modernización Hotelera** (aprobado por Decreto 2623/74, de 9 de agosto), inspirado en los que se estaban diseñando para la modernización de otras industrias tradicionales.

El doble objetivo del Plan de Modernización, coyuntural y estructural, se define en los siguientes términos:

> *En los dos últimos años se ha producido... una interferencia de carácter externo y no previsible, representada por la crisis económica internacional... así la demanda controlada en 1974 supuso con res-*

---

[98] El entrecomillado es nuestro para señalar que la expresión quiere designar ésta actuación pública concreta del año 1974.

pecto a 1973, una disminución de... un doce por ciento en términos relativos. La coyuntura expuesta... llevó al ánimo de la Administración, la necesidad de arbitrar un procedimiento excepcional y de urgencia, con medios de financiación específicos, para acudir en auxilio de aquella parte de la industria hotelera más necesitada de colaboración y que además produjera, como efecto secundario, una reducción temporal en la oferta, paliando el posible exceso de la misma (I Plan de Modernización Hotelera, 1974:5) .

Es decir, se trataba de fomentar, con ayudas económicas, la remodelación de instalaciones hoteleras degradadas y conseguir, por el cierre de una parte de los establecimientos para su reforma, reducir la oferta hotelera del país.

Los dos objetivos básicos del Plan de Modernización eran muy concretos: la modernización de cincuenta mil plazas hoteleras y la formación y recalificación laboral de las plantillas relativas a dichas plazas.

Como objetivos complementarios se incluyeron la posibilidad de utilizar los fondos consignados para dotar de servicios complementarios a la oferta básica, la reclasificación adecuada de los hoteles que se sometieran al proceso de reforma y la reducción temporal de la oferta en aquellas zonas en que hubiera exceso en relación con la demanda.

El instrumento central del programa era de carácter financiero: un acceso prioritario al crédito hotelero para inversiones de modernización, con unas condiciones de dos años de carencia, a un interés del 7,25% y amortizable en quince años.

Se tendrán en cuenta, especialmente, aquellos edificios con capacidad de alojamiento superior a 100 plazas, antigüedad mínima de 8 años y se dará carácter preferente... a aquellas industrias hoteleras que promuevan la fusión de varias en una sola explotación de dimensiones más aproximadas a las óptimas de rentabilidad (I Plan de Modernización Hotelera, 1974:9)

A este Plan se presentaron 302 solicitudes, de las que fueron admitidas 245, concediéndose créditos por un total de 2.669.685.036 pesetas. En 1974 existían 9.364 establecimientos hoteleros (Instituto de Estudios Turísticos, 1993), lo que da una idea del porcentaje de hoteles que se beneficiaron del programa.

Además del Plan de Modernización se estructuraron una serie de acciones para impulsar el **programa de promoción** en el extranjero: se ejecuta un plan de promoción exterior; se pone en marcha un plan mixto de ayuda a la promoción privada (el Gobierno cofinanciaba aquellas acciones de promoción en que las empresas invirtieran) y se convoca, por vez primera, el Concurso Nacional de Agencias para las campañas de promoción que, hasta entonces, habían sido diseñadas y ejecutadas siempre por una misma empresa.

d) Instrumentos normativos

En relación con la ordenación de los *principales subsectores*:

– Decreto 2253/1974, de 20 de julio, de organización de **campamentos,** albergues, centros de vacaciones, colonias y marchas juveniles.

– Orden de 9 de agosto de 1974, que aprueba **el Reglamento de Agencias de Viajes,** desarrollando el Decreto de 7 de junio de 1973.

Como normas de *planificación turística*:

– Decreto 2482/1974, de 9 de agosto, sobre **Medidas de Ordenación de la oferta turística.**

En esta norma de planificación se contienen los objetivos de la política turística que se orientan, al contrario que en los Planes de Desarrollo, a la contención del crecimiento y a favorecer un desarrollo turístico más equilibrado.

La norma formalmente se aplicaría en los territorios declarados de preferente uso turístico (declaración que realizaba el Gobierno a propuesta del Ministerio de Información y Turismo), pero muestra que la idea del crecimiento sin límites se había reducido[99].

Como objetivos de la Política Turística se señalan:

a) Acomodar la expansión de la oferta turística, en sus aspectos cuantitativo, cualitativo y territorial a las condiciones de la demanda actual y de la demanda previsible.

---

[99] "El Decreto 2482/74 tuvo repercusión trascendental, pues supuso el final de una estilo de actuación administrativa y el primer paso hacia una política moderna y progresista" (BAYÓN; 1999:307).

b) Equilibrar el ritmo de nuevas construcciones e instalaciones turísticas al desarrollo de la infraestructura del territorio.

c) Condicionar las construcciones o instalaciones, para que no produzcan deterioro en el medio ambiente, ni degraden la adecuada utilización de los alicientes motivadores del turismo.

d) Promover el cambio de las estructuras empresariales, para mejorar sus condiciones de rentabilidad, gestión y competitividad en el mercado.

e) Fomentar a través de concursos públicos, el equipamiento complementario que convenga a los alojamientos turísticos.

f) Colaborar en la mejora de infraestructura, cuando sea preciso, en lugares declarados de preferente interés turístico.

Para estimular que se modificaran las obsoletas estructuras empresariales se fomenta la creación de complejos turísticos, agrupaciones empresariales turísticas y redes o cadenas de alojamientos o de servicios turísticos.

Otras normas:

– Decreto 2481/1974, de 9 de agosto, de ordenación de los **Centros de Iniciativas Turísticas**.

Con esta norma se pretende estimular su actividad, fomentar la creación de otros nuevos y establecer cauces de coordinación con la Administración. Parece claro que también era necesario vivificar este instrumento, aunque por la configuración que había llegado a tener (asociación privada que debía someter su actuación a la supervisión del Ministerio) era imprescindible que cambiara la política turística y la idea del turismo de la administración turística para que se modificara la actividad de los Centros de Iniciativas.

e) Instrumentos financieros

Además del instrumento financiero que lleva aparejado el Plan de Modernización Hotelera, el Gobierno impulsa otros cuya naturaleza permite encuadrarlos en este epígrafe.

Se aprueba que las empresas turísticas sean consideradas **empresas exportadoras** y, por tanto, que sean susceptibles de recibir las ayudas previstas para aquellas.

Para ello tenían que cumplir ciertos requisitos e inscribirse en el Registro de Empresas Turísticas Exportadoras, lo que les facilitaba el acceso a los créditos para financiación de capital circulante y a las ayudas crediticias a las inversiones en el extranjero de empresas turísticas (con créditos que disfrutaban de las mismas condiciones de los destinados a la financiación de la exportación).

El objetivo era facilitar la instalación de servicios en el exterior que promovieran el turismo hacia el país y aminoraran la dependencia del sector turístico respecto de las empresas intermediarias extranjeras. Es decir, se trataba de superar el problema que suponía que la comercialización de la oferta turística española en los países de origen de los turistas se realizara por empresas de otras nacionalidades, lo que conllevaba que los destinos, y más directamente las empresas españolas, dependían de éstas para su venta. La posición privilegiada permitía a los turoperadores forzar negociaciones que les beneficiaban, como precios más bajos o condiciones de reserva de plazas leoninas. A pesar de las ayudas, no hay muchas iniciativas españolas que se aprovechen de éstas.

Otra medida, de menor importancia para el sector que las anteriores, es la modificación del régimen de préstamos que podía pedirse para la **construcción y posterior venta a extranjeros de viviendas en zonas turísticas,** eliminándose el requisito de que la venta estuviera formalizada para la concesión del préstamo.

f) Otras acciones

Se convoca, por Orden de 25 de junio de 1974, las **Asambleas Provinciales de Turismo** para la preparación de una segunda Asamblea Nacional.

1.2. *León Herrera Esteban (octubre 1974 - diciembre 1975)*

El nuevo Ministro había sido Director General bajo el periodo del Ministro Fraga y conocía bien el sector. Ocupa la cartera durante catorce meses coincidiendo con un momento muy difícil: en 1974 el turismo sufre la mayor caída de su historia. Llegan a España cuatro millones y medio menos de visitantes, lo que supone una reducción del 12%, una cifra completamente anómala en la evolución del turismo en nuestro país.

a) Instrumentos organizativos

Por Decreto 3229/1974, de 22 de noviembre, se crea una **Subsecretaría de Turismo**, emulando el aparato administrativo existente en la época del Ministerio del Sr. Fraga y, unos días más tarde, se modifican las **Delegaciones Provinciales** del Ministerio de Información y Turismo. Se trataba de fortalecer la estructura pública dedicada a la política turística.

Se crea, mediante Orden de 4 de junio de 1975, un "servicio público centralizado" llamado Exposiciones, Congresos y Convenciones de España (ECCE), que asume las competencias para impulsar este producto.

b) Planes generales

A finales de 1973 se iniciaron los trabajos preparatorios de la documentación básica del **IV Plan de Desarrollo Económico** (1976-1979). El Plan, que nunca llegó a ser aprobado, permite conocer las ideas que tenían los responsables públicos de la materia en aquellos años ya que contiene una amplia reflexión sobre el sector. Más allá de su valor como documento de consulta, los acontecimientos políticos y la concentración de los decisores públicos en asuntos de otra naturaleza (en los años que hablamos se produce la transición política) lo convirtieron en un instrumento para la planificación de acciones y líneas de trabajo de la administración turística.

Los trabajos preparatorios del IV Plan de Desarrollo se desarrollaron con una metodología diferente: se invitó a participar a representantes de los diversos sectores que eran objeto de la reflexión por parte del sector público. Se incorporaron en las Comisiones del Plan y con el resultado de sus trabajos se elaboraron los documentos básicos.

Esto, junto con la mencionada acumulación de experiencia de la propia administración turística, quizá sean las causas de que en el último de los Planes de Desarrollo la visión del hecho turístico incorporase nuevos aspectos que dieron al trabajo un esquema diferente y un conjunto de análisis de una profundidad sobresaliente, aunque el planteamiento básico sea similar al de los anteriores Planes.

El documento se organiza en dos partes diferenciadas: la situación de los diferentes factores que intervienen en el turismo (expuestos según los datos de evolución del turismo durante el periodo 1964-1973) y las previsiones para el cuatrienio contemplado.

CUADRO 6.1.: ESQUEMA DEL IV PLAN DE DESARROLLO

1. SITUACIÓN DE LOS FACTORES TURÍSTICOS	
1.1. Por el lado de la oferta	
a) Infraestructura turística	Ordenación del territorio Atractivos turísticos naturales Infraestructura turística
b) Servicios complementarios	Instalaciones turístico-deportivas Centros culturales Centros termales Rutas turísticas
c) Oferta básica	Capacidad hotelera
1.2 Por el lado de la demanda	
Turismo exterior	
Turismo interior	
2. PREVISIONES PARA EL CUATRIENIO	
– Medidas para un crecimiento cualitativo y cuantitativo de las plazas hoteleras y extrahoteleras – Nueva política fiscal para el sector – Mejora de la comercialización del producto turístico – Plan de formación profesional – Promoción exterior e interior	

(Fuente: Elaboración propia, basada en el IV Plan de Desarrollo)

1) Situación de los diferentes factores que intervienen en el turismo

El turismo sigue siendo defendido como un fenómeno básicamente económico (*"una actividad de consumo"*. IV Plan de Desarrollo. Subsecretaría de Planificación, 1976:19), pero se intenta superar esta visión del análisis agregando nuevas cuestiones.

> *En el IV Plan Nacional de Desarrollo, el sector turístico se analiza desde un punto de vista totalizador, estudiándose no sólo los aspectos considerados tradicionalmente (oferta y demanda de los servicios turísticos) , sino también todos aquellos factores que influyen directa o indirectamente en el fenómeno turístico. Así, partiendo de la división*

básica entre oferta y demanda, se ha subdividido la oferta en tres grupos: infraestructura turística, servicios complementarios y oferta básica. Distinguiéndose, por el lado de la demanda dos grupos: el de demanda exterior y el de demanda interior y turismo sociaľ. (IV Plan de Desarrollo. Subsecretaría de Planificación, 1976:19) .

Así, por el lado de la oferta, expondremos cómo se entiende la infraestructura turística, los servicios complementarios y la oferta básica.

a) En el análisis de la infraestructura turística se estudia la ordenación del territorio, los atractivos turísticos naturales y la infraestructura urbanística. Veamos, de forma resumida, cómo se concibe el papel del Estado respecto de ellos.

– En relación con la ordenación del territorio, se defienden como figura clave los Centros y Zonas de Interés Turístico. Pero se aportan datos que muestran que este instrumento de planificación no funciona: en el año 1974 sólo existen setenta y un centros de interés turístico en todo el territorio, en los que se había contabilizado únicamente treinta y dos operaciones de uso del crédito para la realización de obras de infraestructura.

– Respecto de los atractivos turísticos naturales, se analizan las *"principales acciones perturbadoras que dan lugar a desequilibrios en el espacio natural"* y que son provocadas por la actividad turística: la destrucción del paisaje, la flora y la fauna que provoca la construcción abusiva de edificios e infraestructuras, las originadas por el uso indiscriminado de espacios naturales para usos recreativos y las derivadas del volumen de residuos que el turismo genera. Para evitar estos problemas se propone crear en las mismas zonas geográficas enclaves turísticos (concentrando la inversión en infraestructuras y limitando los impactos de las acciones contaminantes) y enclaves naturales protegidos, como *"parques marítimo-continentales"*, exclusivamente destinados a la conservación de la naturaleza.

≈ *Naturaleza y turismo, son términos adecuadamente reconciliables, puesto que las limitaciones de aquél a favor de ésta, se convierten en beneficiosas al permitir el mantenimiento de los caracteres cualitativos que lo avalan.* (IV Plan de Desarrollo. Subsecretaría de Planificación, 1976:60) .

Las actuaciones realizadas en este sentido desde el III Plan de Desarrollo habían sido muy pocas: intervenciones en la Sierra de Guadarrama, el Valle de Arán, los alrededores de Barcelona, el Valle de Ezcaray y en la senda pirenaíca, además de la construcción de algunas zonas de picnic.

- Por último, los problemas relacionados con las carencias de infraestructura turística se propone resolverlos a través de la coordinación de diversos órganos y niveles de gobierno que permitan desarrollarla adecuadamente.

b) El documento denomina servicios complementarios a las instalaciones turístico-deportivas, los centros culturales, el termalismo y las rutas turísticas.

El análisis indica que los dos problemas más graves para que el desarrollo de este tipo de servicios no haya alcanzado un grado óptimo son que, en los procedimientos de apertura y explotación de la actividad, intervienen diversos organismos públicos de difícil coordinación y que no son actividades rentables.

c) La oferta básica la constituye la capacidad hotelera con dos tipos de problemas: estructurales (falta de planificación, con la consecuente concentración en determinadas zonas; peligro de degradación de dichas zonas debido a la propia saturación pueden degradarse o tamaño reducido de las empresas) y sectoriales (alto grado de estacionalidad, inadecuada formación profesional y degradación de los servicios prestados).

Por el *lado de la demanda*, se sigue hablando de los programas de promoción, distinguiendo entre turismo exterior y de interior. También se mantiene la referencia al turismo social definiéndose como "*aquellas actividades calificadas como turísticas pero de carácter no lucrativo, que tienen como finalidad colaborar en la formación integral del hombre*". (IV Plan de Desarrollo. Subsecretaría de Planificación, 1976:20).

2) Previsiones para el cuatrienio

En la segunda parte del trabajo se exponen las previsiones de evolución de la demanda exterior, evolución de la demanda interior y evolución de la oferta básica.

Los objetivos principales del Plan continúan expresados en relación con el número de visitantes, de los ingresos por turismo y del gasto medio de los visitantes.

El discurso sobre evolución de la demanda exterior y de la demanda interior sigue el esquema general de los Planes anteriores, pero la posibilidad de recurrir a algunos datos estadísticos, de los que se carecía en años anteriores, permite analizar las variables de manera más precisa.

Es más novedoso el planteamiento global de las acciones de fortalecimiento de lo que denomina oferta básica: medidas para un crecimiento cualitativo y cuantitativo de las plazas hoteleras y extrahoteleras, una nueva política fiscal para el sector, la necesidad de acometer un ambicioso plan de formación profesional y los problemas de la comercialización del producto turístico. Señalaremos lo más interesante.

a) Es la primera vez que en los Planes de Desarrollo, es decir en los documentos de política turística de los doce años anteriores, aparece de modo expreso una reflexión pormenorizada sobre la necesidad de una *nueva política fiscal*. Podría explicarse por la participación de los representantes del sector en las discusiones y trabajos previos a la redacción del Plan; el empresariado turístico mantuvo un permanente conflicto con los decisores públicos respecto a la consideración que debía darse a la empresa turística: su tratamiento fiscal, su naturaleza exportadora... Los redactores del IV Plan proponen una doble estrategia: la creación de un conjunto de estímulos fiscales (justificado por la importancia del sector, sobre todo en momentos de recesión económica en los que puede ser el turismo el sector clave en la atracción de divisas) y la eliminación de distorsiones fiscales en el sector.

Los estímulos fiscales que se plantean son diversos.

- Se propone avanzar en el camino abierto en el año 1974 de reconocimiento a la empresa turística de su carácter exportador, para que éstas se beneficien no sólo del crédito oficial destinado a la exportación, sino del tratamiento fiscal de la reserva para inversiones de explotación y de la desgravación fiscal a la exportación por la prestación de servicios interiores a residentes en el extranjero.

- Se reflexiona sobre la posibilidad de que se aplique a éste el régimen tributario de la provisión para inversión productiva, con el fin de consolidar la reestructuración y modernización del sector.

- En relación con el desarrollo turístico selectivo, se propone ampliar los incentivos contemplados en la Ley de Zonas y Centros de Interés Turístico, que afectaban a los costes de instalación de nuevas instalaciones, hacia los costes fiscales de funcionamiento.

– Igualmente se defiende la necesidad de apoyar la concentración e integración de empresas turísticas ya impulsada por el real Decreto 2482/1974 de 9 de agosto, con la *"eliminación de costes fiscales para los procesos de agrupación o integración de estructuras empresariales"* (IV Plan de Desarrollo. Subsecretaría de Planificación, 1976:325).

– Por último, y en relación con el perfeccionamiento de la formación profesional, se propone que ante la posibilidad de que sean desgravables las cantidades entregadas a centros de formación, también se entienda por tales a las Escuelas de Turismo.

b) En cuanto a las acciones de *política de formación*, se plantea la necesidad de una mayor coordinación entre los Centros que imparten las enseñanzas de Técnico en Empresas y Actividades Turísticas, adaptando los planes de estudios a las exigencias de una mayor formación práctica. Proponen la unificación en una sola rama de los estudios de hostelería y de turismo, fomentando la construcción de hoteles-escuela para la impartición de tales enseñanzas. *"Estimular entre las empresas la realización de las funciones de perfeccionamiento y acción informativa permanente para sus empleados"* (IV Plan de Desarrollo. Subsecretaría de Planificación, 1976:351) y creación de un Centro de Altos Estudios Hoteleros para la formación del empresariado.

c) En relación con la *comercialización* sigue la batalla por abolir el sistema de control de precios que, aunque se había liberalizado ya para la oferta de lujo, seguía sometiendo al resto de oferta al sistema de límites mínimos y máximos que comportaba serios problemas financieros. Aunque en el IV Plan no se aboga por suprimir el control citado, se propone que los límites puedan corregirse según el carácter de la temporada, aplicando correctores en las temporadas baja y alta para estimular el turismo fuera de la estación tradicional.

Los resultados de los trabajos tienen el mérito de que actores públicos y privados realizaran un exhaustivo análisis del sector. Como veremos, varias de las acciones contempladas en los estos trabajos del IV Plan de Desarrollo fueron puestas en marcha en mandatos posteriores.

c) Programas

En febrero de 1975 se consigue un crédito extraordinario de 300 millones de pesetas para publicidad turística, que serviría para dinamizar las campañas de promoción.

Se aprueba un **Plan de ayudas a "Mesones Turísticos"** para potenciar este tipo de establecimientos dedicados al fomento y conservación de la cocina tradicional. Es una acción de fomento centrada en la gastronomía como recurso turístico. El subsector de la restauración había sido objeto de atención por parte de la administración turística, pero sólo en el ámbito de la reglamentación, nunca había recibido la atención como generador de un producto turístico independiente. Se consideraba "mesón turístico" a "*aquel establecimiento de restaurante de carácter típico, instalado o que se instale en un edificio de valor histórico, artístico o simplemente adecuado a las características arquitectónicas del lugar, explotado en régimen familiar, con cocina regional española y reducido número de plazas*". Se convoca un concurso para la construcción de doce mesones en las rutas turísticas nacionales.

d) Instrumentos normativos

Sólo se aprueba una Orden en relación con la ordenación de un subsector específico:

– Orden Ministerial de 14 marzo de 1975, sobre **Apartamentos, Villas y Bungalows.**

e) Instrumentos financieros

No se aprueba ninguno, manteniéndose los anteriores.

f) Otras acciones

La UIOOT acababa de reformar sus estatutos para convertirse en organización intergubernamental. Diversos países se postulaban como candidatos para acoger la sede del nuevo organismo: la Organización Mundial del Turismo (OMT). En mayo de 1975 se celebra en Madrid la I Reunión de la Asamblea General y se consigue, tras un gran esfuerzo diplomático, que la sede de la OMT se establezca en Madrid. *"Para España suponía de una parte, una forma de reforzar su presencia en la comunidad internacional a la vez que adquiría un papel más visible en las relaciones turísticas entre Europa y los países en proceso de desarrollo; asimismo, se le reconocía un papel de primera potencia en turismo"* (Huescar, 1999:219).

Se convoca, mediante orden de 21 de enero de 1975, la **II Asamblea Nacional de Turismo** cuyo objetivo será *"el análisis de la problemática actual del turismo y la elaboración de propuestas sobre posibles acciones a emprender, de acuerdo con el resultado de los estudios realizados sobre las conclusiones formuladas en las Asambleas Provinciales de Turismo"* (art. 1.º del Reglamento sobre Estructura, Composición y Funcionamiento de la II Asamblea Nacional de Turismo)

Se trabajará en las siguientes ponencias:

1. Ordenación de los territorios turísticos. Territorio de preferente uso turístico y Zonas y Centros de interés turístico nacional.

2. El patrimonio turístico. Selección, aprovechamiento y protección de los recursos turísticos.

3. Mancomunidades y Municipios de carácter turístico.

4. El mercado turístico y las corrientes turísticas.

5. La oferta turística: los alojamientos turísticos restaurantes y cafeterías, otros servicios turísticos.

6. Diversificación de la oferta. Turismo especializado: cultural, de congresos, deportivo y termal.

7. Comercialización de la oferta turística. Especial consideración de los operadores turísticos y de las Agencias de Viajes. El transporte turístico.

8. Población ocupada en el sector turístico. Las profesiones turísticas y la formación profesional.

9. Turismo interior, ordenación y fomento.

10. Comunicaciones sociales, publicidad, propaganda y relaciones públicas en el turismo.

11. Instrumentos económicos de la Administración pública para el fomento del turismo.

12. La coyuntura actual del sector turístico.

La Asamblea fue inaugurada por los Reyes el 1 de diciembre de 1975, en su primer acto oficial como monarcas del país.

En el discurso inaugural el Ministro de Información y Turismo, D. León Herrera y Esteban, basándose en los trabajos de las Asambleas Provinciales, resume los errores cometidos por el sector privado:

> ≈*La deficiente estructura de las empresas en sus vertientes econó-mica, financiera y comercial, originada por una actitud, en cierto modo pasiva— y hasta si se quiere congruente con los periodos de* ≈*vacas gordas*— *adoptada por muy buena parte de la industria turística española y una ausencia... de métodos de comercialización de la pro-pia oferta... lo que ha llevado que el turismo español esté hoy, cuando menos al 40 por 100 controlado por los operadores turísticos extranje-ros que constituyen un auténtico oligopolio dominante y, frente a una oferta atomizada y todavía poco solidaria y coherente, imponen con-diciones y precios*≈.

Y por el sector público.

> ≈*Resulta inaplazable una acción de ordenación del territorio turís-tico. El aire de cierta improvisación que ha tenido en nuestro país la industria turística, se pone de manifiesto muy especialmente en este aspecto, en el que a su vez hay que considerar dos vertientes: la de selección de los espacios adecuados y en el planeamiento de los mis-mos*≈. *En este sentido defiende* ≈*debe procurarse la intensificación y el apoyo de los entes públicos locales*≈.

Ya entonces era manifiesta la existencia de áreas turísticas degrada-das,

> ≈*por lo que habrá de actuarse en dos direcciones; con respecto a espacios turísticos en fase adelantada de explotación, reorientando ésta a través de la imposición de una serie de medidas restrictivas de la expansión; y en lo referente a áreas vírgenes o de explotación en iniciación, sometiéndolas a un minucioso planteamiento comprensi-vo de todos los aspectos de la trascendencia para el turismo*≈.

1.3. Adolfo Martín Gamero (diciembre 1975 - julio 1976)

Si observamos las cifras de entradas de turistas del período analiza-do, 1975 es el año con menor entrada: la crisis del petróleo estaba afectando a las economías familiares y en España el momento político era particularmente difícil, y la estabilidad sociopolítica es un factor clave en los destinos turísticos.

La muerte de Franco, la transición política, la legislatura constituyente... exigían la máxima atención a los gobernantes, independientemente de la cartera que ocupasen. La Administración Turística se limita a continuar con las acciones diseñadas con anterioridad.

En los cinco meses del mandato del Sr. Martín Gamero podemos destacar la decisión de segmentar las campañas de promoción según destinatarios.

1.4. Andrés Reguera Guajardo (julio 1976 - julio 1977)

El turismo sigue en niveles bajos. Si en 1974 la cifra del número total de visitantes sufrió una caída, respecto del año anterior, del 12,8%, en 1975 caía un 0,7% y en 1976 un 0,4%.

En la Memoria del Ministerio que valoraba lo ocurrido en el año 1976 se afirma:

> *Las causas que han motivado que la cifra total de visitantes no haya sido superior a la mencionada pueden ser dos: la crisis económica europea de finales de 1973... y la difícil situación política del último trimestre de 1975, precisamente en el momento en que los turoperadores lanzaban sus programas para 1976 y contrataban las campañas turísticas* (Ministerio de Información y Turismo, 1977:3) .

a) Instrumentos organizativos

En diciembre 1976, mediante Decreto aprobado en Consejo de Ministros pero que nunca fue publicado en el BOE, se crea el **Consejo Español de Turismo**. La iniciativa no fue puesta en marcha a pesar de lo interesante de crear un foro en donde participaran los agentes privados junto a los públicos. Años mas tarde se recuperaría la idea e incluso el nombre de la institución.

b) Planes Generales

No hay modificaciones.

c) Programas

El Gobierno aprueba el **II Plan de Modernización Hotelera**, que sigue la filosofía y forma de actuación del I Plan de 1974.

La Secretaría de Turismo decide emprender el análisis y propuesta de los recursos turísticos y de la oferta turística existente acometiendo, por fin, la elaboración del **inventario turístico**.

Para ello, en lugar de encargarlo al Instituto de Estudios Turísticos, convoca un concurso público para la realización de planes turísticos, bajo la figura de asistencias técnicas.

En dicha convocatoria se plantea que se realizarán dos tipos de documentos (respondiendo a la idea ya presente en la política turística de actuaciones diferenciadas según el grado de desarrollo turístico del destino): los "Planes de Aprovechamiento de recursos turísticos" se centrarán en inventariar los recursos turísticos de una provincia determinada en la que el nivel de desarrollo sea incipiente y los "Planes de Ordenación de la oferta turística de los municipios costeros", describirán la oferta existente en aquellas zonas en que el desarrollo turístico es más alto: las costas.

Durante este mandato se adjudican y elaboran los Planes de Aprovechamiento de los recursos turísticos correspondientes a las provincias de Logroño, Guadalajara, Cáceres, Zamora y Orense. Y los Planes de Ordenación de la oferta turística de los municipios costeros de Almería, Huelva, Gerona, Baleares y Alicante.

d) Instrumentos normativos

Sólo se aprueba una norma que afecta a los sistemas de protección del consumidor, el Decreto 2199/76, de 10 de agosto, sobre **reclamaciones de clientes en establecimientos de empresas turísticas**.

e) Instrumentos financieros

No hay modificaciones.

f) Otras acciones

No hay modificaciones.

2. PRINCIPALES ACTUACIONES: 1977-1982 (GOBIERNOS DE UNIÓN DE CENTRO DEMOCRÁTICO)

El 15 de junio de 1977 la Unión de Centro Democrático (UCD) gana las primeras elecciones democráticas en España y renueva mandato en las Elecciones Generales de 1 de marzo de 1979, gobernando el país durante cinco años.

La mayoría de las políticas públicas de la Democracia empezaron su andadura en el mismo punto: con una herencia institucional, con una historia de hechos y acciones del Estado en la materia, con unas determinadas creencias y valores respecto de la naturaleza del objeto —o del problema social— compartidos por los agentes que trabajan en cada uno de los ámbitos... Y todas las políticas —continuistas o de ruptura— tienen como referente inicial el legado recibido entonces[100].

Más adelante analizamos las características de la política turística de la etapa franquista que acabamos de describir, por el momento nos limitaremos a señalar que, frente a una política con un único centro decisorio que imponía un modelo muy rígido en cuanto a objetivos e instrumentos, la Constitución prevé un sistema radicalmente opuesto: la promoción y ordenación del turismo sería competencia de las Comunidades Autónomas, sin que se reservara para la organización central del mismo ningún ámbito material con referencia al turismo.

En pocos años, la política turística pasa de un centro decisorio a múltiples. Con la desaparición de los sindicatos verticales, se crean las primeras asociaciones empresariales[101]; en diciembre de 1980, se crea el

[100] Los analistas de políticas hablan del "path-dependency", término muy gráfico en inglés y cuya traducción al castellano —algunos autores lo traducen por "sendero de dependencia"— no acaba de ser ilustrativa.
[101] En 1972, se crea la Asociación Nacional de Directores de Hotel (luego, AEDH), en 1977 la Unión Nacional de Agencias de Viajes (UNAV), y en 1979 la Asociación

Consejo de Turismo de la CEOE; el Estado cede sus competencias, que son rápidamente asumidas por las Comunidades Autónomas... Con este panorama, podríamos formular una hipótesis inicial: aun suponiendo que antes y después de la entrada en vigor de la Constitución hubiera existido una coincidencia absoluta en las ideas de qué es turismo y qué debe hacer el Estado en relación con este asunto, el sistema de actores experimenta una variación tan profunda que la política turística debería haber cambiado en todos sus parámetros.

El asunto capital durante el Gobierno de UCD es el cambio de sistema político: se crean los Entes Preautonómicos, se promulga la Constitución Española y se aprueban los primeros Estatutos de Autonomía. La preocupación central del período es el traspaso de competencias a las Comunidades Autónomas recién creadas, también, aunque en menor medida, a las Corporaciones Locales, y el diseño del sistema de coordinación que iba a establecerse.

El nuevo sistema constitucional y el turismo

El artículo 148.1.18) de la Constitución establece que las Comunidades Autónomas pueden asumir competencias en materia de "promoción y ordenación del turismo en su ámbito territorial". En el texto constitucional no se recogió ninguna reserva competencial para el Estado en relación con el turismo.

En el período que estamos describiendo, el futuro espacio de la política turística era incierto y las preocupaciones de la administración turística eran muchas. El ambiente se refleja en la Editorial de la Revista de Estudios Turísticos del año 1978.

> *⸗En relación al turismo, el artículo 148 traslada a favor de las Comunidades Autónomas no sólo parte de las competencias relativas al núcleo central de la materia..., sino también muchos aspectos conexos que condicionan o determinan la motivación, posibilitación o realización del turismo y sus condiciones de ejercicio. Es evidente que la actuación coordinadora y de relación de la Secretaría de Estado de Turismo respecto a todos y cada uno de estos aspectos (..) quedan*

Española de Agencias de Viajes (AEDAVE) y la Federación Española de Agencias de Viajes (FEAAV).

214 *María Velasco González*

*notablemente complicados al tenerse que difuminar su gestión en ac-
tuaciones de conexión con más de una docena de órganos de gobierno de, hoy Entidades Preautonómicas, y, mañana, Comunidades
Autónomas...*

*En este sentido, la negociación que la Secretaría de Estado de Tu-
rismo ha mantenido con los entes preautonómicos ha estado regida
por el intento de alcanzar equilibradamente tres objetivos básicos (..) :
dar las bases para que bajo criterios participativos y principios de
rigor técnico— que la materia exige—, pueda, en forma evolucionada
llegar a cristalizarse unas soluciones armónicas, coherentes y convincentes en todos los ámbitos espaciales y sectoriales que el turismo
abarca, y en cualquiera de sus aspectos...*

*Otro objetivo era hacerlo (..)   con la pausa necesaria para que los
nuevos cuadros (..)   se constituyan, organicen y formen (..)   aprovechando al máximo los recursos de medios económicos, personales y
de organización de la Secretaría de Estado de Turismo...*

*El último de los objetivos era ir creando las condiciones para que
se diera la necesaria unidad de doctrina en el enfoque y resolución de
los problemas turísticos en tanto que se llega a situaciones definitivas,
definidas y cristalizadas en los Estatutos de las Comunidades Autónomas, que permitan, al momento de plena descentralización y
desconcentración, que haya unidad operativa en bien de la propia
Comunidad del conjunto nacional.* (Artículo editorial de la Revista
de Estudios Turísticos, Ministerio de Comercio y Turismo, 1978)

En la actualidad, tras veinticinco años de vigencia de la Constitución, con el desarrollo estatutario de diecisiete Comunidades y dos Ciudades autónomas, con la experiencia acumulada por el ejercicio de sus
competencias y con la jurisprudencia del Tribunal Constitucional, ha
quedado diseñado un reparto competencial en materia de Turismo que
responde básicamente al siguiente esquema:

Corresponde a las Comunidades Autónomas la planificación del turismo en sus distintos territorios, la ordenación de las actividades e industrias turísticas, la concesión y revocación del título de las agencias de
viajes que desarrollen su actividad dentro de la Comunidad Autónoma,
autorización de apertura de establecimientos turísticos, la inspección de
las empresas y actividades turísticas, y la regulación, coordinación y fomento de las profesiones turísticas.

Corresponde al Gobierno Central la coordinación de la planificación general de la economía y, por la importancia del turismo como

sector económico, la coordinación de éste; las relaciones internacionales que afecten al sector turístico, especialmente la firma de convenios, de los que deberá informar a las Comunidades Autónomas afectadas; promover, elaborar y en su caso aprobar la legislación en materia de agencias de viajes cuando operen en más de una Comunidad Autónoma; la promoción y comercialización del turismo en el extranjero, debido a la vinculación con la actividad de comercio exterior; las condiciones de obtención, expedición y homologación de títulos profesionales de turismo; el seguro turístico; los registros turísticos y la legislación general de defensa de consumidores y usuarios..

La doctrina constitucional ha construido un discurso interpretativo en donde ni la competencia de planificación general de la actividad económica significa la imposibilidad de que las Comunidades Autónomas puedan tomar decisiones de carácter económico, ni la competencia sobre la promoción y ordenación del turismo impida cualquier actuación del Gobierno Central en la materia. *"La posible concurrencia imperfecta de títulos obliga al intérprete del bloque de constitucionalidad a una tarea de ponderación difícilmente conceptualizable y, por fuerza, casuística"* (MAP, 1992:15).

La Administración General y las Administraciones Autonómicas tienen competencias compartidas en materia de subvenciones, información a los turistas y recopilación de datos estadísticos.

Por otro lado, la Ley de Bases de Régimen Local no contiene una referencia genérica al turismo, aunque el papel de los municipios, como núcleos receptores, es crucial.

Llama la atención que, siendo un sector de la economía con una importancia estratégica para el país, la Constitución no reservara al Gobierno ninguna competencia en esta materia, y que la intervención de éste se haya articulado a través del título competencial exclusivo sobre comercio exterior y planificación general de la actividad económica.

Una vez aprobada la Constitución, todos los Entes Preautonómicos expresaron su deseo de asumir el turismo como una de sus competencias (el turismo ocupa, en una secuencia temporal, el tercer lugar de los ámbitos competenciales asumidos por las Comunidades Autónomas).

En las negociaciones iniciales con el Gobierno Central, se estableció un traspaso que sería realizado en tres fases, en una primera se traspasarían competencias sobre ordenación, en segundo lugar las relativas a la regulación y control de las empresas turísticas y en tercer lugar las competencias relativas a la promoción del turismo.

Las dos primeras fases (actividades administrativas de planificación, pero fundamentalmente de control y sanción) parecían ser traspasadas sin demasiada dificultad, alguna de las cifras muestran la realidad sobre lo que ocurría. Por ejemplo, a la Dirección General de Turismo que dependía de la Presidencia de la Generalitat de Cataluña, se traspasaron dieciocho funcionarios, sólo el 50% de las instalaciones y la ridícula de 2,2 millones de pesetas para el año 1979.

El tercero de los aspectos, la promoción, ha sido objeto de conflicto hasta la última legislatura del Gobierno socialista. El Gobierno recurría a argumentos técnicos: la promoción de un destino sólo produce resultados a partir de un determinado nivel territorial. Las Comunidades Autónomas a un argumento sustantivo: no es posible la actuación en política turística, sin participar en la fase de comunicación del producto turístico.

Las estrategias utilizadas por ambos niveles de Gobierno incluyen todas las posibles acciones que se pueden poner en marcha para que, dentro de la legalidad formal, sea de hecho imposible alcanzar los objetivos de ejercer ciertas competencias.

El traspaso de competencias en materia de turismo fue un tema crucial en el Ministerio y determinó que el estilo que durante veinte años ha caracterizado las relaciones entre el poder central y las Comunidades Autónomas en el campo de las políticas turísticas haya sido de confrontación.

La gestión inicial de este traspaso fue abordada por UCD. Cuando el Partido Socialista llega al poder ya estaban negociados y aprobados los Reales Decretos de Traspaso a las Comunidades Autónomas en Materia de Turismo de Cataluña[102], País Vasco[103], Galicia[104], Aragón[105], Andalucía[106], Asturias[107], Castilla-La Mancha[108], Canarias[109],

---

[102] Real Decreto 2115/78, de 26 de julio y Real Decreto 3168/82, de 15 de octubre.
[103] Real Decreto 2488/78, de 25 de agosto.
[104] Real Decreto 212/79, de 26 de enero y Real Decreto 2418/82, de 24 de julio.
[105] Real Decreto 298/79, de 26 de enero.
[106] Real Decreto 698/79, de 13 de febrero.
[107] Real Decreto 2874/79, de 17 de diciembre.
[108] Real Decreto 3072/79, de 29 de diciembre.
[109] Real Decreto 2843/79, de 7 de diciembre.

Extremadura[110], Islas Baleares[111], Murcia[112] y Cantabria[113]. Casi todos ellos se revisan en la primera legislatura socialista, pero habían sido objetivo principal de los ministros de turismo en el periodo del que nos ocupamos.

2.1. *Juan Antonio García Diez (julio 1977 - mayo 1980)*

De la etapa de los Gobiernos de UCD, García Diez es el ministro con competencias en turismo que ejerce su cargo durante el periodo más largo. Será el responsable del Ministerio de Comercio y Turismo durante tres años, en los que da comienzo el traspaso de la materia a las Comunidades Autónomas. La percepción de algunos autores es que el Ministro aborda por vez primera las contradicciones del turismo y no sólo los problemas que sufre, sino los que genera[114].

a) Instrumentos organizativos

El 4 de julio de 1977 se suprime el Ministerio de Información y Turismo y tres meses más tarde se establece la **Secretaría de Estado para Turismo.**

La creación de esta Secretaría de Estado, primera que se instaura en el país, supone el reconocimiento por parte del Gobierno de la importancia del turismo y significa, en cuanto a recursos, una organización administrativa propia, una asesoría jurídica independiente y una intervención exclusiva[115].

---

[110] Real Decreto 2912/79, de 21 de diciembre.
[111] Real Decreto 2245/79, de 7 de septiembre.
[112] Real Decreto 466/80, de 29 de febrero.
[113] Real Decreto 2339/82, de 24 de julio.
[114] *"García Diez, se muestra favorable a la implantación de precios más elevados para el sector, saca a la luz los problemas de un exceso de Turismo: rentabilidad escasa del turismo marginal, negativas consecuencias sobre el medio ambiente, excesiva concentración y necesidad de altas inversiones en infraestructuras, especialmente en carreteras y depuración de aguas"* (Vasallo, 1999: 118).
[115] Como puede verse, la estructura y recursos son muy similares a los que gozaba la Subsecretaría de Turismo creada en 1962 y a los que hacía referencia el Informe del Banco Mundial.

Se mantienen las dos Direcciones Generales tradicionales, más una Dirección General de Servicios, un Gabinete Técnico y un Servicio de Relaciones Internacionales.

De nuevo se reorganiza el **Instituto Español de Turismo** con el objetivo de potenciar las labores de investigación del mismo; una investigación orientada a estudios macro turísticos e investigaciones en profundidad sobre aspectos concretos, de las que podrían derivarse labores más orientadas a la planificación del sector. Con ello se perseguía que el Instituto se convirtiera, por un lado, en un órgano consultivo que apoyara al sector público en la definición de políticas turísticas, y por otro, en un instrumento cercano al tejido empresarial, respaldando al sector privado a través de asistencias técnicas. Con esta intención se refuerza su faceta de Centro de Documentación.

En esta reorganización se estructura al Instituto en "gabinetes de estudio", suprimiendo el organigrama administrativo basado en secciones. Así se establecen el Gabinete de Estudios Económicos y Empresariales, el Gabinete de Estudios Sociológicos y Jurídicos y el Gabinete de Estudios Ecológicos y de los problemas de los asentamientos turísticos, más una Sección de Perfeccionamiento Profesional y de Asistencia Técnica y de una Sección de Documentación y Publicaciones.

Mediante Real Decreto 210/1979, de 11 de junio se reorganiza el Organismo autónomo **"Administración Turística Española"** (ATE). Las modificaciones afectan básicamente a los órganos de gobierno del organismo autónomo, manteniéndose inalteradas sus funciones.

En 1977, **ATESA** traspasa a Viajes Marsans sus actividades de agencia de viajes mayoristas y alquiler de autocares y deja reducida su actividad al alquiler de coches (Pellejero, 2000:93).

b) Planes generales

El nuevo Gobierno no elabora ningún plan general para el turismo.

El 12 de julio de 1977 se adopta la decisión de la devaluación de la peseta, que tiene un efecto directo en el aumento del número de llegadas al país. Aunque no se produce un crecimiento similar al ocurrido tras la devaluación de 1960, sí se contabiliza un aumento de la cifra de visitantes. Dicho aumento, como en la anterior devaluación, ha de explicarse teniendo en cuenta otros factores igualmente importantes, como la entrada de las economías de los principales países emisores en un ciclo expansivo o la progresiva imagen de normalidad social del país, que devuelve la confianza de los visitantes extranjeros.

c) Programas

En diciembre de 1979, se aprueba el **III Plan de Modernización Hotelera**. Aunque mantienen la filosofía básica de los dos anteriores — la renovación de los establecimientos hoteleros que estaban quedándose obsoletos— en este Plan se amplían los objetivos, incorporándose los siguientes aspectos:

- La línea de acción prioritaria era la adaptación de las instalaciones de los establecimientos hoteleros a las normativas de seguridad contra incendios[116].

- El abastecimiento de aguas y saneamiento de las residuales.

- La sanidad y seguridad en las condiciones de trabajo del personal.

- La renovación de instalaciones y equipos, especialmente las destinadas al ahorro de energía.

Estas acciones tenían acceso prioritario al crédito hotelero, que financiaba hasta un 70 por 100 del presupuesto de la inversión con una carencia de tres años. Se dotó de una cuantía de inversión de tres mil millones de pesetas.

También se amplían las cantidades que, en forma de préstamos sin interés, se destinaban al programa **"Vacaciones en casas de labranza"**, con un total de 27.000.000 pesetas con lo que parece que el programa va a potenciarse.

El programa de **promoción** comienza a estructurarse por orígenes del mercado, y se buscan nuevos públicos con una mayor capacidad de gasto, con el fin de que aumentara el gasto medio por turista.

> *Es preciso que la promoción española esté sustentada y avalada por una explícita y consistente política turística. Mucho más si se pretende captar a sectores diversificados o de alta cualificación* (Febas, 1978:37) .

---

[116] En el año 1979 se produce el incendio del Hotel Corona de Aragón.

Se renuevan las campañas de publicidad, iniciándose una específica de turismo interior, bajo el eslogan *España sin ir más lejos*.

Se continúa con el programa de confección del **inventario turístico**, que es elaborado por agentes externos bajo la figura de asistencias técnicas.

Durante 1978 se adjudican y realizan los Planes de Aprovechamiento de los recursos turísticos correspondientes a las provincias de Navarra, Teruel, Ciudad Real, Jaén, Lugo y Burgos. Y los Planes de Ordenación de la oferta turística de los municipios costeros de Murcia, Cádiz, Tarragona, Castellón, Menorca e Ibiza, Granada, Málaga Pontevedra y Santander. Además, se confeccionan los Planes de Ordenación de la Oferta Turística de las provincias Las Palmas de Gran Canaria y Tenerife.

Durante 1979 se adjudican y elaboran los Planes de Aprovechamiento de los recursos turísticos correspondientes a las provincias de Soria y Badajoz. Y los Planes de Ordenación de la oferta turística de los municipios costeros de Barcelona, Valencia, La Coruña y Oviedo.

Hasta ese momento *"se disponía de plan de ordenación turística de diecinueve provincia costeras, es decir todas excepto las del País Vasco. Además se habían realizado trece planes de aprovechamiento de los recursos turísticos. Por tanto, disponían de planeamiento turístico treinta y dos provincias (el 64% del territorio)"* (Costa y Jiménez, 2000:481).

d) Instrumentos normativos

Durante el mandato del Sr. García Diez, se aprueban los siguientes instrumentos normativos:

En relación con la *ordenación de los distintos subsectores*:

- Orden de 31 de diciembre de 1977, por la que se aprueba el reglamento de los **Centros Turísticos de Buceo**.
- Orden Ministerial de 28 de junio de 1978 sobre **Cafeterías**.
- Orden de 25 de septiembre de 1979, sobre **prevención de incendios** en establecimientos turísticos.

La norma es consecuencia del incendio del Hotel Corona de Aragón. A partir de 1981, las condiciones de protección contra incendios se regulan en las Normas Básicas de Edificación, de aplicación a todas las edificaciones.

Normas relativas a *planificación turística*:

- Orden Ministerial de 6 de marzo de 1979, para concertar con otros organismos estatales y entidades territoriales la **realización de trabajos de planificación.**

Se establecía la posibilidad de que, con cargo al ministerio, se pudieran realizar trabajos de ordenación del turismo de las entidades territoriales; planes directores territoriales de coordinación; planes generales municipales; planes especiales y normas complementarias; planes de ordenación de costas y playas; planes para protección del medio ambiente y planes monumentales.

Con ello se trataba de arbitrar un sistema de coordinación con los entes territoriales que ostentaban la competencia en planificación para que existiera un desarrollo territorial turístico concertado.

Aunque se hicieron algunos trabajos bajo esta fórmula, la realidad mostraba que la Secretaría de Estado de Turismo sólo podía confiar en que el prestigio técnico impusiera algunos de los criterios defendidos, así que no se consiguió el resultado perseguido.

De nuevo, la falta de coordinación entre los ministerios afectados por los problemas dejaba un espacio para la inexistencia de política de planificación territorial.

Otras normas:

- Se regulan las **enseñanzas turísticas especializadas**, mediante Real Decreto 865/80, de 14 de mayo, así como el régimen de los centros no estatales.

Los estudios pasan a denominarse Técnico en Empresas y Actividades Turísticas (TEAT) y se consideran enseñanzas especializadas del art. 46 de la Ley General de Educación.

e) Instrumentos financieros

El primer Gobierno de UCD mantiene los dos instrumentos básicos creados en la etapa anterior: el crédito turístico y el crédito hotelero (a través del Plan de Modernización Hotelera), más todos aquellos que se pusieron en marcha para incorporar a las empresas turísticas en el régimen de empresas exportadoras.

En octubre de 1979, se regula el **crédito turístico**, *"como un instrumento de promoción y ordenación turística del territorio"*. Mediante éste podía financiarse parcialmente las inversiones destinadas a:

1. La construcción de alojamientos en zonas de oferta insuficiente.

2. La modernización y reforma de otros alojamientos.

3. La construcción y modernización de cafeterías y restaurantes.

4. La adaptación de edificaciones existentes a las finalidades anteriores.

5. La adaptación de edificios monumentales para alojamientos turísticos.

6. La construcción, ampliación o modernización de puertos deportivos, remontes mecánicos y teleféricos.

7. La adquisición de mobiliario y equipo; o inversión en infraestructuras en especial en Centros y Zonas de Interés Turístico.

8. Inversiones para desarrollo de proyectos de marcado interés turístico, cuya puesta en marcha se impulsaría mediante concurso público.

El crédito podía solicitarse por los promotores, personas físicas o jurídicas, y se concedía entre el 40 y 60% del presupuesto de la intervención. Este criterio se combinaba con unos módulos que establecían las cantidades máximas, según el tipo de establecimiento.

En cuanto a las medidas de apoyo a las empresas turísticas, en tanto que **empresas exportadoras**, se aprueba, de nuevo, el apoyo a la financiación de inversiones en el exterior para actividades turísticas y el crédito para la financiación de capital circulante de las empresas turísticas exportadoras.

f) Otras acciones

Se mantienen y renuevan los **premios y distinciones**, las declaraciones de Fiestas de Interés Turístico Nacional y de "Libro de Interés Turístico".

Uno de los debates de la etapa se centró en la relación del sector español con los turoperadores extranjeros, especialmente por la tensión derivada de la negociación de precios que tuvo que hacerse tras la devaluación. Se valoró la oportunidad de crear un turoperador nacional. Las asociaciones internacionales de agencias de viajes y turoperadores conocieron la opción que estaba manejando el Ministerio y pusieron en marcha todas las acciones posibles para evitarlo. El Comisario de Turismo presenta un informe, el 6 de febrero de 1978, sobre dicha posibilidad. La reflexión desaconseja que sea creado un turoperador por el Estado: *"este informe no es contrario a la creación de un touroperador nacional sino a la actuación de este en los mercados, principalmente europeos, de turismo charter. Un touroperador nacional cobraría todo su sentido si sus objetivos consistieran en promover el turismo en España por los españoles"* (Secretaría de Estado de Turismo, 1978:7), es decir, sólo apoya que exista un agente de comercialización del turismo interno. El Gobierno no puede romper el juego del mercado y deberá buscar otras estrategias que permitan enfrentarse a la posición de negociación privilegiada que conquistaron poco a poco los turoperadores.

2.2. Luis Gamir Casares (mayo - julio 1980)

El Sr. Gamir ocupara en dos ocasiones la cartera de Comercio y Turismo durante el Gobierno de UCD. En esta primera, lo hará tan solo dos meses, en los que hay que destacar una acción: el Ministro acaba con el sistema de control de precios hoteleros, procediendo a una liberalización de los mismos. Se establece el sistema que en el año 1962 había propuesto el Banco Mundial: los empresarios fijaban los precios según la temporada, lo comunicaban a los órganos competentes y éstos ejercían una labor de control con el objeto de proteger al consumidor.

a) Instrumentos organizativos

No hay modificaciones

b) Planes Generales

No hay modificaciones

c) Programas

No hay modificaciones

d) Instrumentos normativos

En los Decretos de transferencia de competencias de la Administración del Estado a los Entes Preautonómicos se hacía referencia a que éstos declararían determinados **territorios como de "preferente uso turístico"**. La declaración era importante porque conllevaba la posibilidad de acogerse a distintos instrumentos financieros (tendrían preferencia las empresas radicadas en estos territorios para la concesión del crédito turístico, las demás ayudas financieras asociadas a la naturaleza de empresas exportadoras, así como a las ayudas que especialmente se aprobaran en los presupuestos generales, incluyendo ayudas para promoción).

El Ministerio, mediante orden de 13 de junio de 1980, establece las directrices básicas y normas de ordenación de la oferta e infraestructura a la que deberán ajustarse tales declaraciones. Se toman, como principios inspiradores los objetivos del Decreto 2482/74 de ordenación de la oferta turística: a) acomodar la expansión de la oferta turística, en sus aspectos cuantitativo, cualitativo y territorial a las condiciones de la demanda actual y de la demanda previsible, b) Equilibrar el ritmo de nuevas construcciones e instalaciones turísticas al desarrollo de la infraestructura del territorio y c) condicionar las construcciones o instalaciones, para que no produzcan deterioro en el medio ambiente, ni degraden la adecuada utilización de los alicientes motivadores del turismo.

e) Instrumentos financieros

No hay modificaciones. Se actualizan, con la norma que acabamos de exponer, el conjunto de ayudas aprobadas en el verano de 1974.

f) Otras acciones

Se reúne en Manila, del 27 de septiembre al 10 de octubre de 1980, la **Conferencia Mundial del Turismo**, organizada por la OMT que adopta de **Declaración de Manila sobre el Turismo Mundial**. Texto de gran importancia por dos motivos: en primer lugar, porque contiene el concepto de turismo que aceptan y defienden los actores miembros de la OMT, fundamentalmente representantes públicos. Y, en segundo lugar, porque recoge, de manera inicial, un nuevo valor que empieza a impregnar el concepto de desarrollo: la sostenibilidad, o conciencia de escasez de los recursos, derivada de la crisis de 1973.

En la Declaración se expone que el turismo ejerce una función social, en tanto que posibilita un mayor entendimiento entre los pueblos, y satisface una necesidad de los ciudadanos del siglo XX, por esto se defiende la necesidad de potenciar el turismo social *"para los ciudadanos menos favorecidos, en el ejercicio de su derecho al descanso"*.

También destacan su función económica, tanto la del turismo internacional, como la del turismo interior; no sólo por su impacto positivo en las balanzas de pagos y en las economías nacionales, sino también por su alta capacidad de generar empleo y de convertirse en un factor de desarrollo en territorios con escasas alternativas.

Pero el turismo también lleva aparejado efectos nocivos:

> = *Los recursos turísticos de los que disponen los países están constituidos a la vez por espacio, bienes y valores. Se trata de recursos cuyo empleo no puede dejarse a una utilización incontrolada sin correr el riesgo de su degradación, incluso su destrucción. La satisfacción de las necesidades turísticas no puede constituir una amenaza para los intereses sociales y económicos de las poblaciones de las regiones turísticas, para el medio ambiente, especialmente para los recursos naturales, atracción esencial del turismo, ni para los lugares históricos y culturales* (Punto 18 de la Declaración de Manila) .

España no sólo ratifica la Declaración de Manila, sino que participa activamente en la redacción final de la propuesta.

2.3. *José Luis Álvarez Álvarez (julio 1980 - diciembre 1981)*

En octubre de 1980 las competencias de turismo pasan a encuadrarse en el Ministerio de Transportes y Telecomunicaciones.

a) Instrumentos organizativos

La palabra "turismo" desaparece momentáneamente del nombre del Departamento ministerial. Se recupera por Real Decreto 325/1981, de 6 de marzo, de reestructuración de determinados órganos, que cambia la denominación por la de Ministerio de Transportes, Turismo y Comunicaciones.

El INI está dispuesto a desprenderse de la empresa de alquiler de coches **ATESA** que, desde la crisis, presenta pérdidas. Durante el año 1981 se venden las acciones de ésta y queda privatizada (Pellejero, 2000:102).

b) Planes Generales

No hay modificaciones

c) Programas

Con la elaboración de los Planes de Aprovechamiento de los Recursos Turísticos de las provincias interiores restantes y de los Planes de Ordenación del Interior de las provincias costeras (de las que ya se habían realizado los Planes de Ordenación de la oferta turística de los municipios costeros: Barcelona, Valencia, La Coruña y Oviedo), se finaliza la confección del **inventario turístico.**

El Ministerio detecta que los informes resultantes de estos trabajos de planificación no están siendo utilizados por los decisores competentes, en este caso los municipios. Por ello, decide encargar un estudio (de nuevo a una consultora externa) para que analice las causas y presente una propuesta para diseñar un sistema de información que pudiera indicar las desviaciones que se producían en el ámbito municipal respecto de los Planes de Ordenación Turística. En el estudio resultante se hace la propuesta de sistema de información, pero se advierte de que el problema es que no existen competencias para obligar a otros niveles de gobierno a respetar unas directrices básicas que guíen la implantación futura de actividades turísticas en los distintos ámbitos territoriales.

La dificultad para articular una política de planificación es una preocupación constante que lleva a la celebración de un Simposio sobre Planificación Turística, al amparo de la Secretaría de Estado de Turismo, en la que participan todas las empresas que habían elaborado los distintos planes realizados desde 1977.

La reflexión sobre distintos problemas que condicionan la planificación turística pone de nuevo de manifiesto la falta de mecanismos de coordinación en la materia. Aunque, no sólo era el problema la falta de coordinación entre distintos departamentos afectados y diversos niveles competenciales, la falta de un criterio competente fue un factor decisivo para que todo el esfuerzo realizado en la confección del inventario turístico resultara ineficaz: "*los estudios... se hicieron sobre unas bases teóricas no contrastadas antes por la experiencia, se habían fijado unos objetivos a conseguir pero la búsqueda de la metodología fue dejada al albedrío de los realizadores, no habiendo, como consecuencia, ningún plan homogéneo ni líneas similares a seguir*" (TAU, 1981:2).

En relación con los programas de **promoción**, el conflicto entre Comunidades Autónomas y Gobierno Central sobre la competencia de la promoción exterior intenta desbloquearse en una reunión de la Secretaría de Estado de Turismo y representantes de las Comunidades Autónomas celebrada en Valencia en enero de 1981, en la que se acuerda:

- Que las relaciones de la Secretaría de Estado y los "entes" zonales se establecerían a través de las autoridades competentes.

- Que las campañas de promoción, con presupuesto de la Secretaría de Estado de Turismo se harían con participación de las Autonomías.

Al menos los acuerdos reconocen a las Comunidades como interlocutores directos (hasta el momento no eran tenidas demasiado en cuenta ni por el Gobierno Central, ni por el empresariado) y se las hace partícipes de las campañas. La reunión rebaja la tensión por algún tiempo.

d) Instrumentos normativos

Según avanza el traspaso de competencias a las Comunidades Autónomas, disminuye el recurso del Gobierno Central a los instrumentos normativos: la mayor parte de cuestiones en las que tradicionalmente intervenía utilizando este instrumento dejan de ser competencia suya.

Durante el Ministerio del Sr. Álvarez se aprueba el **Plan de Estudios** de Enseñanzas Turísticas Especializadas.

Mediante Orden de 14 de octubre de 1980, se declara la **liberalización de los precios en restaurantes, bares y cafeterías**, estableciéndose el "menú del día".

Y se aprueban dos normas cuyo fin es la protección del consumidor: el régimen de **indemnizaciones para pasajeros** a quienes se niegue el embarque en el vuelo contratado, que trata de proteger frente a la práctica del overbooking (Real Decreto 1961/1980, de 13 de junio) y los **derechos de cancelación de plazas** y reembolso de billetes (Real Decreto 2047/1981, de 20 de agosto).

e) Instrumentos financieros

No hay modificaciones.

f) Otras acciones

En 1980, mediante acuerdo entre la Comunidad de Madrid, el Ayuntamiento de Madrid y la Cámara de Comercio, se había creado IFEMA. En 1981 se inaugura la primera Feria Internacional de Turismo (**FITUR**) que se convertirá, en poco tiempo, en una de las más importantes del mundo.

Comienza a prepararse el Mundial de Fútbol de 1982, especialmente en lo relativo a la compleja comercialización de un producto turístico que conlleva muchas incertidumbres[117].

2.4. Luis Gamir Casares (diciembre 1981 - diciembre 1982)

El Sr. Gamir es de nuevo titular del Ministerio competente en materia de Turismo, esta vez durante un año. La denominación del Departamento sigue siendo Transporte, Turismo y Comunicaciones.

a) Instrumentos organizativos

En 1982, se lleva a cabo una reestructuración de la organización periférica del Ministerio de Transporte, Turismo y Comunicaciones.

---

[117] Como explica Abreu y Vogeler (1999:226-234) la estancia y los viajes internos por el país, dependían de si el equipo ganaba o perdía. Consistía en diseñar un producto flexible que permitiera adaptar el mercado turístico a un evento de estas características.

b) Planes generales

Sigue sin abordarse la confección de un Plan General y se mantienen la política y los programas heredados de la etapa franquista, sin emprender una reflexión propia sobre el turismo y la política turística. Esta última afirmación se basa no sólo en la ausencia de documentos de planificación, sino en el análisis de las manifestaciones que los responsables públicos (el Ministro o el Secretario de Estado) realizan en diferentes actos.

Es el caso, por ejemplo, de las *"Doce ideas sobre la Política Turística a desarrollar"* que el Ministro expone en una entrega de Premios Turísticos y que son las líneas de trabajo en que está centrándose la Administración:

– Inversión y desarrollo de infraestructura.

– Potenciar la promoción exterior.

– Mantener el crédito oficial dedicado a la renovación y mejora de oferta turística, y a la creación de oferta complementaria.

– Mejorar la formación profesional.

– Realizar una gestión más empresarial de los Paradores.

– Ordenar el subsector de los apartamentos turísticos y revisión de la clasificación de hoteles.

– Establecer sistemas de coordinación con las Autonomías.

– Trabajar por la desestacionalización del turismo en el país.

– Potenciar el turismo interior.

– Aumentar la relación precio-calidad para atraer clientes de mayor capacidad de gasto.

– Realizar algunos programas concretos con gran impacto promocional (el Mundial de Fútbol y el Año Santo Compostelano)

– y procurar la *"unidad y fuerza social del sector"*.

Todas las medidas, excepto la última, de difícil interpretación, reflejan una situación continuista de la política turística de la etapa anterior.

c) Programas

En 1982 se suprime la partida presupuestaria dedicada a los préstamos sin interés del Programa **Vacaciones en casas de Labranza**. Aunque se informa, mediante Circular del Director General, de que se sus-
tituirá por subvenciones a fondo perdido la insignificante cantidad destinada a tal fin, se acaba de hecho con el programa tras trece años de
existencia. A pesar de ello, la última Guía de los establecimientos se
publicará en 1986, ya que aún existía el compromiso de los beneficiarios
de los extintos créditos de mantener el alojamiento durante cinco años.

Da comienzo, en materia de **promoción,** un nuevo sistema de gestión de las campañas en el exterior. Hasta ese momento, las Oficinas de
Turismo en el Extranjero eran las competentes, en virtud de su conocimiento de los mercados emisores en donde estaban sitas, para diseñar
las campañas de promoción que afectaban a su ámbito de influencia. La
Secretaría de Estado decide que, desde entonces, el diseño de la campaña procuraría una imagen común que, con varias opciones, se adaptaría
parcialmente a los diferentes países. Las Oficinas de Turismo en el Extranjero incluirían en las campañas los elementos distintivos comunes
del producto España. De esta forma se buscaba una imagen común del
destino, aunque se mantenía un margen de flexibilidad para adaptarse a
los diferentes entornos. El sistema se mantendría hasta 1997.

d) Instrumentos normativos

Se aprueban tres normas en relación con la ordenación del subsector
de alojamiento:

- Real Decreto 2545/82, de 27 de agosto, sobre **planificación de
  los campamentos de turismo.**

Incluía la regulación de los espacios dedicados a tiendas de campaña,
caravana o elementos similares. El objeto era endurecer las previsiones
sobre la ubicación de las zonas de acampada en zonas peligrosas o insa-
lubres y, para ello, se decide que para la aprobación del emplazamiento
de un campamento se deberá tramitar un plan urbanístico sectorial, elaborado por las corporaciones locales o por las Comunidades Autónomas con competencia en la materia.

- Real Decreto de 3093/82, 15 de octubre de 1982, sobre **Clasificación de la Industria Hotelera.**

Primer intento de reforma de la ordenación de las clasificaciones hoteleras que seguían el sistema implantado en 1962. Este Real Decreto, técnicamente muy confuso, será derogado unos meses más tarde.

- Real Decreto 2877/82, de 15 de octubre, sobre **Apartamentos Turísticos y Viviendas Vacacionales.**

De nuevo se había detectado, mediante la comparación de cifras de entradas de turistas y la cifra del número de pernoctaciones, que existía una gran cantidad de alojamientos clandestinos dedicados al alojamiento turístico. El sector llevaba tiempo exigiendo que se regulara dicha situación, que suponía una competencia incontrolada que no se hallaba sometida a ningún estándar de calidad. El Real Decreto perseguía ese objetivo.

e) Instrumentos financieros

No hay modificaciones.

e) Otras acciones

Se convocan, de nuevo los Premios Nacionales de Turismo, sumándose uno de Gastronomía.

3. EL ANÁLISIS DE LA FASE

Los autores describen el periodo que transcurre entre 1974 y 1982 como de gran *"inestabilidad gubernamental: en nueve años, nueve ministros responsables de turismo, que pasa de Información a Comercio y de Comercio a Transportes"* (Vasallo, 1999:105-7) a pesar de que, en nuestra opinión, no es el cambio continuo de ministros la causa principal de que no se lideraran políticas turísticas innovadoras.

Aunque el agotamiento del modelo de política turística de la fase anterior había dado señales de alarma, la crisis del petróleo provoca su derrumbamiento y en el verano de 1974, cuando los niveles de contratación de la temporada se conocen, el sector exige soluciones inmediatas a los decisores. Como hemos visto, el Ministro Cabanillas, que había sido Subsecretario durante el mandato del Ministro Fraga, llegó al Ministerio en mayo de 1974 encontrándose con una situación muy crítica en la que era necesario tomar decisiones rápidamente. En esas circunstancias hubiera sido imposible acometer la elaboración de un Plan general y lo que se presenta es un "Paquete de Medidas Urgentes".

Durante la transición, los Ministros responsables se limitan a dar continuidad a la política turística existente y, en los mandatos de los Gobiernos minoritarios de UCD, los esfuerzos se centran en mantener la estabilidad en los momentos de importantes ajustes sistémicos que el periodo enfrenta. La concentración de los decisores en la nueva configuración política caracteriza no sólo a la política turística, sino varias arenas de gobierno. Gomá y Subirats explican, en relación con la política económica, que "*en el ámbito económico (...) dos factores se entrecruzan y refuerzan: persiste, por un lado, la idea del carácter coyuntural de la crisis; por el otro, se incurre en un importante coste de oportunidad al primar la articulación del nuevo escenario político-sistémico, con sus correspondientes equilibrios frente a la toma de decisiones sustantivas*" (Gomá y Subirats, 1998:365). La descripción es perfectamente válida para la arena turística donde los decisores están más orientados a liderar los cambios institucionales que a la elaboración de políticas turísticas; un ejemplo claro de las acciones que se convirtieron en prioritarias es que en 1980 ya se habían traspasado las competencias a diez Comunidades Autónomas.

En la *fase de modernización* la Administración turística sufre diversas reorganizaciones entre las que destaca la creación de una Secretaría de Estado de Turismo, dependiente del Ministerio de Comercio y Turismo en 1977, que pasará al Ministerio de Transportes, Turismo y Comunicaciones en 1980.

De entre las acciones más representativas de la etapa podemos señalar, en primer lugar, la continuación de la actividad normativa. Además de otras cuestiones, se regulan los subsectores de campamentos, apartamentos turísticos o cafeterías; respecto a temas específicos del conjunto del sector, se establece el procedimiento de reclamaciones de clientes y los libros de inspección, se regulan las enseñanzas turísticas especializadas y la declaración de territorios de preferente uso turístico.

Además, se reconoce la necesidad de contar con un estudio de los elementos que podrían convertirse en oferta turística y se confecciona un inventario de los recursos turísticos de todo el país, diferenciando entre Planes de Aprovechamiento de provincias sin un alto grado de desarrollo turístico y Planes de Ordenación de provincias turísticas con un desarrollo turístico alto.

Por otro lado, se aprueban tres planes sucesivos de modernización hotelera, con objetivos cada vez más específicos. También se celebra la II Asamblea Nacional de Turismo.

La coyuntura turística del periodo es inestable. Tras la caída, de más de un 12%, del año 1974, durante 1975 y 1976 la cifra de visitantes sigue descendiendo, pero con menor intensidad.

En 1977 cambia de nuevo la tendencia, llegando al país un número de visitantes casi igual que el año anterior al desastre.

En el año 1978 mejoran las cifras de entradas, que de nuevo bajan en 1979 y 1980. Finalmente, en los dos últimos años de la etapa, vuelve a crecer.

CUADRO 6.2.: EVOLUCIÓN DE LAS ENTRADAS DE VISITANTES EN LA FASE DE MODERNIZACIÓN (1974-1982)

AÑO	ENTRADAS TOTALES	INCREMENTO
1974	30.342.871	-12,20%
1975	30.122.478	-0,73%
1976	30.014.087	-0,36%
1977	34.266.755	14,17%
1978	39.970.491	16,65%
1979	38.902.476	-2,67%
1980	38.026.816	-2,25%
1981	40.129.323	5,53%
1982	42.011.141	4,69%

(Fuente: Instituto de Estudios Turísticos)

La que hemos denominado *fase de modernización* de la política turística finalizará en diciembre de 1982, momento en que el PSOE gana las elecciones comenzando a gobernar con mayoría absoluta. A partir de entonces, el referente de la política turística cambiará hacia un nuevo modelo.

3.1. Referentes básicos

La *fase de modernización* da comienzo con el desconcierto que provoca, tanto en los actores públicos como en los privados, la caída de los ingresos turísticos de 1974. Ese mismo año el sector, crispado por el impacto de la crisis, acusa al Régimen de haber "instrumentalizado" el turismo para el desarrollo del país sin tener en cuenta sus necesidades. Se achaca a la política de control de precios la fuerte descapitalización que sufría el subsector hotelero; se imputa a la política expansiva el exceso de oferta; a la burocracia administrativa, las dificultades para tramitar los instrumentos que se ponían a su disposición; al olvido del subsector de agencias el crecimiento de los turoperadores extranjeros; y a las inversiones relativamente bajas en políticas de promoción, un aumento en la caída de visitantes. Algunos responsables públicos contestan que el empresariado se ha beneficiado de las épocas de bonanza, sin preocuparse de reinvertir los beneficios en preparase mejor para situaciones de crisis[118].

Es cierto que la disminución de turistas e ingresos era preocupante, pero supuso una mayor turbación el derrumbe del referente del modelo. Durante la *fase de desarrollo* de la política turística, el éxito se había medido por el incremento continuo del número de visitantes: se aceptaba la existencia de conflictos pero las cifras permitían enmascarar la creciente gravedad de los mismos. La crisis exige una nueva política turística que enfrente los problemas sistemáticamente enterrados.

a) La imagen del turismo

La etapa se inicia con la aprobación del conjunto de normas que componen el "Paquete de medidas" del verano de 1974. La filosofía de las mismas, junto al análisis de la problemática del sector que se está

---

[118] Discurso del Ministro León Herrera en la inauguración de la II Asamblea Nacional de Turismo.

realizando en los trabajos del IV Plan de Desarrollo[119], componen el marco de referencia de la etapa, cuyo objetivo general es acomodar la imagen engañosa del éxito a la realidad turística.

La definición del turismo que se maneja en el Plan "non nato" es también la elaborada para fines estadísticos, pero la perspectiva del documento —que incorpora la de los actores públicos y los privados— amplía el concepto de turismo y una imagen más completa del hecho turístico se abre paso en la arena política:

> *El fenómeno turístico se caracteriza, desde el punto de vista económico, por ser una actividad de consumo. En un sentido amplio puede decirse que es el consumo que realizan los individuos con motivo de su desplazamiento, en un lugar distinto de aquel en que residen que normalmente es donde se origina su renta.*
>
> *En el IV Plan Nacional de Desarrollo, el Sector turístico se analiza desde un punto de vista totalizador, estudiándose no sólo los aspectos considerados tradicionalmente (oferta y demanda) , sino también todos aquellos factores que influyen directa o indirectamente en el fenómeno turístico* (Trabajos aprobados en las reuniones de 5 de diciembre de 1974 y 25 de febrero de 1975. Subsecretaría de Planificación: 1976:19) .

Es justo reconocer que los primeros responsables públicos de la materia en la etapa constitucional se encuentran con un legado político complejo. La política turística anterior había conseguido, gracias a una situación coyuntural extremadamente favorable y también a un gran esfuerzo de la Administración turística, convertir al turismo en el principal sector exportador de la economía española y había ordenado, de forma paulatina, los subsectores que lo componían. El entorno institucional había desarrollado una actividad intensa, tenía un conocimiento experto del fenómeno y trasmitía una imagen de eficacia que se reflejaba en las memorias anuales del Ministerio. Pero los dilemas son cada día más evidentes, la opción de la no-decisión resulta paulatinamente más compleja y el discurso de diversos actores es cada vez más crítico:

---

[119] El IV Plan se elabora desde los últimos meses de 1973 hasta comienzos de 1975 y su principal aportación radica en que, en su elaboración, participan actores del sector. El final del Régimen supone también el final de los planes indicativos y este trabajo será publicado, por su interés, por Presidencia de Gobierno en 1976.

> *Empecemos por recordar que ha quedado de España después de cerca de veinte años de turismo de masas: **una costa totalmente destrozada**, con núcleos abundantes de hacinamiento humano, un paisaje en un caos completo, pueblos y rincones sepultados por un desarrollo urbano que ha respetado escasos criterios de racionalidad seguridad o sanidad (..) **desarraigo y desafectación de zonas rurales y costeras**, pérdida de su cultura que ha quedado en mera caricatura, un **dualismo económico-social nada halagador** y empobrecimiento relativo de zonas del interior a las que el turismo no sólo no ha beneficiado, sino que ha **sangrado y, sobre todo una especulación feroz y desaforada** de la que además se han beneficiado, en su mayor parte, intereses extranjeros (..) lo que falta es mas acción directa e indirecta para remodelar ese fenómeno necesario que es el turismo. Y quizá el punto de partida sea abandonar el triunfalismo economista y pensar en términos de coste y de bienestar* (Saval, 1978:35) . Publicado en el ICE, revista de la Secretaría General Técnica del Ministerio de Comercio y Turismo.

Podemos hablar de una nueva fase de política turística precisamente porque cambia, de manera profunda, el referente básico que estructura la acción de los decisores. Ya no se pretende construir una "gran política gubernamental", sino reorientar lo existente hacia una situación que permita frenar los efectos nocivos de la actividad y construir una rentabilidad del sector que revierta en parte en el conjunto de la sociedad.

b) Objetivos de la etapa

En el contenido de las normas aprobadas en el "Paquete de medidas" del verano de 1974 se reconocen las acusaciones que el sector había lanzado al Ministerio. Se admite la denuncia de falta de acciones de apoyo para las empresas turísticas, por lo que se aprueba un Plan de Modernización de los establecimientos hoteleros y se reconoce el carácter exportador de las empresas turísticas, abriéndose el acceso al crédito para la exportación y a los créditos para realizar inversiones en el extranjero. Se conceden ayudas para la creación de complejos turísticos, agrupaciones empresariales turísticas y redes o cadenas de alojamientos o de servicios turísticos, tratando de fomentar la creación de un tejido empresarial más fuerte, y se regula la actividad de las Agencias de Viajes, sistemáticamente olvidadas en los Planes de Desarrollo. También se reconoce la falta de planificación del crecimiento de la oferta, derivada de la obsesión por el ingreso de divisas.

Se trata de abordar el ajuste de la política turística a la nueva conciencia de un turismo que genera profundos conflictos en el territorio, por ello los objetivos de la *fase de modernización* se centran en una mejor planificación que permita un aumento de la rentabilidad.

El Decreto sobre Medidas de Ordenación de la Oferta Turística carece de exposición de motivos, pero sus objetivos son muy clarificadores. Se convierten, de hecho, en los objetivos específicos de esta fase, como lo demuestra el hecho de que sean de nuevo utilizados por el Ministerio en el año 1980 como criterios para conceder la declaración de territorio de preferente uso turístico, y las ayudas aparejadas.

> *a) Acomodar la expansión de la oferta turística , en sus aspectos cuantitativo, cualitativo y territorial a las condiciones de la demanda actual y de la demanda previsible.*
>
> *b) Equilibrar el ritmo de nuevas construcciones e instalaciones turísticas al desarrollo de la infraestructura del territorio.*
>
> *c) Condicionar las construcciones o instalaciones, para que no produzcan deterioro en el medio ambiente, ni degraden la adecuada utilización de los alicientes motivadores del turismo...*
>
> *e) Fomentar a través de concursos públicos, el equipamiento complementario que convenga a los alojamientos turísticos.*
>
> *g) Colaborar en la mejora de infraestructura , cuando sea preciso, en lugares declarados de preferente interés turístico. (Art. 2 Decreto sobre medidas de ordenación de la oferta turística) .*

García Diez, primer Ministro de UCD, y el que asume las competencias de turismo durante el periodo más largo, exponía por su parte los objetivos sustantivos de la política turística ante la Comisión de Comercio y Turismo del Congreso, en febrero de 1978:

> *Un primer objetivo es sustituir el crecimiento anárquico de nuestra oferta de servicios turísticos del pasado por un crecimiento planificado... Este proceso de planificación de la oferta turística pasa, pensamos nosotros, probablemente por la elaboración de una Ley General del Turismo que conciba las líneas generales sobre las que dicha planificación debe montarse.*
>
> *El segundo gran terreno de actuación es el de tratar de mejorar la rentabilidad social y privada del sector. Pero esto pasa por varios campos: ...potenciar el asociacionismo hotelero; ...intentar eliminar o reducir el enorme grado de estacionalidad de nuestra campaña turística, con un importante esfuerzo de promoción; ...y cuidar extremadamente la relación entre turismo y medio ambiente (Comparecencia*

del Ministro de Comercio y Turismo, D. Juan Antonio García Díez, ante la Comisión de Comercio y Turismo, el 16 de febrero de 1978) .

b) Problemas destacados por los decisores públicos

El análisis de los problemas del sector es más franco que en los documentos anteriores. El envejecimiento de las instalaciones y el crecimiento desordenado de la oferta hotelera, quedan recogidos en los trabajos del IV Plan:

> ≈ *Casi el cincuenta por ciento de nuestros establecimientos hoteleros (..) se han construido en la última década.*
>
> *Sin embargo, este crecimiento, no se ha visto acompañado por la necesaria mejora en las condiciones estructurales de la oferta, que aparece excesivamente dispersa en el juego del mercado de las transacciones turísticas.*
>
> *Ello ha ocasionado, en algunas zonas turísticas, una competencia a ultranza que, con su secuela de contratación a bajos precios, ha sido muy perjudicial para el sector.*
>
> *Por otra parte, no hay que olvidar que la industria hotelera es una de las industrias más sensibles a un rápido proceso de envejecimiento, a consecuencia del elevado uso y desgaste de sus instalaciones (..) o de la inadecuada funcionalidad de la misma para adaptarse a las exigencias actuales.* (Trabajos aprobados en las reuniones de 5 de diciembre de 1974 y 25 de febrero de 1975. Subsecretaría de Planificación: 1976:5) .

La política de control de precios turísticos, que el sector identifica como la causa principal de la descapitalización de las empresas hoteleras y cuyo argumento político eran el mantenimiento de la demanda extranjera atraída por precios bajos, también se incluye entre los problemas:

> ≈ *El tema de los precios hoteleros es extraordinariamente complejo, y la política turística no podrá seguir basándose en los precios bajos a no ser que se sacrifique la rentabilidad de las empresas hoteleras, lo cual concluiría por arruinarlas* (Trabajos aprobados en las reuniones de 5 de diciembre de 1974 y 25 de febrero de 1975. Subsecretaría de Planificación: 1976:262) .

La falta de planificación urbanística, con los altísimos niveles de especulación que conllevaba, es un conflicto también identificado, aunque no se expresa una crítica abierta:

≠La ordenación del territorio a nivel nacional, desde el punto de vista del fenómeno turístico, ha constituido siempre una ≠ desiderata del Ministerio de Información y Turismo, si bien por falta de medios, e incluso de técnica, no pudo llevarse a cabo de una forma integral (Trabajos aprobados en las reuniones de 5 de diciembre de 1974 y 25 de febrero de 1975. Subsecretaría de Planificación: 1976:19) .

Los problemas medioambientales causados por la actividad tampoco permiten mantener una actitud pasiva:

≠Consecuencias de las actividades turístico-recreativas sobre la naturaleza: Entre la principales acciones perturbadoras que dan lugar a desequilibrios en el espacio natural continental se pueden citar:

- Las generadas por la proliferación congestiva de construcciones de todo tipo...
- Las originadas por el uso recreativo: atentados contra la vegetación, acumulación de desperdicios, incremento del peligro de incendios, alejamiento de la fauna salvaje.
- Las que derivan del volumen de basuras y vertidos procedentes de viviendas, hoteles, campings...

En la plataforma litoral:

- Las ocasionadas por el vertido al mar de las alcantarillas y cloacas de las poblaciones turísticas.
- Las conectadas a los deportes náuticos.
- Las debidas a la sedimentación de lodos que cubren las aguas adyacentes a la costa...

≠Desde nuestra posición española hemos de velar para que el Mediterráneo no se convierta en un estercolero (..) la lucha contra la contaminación del suelo, la atmósfera y las aguas, es esencial para el turismo, lo mismo que un razonable equilibrio social las zonas afectadas (Trabajos aprobados en las reuniones de 5 de diciembre de 1974 y 25 de febrero de 1975. Subsecretaría de Planificación: 1976:19 y 264) .

Han cambiado la perspectiva y los objetivos que persigue la política turística y el Estado parece dispuesto a asumir, finalmente, la función de planificador y a agregar otra a las de fomento y estímulo: la función de garante del sistema.

c) Acciones puntuales

A pesar de lo que acabamos de ver, otras cuestiones políticas de mayor importancia, ajenas a la arena turística, ocupan a los decisores responsables, que no abordan de manera decidida la elaboración de una política turística global.

En su lugar se acometen algunas acciones parciales no muy innovadoras[120]. Entre ellas, se asume el apoyo al sector empresarial en sus negociaciones con los turoperadores extranjeros. Los empresarios turísticos, especialmente los hoteleros, por la propia configuración desvertebrada de un subsector compuesto en más del 80% por pequeñas empresas, extendieron el discurso de que uno de los problemas fundamentales de la caída de la rentabilidad del turismo había sido el crecimiento del poder de los turoperadores extranjeros. El Ministerio se comprometió a asumir un papel mediador, compromiso básicamente simbólico, ya que las negociaciones entre actores privados pertenecen al ámbito del mercado, aunque, desde el Gobierno Central, se procuró jugar un papel importante en la defensa del sector, especialmente, tras la devaluación de 1979.

> ═ *Nuestro papel es un papel de amparo, de crear marcos y, sobre todo, de tratar de ayudar a que el sector se discipline, se autodiscipline (..) una negociación puede romperse por aquellos empresarios que se ven en peor situación y que piensan que rebajando ellos un poco consiguen arrebatar a la competencia parte del negocio. Esto es siempre el problema de toda política de fijación de precios cuando el sector que la trata de fijar es un sector muy atomizado* (Comparecencia del Ministro de Comercio y Turismo, D. Juan Antonio García Díez, ante la Comisión de Comercio y Turismo, el 16 de febrero de 1978) .

---

[120] Como describimos, en el año 1982 el Ministro expone como líneas de la política turística una suma de actuaciones en línea con lo efectuado hasta entonces: potenciar la promoción exterior; mantener el crédito oficial dedicado a la renovación y mejora de oferta turística y a la creación de oferta complementaria; mejorar la formación profesional; realizar una gestión más empresarial de los Paradores; ordenar el subsector de los apartamentos turísticos y revisión de la clasificación de hoteles; establecer sistemas de coordinación con las Autonomías; trabajar por la desestacionalización del turismo en el país; potenciar el turismo interior; aumentar la relación precio-calidad para atraer clientes de mayor capacidad de gasto y realizar algunos programas concretos con gran impacto promocional (el Mundial de Fútbol y el Año Santo Compostelano).

También se afirma en distintas ocasiones la intención de racionalizar la intervención del Estado como empresario turístico, cuestión para la que tampoco se aprueban medidas concretas, mientras que las empresas públicas sufren pérdidas destacables.

> *Nuestros objetivos básicos son, primero, obtener una adecuada rentabilidad tanto empresarial como social de desarrollo del turismo en nuestro país. En segundo lugar, queremos que este desarrollo se haga evitando los errores del pasado, errores que se han centrado básicamente en una destrucción importante del medio ambiente y que, como consecuencia, han repercutido en la calidad de nuestro turismo... En tercer lugar, sanear el funcionamiento de la red estatal hotelera* (Comparecencia del Ministro de Comercio y Turismo, D. Juan Antonio García Díez, ante la Comisión de Comercio y Turismo, el 26 de junio de 1979) .

La crisis de 1973 no había llevado a la quiebra al sector gracias al turismo interior. No sólo en España, en el resto del mundo se comprueba la función de contrapeso que ejerce el turismo interior en momentos de crisis. A finales de los setenta se constata que las sociedades económicamente avanzadas no renuncian a la actividad turística en épocas de crisis, pero optan por destinos interiores. Desde esa fecha, todos los Gobiernos comienzan a prestar más atención al desarrollo interno del sector, perdiendo la obtención de divisas el protagonismo absoluto que había ocupado en los treinta años anteriores.

El turismo, el gran maná de los años sesenta, se entendía, por fin, desde una perspectiva global, incluyendo los conflictos que el fenómeno generaba y mostrando que la política turística debía enfrentar, precisamente, las situaciones problemáticas que la sociedad no era capaz de solucionar. El papel del Estado resultaba cada vez más preciso.

3.2. Rasgo sustantivo: la decepción de los límites

La política turística de la *fase de modernización* puede caracterizarse por el reconocimiento de los problemas del sector. El nuevo referente, que abandona la imagen de éxito de la fase anterior, es una imagen del turismo más realista y, por lo tanto, más ambigua. Los impactos negativos, los problemas estructurarles del sector y la construcción de la rentabilidad social del turismo componen un escenario en donde se tratan de ajustar las acciones públicas mediante la implantación de una política turística más apegada a las evidencias.

Pero es esta una etapa determinada por la importancia de cuestiones sistémicas que diluyen las singularidades de las arenas políticas concretas en los esfuerzos conjuntos de los poderes públicos para permitir el cambio de Régimen. La transición política, la aprobación de la Constitución Española, la puesta en funcionamiento del conjunto de instituciones democráticas... Los actores atendían al nuevo diseño del Sistema Político y las decisiones de políticas concretas quedaron aplazadas para momentos más estables.

Si observamos la política turística podemos detectar una intención de cambio que, sin embargo, es acompañada por una pasividad comprendida, o compartida, por el conjunto de agentes. Se exigían actuaciones pero la nueva situación política general y el desconcierto por el derrumbamiento del referente simbólico anterior no permitían la configuración de un conjunto de ideas claras y estructuradas.

La *fase de modernización* puede calificarse de parcialmente consensual en relación con los actores. "Parcialmente" consensual ya que la política turística del Gobierno Central trata de negociarse con los nuevos actores, pero como no se acometen acciones relevantes tampoco existieron temas que generaran conflicto más allá de los primeros ajustes competenciales.

El impacto de la Constitución en la arena política del turismo es enorme. A la crisis económica descrita, a partir del año 1978 cuando las cifras de visitantes se han recuperado, se suma el desconcierto de la Administración turística del Gobierno Central que ha de gestionar el traspaso de competencias a las Comunidades Autónomas, a las que la Constitución ha reconocido competencia exclusiva en la materia. Como señalamos, el turismo ocupa, en una secuencia temporal, el tercer lugar de los campos competenciales asumidos por las Comunidades Autónomas. Pero, aunque las transferencias habían dado comienzo, y con ellas los conflictos, no será hasta la siguiente etapa de política turística cuando se acometa el nuevo diseño del sistema institucional para el sector.

De igual forma, las relaciones entre la Administración Central y el sector son relativamente buenas; el Gobierno no acomete reformas sustanciales, por lo que el mantenimiento de una política turística basada en la mayor atención a los problemas del sector facilita que éste, tan olvidado en la fase anterior, se sienta más escuchado.

Por otro lado, en la *fase de modernización* no funciona ninguno de los instrumentos diseñados para coordinar las actuaciones públicas de la Administración Central en materia de turismo.

Para terminar, en relación con el estilo decisorio respecto de los problemas, parece claramente reactivo. Las decisiones que se toman responden a situaciones insostenibles que se han planteado con anterioridad, el momento político general concentra la atención de los decisores —de hecho, la poca estabilidad de los cargos se debe a que son reclamados para otros puestos políticos— y en la política turística se actúa en el "día a día".

Capítulo 7
LA ADAPTACIÓN INSTITUCIONAL (1982-1991)

La cuarta fase de política turística la hemos denominado de *adaptación institucional*. La etapa da comienzo con la llegada al poder del primer Gobierno del PSOE en diciembre de 1982. Durante la fase de adaptación institucional, el PSOE gobierna en mayoría.

El turismo permanece vinculado al Ministerio de Industria, Turismo y Comunicaciones. En los nueve años se suceden tres Ministros, Barón Crespo (1982-1985), Caballero Álvarez (1985-1988) y Barrionuevo Peña (1988-1991), cada uno de ellos en un mandato de tres años.

1. PRINCIPALES ACTUACIONES DEL PERIODO

El Partido Socialista Obrero Español obtiene la mayoría absoluta en las Elecciones Generales de 28 de octubre de 1982 y gobernará hasta junio de 1996.

Durante los Gobiernos del PSOE la materia turística cambiará varias veces de Ministerio, pero siempre se mantendrá un mismo órgano administrativo como máximo responsable de la materia: la Secretaría General de Turismo.

1.1. Enrique Barón Crespo (noviembre 1982 - julio 1985)

La Memoria del Ministerio sobre los datos del año 1982 y primer semestre de 1983 señala una situación de estancamiento del sector que se refleja en los principales datos turísticos: consumo, renta, inversiones, empleo y demanda turística. Se afirma que el turismo internacional sufre el impacto de la crisis económica y la cifra de visitantes cae en prácticamente todos los países. El consumo y la renta turística de nuestro país indicaban, sin embargo, una situación estable, apoyada por el crecimiento del turismo internacional y la correlativa entrada de divisas[121].

La coyuntura es analizada por el ministerio en la Memoria y se identifican como principales problemas del sector la fuerte estacionalidad, el acusado envejecimiento del equipo hotelero, la excesiva homogeneidad en la oferta (ya que no se habían desarrollado otro tipo de alojamientos como campings, ciudades de vacaciones, balnearios, casas de labranza, hoteles de tipo familiar), la falta de servicios complementarios en los hoteles tradicionales, el crecimiento fuera de control de apartamentos turísticos, la atomización del sector y la falta de diversificación del producto turístico (Ministerio de Transportes, Turismo y Comunicaciones, 1983:56-59). Esta memoria es un documento que nada tiene que ver con los Planes de Desarrollo, ni por su naturaleza, ni por su planteamiento, ni por sus objetivos. Aún así, comparte con los dos últimos de los planes el discurso analítico en donde se enumeran problemas derivados de la "época de crecimiento expansivo". La repetición genera una cierta impresión de estancamiento.

A pesar de ello, aparecen algunas ideas nuevas como aprovechar las ventajas derivadas de los programas de turismo social. Aunque así no se formule, se habla del turismo de tercera edad como estrategia para combatir la estacionalidad o de ofertar los balnearios como centros de cuidados médicos.

La siguiente Memoria del Ministerio, correspondiente al año 1984, también registra caídas en la actividad, señalándose, como factor clave, la fuerte bajada del mercado turístico británico. En esta segunda Memoria se suprime cualquier reflexión sobre los problemas del sector y el documento se limita a presentar la evolución de los datos turísticos con un lenguaje técnico (datos de las tablas input-output y cifras turísticas tradicionales como estructura de la demanda, oferta hotelera, oferta extrahotelera...) así que la escueta exposición de datos no permite inferir la posición que el Ministerio defiende sobre lo que ocurre.

---

[121] En esos momentos la recogida sistemática de datos para el análisis de los principales indicadores turísticos no está perfeccionada y para poder distinguir entre turistas y viajeros se extrapolan cifras en el IET. También en esos años se están desarrollando las investigaciones sobre el impacto del turismo en la balanza de pagos (tablas input-output).

a) Instrumentos organizativos

Cuando el PSOE llega al poder mantiene las competencias de turismo en el **Ministerio de Transporte, Turismo y Comunicaciones.** Desaparece la Secretaría de Estado de Turismo y se crea una **Secretaría General de Turismo** equiparada a una Subsecretaría[122]. Esto significa que pierde rango administrativo y recursos propios, ya que se le suprime la Intervención Delegada, la Asesoría Jurídica y la Asesoría Económica. Sus funciones serán: la ejecución y desarrollo de la política turística, la dirección y supervisión de los servicios turísticos de la Administración del Estado y las relativas a la enseñanza de las profesiones turísticas.

Durante el mandato del Ministro Barón, los instrumentos organizativos de los que el Gobierno Central dispone para actuar en materia de Turismo sufren una profunda modificación.

De la etapa anterior se hereda un conjunto de organizaciones públicas que responden al siguiente esquema:

– Núcleo de la política turística: se apoya en un órgano administrativo tradicional organizado en dos espacios sustantivos, que responden a los dos ámbitos característicos de actuación pública en el turismo: la ordenación del sector y la promoción (las inicialmente creadas Dirección de Empresas y Actividades Turísticas y Dirección General de Promoción, que, con algunos cambios de denominación, existen desde el año 1962).

– Acciones complementarias de política turística: dos áreas, la investigación y estadística turística y la formación turística, han sido también objeto acostumbrado de actuación pública y se han organizado utilizando, en diferentes periodos, diversas figuras de derecho público pero manteniendo siempre un cierto grado de autonomía.

– Participación directa en el sector turístico: un conjunto de entes, de distinta naturaleza jurídica, prestan servicios turísticos de alo-

---

[122] El Ministro Barón nombra Secretario General de Turismo a Ignacio Fuejo Lago, que ocupará el cargo durante el mandato de los siguientes dos Ministros.

jamiento, de comercialización y de transporte a los consumidores, convirtiendo al Estado en empresario turístico.

– Coordinación: la propia naturaleza del turismo ha precisado de la creación de estructuras de coordinación entre los distintos órganos públicos responsables de áreas que inciden de manera directa en el desarrollo de la actividad.

Al final de este mandato, se habrán modificado los cuatro ámbitos reseñados.

– Respecto al núcleo de la política turística, de la Secretaría General de Turismo, dependerá una única **Dirección General de Política Turística**. Sus funciones serán la realización de estudios; el mantenimiento de un centro de documentación; la realización de informes y proyectos; la gestión de la información turística; los Registros nacionales de empresas, profesionales y actividades turísticas; las relaciones con la O.M.T. y otros organismos internacionales y las actuaciones administrativas relacionadas con el crédito turístico y apoyo a la mejora de la oferta.

Junto a la Dirección General se crea un organismo autónomo de carácter comercial: el **Instituto Nacional de Promoción del Turismo (INPROTUR)**, que luego recibirá el nombre de **Turespaña**, encomendándosele las funciones de promoción del turismo en el exterior y asumiendo las competencias del Organismo Autónomo Exposiciones, Congresos y Convenciones de España (ECCE), que se suprime. El Presidente será el Secretario General de Turismo y se estructurará en una Secretaría General, una Subdirección General de Medios de Promoción y una Subdirección General de Actividades de Promoción.

De esta manera, un espacio tradicionalmente gestionado por la Dirección General de Promoción se transforma en Organismo Autónomo y funcionará con criterios más cercanos a la gestión empresarial. El objetivo principal es el de recuperar las cotas de mercado que se están perdiendo, mediante una gestión más ágil y flexible de la que permite la estructura administrativa.

– En cuanto a las que hemos denominado acciones complementarias de política turística, de los dos espacios tradicionales, la investigación y la formación, se suprime el Instituto Español de Turismo, que pasa a convertirse en la **Subdirección General del Instituto de Estudios Turísticos**, dependiente de la Dirección General de Política Turística, anulando de hecho su autonomía y paralizando el proceso de asimilación a un instituto de investigación que se había intentado realizar en la etapa anterior. La **Escuela Oficial de Turismo** no sufrirá ninguna modificación destacable.

– En cuanto a la participación directa en la prestación de servicios turísticos, da comienzo una etapa de privatizaciones, retirándose el Estado, de forma paulatina, de este ámbito.

En 1985 se privatiza Viajes Marsans, la empresa mayorista-minorista de la que era propietaria el INI. Tras la expropiación de Rumasa, se privatiza Hotasa, la cadena hotelera del grupo y Viajes Internacional Expreso (VIE), la agencia de viajes.

En ese momento, dan comienzo los trámites necesarios para la privatización de **ENTURSA** (Empresa Nacional de Turismo), cuyo cometido, discutido por la coincidencia con la actividad de ATE, era la explotación de hoteles singulares. En el proceso de privatización quedan fuera tres establecimientos que por su singularidad o posición estratégica, pasan al Organismo Autónomo ATE: el Hostal Reyes Católicos, el Hostal San Marcos y el Hotel Muralla de Ceuta.

Por otras parte, se reforma la estructura del Organismo Autónomo **"Administración Turística Española" (ATE)**, el Director será nombrado por el Ministro de Transportes, Turismo y Comunicaciones de entre funcionarios de carrera, quedando la estructura compuesta por una Subdirección General de Personal, una Subdirección General de Asuntos Económico-Financieros y creándose, además, una Subdirección General de Comercialización.

En 1984 se crea el "Spain Convention Bureau", que integra instituciones interesadas en comercializar el turismo de congresos, ejemplo de institución centrada en producto.

– Por último, y en relación con los instrumentos de coordinación, en 1985 se suprime la **Comisión Interministerial de Turismo**, sin instaurar ningún otro órgano que lo sustituya.

Así, la Administración Turística queda integrada por una Dirección General —con funciones de análisis, relaciones internacionales y gestión del crédito turístico—; un organismo autónomo —que asume las funciones de promoción—; una empresa pública dedicada a la explotación de establecimientos hoteleros propiedad del Estado y por la Escuela Oficial de Turismo.

Al final del mandato, en junio de 1985, se suprimen los servicios periféricos del Ministerio, siendo sus funciones asumidas por las Direcciones Provinciales o los Servicios de las Comunidades Autónomas.

b) Planes generales

Bajo el mandato del ministro Barón no se elabora ningún plan general.

Diferentes testimonios permiten reconstruir el discurso de la política turística desarrollada en aquellos años. El 17 de febrero de 1983 el Secretario General de Turismo presenta a la prensa la política turística del gobierno. Según sus palabras se persiguen cinco objetivos:

1. La coordinación con las Comunidades Autónomas, clarificando el proceso de transferencia.

2. El desarrollo de una planificación adecuada, que garantice diversificación y especialización y conservación de valores paisajísticos, monumentales y culturales.

3. La modernización del equipamiento turístico.

4. La mejora de la calidad profesional y,

5. El incremento de la demanda turística interior, manteniendo la demanda exterior.

Las acciones concretas que tres meses después de llegar al gobierno se pretenden poner en marcha son:

– La reestructuración de la Secretaría General de Turismo y la elaboración de una Ley General del Turismo.

– La utilización del crédito turístico para creación de campings, hoteles familiares, casas de labranza y establecimientos que den servicio al turismo de automóvil.

– El establecimiento de conciertos para la redacción de planes urbanísticos y la realización de estudios específicos.

– La creación de un Banco de Datos centralizado y conectado con los agentes involucrados, con información necesaria para el sector y las Comunidades Autónomas.

– La reducción de la atomización empresarial y modernización de los sistemas de gestión.

- Aumentar las labores de promoción, por medio de mayor difusión de guías generales y específicas.
- La organización de cursos y seminarios y la dotación de becas para estudios turísticos.
- Promocionar la realización de turismo por colectivos sociales determinados, como juventud y tercera edad.
- Potenciar Oficinas de Turismo en el Exterior, estableciendo un plan anual de marketing turístico.
- Realizar programas de asistencia técnica a países menos desarrollados, especialmente Hispanoamérica.
- Mejorar el sistema de estadísticas.

Quizá no se acomete la redacción de un plan general porque el diseño del nuevo sistema de actores públicos reclamase la máxima atención. Hay que destacar que, tras una reunión celebrada en Canarias a finales del año 1983, se logra desbloquear la situación de conflicto con las Comunidades Autónomas y finalizar el proceso de transferencias en materia de turismo. Se aprueban, entre septiembre de 1983 y abril de 1984, los Reales Decretos de Transferencias de Aragón[123], Extremadura[124], Galicia[125], La Rioja[126], Castilla-La Mancha[127], Canarias[128], Cantabria[129], Murcia[130], Islas Baleares[131], Andalucía[132], Principado de Asturias[133], Madrid[134], Cataluña[135], Castilla León[136] y Comunidad Valenciana[137].

---

[123] Real Decreto 2804/83, de 1 de septiembre.
[124] Real Decreto 2805/83, de 1 de septiembre.
[125] Real Decreto 2806/83, de 1 de septiembre.
[126] Real Decreto 2772/83, de 1 de septiembre.
[127] Real Decreto 2808/83, de 5 de octubre.
[128] Real Decreto 2807/83, de 5 de octubre.
[129] Real Decreto 3079/83, de 26 de octubre.
[130] Real Decreto 3080/83, de 2 de noviembre.
[131] Real Decreto 3401/83, de 23 de noviembre.
[132] Real Decreto 3585/83, de 28 de diciembre.
[133] Real Decreto 3550/93, de 28 de diciembre.
[134] Real Decreto 697/84, de 25 de enero.
[135] Real Decreto. 979/84, de 28 de marzo
[136] Real Decreto 2367/84, de 1 de abril.
[137] Real Decreto 1294/84, de 27 de junio.

Es un avance significativo que no evita, sin embargo, nuevas disputas competenciales provocadas por actuaciones del propio Gobierno Central.

c) Programas

Se comienzan a trabajar seriamente en propuestas que permitieran construir productos turísticos alternativos al de sol y playa que superaran las ideas básicas del programa de casas de labranza (sólo centrado en el alojamiento y comercializado como turismo barato). Son los **Programas de creación de Núcleos de Turismo Rural**, cuyas premisas eran la utilización del turismo como motor de desarrollo local económico, el aprovechamiento del patrimonio rural en desuso, la formación de recursos humanos, la mejora en la oferta de servicios públicos y la puesta en valor de la cultura y los recursos endógenos, con la recuperación del orgullo por lo propio. Se articulan con participación de los Ayuntamientos, las Comunidades Autónomas afectadas y el Ministerio. En un primer momento se seleccionan, como áreas preferentes, la Vera, en Cáceres, el Maestrazgo, en Teruel y Taramundi, en Asturias.

Por otro lado, se pone en marcha un programa, junto al Ministerio de Educación y Ciencia, denominado "Escuelas viajeras", en el que una comisión mixta de los dos ministerios implicados, seleccionaban un conjunto de destinos turísticos del territorio nacional que serían visitados por grupos de alumnos de Centros de Enseñanza General Básica. El Ministerio elaboraría una Guía de Viajes destinada a los Profesores y el programa concreto a desarrollar en las aulas. Para cada uno de los destinos se convocaba un concurso de trabajos entre los escolares consistente en un "Diario de Viajes".

Respecto a los programas de **promoción**, la acción más reconocida es el logotipo de Miró, aunque la elaboración de los primeros planes de marketing del turismo español resultara una acción de mucha mayor importancia para la política de promoción turística. Se aprueba una campaña bajo el eslogan "Everything under the sun", apoyándola con altas inversiones en publicidad y se continua con el sistema centralizado respecto a las Oficinas de Turismo en el Extranjero.

d) Instrumentos normativos

Durante los tres años que está en el Ministerio el Sr. Barón, se aprueban tres Reales Decretos que incrementan sucesivamente la tensión existente entre el Gobierno Central, que se resiste a abandonar su papel regulador en el sector, y las Comunidades Autónomas.

- Real Decreto 1634/83, de 15 de junio, sobre **ordenación de los establecimientos hoteleros.**

Con el mismo objetivo que el perseguido por el Real Decreto 3093/1982, de diciembre de 1982 (actualizar el sistema de clasificación hotelera establecido en 1962), pero intentando diseñar un sistema más sencillo, el Gobierno Central elabora una norma que pretende ordenar la diversidad de los establecimientos hoteleros.

El problema de fondo era de importancia: se trataba de evitar que cada Comunidad Autónoma estableciera un sistema de clasificación propio, por las disfunciones que supondría la convivencia de diecisiete sistemas diferentes.

Los objetivos concretos eran la protección del turista y la clara diferenciación de los establecimientos para la Hacienda Pública, cuestión de importancia ya que los regímenes fiscales de aplicación del IVA variaba según la categoría del establecimiento (16% si el establecimiento tiene cinco estrellas y 7% para el resto).

En la norma se establece una clasificación (hotel, hotel-residencia, hostal y pensión) y una calificación (número de estrellas).

Las Comunidades Autónomas sienten que el Gobierno invade las competencias de ordenación del sector que la Constitución les atribuye de manera exclusiva.

- Real Decreto 2288/83, de 27 de julio, por el que se establece la **categoría "Hoteles Recomendados por su calidad".**

La Administración Central pugna por mantener un papel de relevancia en la regulación de alojamientos turísticos. Con esta iniciativa se trataba de otorgar una distinción simbólica a los establecimientos hoteleros que se distinguieran por sus instalaciones o sus servicios en todo el territorio nacional. La concesión de la categoría "Hotel recomendado por su calidad" se daría por la Secretaría de Turismo. La iniciativa no era desacertada, con el paso de los años la concesión de diversos símbolos a alojamientos que reúnen ciertas condiciones se ha convertido un reclamo comercial y, por tanto, en algo de interés para el mismo sector[138]. Pero no era posible que la idea fuera aprobada e implantada en todo el territorio nacional, por muy buenas que fueran las intenciones, sin el consentimiento expreso de las Comunidades Autónomas.

La Generalitat de Cataluña, el Gobierno de Canarias y el Gobierno de Valencia plantean sendos conflictos de competencias ante el Tribunal Constitucional, que éste resuelve a favor de las Comunidades Autónomas, determinando que dicho Decreto no sería de aplicación en sus respectivos territorios. Ante el fallo, el propio Gobierno Central decide retirarlo exponiendo que *"no parece lógico mantener en el resto del territorio nacional un instrumento promocional que no se aplicará a una parte sustancial de la oferta hotelera española"*.

– Real Decreto 672/85, de 19 de abril, sobre **promoción exterior.**

Este Real Decreto supone el momento de mayor conflicto entre el Gobierno Central y las Comunidades Autónomas en relación con el tema de la promoción en el exterior.

El artículo 1 del Real Decreto disponía: *"Corresponde al Estado la promoción exterior del Turismo hacia España, que se realizará a través del Ministerio de Transportes, Turismo y Comunicaciones, sin perjuicio de las facultades de coordinación general atribuidas al Ministerio de Asuntos Exteriores".*

Se argumenta que el turismo, *en cuanto factor económico de importancia nacional*, debe coordinarse con la planificación general de la actividad económica.

Además el Gobierno Central incorpora en el texto del Real Decreto sus argumentos a favor de que la promoción exterior turística es competencia suya: considera que la promoción turística en el exterior es materia que pertenece al área de las relaciones internacionales (artículo 149.1.3. CE), del comercio exterior (artículo 149.1.10. CE) y de planificación general de la actividad económica (Artículo 149.1.13. CE).

---

[138] Hoy en día, estar o no estar en determinadas guías de alojamiento o tener el reconocimiento de algunas instituciones privadas, es una estrategia de mercado y una política comercial de importancia.

Estas razones se completan con la necesidad de que la oferta al exterior esté coordinada y adaptada a las demandas de los mercados emisores y ello se garantiza con un programa de promoción común y una acción común en las actividades promocionales (la presencia en ferias o exposiciones internacionales también debería hacerse dentro de un espacio común).

Para ello el Real Decreto establece que *"en todo caso, cualquier acción específica de promoción del turismo en el exterior con cargos a fondos públicos o con financiación pública, requerirá la aprobación de la Secretaria General de Turismo y se someterá a las Directrices que por la misma se determinen"* (Art. 4.2).

Las Comunidades Autónomas, que acababan de recibir el respaldo del Tribunal Constitucional en la sentencia de los hoteles recomendados por su calidad, contestaron seriamente la actuación del Gobierno Central llevando a cabo en la práctica actividades de promoción exterior de distinta naturaleza[139]. Cataluña, País Vasco y Galicia, plantearon, de nuevo, sendos conflictos de competencia de los que desistieron al ser derogado el Real Decreto por el propio Gobierno Central tres años más tarde.

e) Instrumentos financieros

A través del Instituto de Crédito Oficial, se abre una línea de **crédito turístico** orientado a las Pymes turísticas, con los principios del crédito anterior.

En 1984 se aprueba una norma específica para la **concesión de ayudas y subvenciones en materia de turismo** que establecía el concurso público como procedimiento general para la concesión de subvenciones y ayudas económicas, pero contemplando la excepción de adjudicación directa *"en aquellos casos en que, por las especiales características que en ellos*

---

[139] *"La respuesta catalana al Real Decreto de la promoción exterior fue la constitución de una sociedad autónoma enteramente privada, Catalonia Promotion, S.A., constituida por los más importantes gremios del sector, con el objeto social de realizar la promoción turística de Cataluña en el exterior. De esta forma no era necesario recabar la previa autorización de la Secretaría General de Turismo"* (Miguelsanz; 1999:391).

256 *María Velasco González*

concurran no sea posible o no resulte procedente promover concurrencia en las solicitudes" (art. 8.1. Orden de 28 de febrero de 1984). La Orden es recurrida por Cataluña ante el Tribunal Constitucional[140]. En éste caso el Tribunal resuelve en la sentencia acudiendo a los acuerdos que ambos gobiernos habían firmado en el Real Decreto de traspasos. En ellos se había pactado que el Estado pudiera conceder subvenciones en materia de turismo, en cuyo caso las solicitudes se tramitaría a través de la Comunidad Autónoma que emitiría un informe. Si este informe fuera negativo, sería vinculante. En el caso que nos ocupa, como se respetaba tal procedimiento, se consideró que la norma era válida.

Tres Órdenes Ministeriales posteriores regularon las convocatorias de concurso de **subvenciones a fondo perdido para la promoción y comercialización del turismo rural; para la reforma de establecimientos hoteleros de explotación familiar; para proyectos de construcción de campings a realizar en el año 1984 y para el fomento de las ofertas turísticas especializadas.**

Galicia y Cataluña, también plantearon un conflicto de competencia ante el Tribunal Constitucional, que éste estimó parcialmente[141]. Resolvió estableciendo que, si bien el Estado tenía competencia para convocar dichas subvenciones, debían concurrir circunstancias excepcionales para justificar la gestión centralizada de las ayudas, por lo que era competencia de las Comunidades Autónomas la convocatoria, concesión, gestión e inspección de las mismas, en el ámbito de su territorio.

Un año más tarde, en 1985, se renueva el instrumento financiero de **subvenciones a fondo perdido para la promoción y comercialización del turismo rural** y se aprueba una línea específica de **subvenciones a fondo perdido para la mejora, modernización, dotación de instalaciones complementarias e incorporación de nuevas tecnologías en estaciones termales.** Las sucesivas ayudas demuestran que existía un interés real en potenciar productos alternativos que van abriendo paso a una nueva visión de la propia actividad turística.

Al margen de ello, también en los instrumentos financieros se refleja la continua fricción entre el Gobierno Central y las Comunidades Autónomas.

---

[140] Sentencia 88/87, de 2 de junio.
[141] Sentencia 75/89, de 24 de abril.

f) Otras acciones

Se aprueban de nuevo el conjunto de "**Premios y distinciones**" y sigue aumentando su variedad con nuevas convocatorias, como los Premios Nacionales de Fotografía Turística "Ortiz-Echagüe" y "Marqués de Santa María del Villar"; el Premio Nacional de Turismo "Vega Inclán" (de comunicación turística); el Premio Nacional "Caballo de Oro" (relacionado con el mundo del caballo) o el Premio Nacional "Toro de Oro" (destinado a ganaderos españoles de reses bravas).

Se organizan diferentes jornadas de concienciación con asociaciones patronales para diversificar la oferta.

Da comienzo la adjudicación de diversos estudios y asistencias técnicas, relacionados con el turismo a consultores externos. Esta tendencia, que irá en aumento en los siguientes mandatos, permitió que varias empresas de consultoría abriesen una línea de trabajo relacionada con el sector (además de que se consolidaran algunas otras que habían comenzado a trabajar con la redacción del inventario turístico del gobierno de UCD), interesándose por una actividad que les era desconocida, pero al mismo tiempo desplazó al exterior los procesos de investigación y difusión de la información que debería haberse concentrado en el antiguo Instituto de Estudios Turísticos.

1.2. *Abel Caballero Álvarez (julio 1985 - julio 1988)*

Tras el profundo cambio en los instrumentos organizativos, que se había iniciado durante el mandato del Ministro anterior, los problemas, entre los actores no disminuyen.

La reorganización parecía indicar una nueva forma de entender el papel del Estado en el sector turístico, pero no termina de verse cuál es la nueva posición que asumirá el Gobierno Central en un, necesariamente, nuevo modelo de política turística.

La falta de una visión integrada no empece para que se desarrollen iniciativas concretas. Los programas de Turismo de Tercera Edad o el programa de promoción de la "España Verde" se ponen en marcha durante este mandato.

a) Instrumentos organizativos

El alto nivel de conflicto con las Comunidades Autónomas, junto a los desajustes producidos en los propios centros decisorios del Gobierno Central, hacen preciso que en febrero de 1988 se vuelva a intervenir en el diseño de la estructura organizativa.

Por lo que se desprende de las modificaciones que se realizan, el conjunto de esta segunda reforma tiene como objeto perfilar con mayor precisión las competencias que pudiera desarrollar el Gobierno a través de sus instrumentos.

Se amplían las competencias de la **Secretaría General de Turismo** incorporándose en el texto las atribuciones que habían generado mayor controversia y que no estaban recogidas en los Decretos organizativos anteriores. Nos referimos a las competencias sobre:

- Coordinación e impulso de las acciones para la promoción exterior del turismo.

- Determinación de las directrices para las acciones de promoción exterior, de conformidad con la distribución competencial existente entre las Comunidades Autónomas y el Estado.

- Elaboración anual, oídas las Comunidades Autónomas, del Programa General de Promoción Exterior del Turismo.

- Apoyo económico a Entidades y Empresas, para actividades de promoción en el exterior y de prospección y apertura de mercados turísticos.

- Y concesión de ayudas a Empresas para instalación y ampliación de sus redes comerciales en el exterior.

También las funciones de la **Dirección General de Política Turística** se modifican en el mismo sentido y aparece, como la primera de ellas, "*la coordinación con las comunidades Autónomas y demás entes territoriales en las materias turísticas de su respectiva competencia*".

Se suprime la Subdirección General de Información Turística, cuyas funciones y medios se trasladan a Turespaña, y las otras Subdirecciones cambian de nombre, pasando a denominarse de Coordinación Turística y de Planificación y Prospectiva Turística.

Al Instituto Nacional de Promoción del Turismo (INPROTUR) se le modifica el nombre por el de **Instituto de Promoción Turística de España (TURESPAÑA)**.

En su regulación primigenia se recogió que sus funciones eran la ejecución de la política del Gobierno en orden a la promoción del turismo en el exterior y la coordinación e impulso de las acciones de promoción en el exterior cuando fueran financiadas por fondos públicos o su fomento cuando fueran financiadas por fondos privados. Desde ahora le corresponde *la realización de acciones exteriores de promoción y comercialización del turismo, en cuanto factor económico de importancia nacional dentro del marco general de la actividad económica, presentando la oferta turística española como conjunto integrador de las características, peculiaridades e intereses de las Comunidades Autónomas* (art. 6.2.1). Es evidente, en la redacción de este párrafo, la intención política de incorporar la referencia explícita a un ámbito de competencia constitucional exclusiva del Estado, que coincidía con el argumento utilizado por el Gobierno Central en las disputas mantenidas con las Comunidades Autónomas.

Además, se habla no sólo de promoción, sino de comercialización, con lo que se pretende ampliar su capacidad básica. También se le faculta para organizar la participación española en ferias, exposiciones y demás convocatorias en el exterior, *con sujeción al principio de que las diferentes variedades regionales de la oferta turística española estén integradas, siempre que sea posible, dentro de un espacio común a la totalidad de la oferta española en los actos y manifestaciones internacionales.*

Durante el mandato del Sr. Caballero comienza la actividad de las Comunidades Europeas en materia de Turismo. Mediante una Resolución del Parlamento Europeo de 1986, aprobada por el Consejo de Ministros, se establece las líneas orientadoras del futuro desarrollo turístico y un conjunto de Recomendaciones relativas a señalización normalizada en establecimientos y destinos, seguridad contra incendios y normas básicas de higiene en alojamientos. También se aprueba, por Decisión del Consejo de la Unión Europea, de febrero de 1986, un procedimiento orientado a la promoción de contactos, consultas y cooperación en materia turística entre Estados miembros. La política comunitaria en materia de turismo no ha sido intensa por lo que la UE no se ha convertido en un actor de especial relevancia en esta arena.

b) Planes generales

Se inician los análisis previos de un estudio global sobre la situación del turismo y el sector en España que finalizarán con la presentación del Libro Blanco de Turismo, bajo el mandato del siguiente Ministro.

En el mandato no existe ningún documento de planificación general.

c) Programas

Sin duda el programa más importante del mandato es el **Programa de Vacaciones para la Tercera Edad**, que se pone en marcha junto con el INSERSO. El programa persigue dos objetivos: mejorar la calidad de vida de las personas mayores y mantener las instalaciones hoteleras en funcionamiento durante la temporada baja, con el positivo impacto que supone para la estacionalidad. La iniciativa da comienzo con un programa piloto en 1985 para 16.000 beneficiarios que, en la campaña siguiente, ya serían 152.000 y, en el último año de mandato, 225.000 (Bayón y Hernández, 1999:146).

Ya en el Plan Nacional del año 1952 el turismo social aparecía como uno de los objetivos que deberían guiar la acción pública en materia de turismo[142]. Pero, hasta la puesta en marcha de este programa, no había existido ninguna iniciativa que de manera expresa se adaptara al concepto de turismo social (los beneficiarios eran ciudadanos con baja capacidad adquisitiva y poca movilidad por razón de su edad) y supusiera al tiempo una propuesta interesante para el empresariado turístico (se convirtió en un programa de lucha contra la estacionalidad).

La iniciativa generó muchas incertidumbres políticas, no sólo por la gestión económica de un programa que movía mucho dinero público y comprometía dinero privado, sino por que se vio como una "compra electoral" de un colectivo importante, los jubilados[143]. El éxito del pro-

---

[142] La Conferencia de Manila, auspiciada por la OMT, defiende que es labor de los Estados apoyar a "*los ciudadanos menos favorecidos, en el ejercicio de su derecho al descanso*".

[143] En septiembre de 1987, un Diputado del Grupo Coalición Popular, planteó al Gobierno ciento veinte preguntas, para ser contestadas mediante respuesta escrita, sobre el Programa de Turismo Social. Su minuciosidad y tesón en la redacción de más

grama fue, y sigue siendo, que supo combinar las necesidades de un grupo social, recogidas en un programa social bien diseñado, con las necesidades del sector.

A pesar de estos recelos iniciales, tras unos años los análisis demostraron datos sorprendentes sobre la rentabilidad económica de la inversión pública (por cada peseta que la administración invierte, recupera 1,09, sólo en impuestos), sobre el impacto en el empleo, el aumento del comercio, la mejora en la conservación de los alojamientos y, por encima de todo, sobre los efectos positivos del programa en los beneficiarios.

Con el paso del tiempo, España ha exportado el conocimiento sobre este programa a países como Portugal o Alemania, cuyos gobiernos lo han implantado con ayuda de la administración de nuestro país.

Otra iniciativa que vería el éxito en años posteriores, es el programa de promoción de las Comunidades Autónomas del norte del país con un menor desarrollo turístico, conocido como la *España Verde*. En 1986 se suscribe el convenio que sustenta la iniciativa.

d) Instrumentos normativos

Se aprueba el Real Decreto 271/1988, de 25 de marzo, por el que se regula el ejercicio de las actividades de las **Agencias de Viajes** y que es resultado del trabajo de consenso con las Comunidades Autónomas que se articuló a través de la Conferencia Sectorial del Turismo, celebrada en Madrid el 7 de octubre de 1987. Prueba de que si se hacen uso de los instrumentos de cooperación, como la Conferencia Sectorial, es posible sacar adelante normas que se imponen en todo el territorio nacional.

Mediante Orden de 4 de diciembre de 1985, se aprueba el régimen de autorizaciones para **actividades marítimas turístico-deportivas.**

---

cien preguntas diferentes referidas a un mismo programa es un indicador, entre otras cosas, de la desconfianza política que generó la iniciativa.

e) Instrumentos financieros

En febrero de 1986, se regula, de nuevo, el **crédito turístico**. La Orden establece que servirá para la financiación parcial de construcción, ampliación, modernización y acondicionamiento de alojamientos turísticos; creación de oferta complementaria; adquisición de mobiliario, equipamiento y maquinaria y puesta en funcionamiento o modernización de *"toda clase de instalaciones, recursos, servicios o actividades turísticas... así como de cuantos otros bienes o servicios puedan ser susceptibles de utilización turística"*, con lo que vuelve a ampliarse el concepto.

Para acceder al crédito era precisa la declaración de "Interés Turístico"; declaración previa que dependía de la Secretaría General de Turismo.

f) Otras acciones

Comienzan a prepararse los tres acontecimientos del año 1992: las Olimpiadas de Barcelona, la Exposición Universal de Sevilla y la Capitalidad Europea de la Cultura de Madrid.

Finalmente, después de más de veinte años, se decide poner orden en los **premios y distinciones turísticas**. Alguno de los premios se habían dejado de convocar; en otros casos, la convocatoria no era anual, otros, tras no convocarse durante un tiempo, se revitalizaban en otros periodos.

Se simplifica lo existente en dos grupos: Declaraciones de Interés Turístico y Premios Nacionales de Turismo.

Las Declaraciones honoríficas quedan reducidas a tres: Fiesta de Interés Turístico Nacional o Internacional; Libro de Interés Turístico Nacional y Declaración de Interés Turístico Nacional para películas u otras obras audiovisuales

Los Premios Nacionales serán: Premio Nacional de Turismo "Vega Inclán", para medios impresos de comunicación nacionales o extranjeros; Premio Nacional de Turismo "Ortíz de Echagüe" para imágenes fijas o animadas y Premio Nacional de Turismo "Marqués de Villena" para actividades desarrolladas por entidades públicas o privadas para la promoción y fomento de la gastronomía.

1.3. José Barrionuevo Crespo (julio 1988 - marzo 1991)

Las cifras siguen apuntando hacia una situación de crisis en el sector turístico. La preocupación sobre la situación se extiende a diferentes ámbitos y, desde diversos foros, se realizan análisis sobre las causas y posibles soluciones.

Durante el otoño de 1990 se plantean diversas iniciativas en el Congreso de los Diputados, al que también llega el malestar del sector, y finalmente el 9 de octubre de 1990 el Congreso aprueba una proposición de constituir una **Ponencia Parlamentaria sobre el Sector Turístico** que analice el estado del turismo y proponga, en su caso, medidas para el desarrollo del sector.

Los trabajos de la Ponencia dieron comienzo el 19 de diciembre de 1990 y un año más tarde, el 16 de octubre de 1991, se presenta el Informe resultante. Durante la elaboración del estudio se invita a comparecer, para exponer su opinión sobre el sector y sus problemas, a los siguientes actores:

– Representantes públicos: Secretario General de Turismo, responsables de turismo de las Comunidades Autónomas, alcaldes de municipios turísticos (Benidorm, Marbella, Salou, Lloret del Mar y Torrevieja), Presidente de la Federación Española de Municipios y Provincias, Director General de Puertos y Costas, Director General de Aviación Civil, Director General de Aeropuertos Nacionales, Presidente del Instituto de Crédito Oficial.

– Representantes de sindicatos: Secretario de la Federación de Turismo y Hostelería de CCOO y Secretario de la Federación de Turismo y Hostelería de UGT.

– Representantes del sector: Presidente de la Comisión de Turismo de la CEOE, Presidente Asociación Agencias de Viajes, Presidente de la Asociación Española de Compañías Aéreas.

Además de estas comparecencias, los miembros de la Ponencia realizaron un viaje a Inglaterra y Alemania para entrevistarse con los principales turoperadores que operaban en el país, y un segundo viaje a México y República Dominicana para conocer otros modelos de desarrollo.

Los resultados de dicho trabajo son de un enorme interés. Habían pasado muchos años (los transcurridos a partir de los trabajos preparatorios para el IV Plan de Desarrollo Económico del año 1976) desde la última vez que los responsables públicos plasmaran en un documento una reflexión profunda sobre el turismo, su naturaleza, sus problemas o virtudes; sobre el papel del Gobierno en ese ámbito de la sociedad; o sobre los principales retos a enfrentar con una política turística. La política turística estaba viviendo de la acción y ésta de las decisiones diarias tomadas por la administración turística en la que, es justo reconocerlo, había expertos con un gran conocimiento acumulado.

El informe aprobado por la Ponencia sobre turismo del Congreso de los Diputados recomienda reorientar el sector turístico español hacia un modelo basado en una mayor calidad y más competitivo. Para lograrlo propone que se adopten las siguientes resoluciones:

1. *Declaración del Gobierno Español, reconociendo el turismo como sector estratégico de la economía española.*

2. *El Gobierno continuará el diálogo institucional y social iniciado con las Comunidades Autónomas y Ayuntamientos, por una parte, y agentes sociales, por otra...*

3. *Las Administraciones Públicas realizarán una planificación adecuada, por parte de cada uno de sus responsables, de los servicios públicos que se prestan en zonas turísticas con un alto grado de concentración temporal...*

4. *Plan de mejora de la competitividad turística que contemple, entre otras, las siguientes acciones: Incentivos para crear y desarrollar un sistema de calidad del producto turístico liderado por el sector empresarial; Plan de Formación y Reciclaje de los trabajadores, cuadros y directivos del sector turístico en colaboración con empresarios y sindicatos; introducción de procesos de innovación turística; desarrollo de sistemas de información de la oferta turística, de interés para el sector en su conjunto y estudios de impacto ambiental, social y cultural en todos aquellos proyectos turísticos de nueva implantación.*

5. *Reorientación del sector turístico en España según criterios de competitividad y calidad, en colaboración con las Administraciones Públicas.*

6. *Las Administraciones Públicas pondrán, a disposición de los sectores interesados, los datos que permitan afrontar un proceso de difusión del turismo en el conjunto del territorio nacional, cuyo efecto sea dotar a la oferta turística española de una diversidad de productos de ocio.*

7. *Plan integral de Infraestructuras que afectan el sector turísti-
    co.*

8. *Coordinación y colaboración en la promoción exterior del Es-
    tado y de las Comunidades Autónomas, con el fin de
    maximizar los recursos.*

9. *Combatir la estacionalidad con políticas de acuerdos con otros
    gobiernos europeos para ampliar la experiencia positiva ini-
    ciada por el Ministerio de Asuntos Sociales, relativa al turis-
    mo de la tercera edad.*

10. *Que el Gobierno inicie un diálogo con las asociaciones de
    consumidores...*

11. *Una participación más activa de la Administración Turística
    Española en los foros internacionales y muy especialmente
    en la Comisión Europea...*

12. *Actuación rigurosa de la inspección turística dependiente de
    las Comunidades Autónomas en la oferta turística no legali-
    zada*

13. *Incremento de los recursos técnicos y humanos de los servi-
    cios de orden público en las zonas turísticas, ampliando la
    seguridad, no sólo en los meses de afluencia turística, sino al
    conjunto del año.*

(Informe aprobado por la Ponencia para el análisis de la situación actual del turismo en España. Boletín Oficial del Congreso, 16 de octubre de 1991).

Como puede observarse, el Informe configura lo que resultará ser el
nuevo papel del sector público.

Los trabajos de la Ponencia y el informe resultante son de una calidad excelente, son la prueba más evidente de que si se dedican recursos
a reflexionar sobre el turismo se obtienen análisis minuciosos de los problemas y propuestas de trabajo creativas y elaboradas.

Estas ideas iniciales serán las bases conceptuales de la nueva política
turística, pero es necesario que ocurran otros cambios en la configuración del papel del Gobierno en esta arena para que puedan articularse
nuevas propuestas e implantarse programas que supongan un cambio
real.

a) Instrumento organizativos

En la Ley 4/1990, de 29 de junio, de aprobación de los Presupuestos Generales del Estado para 1990 se incorpora un artículo con el rótulo "Reorganización de la Administración Turística Española".

En dicho artículo se establece que el Instituto de Promoción del Turismo de España, que ha pasado a denominarse **Instituto de Turismo de España (TURESPAÑA)**, asumirá *"bajo la superior dirección del Ministro, todas las competencias de la Administración General del Estado en materia turística y, por consiguiente, sustituye la actual organización administrativa centralizada, que quedará suprimida"* (artículo 81).

Esto significaba que las competencias del Gobierno Central en materia turística pasan a ser ejercidas por un Organismo Autónomo. Su relación con el Ministerio de Transportes, Turismo y Telecomunicaciones se articulaba funcionalmente: éste aprobaba el plan anual de objetivos y hacía un seguimiento del cumplimiento de los mismos por Turespaña.

En el mismo texto legal se establece que el Organismo Autónomo "Administración Turística Española" (ATE), pasará a convertirse en una sociedad estatal denominada **"Paradores de Turismo de España"**, sometida al ordenamiento jurídico privado. El personal que preste sus servicios en dicha sociedad mantendría con ésta una relación laboral privada y la organización debería actuar conforme a los principios de rentabilidad y eficiencia.

Un año más tarde, en la siguiente Ley de Aprobación de los Presupuestos Generales para el Estado —la correspondiente a los presupuestos del año 1991— vuelve a incorporarse una reestructuración de los instrumentos organizativos: en el artículo 102 se establece que el Organismo Autónomo **Escuela Oficial de Turismo** pasaría a ser una Entidad de Derecho Público, funcionando a partir de ese momento bajo el ordenamiento jurídico privado.

Mediante dos leyes de presupuestos, aprobadas en un intervalo de seis meses, la Administración Turística española había quedado reducida a un organismo autónomo, una sociedad estatal y una entidad de derecho público, todas personificaciones instrumentales sometidas al derecho privado, suprimiéndose cualquier órgano administrativo tradicional.

A pesar de las previsiones legales, la retirada de la administración tradicional de la política turística no llegará a producirse, manteniéndose la Secretaría General de Turismo como órgano central del entramado institucional público del turismo.

b) Planes generales

Durante el mandato del Ministro Barrionuevo no se redacta un plan general, a pesar de que en varias ocasiones el propio Ministro afirma en el Congreso de los Diputados que se está elaborando un Plan Integral de Turismo, documento que nunca llega a aprobarse.

Sí se presenta un nuevo análisis de la problemática del sector: el **Libro Blanco sobre Turismo Español**. Este informe es elaborado por una empresa consultora por encargo de la Secretaría General de Turismo. El Libro Blanco propone treinta líneas de actuación, agrupadas en lo que denominan "sistemas": cinco aspectos del turismo bajo los que se engloban propuestas de acción. El Libro Blanco habla del sistema de los recursos turísticos, sistema de las infraestructuras, equipamientos y servicios; sistema de los productos turísticos y su comercialización; sistema de las empresas turísticas y lo que denominan sistema institucional.

CUADRO 7.1.: ACCIONES PREVISTAS EN EL LIBRO BLANCO (1980)

SISTEMA RECURSOS

1. *Inventario completo de los recursos turísticos incluyendo la identificación de los equipamientos básicos necesarios para el aprovechamiento óptimo de estos recursos.*
2. *Elaboración del Plan Nacional, los Planes de las Comunidades Autónomas y los Planes Municipales para la mejora y el aprovechamiento óptimo de los recursos turísticos.*
3. *Elaboración de un catálogo de áreas naturales a proteger y ampliación de los recursos dedicados a la gestión del medio ambiente.*
4. *Realización de campañas informativas para la participación ciudadana en proyectos concretos para preservar el medio ambiente y la limpieza de las localidades y áreas turísticas.*

SISTEMA INFRAESTRUCTURAS, EQUIPAMIENTO Y SERVICIOS

Infraestructuras
5. *Realización de obras públicas necesarias en carreteras de las zonas turísticas y mejora de las infraestructuras de acceso a ciudades y aeropuertos.*
6. *Aumento de la capacidad de los aeropuertos y resolución de los problemas conexos a ellos.*
7. *Apoyo al desarrollo del tren de alta velocidad y mejora de la infraestructura ferroviaria de larga distancia y de acceso a ciudades y aeropuertos.*
Alojamiento Turístico
8. *Modernización o sustitución de plazas obsoletas de alojamiento. Ampliación de la oferta de alojamiento de calidad.*
9. *Asegurar un crecimiento selectivo de la oferta en zonas saturadas, mediante el control municipal cuantitativo y cualitativo de las licencias de construcción.*
Oferta complementaria
10. *Apoyo financiero a la oferta de ocio complementario, especialmente en núcleos turísticos.*
11. *Desarrollo, con apoyo de Comunidades Autónomas y Municipios, de oferta turística fuera de las zonas litorales, rehabilitando los núcleos históricos de pueblos y ciudades.*

SISTEMAS MARKETING Y PRODUCTO

12. *Armonización de los planes de marketing de las entidades oficiales y Administraciones Públicas.*
13. *Compatibilización del marketing genérico de "España" con el marketing de productos y el marketing de segmentos, armonizando y coordinando los planes de las Administraciones Públicas con los de las entidades privadas del sector.*
14. *Aumento de la inversión pública para la promoción de nuevos productos y ofertas turísticas:*
   – *Turismo Rural.* – *Turismo de Salud.*
   – *Turismo Cultural y Religioso.* – *Caza y Pesca.*
   – *Rutas especiales.* – *Submarinismo.*
   – *Viajes de fin de semana.* – *Turismo Náutico.*
   – *Turismo deportivo.* – *Cruceros.*
   – *Estudio del Castellano.* – *Convenciones y Congresos.*
   – *Parques de Atracciones.* – *Etc.*
15. *Reforzamiento de los estudios e investigaciones sobre la demanda y la oferta.*
16. *Mayor utilización de las técnicas de marketing en el lanzamiento de los nuevos productos y ofertas.*
17. *Desarrollo de la creación privada de nuevas formas de comercialización directa.*

SISTEMA EMPRESARIAL

18. *Creación de escuelas de gestión hotelera que atiendan a la formación y al reciclaje de los mandos intermedios y de los profesionales.*
19. *Aumento de la calidad y tecnificación en la prestación de los servicios turísticos.*
20. *Integración de las PYMES turísticas, tanto a nivel horizontal como vertical.*

SISTEMA INSTITUCIONAL

Formación de capital humano

21. *Institucionalización de los estudios turísticos a nivel universitario y apoyo decidido a las escuelas de gestión hotelera.*

Estacionalidad

22. *Fomento oficial del escalonamiento de las vacaciones laborales y escolares. Publicación anticipada de los calendarios laboral y escolar.*

Coordinación y Medios Legislativos

23. *Coordinación entre las Administraciones Públicas para la armonización legal en materia turística.*

24. *Elaboración de los Planes de Ordenación del Territorio de las zonas turísticamente desarrolladas, teniendo en cuenta los problemas medioambientales y de saturación de oferta.*

25. *Control de la calidad del servicio y de las instalaciones, mediante la aplicación más rigurosa de la legislación autonómica y local.*

26. *Reforzamiento de los bancos de datos existentes en materia turística.*

27. *Institucionalización de los encuentros sobre el turismo ya establecidos, entre los responsables de la Administración y del sector, para estudiar soluciones a largo plazo.*

28. *Potenciar la producción del turista como consumidor, frente a los abusos de unos pocos, reforzando estas acciones con la colaboración de las asociaciones del sector.*

29. *Continuación de la Política del Ministerio del Interior, y de las Policías Autonómicas y Municipales contra la inseguridad ciudadana.*

30. *Estudio urgente de las posibilidades, los instrumentos, los recursos y los métodos necesarios para reducir de forma muy importante los niveles de polución estética de los sitios turísticos. Igualmente debe reforzarse el control municipal de la polución acústica y de la suciedad en los núcleos turísticos.*

(Fuente: Secretaría General de Turismo 1990a)

Los objetivos de política turística que se persiguen durante el mandato son expuestos en diversas ocasiones ante la prensa por el Secretario General de Turismo:

1. Mantener el liderazgo europeo en el turismo vacacional del sol y playa, con crecimiento en los segmentos superiores del mercado y completando la oferta.

2. Mejorar la cuota en los turismos alternativos: turismo itinerante, turismo cultural, turismo verde, de naturaleza o rural, turismo deportivo y turismo de salud.

3. Mejorar la información turística.

4. Mejorar la enseñanza.

5. "*Culminar la racionalización de la gestión de los establecimientos turísticos del Estado, convirtiendo el actual Organismo Autónomo Administración Turística Española en una Sociedad Estatal*" (Fuejo, 1989).

La cuestión clave sigue siendo qué posición debe asumir el Gobierno Central en el turismo. La pregunta se repite en varios ámbitos y llega a ser expresamente formulada como pregunta parlamentaria al Gobierno ("*¿cómo puede el Gobierno Central fomentar el turismo teniendo en cuenta sus competencias?*). Los decisores turísticos elaboran una respuesta basándose en las competencias que tienen: productos turísticos (Paradores, transporte y crédito turístico), competencia sobre promoción, sobre comercialización (ayuda al establecimiento de empresas para instalar y ampliar redes comerciales en el exterior), mejor conocimiento del hecho turístico (enseñanza, investigación y difusión de la información), o relaciones internacionales... Pero sigue sin percibirse una estructura de política clara que pueda ser defendida dentro y fuera de la arena turística.

c) Programas

Crece el **Programa de Vacaciones para la Tercera Edad**, que se enfrenta en 1990 al primer problema serio. En las temporadas 1988/89 y 89/90 se había adjudicado la comercialización de los viajes a la Agencia Ceres que, tras la acumulación de varios problemas financieros, se declara en quiebra. A pesar de los problemas políticos que genera y de la responsabilidad económica que ha de asumir el INSERSO, el programa no deja de realizarse, aunque se introducen cambios en el sistema de gestión que intentarán evitar lo ocurrido.

En 1989 el IMSERSO pone en marcha un segundo programa que afecta directamente al desarrollo del turismo social. Se trata del **Programa de Termalismo Social**, con un objetivo de salud (facilitar el acceso a los pensionistas a tratamientos en balnearios) y un objetivo turístico: potenciar el desarrollo económico de las zonas que rodean los balnearios y mejorar sus infraestructuras (Muñiz, 2001:139).

Si durante el mandato anterior se pone en marcha la iniciativa "España Verde", en éste se impulsa la "**Ruta de la Plata**", con el mismo espíritu de apoyar la comercialización de productos alternativos al tradicional de sol y playa.

En el programa de **promoción** se inician colaboraciones tripartitas, Comunidades Autónomas, municipios y sector privado —especialmente compañías aéreas, cadenas hoteleras y turoperadores—, que apoyan las campañas publicitarias insertando anuncios en sus soportes habituales de comunicación.

También se inicia una campaña de concienciación, junto con el Ministerio de Medio Ambiente, de respeto por el medio en zonas turísticas, sin que se pueda todavía hablar de un programa de turismo sostenible.

d) Instrumentos financieros

En 1990 se reforma el **Crédito Turístico** concretándose de manera más precisa las acciones que serán consideradas de preferente interés turístico y que, por tanto, serán beneficiarias de dicha línea de financiación.

El Decreto establece que el crédito se dirigirá a dar cumplimiento a los *objetivos básicos de la política turística*, que enumera como:

a) La creación de una oferta geográficamente selectiva en zonas de potencial turístico escasamente desarrollado, atendiendo preferentemente al mantenimiento del patrimonio historico-artístico, al aprovechamiento de nuestra diversidad geográfica y climática y a la preservación del medio ambiente.

b) La creación de oferta de alojamientos que contribuyan a satisfacer una demanda cualitativamente distinta de la puramente vacacional y de playa.

c) La creación de oferta complementaria a la existente, atendiendo a la creciente demanda de actividades distintas al mero alojamiento: deportivas, entretenimiento, cultural, etc.

d) La renovación y modernización de nuestra actual oferta de alojamientos, en función de un aumento de calidad de la misma.

e) La mejora y racionalización de los procesos productivos, así como de la innovación y aportación de avances tecnológicos, con especial atención a la mejora de la gestión energética en industrias hoteleras, así como las inversiones en instalaciones que mejoren la seguridad de los turistas y el respeto al medio ambiente y depuración de residuos.

En esta ocasión se excluye del crédito turístico la posibilidad de financiar alojamientos turísticos en zonas desarrolladas de turismo de sol y playa. En especial no se concederá para apartamentos ni apartahoteles, para reducir la oferta no reglada.

Unos meses más tarde, mediante Orden Ministerial, se concretan qué acciones se considerarán como de modernización hotelera, de mejora de los procesos productivos o de incorporación de avances tecnológicos en la gestión (conceptos incorporados en la regulación del Crédito turístico que no habían sido determinados); serán objeto de financiación:

- Las mejoras energéticas (como el empleo de energías alternativas, el aprovechamiento de energías residuales, la optimización del consumo de energía eléctrica o la optimización de consumos de agua).

- La implantación de sistemas de seguridad (como control de accesos o cajas de seguridad).

- Los sistemas contra incendios (instalaciones de detección de incendios, mejora de las instalaciones de extinción o escaleras de emergencia).

- Las mejoras en la gestión (informatización de la gestión, informatización del mantenimiento de las instalaciones o centrales telefónicas digitales).

- Las acciones de preservación del medio ambiente (tratamiento de aguas residuales, purificación de residuos sólidos y gaseosos)

- La instalación de aire acondicionado, y

- La remodelación total, siempre que suponga la mejora de la totalidad de las instalaciones.

e) Otras acciones

Se convocan varios encuentros: los "Primeros Encuentros sobre Turismo Español", en 1989; el II Encuentro Nacional de Turismo, en diciembre de 1990; el I Congreso de Naturaleza en Lanzarote...

Se decide, por el Consejo de Europa, que 1990 sea Año Europeo de Turismo (Decisión 46/1989).

2. EL ANÁLISIS DE LA FASE

Como hemos visto en la fase de *adaptación institucional* se suceden tres Ministros y se mantiene, en cambio, el mismo Secretario General de Turismo, Ignacio Fuejo Lago, lo que podría constituirse en el elemento de coherencia de la política turística en la etapa junto a otro elemento más conceptual: la profunda reorganización de la Administración turística.

En los comienzos de la fase se continúa la labor normativa con la ordenación de la industria hotelera o la distinción de "hoteles recomendados por su calidad", pero la contestación de las Comunidades Autónomas es inmediata y el Tribunal Constitucional da la razón a éstas cuando argumentan que se están invadiendo sus competencias. El Gobierno Central se retirará entonces de la actividad de ordenación del turismo y sólo aprueba, mediante un trabajo previo en común con las Comunidades Autónomas, la regulación de agencias de viajes.

Comienzan los programas de desarrollo de núcleos turísticos en zonas rurales; de nuevos productos basados en acuerdos entre varias Comunidades Autónomas y el Estado —como la España Verde o la Ruta de la Plata—; de escuelas viajeras y de turismo de la tercera edad, en colaboración con el Inserso.

Se dedica un mayor esfuerzo a la promoción, con los planes anuales de marketing del turismo español y el sistema centralizado de campañas.

En 1985 un actor más entra en la escena: da comienzo una tímida actividad de las Comunidades Europeas en materia de turismo.

En relación con la coyuntura turística del periodo, durante los nueve años las cifras del sector son variables. En 1983, primer año de Gobierno —el PSOE había ganado las elecciones en noviembre de 1982—, el número de visitantes cae un 1,78%. En 1984 aumenta un 4,05%, volviendo a retroceder en 1985. El año 1986 tiene un crecimiento notable, del 9,61%, tendencia que se mantiene los dos años siguientes. Los años 1989 y 1990, vuelven a suponer un descenso, especialmente duro en el último de ellos, en que la cifra cae casi un 4%, recuperándose algo en 1991.

CUADRO 7.2.: EVOLUCIÓN DE LAS ENTRADAS DE VISITANTES EN LA
FASE DE ADAPTACIÓN INSTITUCIONAL (1982-1991)

AÑO	ENTRADAS TOTALES	INCREMENTO
1983	41.263.334	-1,78%
1984	42.931.658	4,04%
1985	43.235.363	0,71%
1986	47.388.793	9,61%
1987	50.544.874	6,66%
1988	54.178.150	7,19%
1989	54.057.562	-0,22%
1990	52.044.056	-3,72%
1991	53.494.964	2,79%

(Fuente: Instituto de Estudios Turísticos)

La etapa finalizará en 1991, cuando la materia es adscrita al Ministerio de Industria, Comercio y Transportes y cambia el referente básico
de la acción pública.

2.1. Referentes básicos de la fase

Si la fase anterior se caracterizó, fundamentalmente, por el
resquebrajamiento de la imagen de éxito sobre el que se había desarrollado
el turismo en la década de los sesenta y la toma de conciencia de las profundas contradicciones del modelo de turismo que se había impulsado, esta
etapa de política turística se define por el profundo cambio que experimenta el conjunto de actores públicos con competencia en la materia turística y la crisis que esto supone para la Administración Turística Central.

Si bien la búsqueda de un espacio competencial propio no resultó
productiva en estos años, la necesidad de adaptarse al cambio que supone la llegada de nuevos actores —más los presupuestos de la política
neoliberal— sí fructificó en el rediseño institucional de las organizaciones dedicadas al turismo desde el Gobierno Central. Y el nuevo estilo
de las renovadas organizaciones fue esencial para liderar los cambios de
contenido que se implantarán en la siguiente fase. Los instrumentos
organizativos son el factor crítico de la innovación que comienza a detectarse en esta fase de la política turística.

A ello se añade, en el terreno de los valores, la profundización que está experimentando la conciencia de escasez de recursos que comenzó a extenderse a finales de la década anterior y que, durante los años ochenta, se convierte en la preocupación central de algunos agentes. Pero el conflicto por incorporar en el referente de política turística el objetivo de la sostenibilidad medioambiental y cultural sólo se aprecia en el terreno de las ideas y no será parte de la misma hasta la fase siguiente.

a) Una imagen del turismo heredada y unos objetivos reiterados

El concepto de turismo se hereda de la etapa anterior y los objetivos defendido en diversas ocasiones por los sucesivos Ministros en el Congreso de los Diputados muestran que, además de no proponer nada nuevo, existe un desajuste entre los contenidos substantivos de la política del Gobierno Central y el cambio que se ha producido en el entorno institucional, que exige un nuevo papel para el Estado[144].

La falta de referentes simbólicos que pudieran construir una alternativa sólida en la política turística se refleja también en las comparecencias de los Ministros del periodo, en las que se enumeran objetivos que reproducen ideas del pasado:

> ≈*La política turística estatal se centra, fundamentalmente, en cuatro programas: modernización de la oferta, diversificación de la misma, promoción bajo nuevas formas publicitarias y mejora de los sistemas de información del secto*≈ (Comparecencia del Ministro de Transportes, Turismo y Telecomunicaciones, Sr. Caballero Álvarez, ante la Comisión de Industria, Obras Públicas y Servicios, el 7 de octubre 1986) .

Si observamos a través de los objetivos que se proponen el referente que estructura la acción pública en materia de turismo, se descubre un alto grado de desorden. Por un lado se propone valorar la oportunidad de elaborar una Ley General de Turismo. Además de que esta idea ya

---

[144] Coincidimos plenamente con la descripción que hacen Bote, Marchena y Santos: *"Esta política neoliberal refleja el desconcierto y la incapacidad de definir objetivos estratégicos por parte de la Administración Turística Central para hacer frente a la nueva situación que implica la intervención creciente directa o indirecta en la política turística de otros niveles de la Administración"* (Pellejero, 1999:159).

había sido defendida por el Gobierno de UCD, no parecía tener mucho sentido recurrir a un instrumento normativo para estructurar un sector sobre el que se carecían, precisamente, de competencias normativas.

Además, se expresa la intención de abordar un sistema adecuado de planificación, que garantice diversificación y especialización y conservación de valores paisajísticos, monumentales y culturales. Para ello se plantea utilizar la fórmula de conciertos para la redacción de planes urbanísticos y la realización de estudios específicos, cuando estos instrumentos habían fracasado en la fase anterior.

O se recogen un conjunto de ideas que existen desde los Planes de Desarrollo sin que se determine qué planes concretos se desarrollarán: incidir en las políticas de formación; fomentar el turismo en determinados colectivos sociales; mejorar el sistema de estadísticas; apoyar la modernización del equipamiento turístico, básicamente el hotelero, y la construcción de oferta de alojamientos como *"campings, hoteles familiares, casas de labranza y establecimientos que den servicio al turismo de automóvil"* (Fuejo Lago. Presentación a la prensa de la política turística del Gobierno Socialista. Febrero 1983).

Los Ministros del Gobierno Central acuden, cada vez con más frecuencia durante la fase, al argumento que están utilizando las propias Comunidades Autónomas: carecen de competencias para liderar una política turística decidida, ya que eso supone intervenir en ámbitos competenciales propios de otros niveles territoriales. La falta de un modelo de política turística, junto al aumento de la tensión que caracteriza las relaciones con las Comunidades Autónomas, desorienta a los propios decisores públicos.

b) Actuaciones

Pero, a pesar de la tensión descrita, las características del periodo ya no permitían la inacción de los poderes públicos. La tendencia irregular en la evolución económica del sector y la falta de liderazgo del Ministerio preocupa a los actores. De manera creciente se exige una acción coherente, un plan para el turismo. Pero durante la etapa tampoco se aborda, a pesar de que se anuncia en diversas ocasiones, la redacción de un plan general que de manera global, reflexionada y difundida, estableciera un nuevo marco para la política turística.

El Gobierno responde encargando diversos análisis. El más citado fue el Libro Blanco del Turismo Español, fórmula muy en boga en aquellos años, que se pretendía que fuera la base de un documento de política turística. El concepto de turismo que se defiende en el Libro Blanco contiene ya la perspectiva sistémica que se había avanzado en la fase anterior: el turismo como sistema complejo que abarca más que la industria que lo sustenta, comprendiendo, además de las infraestructuras públicas, los equipamientos y los servicios:

> *El Sistema de Recursos conformado básicamente por el territorio y un conjunto de servicios, actividades y prestaciones ordenadamente ligadas a éste, componen el Patrimonio Turístico de un país... Estos recursos ligados al sistema de infraestructura, equipamiento y servicios, deben ser la base de la oferta turística de España* (Libro Blanco del Turismo Español, 1980:32) .

Aunque las propuestas que contiene no son capaces de generar un referente de interés por tratarse, de nuevo, de una reorganización de ideas que se repiten: lograr un crecimiento moderado y evitar los problemas que eclosionaron en los últimos años de la década de los setenta.

Y, como no hay un nuevo referente, tampoco hay capacidad para imaginar y construir nuevos instrumentos, así que también en esto se recurre al modelo anterior:

> *Desde el punto de vista de la administración turística, de la Administración General del Estado, se considera que hay que regular de alguna forma el crecimiento de la oferta que se está produciendo en nuestras principales zonas turísticas, en cooperación o colaboración, por puesto, con las Administraciones autonómicas (..)* **Uno de los pocos instrumentos** *con los que cuenta la Administración turística del Estado* **es el crédito oficial** *, existiendo la previsión de orientar ese crédito oficial, desde el punto de vista geográfico, a seleccionar las localizaciones de zonas que tengan un fuerte potencial turístico, pero que no esté plenamente desarrollado, y, por otra parte, orientar este crédito oficial, más que a la creación de nueva oferta turística, a la mejora cualitativa de la oferta ya existente.* (Comparecencia del Ministro de Transportes, Turismo y Telecomunicaciones, Sr. Barrionuevo Peña, ante el Pleno de la Cámara, el 10 de noviembre de 1988) .

> *Hay que tener en cuenta que la utilización del crédito turístico... desde hace ya dos años no se destina a la construcción de apartamentos o apartahoteles en las zonas de mayor oferta turística* (Comparecencia del Ministro de Transportes, Turismo y Comunicaciones,

Sr. Barrionuevo Peña, ante la Comisión de Industria, Obras Públicas y Servicios, el 4 de diciembre de 1990) .

Por el contrario, sí es de una gran importancia el trabajo de la Ponencia Parlamentaria sobre el Sector Turístico. El Informe final de la Ponencia es un análisis de gran calidad que identifica las cuestiones más relevantes del turismo español e incorpora recomendaciones que son el germen del *Plan Futures* y del espíritu de la siguiente fase (la fecha de aprobación del mismo, octubre de 1991, es ya mandato del ministro Aranzadi).

Lo más destacable de esta fase son los programas. Todos los que se pusieron en marcha entonces han acabado siendo iniciativas de gran prestigio: el Programa Vacaciones para la Tercera Edad, los programas de rehabilitación de espacios rurales a través de un turismo más artesanal o las plataformas de promoción de varias Comunidades que apostaban por nuevos productos. Parece como si, ante la falta de un plan integral, los pequeños programas hubieran recompensado con gran riqueza el esfuerzo realizado.

c) El rediseño institucional

A pesar del panorama descrito, el otro factor que hemos mencionado, el nuevo entorno institucional, permite que se abran nuevas perspectivas y que la política turística de la *fase de adaptación institucional* pueda singularizarse de la anterior. Durante este periodo, los decisores públicos se concentran en la adaptación al nuevo sistema de actores en un doble plano.

Por un lado, se aborda el redimensionamiento de las organizaciones turísticas gubernamentales, especialmente tras la profundización de las ideas neoliberales del Gobierno del PSOE y la política de privatizaciones, con dos objetivos: reducir el aparato turístico del Gobierno a los instrumentos imprescindibles y reflexionar sobre la naturaleza jurídica más adecuada para las funciones que se desarrollarán.

En esta fase se privatizan las empresas públicas que prestaban directamente servicios turísticos, se suprime el Instituto de Estudios Turísticos, se crea una única Dirección General, dependiente de la Secretaría General de Turismo y, lo más influyente, se crea el Instituto de Turismo de España.

La creación de Turespaña, que inicialmente se llamó Inprotur, supuso adoptar el modelo organizativo que se había impuesto en otros países de nuestro entorno, en donde la promoción era gestionada por organizaciones dependientes del Estado, pero con personalidad jurídica propia, lo que les dotaba de una mayor capacidad de gestión. El impulso de la nueva organización, permitió rediseñar la gestión de la promoción del turismo: se modifican las relaciones con las Oficinas de Turismo en el Exterior y se establece un plan anual de marketing turístico que estructura las acciones, plan que se base en el estudio previo de los mercados emisores más importantes. Turespaña permitió que el Gobierno desarrollara un nuevo papel en la promoción del turismo y, de la mano de este cambio, la Administración turística comenzó a modificar el modelo de política turística. Los estudios de mercados que empieza a realizar Turespaña traen consigo una perspectiva que supuso que la Secretaría General comenzara a trabajar desde la óptica de los productos turísticos. En la fase de *adaptación institucional* aparece en la Subsecretaría el "jefe de producto" y se institucionalizan las denominaciones "turismo vacacional del sol y playa", "turismo cultural", "turismo verde, de naturaleza o rural", "turismo deportivo" o "turismo de salud". Este es un cambio importante porque suponía prestar atención a la problemática de las diferentes ofertas turísticas independientemente del porcentaje de mercado que ocuparan. Además, mostraba que el Gobierno podía asumir funciones en la organización de la información que tras la Constitución, se había fraccionado por el territorio; una función catalizadora que permitiría, en la siguiente etapa, despegarse de un modelo de política turística que aún mantenía un vínculo fuerte con las ideas de la fase de desarrollo.

En la nueva configuración institucional, del conjunto de las empresas públicas solo se había mantenido Paradores de Turismo, transformada en sociedad privada. La eficacia en la gestión de un producto tan singular, que también había sido motivo de conflicto con las Comunidades Autónomas que habían reclamado les fueran transferidos los radicados en sus respectivos territorios, se convirtió en un objetivo político importante. Con el modelo de gestión de Paradores el Gobierno reafirmaba su principal referente: había que disminuir la participación pública en el turismo reduciéndola a cuestiones simbólicas que precisaran de la posición que ostenta el Gobierno Central.

Por otro lado, los primeros Gobiernos del PSOE realizan el traspaso definitivo de competencias a las Comunidades Autónomas, pero, carentes de un modelo de política turística que defina su papel en el nuevo reparto competencial, generan un crecimiento del conflicto competencial con éstas que no se resolverá en esta fase.

La innovación provocada por el rediseño de los instrumentos organizativos choca con la falta de un modelo sustantivo de política turística alternativo y se llega al momento de máxima tensión cuando un cambio de perspectiva provocada porque la materia turística pasa a compartir Ministerio con industria, cambie la política turística.

2.2. Rasgo sustantivo: la búsqueda de un modelo

Durante los catorce años de Gobierno Socialista la política turística es resultado de dos tendencias contradictorias que tratan de buscar solución a un sólo problema. El problema era encontrar un nuevo papel para el Gobierno Central en la política turística, puesto que había perdido las competencias sobre aquellas funciones que tradicionalmente había desarrollado y su nueva posición en el sistema de actores era muy distinta. Las soluciones se acercaron a dos posiciones: continuar con lo heredado o buscar un modelo diferente. En esta primera fase se opta por una posición continuista que ahonda en la indefinición del modelo.

El rasgo sustantivo de la fase de *adaptación institucional* no es la prórroga de la política turística anterior, es la tensión que provoca el enfrentamiento entre la falta de un nuevo referente para la política turística del Gobierno Central y la renovación que se está produciendo en las nuevas organizaciones públicas al servicio del turismo de ese mismo nivel. Las actividades que se asumen reclaman que el Estado asuma la función de coordinador, pero ésta no se llega a desarrollar.

En relación con el estilo de la política, en la etapa de mayoría absoluta del Gobierno del PSOE se asienta un estilo impositivo en la política turística, al que se suma la falta de referentes e indecisión de los decisores públicos. El Gobierno no encontró alternativas que le permitieran asumir un nuevo rol en la arena, así que mantenía las líneas de acción anteriores, obviando el hecho de que nuevos actores, fundamentalmente las Comunidades Autónomas, eran las nuevas protagonistas en las funciones tradicionalmente asumidas por la Administración Central. Los decisores recurrían a argumentos de coordinación, pero los instrumentalizaban a través de normas que imponían. La inexistencia de propuestas propias generó un aumento muy significativo del conflicto con las Comunidades Autónomas que ya se había iniciado en los Gobiernos anteriores de UCD y que no se resolverá hasta los últimos años de la etapa siguiente.

Además, se suprimieron los instrumentos de coordinación institucional que permitirían establecer políticas consensuadas con otros agentes públicos.

La misma falta de una idea clara sobre la política turística conlleva que no exista capacidad de establecer acciones que se adelanten a los acontecimientos o que impulsen nuevas líneas de futuro, por lo que el estilo de la política turística en esta fase también es reactivo.

Capítulo 8
LA INNOVACIÓN (1991-1996)

La quinta fase de la política turística da comienzo con el traslado de la materia al Ministerio de Industria, Comercio y Turismo en 1991. En la *fase de innovación* sigue gobernando el PSOE; hasta 1993 con mayoría absoluta y desde ese año hasta 1996 en minoría.

Los Ministros del periodo son Aranzadi Martínez (1991-1993) y Gómez-Navarro Navarrete (1993-1996) que es nombrado titular del "nuevo" Ministerio de Comercio y Turismo; el turismo volvía al Ministerio en que había comenzado su andadura democrática.

1. PRINCIPALES ACTUACIONES DEL PERIODO

1.1. Claudio Aranzadi Martínez (marzo 1991 - julio 1993)

En marzo de 1991 se lleva a cabo una reestructuración de los Departamentos Ministeriales. Se suprime el Ministerio de Transporte, Turismo y Comunicaciones, cuyas competencias se dividen entre el nuevo Ministerio de Obras Públicas y Transportes y el Ministerio de Industria, Comercio y Turismo.

a) Instrumentos organizativos

La Secretaría General de Turismo se traslada al Ministerio de Industria, Comercio y Turismo. De nuevo en una ley presupuestaria, la Ley 31/1991, de 30 de diciembre de Presupuestos Generales del Estado para 1992, se incorpora una referencia que afecta a la Administración turística.

En esta ocasión se modifica la anterior previsión que establecía la supresión de cualquier estructura administrativa tradicional, incorporando la totalidad de las funciones del Gobierno Central en el

Organismo Autónomo Turespaña, precisando que se mantenga la **Secretaría General de Turismo** como el órgano de la Administración que ostente la titularidad de las competencias del Estado en materia de Turismo.

b) Planes generales

Después de varios años de Gobierno Socialista en los que se afirmó, en distintas ocasiones, que se estaba elaborando un Plan General para el sector se presenta el **Plan marco de competitividad del Turismo Español (FUTURES 1992/1995)**, inspirado en el Libro Blanco sobre Crecimiento, Competitividad y Empleo de Delors, presentado en 1992.

El Plan *Futures* tiene como claro referente el Informe de la Ponencia del Congreso que hemos visto, aunque es capaz de estructurar un documento de planificación que implanta una nueva forma de política turística.

El propósito del Plan *FUTURES* era

> *≈ establecer las estrategias necesarias para que el Turismo consolide su posición como sector económico con una fuerte capacidad competitiva, adaptándose a consumidores cada vez más exigentes y atendiendo a los requerimientos sociales sobre su funcionamiento e impactos, con especial atención a los de índole medioambiental.*
>
> *El Plan supone el diseño de un nuevo esquema de cooperación entre la Administración Turística del Estado y las Comunidades Autónomas (..) . Asimismo, desarrolla las bases de una interlocución más estrecha con los agentes sociales, propiciando su mayor protagonismo en las cuestiones que afectan al sector* (Plan *Futures*, 1992) .

Para conseguir la coordinación e implicación de las Comunidades Autónomas se prevé que su desarrollo se articule mediante la firma de convenios específicos.

Los objetivos del Plan *FUTURES* se relacionan con tres fines más generales: fines sociales, económicos y medioambientales.

Relacionados con fines sociales:

1. Mejora de la calidad turística para incrementar el nivel de satisfacción de los consumidores y el bienestar de las sociedades receptoras.

2. Potenciación de la formación y cualificación en turismo para elevar los recursos humanos del sector y alcanzar los deseables efectos externos sobre el entorno social.

3. Protección del consumidor-turista, mediante la mejora de la normativa aplicable y la coordinación interadministrativa.

4. Mejora del entorno informativo, relativo al turismo, en que se desenvuelven los consumidores, los trabajadores, las empresas y las administraciones turísticas.

Relacionados con fines económicos:

1. Mejora del I+D en las empresas turísticas.

2. Mejora del capital humano en la empresa como elemento necesario para incorporar, de forma efectiva, los restantes factores que condicionan la competitividad.

3. Modernización e innovación de la industria turística.

4. Diversificación y diferenciación de la oferta turística, como respuesta a la creciente segmentación de los mercados y necesidad de especialización productiva.

5. Mejora de la promoción y comercialización.

6. Fortalecimiento del tejido empresarial, prerrequisito en el logro y afianzamiento de núcleos turísticos competitivos.

7. Mejorar las infraestructuras como factor generador de economías externas y componente, con frecuencia indispensable, de determinados productos turísticos.

8. Adaptación del marco jurídico e institucional para la seguridad en la toma de decisiones empresariales y la mayor efectividad de las mismas.

Y, por último, relacionados con fines medioambientales:

1 Conservación del entorno natural y urbano, compatibilizándolos con la actividad turística.

2. Recuperación y desarrollo de tradiciones y raíces culturales vinculadas a la actividad turística, logrando a la vez encomiables objetivos de política cultural y el afianzamiento de recursos básicos para el desarrollo de nuevos productos.

3. Revalorización del patrimonio susceptible de uso turístico de carácter histórico, monumental o tradicional a través de la rehabilitación para uso turístico de edificios singulares preservando la arquitectura autóctona.

Para la consecución de dichos objetivos se proponen cinco planes específicos: el Plan de Coordinación y Cooperación Institucional; el Plan de Modernización e Innovación Turística, el Plan de Nuevos Productos Turísticos, el Plan de Promoción, Marketing y Comercialización y el Plan de Excelencia Turística

Los Planes, a su vez, se dividen en programas que contienen la descripción de las acciones específicas que se realizarán y las medidas que se articulan para su consecución.

CUADRO 8.1.: PLAN *FUTURES* 1992-1995

	Plan de Coordinación y Cooperación Institucional *FUTURES-COORDINACIÓN*
C1	*Programa de dinamización de la política turística en foros internacionales*
C1.1.	*Participación activa en las iniciativas de la Comunidad Europea*
C1.2.	*Colaboración estrecha con la O.M.T.*
C1.3.	*Interlocución con otras organizaciones internacionales*
C1.4.	*Cooperación turística en programas bilaterales*
MEDIDAS	*– Apoyo económico a iniciativas empresariales enmarcadas en programas comunitarios* *– Apoyo a empresas que colaboren en el desarrollo de turístico en el marco de los acuerdos internacionales bilaterales* *– Asistencia, asesoramiento e información en materia turística, en particular apoyo técnico-arquitectónico de la Secretaría General de Turismo y gestión de establecimientos singulares e históricos.*
C2	*Programa de coordinación de la administración del Estado*
C2.1.	*Potenciación de la función de interlocución de la Secretaría General*
C2.2.	*Creación de la Comisión Interministerial de Turismo*
MEDIDAS	*No se especifican para el programa*
C3	*Programa de cooperación entre administraciones turísticas*
C3.1.	*Colaboración en el diseño y desarrollo de normativa turística*
C3.2.	*Cooperación en puesta en marcha y gestión de sistemas de recogida y transmisión de información turística*

	C3.3.	*Desarrollo conjunto de proyectos de demostración turística multicomunitarios*
	C3.4.	*Potenciación de la Conferencia Sectorial del Turismo*
	MEDIDAS	*No se especifican para el programa*
C4		**Programa de colaboración con interlocutores externos**
	C4.1.	*Creación del Consejo Consultivo de Turismo*
	MEDIDAS	– *Apoyo financiero a la participación de proyectos y empresas españolas en los programas internacionales de carácter multilateral y bilateral (hasta un 30% del coste)* – *Incentivos económicos para la creación de infraestructura de información turística y desarrollo de productos turísticos que representen experiencias significativas o que afecten a varias Comunidades Autónomas (Hasta un 5% de su coste)* – *Financiación de proyectos internacionales bilaterales que permitan la transferencia de la experiencia turística española y la participación de empresas en el desarrollo turístico de los países*

	***Plan de Modernización e Innovación Turística*** ***FUTURES – MODERNIZACIÓN***
M1	**Programa de mejora de estrategias competitivas de empresas y destinos turísticos**
M1.1.	*Mejora de las infraestructuras de servicios a empresas turísticas*
M1.2.	*Apoyo a la realización de diagnósticos de competitividad y planes estratégicos de empresas y destinos turísticos*
M1.3.	*Desarrollo de sistemas de análisis turístico y potenciación de la investigación general y empresarial*
MEDIDAS	– *Incentivos económicos que compensen parte de los costes de ejecución de los análisis, diagnósticos, investigación y estudios (hasta un 50% del coste dependiendo si son empresas o destinos turísticos)* – *Apoyo para la consolidación y expansión de la infraestructura de servicios (hasta un 50% de su coste)* – *Información sobre las empresas de servicios y experiencias en proyectos significativos* – *Financiación de proyectos de análisis, estudios e investigación sobre aspectos económicos, sociales y técnicos del turismo*
M2	**Programa de desarrollo de recursos humanos en turismo**
M2.1.	*Apoyo a la creación de infraestructuras de cualificación y especialización de recursos humanos*
M2.2.	*Actualización y mejora de la calidad de los recursos humanos*
M2.3.	*Apoyo a la participación en proyectos internacionales de formación*

	MEDIDAS	– *Desgravación de los gastos en formación en la cuota del impuesto de sociedades*
		– *Incentivos económicos a los programas de formación empresarial, formación concentrada entre empresas y centros de formación y cursos en centros universitarios (hasta un 50% del coste y un máximo de 10 millones de pesetas)*
		– *Ayudas a la creación de infraestructuras de cualificación de recursos humanos (hasta un 25% del coste)*
		– *Intensa labor de formación de formadores*
		– *Concesión de becas para estudios en centros españoles e internacionales*
		– *Control riguroso sobre los estándares de admisión, formación y equipamiento de los centros turísticos asociados*
		– *Colaboración estrecha con las organizaciones profesionales, empresariales y sindicales para el desarrollo del Programa*
		– *Cooperación entre las actuaciones de la Inspección del Trabajo y las asociaciones empresariales y sindicatos, con el fin de evitar aquellas situaciones de fraude que se puedan producir en la contratación temporal*
		– *Colaboración con la Escuela de Organización Industrial en programas de interés mutuo*
M3		**Programa de mejora de la calidad de los productos turísticos**
	M3.1.	*Promoción de infraestructura técnica y profesional de calidad turística*
	M3.2.	*Apoyo a acciones de mejora de la calidad*
	M3.3.	*Apoyo a las acciones de sensibilización y difusión de mejora de la calidad*
	MEDIDAS	– *Apoyo económico para ejecución de los proyectos de implantación de calidad (las acciones de mejora de la calidad en empresas tendrán una subvención máxima del 25% del coste y las acciones para la creación de infraestructuras de calidad y sensibilización hasta el 100% del coste)*
		– *Intensa labor de información, formación y divulgación de la exigencia de calidad*
		– *Apoyo a la aplicación rigurosa de las normas de control de calidad existentes*
		– *Estrecha colaboración con las iniciativas del Plan Nacional de Calidad*
		– *Creación de Comités de calidad turística con instituciones, así como con agentes socio-económicos e interlocutores sociales, para el desarrollo y la promoción de la calidad en el sector*
M4		**Programa de modernización e innovación de los productos turísticos**
	M4.1.	*Apoyo a la creación de infraestructuras técnicas para la modernización e innovación*

	M4.2.	*Apoyo a las acciones de modernización e innovación*
	M4.3.	*Apoyo a la creación de sistemas de información y comercialización*
	MEDIDAS	– *Esquema de financiación competitiva a través de financiación preferencial, así como el acceso a la financiación comunitaria (Banco Europeo de Inversiones)* – *Desgravaciones fiscales a la inversión en proyectos tecnológicos de ámbito turístico* – *Incentivos económicos a proyectos tecnológicos, especialmente los vinculados a programas internacionales o los desarrollados de forma conjunta por varias empresas (hasta un 30% de la inversión y, excepcionalmente un 45%)* – *Apoyo financiero a centros de desarrollo o difusión de la tecnología turística (hasta un 30% de la inversión y, excepcionalmente, el 45%)* – *Colaboración con el Plan de Actuación Tecnológica e Industrial*
M5		**Programa de mejora del tejido empresarial**
	M5.1.	*Estímulo a las iniciativas de cooperación, asociación y fusión de fuerzas*
	M5.2.	*Apoyo a la creación de empresas de servicios turísticos especializados*
	M5.3	*Estímulos para la apertura de nuevos mercados turísticos*
	MEDIDAS	– *Desgravaciones fiscales a la inversión en establecimientos de redes comerciales en el exterior* – *Cobertura de riesgos para proyectos turísticos relevantes* – *Financiación competitiva para modernización de empresas turísticas* – *Conversión de deuda pública exterior para inversiones turísticas significativas* – *Apoyo económico a las iniciativas de cooperación (Hasta el 50% del coste de realización de la cooperación)* – *Subvenciones a la creación y especialización de empresas de servicios turísticos (Hasta el 50% del coste)* – *Incentivos para los análisis de viabilidad comercial y viabilidad técnica de las inversiones españolas (Hasta 5 millones de pesetas).*

		Plan de Nuevos Productos Turísticos **FUTURES - NUEVOS PRODUCTOS**
N1		**Programa de identificación y evaluación de nuevos productos turísticos o productos complementarios**
	N1.1.	*Detección e inventariado de recursos turísticos de gran relevancia*
	N1.2.	*Apoyo a la realización de estudios de mercado de nuevos productos*
	N1.3.	*Difusión e información relevante sobre oportunidades de creación de nuevos productos*
	MEDIDAS	*No se especifican para el programa*

N2	Programa de nuevos productos de ámbito multicomunitario	
	N2.1.	Promoción integral de productos genéricos
	N2.2.	Promoción de productos basados en recursos multicomunitarios
	MEDIDAS	No se especifican para el programa
N3	Programa de desarrollo de nuevos productos competitivos	
	N3.1.	Apoyo a la definición de nuevos productos
	N3.2.	Acciones de formación y especialización para la gestión de nuevos productos
	N3.3.	Elaboración de módulos para la creación y gestión de nuevos productos
	N3.4.	Apoyo a proyectos turísticos de alto efecto demostración
	MEDIDAS	No se especifican para el programa
N4	Programa de estímulo a la comercialización de nuevos productos	
	N4.1.	Apoyo a la planificación comercial de nuevos productos
	N4.2.	Apoyo a actuaciones conjuntas
	N4.3.	Apoyo a la creación de soportes materiales
	MEDIDAS	– Acceso a Fondos Comunitarios: Fondos FEDER, FEOGA, acciones LEADER, etc. – Concesión de incentivos económicos para actuaciones de asesoramiento, proyectos de demostración, programas multiregionales y oferta singular (hasta un 50% del coste) – Actuaciones de información y formación a través de las Administraciones o por intermediación de empresas turísticas especializadas. – Financiación de acciones de identificación, concepción y promoción de nuevos productos turísticos.

FUTURES – PROMOCIÓN		
P1	Programa de planificación de las estrategias de marketing y comercialización	
	P1.1.	Elaboración de un Programa Anual de Promoción Turística.
	P1.2.	Preparación de Programas Anuales de Medios de Producción para la Promoción.
	P1.3.	Análisis de la demanda de mercados turísticos relevantes.
	P1.4.	Apoyo a los acontecimientos excepcionales que tengan una fuerte capacidad de promoción turística.
	MEDIDAS	No se especifican para el programa.

P2		**Programa de colaboración con las administraciones y la industria para la promoción turística**
	P2.1.	*Cooperación con las administraciones.*
	P2.2.	*Cooperación con la industria.*
	MEDIDAS	*No se especifican para el programa.*
P3		**Programa de estímulo a la creación de infraestructuras de promoción**
	P3.1.	*Estímulo a la creación de entidades de apoyo turístico.*
	P3.2.	*Acciones para facilitar y agilizar la comercialización.*
	P3.3.	*Creación de servicios de información turística genérica y específica.*
	P3.4.	*Delimitación organizativa de la Administración turística por productos turísticos.*
	P3.5.	*Potenciación de las oficinas de turismo en el exterior.*
	P3.6	*Prestación de servicios de promoción y marketing por Turespaña.*
	MEDIDAS	– *Cofinanciación de las campañas de promoción y marketing que realicen las Administraciones y las empresas, cuando coincidan con la estrategia de Turespaña (la participación de Turespaña se elevará hasta un 50% de la iniciativa).* – *Acceso a los planes de promoción de Turespaña para facilitar la presencia de Administraciones o empresas en los mercados extranjeros.* – *Estímulo a la creación de "Clubes de promoción empresarial" y "Entidades de prestigio" en mercados emisores.* – *Asistencia Técnica y asesoramiento de Turespaña.* – *Establecimiento de una Comisión de Promoción en la que estén presentes aquellas instituciones interesadas en la promoción del turismo español.*

		FUTURES – EXCELENCIA
E1		**Programa de mejora de la información a los canales de distribución y al sector turístico**
	E1.1.	*Coordinación de la información ofrecida.*
	E1.2.	*Desarrollo de un sistema de información profesional de las actividades y proyectos de los destinos turísticos.*
	E1.3.	*Diseño piloto de Oficinas de Turismo y otros puntos de información*
	MEDIDAS	*No se especifican para el programa*
E2		**Programa de apoyo a la consecución de la excelencia turística en entornos naturales y urbanos**
	E2.1.	*Estímulo a la mejora del hábitat turístico susceptible de promoción.*
	E2.2.	*Apoyo a proyectos de excelencia turística que mejoren el entorno.*

	E2.3.	*Cooperación para un desarrollo uniforme de la normativa de medio ambiente, natural y urbano.*
	MEDIDAS	*No se especifican para el programa.*
E3		**Programa de sensibilización social hacia el turismo**
	E3.1.	*Difusión de la importancia socioeconómica del turismo.*
	E3.2.	*Iniciativas dirigidas a difundir los propósitos del Plan Marco.*
	E3.3	*Difusión especial de la importancia de la conservación del medio ambiente para la actividad turística.*
	E3.4.	*Reconocimiento de iniciativas de prestigio turístico.*
	MEDIDAS	*– Acciones de información y comunicación, tales como seminarios profesionales, conferencias, publicaciones y exposiciones* *– Incentivos económicos para la consecución de Destinos Turísticos Excelentes (Hasta un 50% del proyecto).* *– Acceso a financiación competitiva para los proyectos vinculados a la excelencia de destinos turísticos.*

(Fuente: Secretaría General de Turismo, 1992)

Para todo lo anterior se aprueba el siguiente presupuesto cuadrienal:

CUADRO 8.3.: PRESUPUESTOS *FUTURES* 1992-1995 (Millones de pesetas)

	1992	1993	1994	1995	TOTAL
I. *FUTURES*-COORDINACIÓN	190	240	270	310	1.010
II. *FUTURES*-MODERNIZACIÓN	2.450	2.930	3.150	3.440	11.970
III. *FUTURES*-NUEVOS PRODUCTOS	460	560	710	780	2.510
IV. *FUTURES*-PROMOCIÓN	6.469	7.125	7.850	8.635	30.079
V. *FUTURES*-EXCELENCIA	450	650	720	820	2.640
TOTAL	**10.019**	**11.505**	**12.700**	**13.985**	**48.209**

(Fuente: Secretaría General de Turismo, 1992)

El impacto comunicativo del Plan *Futures* es enorme. El Ministerio, además de difundir su existencia a través de los canales ordinarios, obligó a utilizar la "marca *Futures*" en los soportes de comunicación de todas las iniciativas que resultaban beneficiarias de alguna de las ayudas, consiguiendo que la marca fuese conocida por un porcentaje muy alto de los agentes del sector y por mucha gente de fuera de éste.

A los dos años se revisan los criterios de concesión de subvenciones al detectarse las siguientes deficiencias: dispersión de las ayudas concedidas, proyectos considerados interesantes fueron desestimados por su elevado presupuesto inicial y por estar escasamente subvencionados por su Comunidad Autónoma; escaso nivel de calidad de los proyectos destinados a mejorar el nivel de los recursos humanos; el objetivo de favorecer colaboraciones entre empresas quedó por debajo de lo esperado; no siempre los apoyos a la innovación desembocaron en el avance tecnológico de las empresas; se concedieron demasiadas ayudas a proyectos de diagnóstico de empresas. (Turespaña, 1996:22).

Ello llevó a aumentar la financiación de las líneas de innovación y fortalecimiento del tejido empresarial, nuevos productos y calidad; exigir mayor rigor en la concesión de ayudas a la línea de recursos humanos; reducir ayudas de diagnóstico; apoyar prioritariamente a iniciativas empresariales, priorizar a los proyectos que contaban con apoyo económico de la Comunidad Autónoma; elevar el nivel medio de las subvenciones y preferir los proyectos supracomunitarios. (Turespaña, 1996:23).

En 1995, se encarga un estudio a una consultoría para evaluar los resultados obtenidos por las líneas de subvención del Plan *Futures* hasta el momento.

"Un 72% de los beneficiarios del Plan tiene una opinión favorable de éste y un 6% basa su valoración negativa en la apuesta por las pequeñas y medianas empresas en detrimento de las grandes" (Turespaña, 1996:31).

c) Programas

Además de los previstos en el Plan *Futures*, en junio de 1993 se crea el **Programa de becas "Turismo de España".**

Se dotan diferentes becas de estudio, investigación y práctica profesional para la especialización en materias turísticas, cubriendo un amplio espectro de actividades formativas: estudios de enseñanzas turísticas en universidades o centros españoles o extranjeros; prácticas de investigación para Diplomados en Turismo en la Secretaría de Turismo, Turespaña o la Escuela Oficial de Turismo; realización de tesis doctorales cuyo objeto de investigación estuviera relacionado con el turismo; trabajos de investigación; prácticas profesionales de especialización en el extranjero; asistencia a cursos de especialización y reciclaje; estudios o prácticas en hostelería y restauración.

Dentro del **Programa Vacaciones para la Tercera Edad** en 1993 se crea el "programa de circuitos culturales", aumentando la oferta para dicho colectivo. En la temporada 1993/1994 ya se benefician del programa 375.000 personas; de estas plazas 10.000 corresponderán a la nueva iniciativa.

d) Instrumentos normativos

Durante el mandato del Ministro Aranzadi, se aprueban:

- Mediante Ley 28/91 de 5 de diciembre se **deroga la Ley 197/63, sobre Centros y Zonas de Interés Turístico Nacional.**

Dicha Ley estaba vigente en tanto no se opusiera a la Ley sobre Régimen de Suelo y Ordenación Urbana, pero tanto las nuevas competencias autonómicas, como la incompatibilidad con el régimen promulgado por la Ley de Costas, aconsejaron su derogación. Los beneficios concedidos en virtud de esa ley se mantenían condicionados al mantenimiento de los requisitos por los que habían sido otorgados.

- Decisión 421/1992 del Consejo de la Unión Europea por la que se aprueba un **plan de acciones comunitarias en favor del turismo.**

e) Instrumentos financieros

En junio de 1991 se abre, de nuevo, el **Crédito Oficial Turístico** para modernización hostelera.

Pero el instrumento financiero de mayor importancia son las subvenciones que se articulan tras la aprobación del Plan *Futures* para la puesta en práctica del mismo.

En agosto de 1992 se aprueban dos órdenes.

La primera establece las normas reguladoras de **subvenciones para mejora de la competitividad de las pequeñas y medianas empresas, personas e instituciones turísticas en aplicación del Plan FUTURES**, para los ejercicios económicos de 1992 a 1995.

Podían ser objeto de subvención:

- El diagnóstico y análisis de empresas, productos y destinos turísticos.
- La cualificación y formación de recursos humanos.
- La mejora y promoción de la calidad, innovación y fortalecimiento del tejido empresarial.
- Nuevos productos y
- Las acciones de sensibilización y difusión del Plan Marco.

Igualmente se preveía una línea de financiación preferente para la modernización de establecimientos, empresas y destinos.

La segunda, establecen las normas de concesión de **incentivos a las pequeñas y medianas empresas y entidades turísticas para la realización de acciones de promoción de la oferta turística española.** El objeto era, preferentemente, la promoción de productos que permitieran alargar las temporadas en zonas turísticas tradicionales, desarrollar nuevos destinos turísticos del territorio nacional o facilitar la comercialización de productos singulares y novedosos. Las acciones contempladas, estudios de investigación en mercados emisores, adquisición de espacios en sistemas de información y comercialización, adquisición de espacios publicitarios en medios de comunicación, gastos ocasionados por la creación y registro de marcas o creación de redes de distribución.

Ambas son recurridas por la Comunidad Autónoma de Cataluña, País Vasco y Galicia. La resolución del conflicto positivo de competencia no se resuelve hasta el año 2000 (por lo que también se suman los recursos de las órdenes de 1996, correspondientes al segundo Plan *Futures*) y el Tribunal Constitucional da la razón parcialmente a las Comunidades[145].

f) Otras acciones

En 1992 se firma el primer Convenio de Excelencia Turística entre la Administración del Estado, la Comunidad Autónoma, la Corporación Local y los empresarios de la zona, para mejorar la calidad de los

---

[145] Conflicto positivo de competencias, núm. 242/1999.

elementos que conforman y definen esa zona como destino turístico (Alomar, 1995:170), pero la iniciativa la impulsará el siguiente Ministro.

Se comienza con una serie publicada por Turespaña denominada "Estudio de los Mercados Turísticos Emisores". Se publican los relativos a Gran Bretaña, Alemania, Francia, Italia Estados Unidos y Holanda.

1.2. *Javier Gómez-Navarro Navarrete (julio 1993 - junio 1996)*

Durante el último mandato del Gobierno Socialista se aprecia un notable esfuerzo por generar estructuras que permitieran lograr uno de los objetivos menos desarrollados y más necesarios en relación con el turismo: la coordinación efectiva entre los agentes implicados.

Se aprueba la segunda fase del Plan *Futures* que, con un espíritu similar al anterior en cuanto a filosofía y objetivos, busca nuevas formas de gestión basadas en un aumento de la cooperación con las Comunidades Autónomas.

a) Instrumentos organizativos

Se crea el **Ministerio de Comercio y Turismo**, separando las competencias de Industria del anterior departamento.

En un principio se mantiene la Secretaría General de Turismo con la misma estructura que se diseñó en 1988, pero en julio de 1994 se aprueba un Real Decreto de **Organización de la Administración Turística del Estado**.

La Exposición de Motivos señala, "*el constante desarrollo del turismo en el mundo, los cambios que experimentan, continuamente, las corrientes turísticas y la reciente evolución del turismo y de la economía española demandan que la estructura orgánica y las funciones de los servicios turísticos del Estado se adecuen permanentemente a las necesidades del mercado y se orienten, primordialmente, al mantenimiento y competitividad de un sector, como es el turismo, de una importancia fundamental en la economía española*".

Para ello se diseña un sistema en el que la **Secretaría General de Turismo** definirá la estrategia nacional en materia de turismo en coordinación con las Comunidades Autónomas y los entes locales, y Turespaña colaborará y desarrollará dicha estrategia.

Las funciones de la Secretaría son coordinar la política turística; decidir las directrices de desarrollo de la política de promoción; planificar estrategias para la mejora de la competitividad, el desarrollo tecnológico, y el desarrollo equilibrado; señalar los criterios generales de las relaciones institucionales turísticas; definir las estrategias de Turespaña y la evaluación y control de calidad de la Administración Turística del Estado.

Las funciones de **Turespaña** son mucho más explícitas:

– La realización de análisis y estudios, así como el diagnóstico de factores diversos para el diseño de las estrategias que permitan mantener el sector turístico nacional en niveles altos de competitividad y calidad. Podrá elaborar planes y programas de fomento del sector.

– Las relaciones inmediatas con otras administraciones favoreciendo la coordinación y con los Organismos Internacionales de Turismo.

– La planificación y fomento del turismo español y de su promoción exterior, *oídas y con la cooperación, si procede, de las Comunidades Autónomas*, la comercialización de productos turísticos españoles y la internacionalización de las empresas turísticas españolas.

– Determinar los objetivos de la Escuela Oficial de Turismo.

– La gestión y explotación de los establecimientos turísticos, así como fijar la estrategia de la Sociedad Estatal Paradores de Turismo.

El Presidente es el Secretario General de Turismo y la estructura se compone de dos Direcciones Generales.

La **Dirección General de Estrategia Turística**, con tres Subdirecciones: la de Desarrollo Turístico, para la identificación de nuevos recursos turísticos, el fomento de productos innovadores y el fomento y desarrollo de los productos tradicionales; la de Competitividad Turística, encargada del desarrollo de planes para el fomento de la calidad, la competitividad y la cooperación empresarial y la de Coordinación Turística, que velará por el funcionamiento de la Comisión Interministerial, la cooperación con las Comunidades Autónomas y entes locales y las relaciones institucionales turísticas.

La **Dirección General de Promoción Turística** está integrada por la Subdirección General de Promoción Exterior, la Subdirección General de Comercialización Exterior, organizada mediante la figura de Jefe de Producto (sol y playa, deporte y naturaleza, turismo cultural y de ciudad, congresos e incentivos) y la Subdirección General de Relaciones con las Oficinas Españolas de Turismo.

Vuelve a recuperarse el **Instituto de Estudios Turísticos** como órgano encargado del análisis, de las estadísticas y de la difusión de la información turística. Con dicha intención se ponen en marcha en 1993, con carácter experimental, dos estadísticas de carácter continuo y periodicidad mensual. La primera de ellas, sobre Movimientos Turísticos de los Españoles (*FAMILITUR*), recoge las características de los desplazamientos de los residentes en nuestro país utilizando la familia como unidad de información. La segunda, Movimientos Turísticos en Fronteras (*FRONTUR*), trata de obtener información que permita suplir los datos que se obtenían de los puestos fronterizos y que dejaron de existir tras la supresión de fronteras entre los estados europeos tras el Tratado de Shengen. Para ello, se recogen datos cuantitativos (registros administrativos en aeropuertos, carreteras, barcos y trenes en colaboración con la Dirección General de Tráfico, AENA, RENFE y Puertos del Estado) y cualitativos, mediante cuestionario a la entrada y salida de España en carretera y aeropuertos (Rodríguez Salmonés, 1997:210). En 1995 se revisa su metodología e implantación operativa.

Como cumplimiento de una de las previsiones del Plan *Futures*, se crea en 1994 la **Comisión Interministerial de Turismo**[146] con el objetivo de *"promover y coordinar la acción de los servicios de la Administración General del Estado y Entidades Pública de ella dependientes o vinculadas que desarrollen planes y proyectos con repercusión directa en el turismo, cuando su complejidad exija la concurrencia de acciones para definir medidas de ordenación básica del sector y fomentar el turismo en España"*

La preside el Ministro y como Vicepresidente actúa el Secretario General de Turismo. Los vocales que la integran son, con rango de Secretario de Estado o Subsecretario, representantes del Ministerio de Economía y Hacienda, Ministerio del Interior, Ministerio de Obras Públicas, Ministerio de Trabajo y Seguridad Social, Ministerio de Educación y Ciencia; Ministerio de Transportes y Medio Ambiente, Ministerio de Agricultura,

---

[146] Es más correcto decir que se recupera, pues la Comisión Interministerial de Turismo existe desde el año 1954, aunque su falta de actividad había llevado a suprimirla formalmente en el año 1985.

Pesca y Alimentación, Ministerio de Cultura y Ministerio de Asuntos Sociales y un representante de la Presidencia de Gobierno.

Mediante Acuerdo de 29 de noviembre de 1994, adoptado por la Administración General del Estado y las Comunidades Autónomas, se institucionaliza la **Conferencia Sectorial del Turismo**, ya que, a pesar de que existía, sólo se había reunido en dos ocasiones. La Conferencia Sectorial de Turismo no es un órgano administrativo, ni una persona jurídica, es un foro de las administraciones públicas de carácter territorial que reúne a los responsables en la materia de todas las Comunidades Autónomas.

Un año más tarde, en 1995, se crea el **Consejo Promotor del Turismo**, órgano administrativo colegiado que permite participar en las funciones del Instituto de Turismo de España a representantes de las Administraciones públicas y a representantes de determinados agentes del sector privado. Las funciones son: emitir informes sobre los planes y programas de fomento del turismo y de promoción y comercialización exterior de ámbito estatal que el Instituto de Estudios Turísticos le proponga; proponer iniciativas de promoción exterior; asesorar sobre ámbitos y materias hacia los que deberían dirigirse los planes y programas de promoción e impulsar la coordinación entre la iniciativa pública y privada.

Forman parte del Consejo Promotor del Turismo: el Presidente del Instituto de Estudios Turísticos, el Director General de promoción Turística, el Director General de Estrategia Turística, el Subdirector General de Comercialización Exterior del Turismo; seis representantes de la Administración General del Estado, nueve representantes de las Comunidades Autónomas (cinco fijos de Cataluña, Baleares, Canarias, Andalucía y Valencia y otros cuatro decididos en la Conferencia Sectorial); siete representantes de los empresarios y cinco representantes de los Ayuntamientos.

En el primer Pleno se acordó la creación de tres grupos de trabajo: de "productos turísticos", de "mercados turísticos" y de "comunicación e información" que elaboraban informes sobre dichos aspectos y propuestas sobre nuevos análisis (Porras, 1996:194).

En la línea de establecer canales de cooperación entre los actores implicados en el desarrollo del turismo hay que destacar la firma de un Convenio el 24 de mayo de 1994 entre el Ministerio de Comercio y Turismo y la Federación Española de Municipios y Provincias para a cooperación de las administraciones locales con otras administraciones en materia de turismo.

b) Planes generales

El **Plan Marco de Competitividad del turismo Español: FUTURES 1996-1999** se aprueba el 12 de enero de 1996 tras la declaración favorable de la Conferencia Sectorial del Turismo, celebrada el 19 de diciembre de 1995.

Los principios rectores de este segundo Plan *FUTURES*, derivados de la evaluación del plan anterior, son: sostenibilidad, corresponsabilidad de todos los agentes, concentración de las acciones por productos o destinos, e integración de las iniciativas empresariales en proyectos comunes con las distintas administraciones.

Se desarrollan ocho planes que, a su vez, se dividen en programas: *Futures* Coordinación, *Futures* Cooperación e Internacionalización, *Futures* Calidad, *Futures* Formación, *Futures* Tecnificación e Innovación, *Futures* Nuevos Productos, *Futures* Destinos Turísticos y *Futures* I+D.

CUADRO 8.3.: PLAN *FUTURES* 1996-1999

Plan FUTURES – COORDINACIÓN	
Programa de Coordinación Nacional	
INSTRUMENTOS	– *Impulso del funcionamiento de la Comisión Interministerial de Turismo a través de los Grupos de Trabajo creados en función de las necesidades y retos planteados.*
	– *Dinamización de la Conferencia Intersectorial de Turismo, a través de su órgano Técnico, la Mesa de Directores Generales de Turismo*
Programa de Coordinación Internacional	
INSTRUMENTOS	– *Difusión puntual de la información sobre oportunidades internacionales de negocio, financiación e inversión a las empresas turísticas españolas*
	– *Apoyo y asistencia técnica para el diseño y defensa de los proyectos españoles en los que participen empresas y destinos nacionales*
	– *Difusión de estudios y trabajos de investigación y prospectiva sobre el mercado turístico procedentes de organismos internacionales*
	– *Búsqueda de sistemas de cofinanciación internacional, especialmente comunitaria para los restantes programas incluidos en Futures 1996-1999*
	– *Mediación entre los intereses del sector turístico español y las organizaciones internacionales en las que se debatan cuestiones turísticas*

Plan FUTURES – COOPERACIÓN E INTERNACIONALIZACIÓN
INSTRUMENTOS – *Diseño y puesta en marcha de un convenio marco entre la AECI y Turespaña para definición, implantación y evaluación de las actuaciones de cooperación turística con otros países.* – *Reactivación de los convenios bilaterales firmados por España (más de cuarenta).* – *Difusión puntual de información, sobre las necesidades de cooperación existentes a las empresas e instituciones.* – *Turespaña realizará, directamente o mediante participación en otros proyectos institucionales, nacionales o comunitarios, actuaciones dirigidas a facilitar las inversiones turísticas en otros mercados, especialmente iberoamericanos.* – *Se establecerá, de acuerdo con las disponibilidades presupuestarias de cada ejercicio, una línea de apoyo financiero a proyectos de empresariales de internacionalización. Asimismo, se contemplará el apoyo a la participación en concursos internacionales de contratos de consultoría y asistencia.* *Turespaña mantendrá informadas a las Comunidades Autónomas de las acciones que se emprendan dentro de este Plan.*

Plan FUTURES – CALIDAD
Programa de Sistemas de Calidad
INSTRUMENTOS – *Formalización de convenios entre las Administraciones del Estado, Autonómica y Locales y la agrupación o asociación interesada.* – *Los sistemas de calidad aplicados sobre el conjunto de un subsistema empresarial turístico, se instrumentarán mediante convenios de Turespaña y asociaciones empresariales de ámbito nacional.* *Para el desarrollo de sistemas de calidad en destinos turísticos será imprescindible que el proyecto cuente con un informe favorable de la Comunidad Autónoma en cuyo ámbito territorial vaya a realizarse.*
Programa de Asesoramiento
INSTRUMENTOS – *Prestación de servicios de asesoramiento en materia de calidad a empresas turísticas que lo soliciten* – *Si afecta a empresas cuya actividad abarque el territorio de más de una Comunidad Autónoma, Turespaña mantendrá informadas a éstas. Si afecta a sólo una Comunidad, se podrán firmar convenios bilaterales para determinar fórmulas de colaboración y cofinanciación.* *Difusión puntual de la información sobre oportunidades internacionales de negocio, financiación e inversión a las empresas turísticas españolas.*

Programa de modernización de equipamientos	
INSTRUMENTOS	– *Procurar la apertura de líneas de crédito preferencial para la renovación y modernización* – *Se propone la simplificación de los procedimientos, siendo necesaria la autorización previa sólo en supuestos excepcionales.* – *Las inversiones financiables serán:* *a) En establecimientos ya existentes: mejora de infraestructura, actualización de instalaciones de seguridad, mejoras de vías de acceso, instalaciones de ascensores, aire acondicionado, calefacción, instalaciones de bienes de equipo, innovaciones tecnológicas, dotación de oferta turística complementaria, eliminación de barreras arquitectónicas para disminuidos físicos, y conversión de apartamentos turísticos en hoteles con una categoría mínima de tres estrellas.* *b) En nuevos productos: inversiones que permitan la recuperación de edificios de interés histórico, o que supongan proyectos innovadores y de diversificación de la oferta turística de la zona. En este caso, será precisa la autorización previa de Turespaña.* – *Las Comunidades Autónomas podrán mejorar las condiciones de financiación, a través de subvenciones al tipo de interés, con cargo a sus propios créditos presupuestarios. Informarán de estos acuerdos a Turespaña.*

Plan FUTURES – FORMACIÓN	
Programas Integrados de Formación	
INSTRUMENTOS	– *Diseño, organización e impartición de cursos de formación por Turespaña, en colaboración con Comunidades Autónomas y Entidades Locales.* – *Turespaña propone una programación de acciones formativas para cada ejercicio, las Comunidades Autónomas solicitan que se lleven a cabo indicando localización y público objetivo. Se establecerán comisiones técnicas bilaterales.* – *Los programas podrán dirigirse a satisfacer los requerimientos surgidos de un plan específico de desarrollo de un nuevo producto o zona turística.*
Programa de Servicio de formación a Empresas	
INSTRUMENTOS	– *Oferta directa de servicios que incluyan la asistencia técnica para el estudios de necesidades formativas específicas, diseño de planes de formación a medio plazo o la impartición de formación a los empleados.* – *Las Comunidades autónomas y Turespaña firmarán los convenios oportunos para establecer las fórmulas de colaboración y cofinanciación.*
Programa de Becas	
INSTRUMENTOS	– *Programa de becas de estudio, investigación y práctica profesional.* – *Posibilidad de establecer convenios de colaboración con universidades que tengan departamentos especializados en investigación turística.* – *Confección de una bolsa de empleo.*

Programa de Infraestructuras educativo-turísticas	
INSTRUMENTOS	– *Estudio para analizar la situación de los centros de enseñanzas turísticas para conocer las posibilidades de adaptación a las universidades* – *Proyectos de un grupo de centros que pretendan unirse para incorporarse o reconvertirse en centros de enseñanza profesional.* – *Estudios de los centros de hostelería y de la demanda de dichos estudios. Turespaña propondrá a las Comunidades Autónomas un programa de actuación que irá dirigido a incrementar la calidad de la formación a impartir y a sus instalaciones e infraestructuras docentes.*

Plan FUTURES – TECNIFICACIÓN E INNOVACIÓN

Programa de Proyectos de Infraestructura Tecnológica	
INSTRUMENTOS	– *Realización de centrales de reserva.* – *Desarrollo de bases de datos con información turística preferentemente multimedia.* – *Apoyo a proyectos que faciliten la implantación de sistemas de intercambio electrónico de datos (EDI).* – *Apoyo a proyectos de comunicaciones e integración que faciliten la interacción de los sistemas de los tipos descritos.* – *Promoción de proyectos de coordinación que permitan establecer estándares y criterios de actuación común entre los diversos estamentos promotores de los proyectos.*
Programa de Productos de Alto Contenido Tecnológico	
INSTRUMENTOS	– *Creación de programas informáticos comerciales.* – *Creación de aparatos, productos o dispositivos tecnológicos, informáticos, electrónicos, mecánicos, etc.* – *Creación de centros, exposiciones o sistemas de demostración sobre avances tecnológicos del sector turístico.* – *Creación de nuevos productos de oferta complementaria o desestacionalización de alto contenido tecnológico.* – *Apoyo a la implantación de sistemas expertos, capaces de almacenar y manejar conocimiento turístico.* – *Apoyo a la creación de productos que mejoren la calidad ambiental de las empresas turísticas y su entorno.* – *Apoyo a creación de productos que redunden en la mejor gestión del consumo energético y de agua.*
Programa de Proyectos de Tecnificación de Empresas	
INSTRUMENTOS	– *Dotación de programas informáticos comerciales y equipos informáticos y técnicos.* – *La consultoría que facilite la elección de las inversiones en tecnología que pretendan hacer las empresas.* – *La asistencia técnica para la adopción de productos y sistemas informáticos y tecnológicos, así como su adaptación a los sistemas ya existentes en la empresa.* – *Apoyo a la implantación de otras innovaciones técnicas* – *Promoción de proyectos que signifiquen la mejora de factores ambientales de las empresas.*

Plan FUTURES – NUEVOS PRODUCTOS
Programa de Nuevos Productos
INSTRUMENTOS — Se presentarán proyectos que diseñen una estrategia global para el producto en cuestión, o aspectos de singular importancia como la elevación de niveles de calidad; adecuación a criterios de sostenibilidad ambiental; adaptación a cambios tecnológicos y de mercado o reforzar elemento que permita captar nuevos segmentos de demanda y alargar la temporada. – Inventarios de recursos existentes y estudios de las condiciones para transformase en productos turísticos. – Elaboración de planes y estrategias de actuación. – Estudio de la demanda, existente y potencial. – Diseño del producto: definición de tipologías, elaboración de baremos de calidad y procedimientos de gestión. – Auditorías para determinar la adecuación de los productos existentes a los baremos indicados. – Inversiones en mejoras y adaptación de equipamientos existentes y creación de nuevos establecimientos según el diseño propuesto. – Adecuación del entorno, recuperación ambiental y ordenación de la explotación de los recursos. – Recuperación de elementos de Patrimonio Cultural para su integración en el producto turístico. – Formación de recursos humanos. – Fomento de cooperación empresarial. – Establecimiento de órganos de coordinación y gestión. – Elaboración de estrategias de comercialización y promoción. – Sensibilización y difusión entre la población afectada y captación de nuevos empresarios. – Cualquier actividad que pueda contribuir a la creación o mejora del producto dentro de la tipología de proyectos señalada. Los proyectos deberán tener enfoque global y su ámbito, salvo excepciones, será supracomunitario; se desarrollará en colaboración con entes públicos y privados.

Plan FUTURES – DESTINOS TURÍSTICOS
Programa de Destinos Turísticos
INSTRUMENTOS — – Proyectos que presenten una implicación de todos los agentes públicos y privados que actúan sobre la oferta del destino. – Proyectos que den valor turístico a otras inversiones públicas – Han de adecuarse al modelo de desarrollo sostenible. – Carácter demostrativo. Los proyectos se presentarán por las entidades locales interesadas con informe favorable de la Comunidad Autónoma y con la participación de agentes sociales locales.

Programa de Planes de Excelencia	
INSTRUMENTOS	– *Recuperación ambiental urbana* – *Puesta en valor de recursos culturales o naturales* – *Análisis de la calidad de los servicios públicos de uso turístico* – *Análisis de la necesidad de inversión en infraestructuras y equipamientos* – *Auditorías ambientales de destino*

Plan FUTURES – I+D	
Programa de I+D	
INSTRUMENTOS	– *Elaboración de un programa de investigación sobre sector turístico con las líneas de interés para el periodo.*

(Fuente: Secretaría General de Turismo, 1995a)

c) Programas

Desde el *Futures* I, pero en especial en este mandato, se consolida uno de los programas que han supuesto la modificación de la política turística del Gobierno Central. Se trataba de impulsar "micro-planes" que contemplaran los destinos turísticos como un todo y enfrentaran la totalidad de los problemas existentes en el municipio, según el tipo de turismo que singularizara a éste. Son los **Planes de Excelencia**, que tienen como objetivo inicial, los destinos maduros del litoral (que se desarrollaron turísticamente en las décadas de los 60 y 70), que presentan graves dificultad derivadas principalmente de la falta de planificación urbanística, deficiencias en servicios públicos y problemas de contaminación.

El programa se basa en la cooperación entre la Administración Central, las Comunidades Autónomas y las Administraciones Locales y su puesta en marcha supuso modificar el modo de trabajar de las distintas organizaciones implicadas: en lugar de que cada nivel competencial se centrara en desarrollar sus competencias, se opta por concentrarse en el destino y compartir objetivos. El espíritu de este programa inicial es que los planes se conviertan en un complemento de las inversiones que se realizan desde otros Departamentos ministeriales por lo que se centran en cuestiones que no habían sido tenidas en cuenta por los grandes planes: acondicionamiento de espacios turísticos, señalética, embellecimiento, dotación de zonas verdes, mejora de accesos, recuperación de patrimonio histórico, etc...

La gestión de los planes se basó en la creación de órganos de cooperación específicos cuya misión era la gestión del plan y en los que estaban representadas las administraciones implicadas y, en ocasiones, empresarios de la zona.

Hasta el año 1996 se inician los Planes de Excelencia de Calviá,
Gandía, La Manga, Torremolinos, Benalmádena, Gran Canaria, La
Orotava, Peñíscola, Llanes, Málaga, Menorca, Sant Antoni de Portmany,
Murcia, Roquetas y San Sebastián.

Además, da un comienzo un **programa de apoyo al turismo cultural**. En 1994 se firma un Acuerdo Marco, entre el Ministerio de Cultura
y el de Comercio y Turismo, para *"coordinar la actuación de ambos ministerios en la gestión integral de bienes culturales y permitir el desarrollo armónico y equilibrado de sus valores sociales, culturales y económicos en la búsqueda
de la excelencia del turismo cultural"*.

De éste se derivan varios ámbitos de actuación. El "Paseo del Arte"
de Madrid, itinerario de turismo cultural que engloba bajo un mismo
producto las tres principales pinacotecas del centro de la ciudad: Museo
de Prado, Museo Reina Sofía y Fundación Thyssen-Bortzmisa. Además
prevé la informatización de las colecciones y el diseño conjunto de planes de comercialización.

Por otro lado, el apoyo a las Ciudades Patrimonio de la Humanidad
mediante el establecimiento de rutas que sirvieran para apoyar la labor
promocional turística que venían realizando dichas ciudades.

Por último, se promueve la organización de eventos culturales de
gran impacto mediático (como las grandes exposiciones organizadas por
el Museo del Prado) que se convierten en acciones promocionales de la
ciudad que las acoge (Maiztegui-Oñate y Areitio, 1996:269).

d) Instrumentos normativos

– Ley 21/1995 de **viajes combinados**, con la que se incorpora la
   Directiva del Consejo de las Comunidades Europeas 90/314/CEE.

La norma se limita a incorporar a nuestra legislación los trabajos que
había culminado en la Directiva mencionada y que regulaba la actividad
de mediar en la combinación previa de, al menos, dos de los siguientes
elementos: transporte, alojamiento y otros servicios turísticos que cons-

tituyan parte significativa. Al mismo tiempo se establecía un sistema de protección al consumidor.

- Real Decreto 259/96, de 16 de febrero por el que **se incorporan a la Universidad los estudios superiores de Turismo.**
Tras veinte años en los que el sector lucha para que los estudios de Turismo se incorporen en la Universidad, el título de Técnico en Empresas y Actividades Turísticas se convierte en Diplomado en Empresas y Actividades Turísticas. Las Directrices generales propias de los Planes de Estudios se aprueban mediante Real Decreto 604/1996, de 15 de abril.

- Directiva 57/1995 del Consejo de la Unión Europea sobre recogida de **información estadística** en el ámbito del turismo.
Un intento más en la difícil tarea de establecer estándares que permitan la recogida de datos de forma que sea metodológicamente posible su ulterior comparación.

e) Instrumentos financieros

Se regulan los instrumentos financieros que apoyarán los programas establecidos en el Plan *Futures* 1996-1999 que, como en la edición anterior se alimentan, en una gran parte, con fondos comunitarios.

Para la gestión de dichos fondos se establece el siguiente sistema: de los Presupuestos Generales del Estado se transferirán las cantidades directamente a las Comunidades Autónomas, según el criterio de distribución aprobado por la Conferencia Sectorial del turismo. Las Comunidades Autónomas dotarán de ayudas a las empresas o instituciones que presenten proyectos a una de las siguientes líneas de intervención: tecnificación de las empresas turísticas, potenciación de nuevos productos turísticos e internacionalización de las empresas turísticas.

Dentro de la primera se concederían subvenciones a Pymes o agrupaciones de éstas, para proyectos de ámbito supraautonómico que tuvieran por objeto aumentar la capacidad tecnológica del sector turístico, como proyectos de I+D turístico, incorporación de nuevas tecnologías para mejorar diferentes aspectos (como seguridad, logística, sistemas de comercialización conjunta, sistemas de adaptación a grupos sociales con disfuncionalidades...), proyectos de innovación tecnológica que mejoren aspectos medioambientales o los dirigidos a mejorar la calidad de la docencia y el perfeccionamiento de la cualificación de los profesionales del sector.

Los proyectos que serían objeto de subvención de la línea de nuevos productos eran: definición de productos turísticos homogéneos en más de una Comunidad Autónoma, cooperación interempresarial en el ámbito supracomunitario, herramientas técnicas que pudieran utilizarse por los órganos encargados de gestionar la iniciativa, elaboración de estrategias de comercialización especialmente en mercados exteriores o la participación en proyectos internacionales que persigan objetivos similares.

Para la promoción de la internacionalización se subvencionan estudios de viabilidad, elaboración de anteproyectos, gastos de constitución o inversiones para instalación de la empresa y gastos de funcionamiento durante el primer año.

Otro instrumento financiero que se aprueba durante el mandato es la modificación del régimen fiscal que afectaba a los establecimientos hoteleros. Hasta este momento existían, según la categoría de los establecimientos, dos tipos de Impuesto sobre el Valor Añadido. A los de categoría más alta se les aplicaba un 16%, mientras que al resto de establecimientos se les gravaba con un 7%. En la práctica la diferencia generaba que, en épocas de crisis, los establecimiento de cinco estrellas pidieran una recalificación y optarán por perder una estrella para ajustar sus precios. Se consigue que el tipo aplicable a todas las empresas hoteleras y de restauración sea el mismo: el 7%. Para otro tipo de empresas turísticas, como los campings, campos de golf o puertos deportivos, también se consigue una reducción en el IBI.

f) Acciones de comunicación

Se continúa con la serie publicada por Turespaña denominada "Estudio de los mercados Turísticos emisores", con la publicación de los estudios relativos a: Canadá, Bélgica, Suecia y Suiza.

Se celebra el I Congreso Nacional sobre la Calidad, que servirá para establecer las bases de lo que acabará siendo el Instituto de Calidad Turística.

Se apoya el desarrollo en el país de un nuevo producto turístico, los parques temáticos, comenzando a construirse el de Isla Mágica, en Sevilla y Port Aventura, en Benidorm.

2. EL ANÁLISIS DE LA FASE

Si durante la fase anterior no se había logrado concebir un nuevo referente para la política turística aunque se hubiera modificado profundamente el entorno institucional de ésta, sí se había reflexionado sobre algunos aspectos y nuevas formas de trabajo en las Administraciones turísticas y la reflexión había generado un espíritu de cambio que eclosionaría en el Plan *Futures*.

La etapa inaugura un nuevo papel del Gobierno Central en la política turística que se mantiene hasta hoy y que se configuró gracias a la experiencia acumulada y al esfuerzo de muchos.

Las cifra de visitantes crece un 3,43% en 1992, año en que coinciden tres grandes acontecimientos turísticos: la Exposición Universal de Sevilla, las Olimpiadas de Barcelona y la Capitalidad Europea de la Cultura de Madrid.

En 1993 y 1994 se mantienen subidas de un 3,49% y de un 7,25%. En 1995 se produce una fuerte caída del 11,43%, recuperándose, de nuevo, en 1996, en una tendencia de crecimiento que se mantendrá en años sucesivos.

CUADRO 8.4.: EVOLUCIÓN ENTRADA DE VISITANTES DURANTE LA
FASE DE INNOVACIÓN (1991-1996)

AÑOS	ENTRADAS TOTALES	INCREMENTO
1992	55.330.716	3,43%
1993	57.263.351	3,49%
1994	61.428.034	7,27%
1995	54.408.900	-11,43%
1996	57.270.534	5,26%

(Fuente: Elaboración propia)

La fase de innovación terminará con la llegada al poder del PP en 1996 y con la propuesta de un nuevo referente que apostará por un papel menos cardinal de la Administración turística.

2.1. Referentes básicos

La política turística de la fase de *innovación* se caracteriza por romper con la imagen de la política y del papel del Gobierno en el turismo que estructuraba la acción pública en la materia desde el legado franquista (Futures I) y por el diseño de un innovador esquema de equilibrios en una arena rediseñada y adaptada a las exigencias de la realidad (Futures II).

El Plan *Futures I* se presenta a la prensa en junio de 1992, un año después de que la materia se trasladara al Ministerio de Industria, Comercio y Turismo. Nace tras el camino recorrido por la Administración turística durante más de treinta años, con el conocimiento acumulado de organizaciones que habían adquirido un alto grado de experiencia y dentro de un entorno institucional renovado, aunque aún sometido a la tensión de la indefinición del modelo de política turística general. Recoge, además, las nuevas ideas económicas sobre la competitividad empresarial que se han extendido en el país y el saber de los decisores públicos del Ministerio de Industria, que han finalizado procesos de reconversión industrial en otros sectores.

Ya hemos defendido que uno de los antecedentes más inmediatos es el trabajo realizado por la Ponencia Parlamentaria sobre el Sector Turístico que dieron comienzo el 19 de diciembre de 1990 y finalizaron con la presentación de un Informe un año más tarde, el 16 de octubre de 1991. El Informe de la Ponencia no tiene como únicos destinatarios a los responsables de la materia turística en la Administración Central, se dirige al Parlamento y define las actuaciones que deberían llevarse a cabo por todos los responsables públicos para impulsar el crecimiento del sector. El Informe de la Ponencia propone acometer varias acciones:

- – Establecer sistemas que permitan instrumentar la política turística de forma coordinada;

- – Implantar el concepto de calidad en el sector turístico, superando la rutinaria inspección obsoleta, propia del pasado;

- Incentivar la formación e investigación del sector, en todos los niveles;

- Incorporar, como acciones tendentes a la promoción de los productos turísticos del país, las políticas de competitividad y calidad de los mismos;

- Promover una política comunitaria de turismo;

- Promover la internacionalización de la empresa turística,

- O introducir nuevas tecnologías de gestión.

Además propone que se realice un[147]:

> *≠4. Plan de mejora de la competitividad turística que contemple, entre otras, las siguientes acciones:*
>
> *4.1. Incentivos para crear y desarrollar un sistema de calidad del producto turístico liderado por el sector empresarial;*
>
> *4.2. Plan de Formación y Reciclaje de los trabajadores, cuadros y directivos del sector turístico en colaboración con empresarios y sindicatos;*
>
> *4.3. Introducción de procesos de innovación turística:*
> *- Sistemas de gestión hotelera*
> *- Procesos de comercialización de la oferta turística y*
> *- Mejora de la eficiencia de las instalaciones hoteleras;*
>
> *4.4. Desarrollo de sistemas de información de la oferta turística, de interés para el sector en su conjunto*
>
> *4.5. Y (..) estudios de impacto ambiental, social y cultural en todos aquellos proyectos turísticos de nueva implantación .*

(Informe aprobado por la Ponencia para el análisis de la situación actual del turismo en España. Boletín Oficial del Congreso, 16 de octubre de 1991).

El Ministerio recoge el análisis y transforma las propuestas en un plan general de actuación articulado y coherente que da respuesta al conjunto de requerimientos planteados.

---

[147] La negrilla de las citas literales del epígrafe es nuestra.

a) Un nuevo concepto de turismo: la industria turística

Si el Plan *Futures* aborda con éxito la tarea mencionada, el nuevo concepto del turismo estaba ya con anterioridad en las intervenciones parlamentarias del Ministro Aranzadi:

> *El sector turístico, como SS.SS. saben, constituye en realidad un paquete integrado de oferta de servicios diversos, de transporte, comunicaciones, hostelería, restauración, espectáculos, servicios culturales, etcétera, unificados a través del destino o del sentido de la demanda, que está orientada, fundamentalmente, hacia la cobertura de una demanda de ocio y que implica, además, normalmente, una movilidad geográfica de los demandantes. Por consiguiente y dado que el turismo constituye un paquete de oferta diversificada en toda una serie de ámbitos del sector servicios, el diagnóstico de la posición competitiva del sector en nuestra oferta turística y la elaboración de estrategias de mejora de la posición competitiva del sector de nuestra oferta turística puede abordarse desde una perspectiva conceptual análoga a la de un sector industrial ...*
>
> *En este contexto es necesario abordar una estrategia orientada a promover los factores de competitividad de nuestra oferta turística, de forma análoga a la manera de abordar los factores de competitividad de cualquier otro sector industrial o de servicios, y que inciden, por tanto, en factores como el coste, la calidad y la capacidad de diferenciación del producto y, a través de la instrumentación de estrategias en el ámbito de la política de innovación tecnológica, de la promoción de la calidad, de la política de recursos humanos y de la formación y de la política de comercialización y del marketing* (Comparecencia del Ministro de Transportes, Turismo y Telecomunicaciones, Sr. Aranzadi Martínez, ante la Comisión de Industria, Obras Públicas y Servicios, el 24 de abril de 1991) .

La propuesta de analizar el turismo como un sector industrial es la idea innovadora que permitirá, al superar las perspectivas tradicionales de singularidad o de especificidad respecto de otros sectores, romper con los prejuicios ideológicos que existían sobre el turismo y generar un instrumento que dinamizara no ya el sector, sino las ideas de quienes lo lideran desde los espacios públicos.

Desde esta nueva perspectiva es posible recuperar las antiguas afirmaciones que destacaban los beneficios de la actividad y que habían oscurecido los años de crisis:

≈La actividad turística se ha convertido en un motor fundamental de la economía española. A su elevada aportación a la creación de renta, riqueza y empleo, se une el hecho de generar importantes efectos dinamizadores— aún en épocas de crisis— en otros sectores económicos, debido a su carácter multisectorial y a no acusar las fuertes recesiones de otros sectores en los ciclos depresivos de la economía. Por otro lado, su desarrollo afecta a todas las regiones españolas... Se constituye por tanto, el turismo, en un importante medio de desarrollo económico y social y en un factor más para la cohesión y el crecimiento equilibrado de todo el territorio.

El sector turístico debe afrontar el doble reto de lograr un desarrollo sostenible— que contribuya a mejorar la calidad de vida, desde el punto de vista social y económico, de todos aquellos que habitan en los destinos turísticos— y que al tiempo sea respetuoso con el entorno. (FUTURES II: 1996-1999:7) .

Se ha construido un nuevo referente que recupera las ventajas y opone soluciones a los problemas. Con ello es posible volver a defender el futuro de un fenómeno que había sido socialmente cuestionado durante quince años.

El Plan *Futures* resulta revolucionario en el mundo del turismo pero en realidad se limita a aplicar las teorías de planificación económica e industrial de finales de la década de los ochenta al sector turístico. Las nuevas metodologías de planificación partían de una afirmación: se había modificado el carácter de los entornos. Los entornos conocidos y estables habían permitido planificar el desarrollo de las organizaciones, o de un sector, teniendo en cuenta únicamente las características internas de éste. Los nuevos entornos, cambiantes y turbulentos, exigían cambiar el punto de vista y planificar previendo las capacidades que la indeterminación exigiría desarrollar. Era necesario incorporar los aspectos sociales, económicos y medioambientales del entorno: había que situarse en el entorno para analizar las organizaciones.

Esta nueva característica encajaba perfectamente con un sector, o una industria, que se había reconocido en la Conferencia de Manila de 1980 como multifacética y cuyo desarrollo, profundamente imbricado con diversos factores ambientales, provocaba impactos sociales, económicos y medioambientales, que no siempre eran positivos.

b) Objetivos de los *Planes Futures*

El turismo precisaba una política innovadora que se inicia con el primer Plan *Futures*, pero que no despega hasta el plan *Futures* II y otras acciones del segundo mandato del periodo. A partir de ese momento, la política turística comienza a pivotar sobre tres ideas muy claras.

En primer lugar, el turismo es una actividad de consumo sometida a una creciente diversificación: se modifican las motivaciones, se fraccionan las vacaciones, se especializan los productos, aumenta la demanda de información. Ya no existe un consumidor-tipo, existen múltiples, con actitudes cambiantes, sólo coincidentes en que todos muestran una mayor exigencia de calidad. Calidad, de nuevo, no sólo del producto, sino del entorno.

> ≈ En este momento, la oferta turística española se enfrenta, por un lado, a un incremento de la competencia potencial de otros oferentes del mismo producto, a un incremento de las exigencias de calidad del demandante tradicional de dicho producto, asociadas a una evolución cualitativa en el comportamiento del demandante (Comparecencia del Ministro de Transportes, Turismo y Telecomunicaciones, Sr. Aranzadi Martínez, ante la Comisión de Industria, Obras Públicas y Servicios, el 24 de abril de 1991) .

En segundo lugar, el fin de la política turística debe ser articular sistemas que permitan que estrategias generales tengan una gran capacidad de adaptación a los casos singulares. La idea del plan global y el "micro-plan" queda perfectamente recogida en la propuesta de los Planes de Excelencia contemplados en el *Futures* II. La adaptación de las herramientas a los contextos específicos de desarrollo de la iniciativa queda también incorporada.

> ≈ La unidad básica de análisis para estudiar la competitividad es la empresa, y a partir de ella se podrá entender la competitividad sectorial, no como un todo abstracto y genérico, sino como referida a sistemas estratégicos específicos que se organizan en ámbitos geográficos bien definidos. El ≈ Turismo de sol y playa en Canarias≈ , el ≈ turismo verde en la Cornisa Cantábrica≈ y el ≈ turismo de congresos en Madrid≈ serían algunos ejemplos≈ (FUTURES 1992-1996:15) .

Por último, y dado que el fenómeno turístico sobrepasa la acción de un sector empresarial o industrial y se desarrolla en destinos que pueden sufrir las consecuencias negativas de la falta de planificación, el papel del Estado debe ser el garantizar un correcto desarrollo, asumiendo la gestión de los conflictos, no sólo internos, que genera el turismo.

El Plan *FUTURES* II se propone, = *establecer las estrategias necesarias para que el turismo consolide su posición como sector económico con una fuerte capacidad competitiva, adaptándose a consumidores cada vez más exigentes y atendiendo los requerimientos sociales sobre su funcionamiento e impactos, con especial atención a los de índole medioambiental.* (*FUTURES*: 1992-1996:11) .

El Plan se estructura en programas y éstos en acciones. Para cada acción se especifican los instrumentos. Este sistema argumental permite generar la sensación de que, si todas las organizaciones saben de qué son responsables con ese nivel de detalle, la implantación de la política sufrirá menos problemas.

c) Las actuaciones se estructuran en programas

Entre las dos ediciones del Plan *Futures* algunos de los programas se mantienen y otros se renuevan, teniendo como indicador el resultado de la evaluación del primero. El Plan Futures II simplifica la primer versión y, por la propia experiencia, la mejora.

Futures I trabajaba con cinco programas: uno dedicado a la coordinación entre actores, otro a la modernización e innovación de los recursos humanos, las empresas y los productos, el tercero orientado al desarrollo de nuevos productos, otro centrado en la promoción y, por último, un programa complementario de información y sensibilización, con una línea específica de apoyo a lo que llamó "excelencia turística".

Futures II recoge todas las variables que se han convertido en los ejes centrales de la política turística y los articula en programas, en este caso ocho. Uno de coordinación entre actores institucionales, otro de cooperación con terceros países e internacionalización de las empresas; el tercero centrado en la formación; el cuarto enfocado a las nuevas tecnologías del sector; otro para potenciar nuevos productos; además de un programa para destinos turísticos, otro de calidad y otro de investigación y desarrollo.

CUADRO 8.5. COMPARACIÓN ENTRE LOS PROGRAMAS DE LOS DOS PLANES *FUTURES*

FUTURES I	*FUTURES II*
COORDINACIÓN Y COOPERACIÓN INSTITUCIONAL – Programa de dinamización de la política turística en foros internacionales – Programa de coordinación de la administración del Estado – Programa de cooperación entre administraciones turísticas – Programa de colaboración con interlocutores externos	**COORDINACIÓN** – Programa de Coordinación Nacional – Programa de Coordinación Internacional **COOPERACIÓN E INTERNACIONALIZACIÓN** – Cooperación con terceros países (AECI) – Internacionalización de la empresa turística
MODERNIZACIÓN E INNOVACIÓN TURÍSTICA – Programa de desarrollo de recursos humanos en turismo – Programa de mejora de estrategias competitivas de empresas y destinos turísticos – Programa de modernización e innovación de los productos turísticos – Programa de mejora del tejido empresarial – Programa de mejora de la calidad de los productos turísticos	**TECNIFICACIÓN E INNOVACIÓN** – Programa de Proyectos de Infraestructura Tecnológica – Programa de Productos de Alto Contenido Tecnológico – Programa de Proyectos de Tecnificación de Empresas
NUEVOS PRODUCTOS – Programa de identificación y evaluación de nuevos productos turísticos o productos complementarios – Programa de nuevos productos de ámbito multicomunitario – Programa de desarrollo de nuevos productos competitivos – Programa de estímulo a la comercialización de nuevos productos	**FORMACIÓN** – Programas Integrados de Formación – Programa de Servicio de formación a Empresas – Programa de Becas – Programa de Infraestructuras educativo-turísticas **NUEVOS PRODUCTOS** – Programa de Nuevos Productos
PROMOCIÓN – Programa de planificación de las estrategias de marketing y comercialización – Programa de colaboración con las administraciones y la industria para la promoción turística – Programa de estímulo a la creación de infraestructuras de promoción.	**DESTINOS TURÍSTICOS** – Programa de Destinos Turísticos – Programa de Planes de Excelencia
EXCELENCIA – Programa de mejora de la información a los canales de distribución y al sector turístico – Programa de apoyo a la consecución de la excelencia turística en entornos naturales y urbanos – Programa de sensibilización social hacia el turismo	**CALIDAD** – Programa de Sistemas de Calidad – Programa de Asesoramiento – Programa de modernización de equipamientos **I+D** – Programa de I+D

(Fuente: Elaboración propia)

Hay que reconocer que en la política turística de España el *Plan Futures* supone un punto de inflexión, pero sería injusto defender que separa el buen hacer de la ineficacia, más bien permite construir un nuevo escenario en donde la Administración Turística encuentra un nuevo papel.

Eso ocurrirá especialmente a partir del *Plan Futures II* que coloca al Gobierno Central en una posición de liderazgo y que permite aprovechar todo el conocimiento acumulado por los administradores públicos, que recuperan la capacidad de acción. *"Fue especialmente a partir del año 1994 (...) cuando se realizan una serie de cambios cualitativos en la Administración Turística del Estado (...) cambios cualitativos importantes (reforma administrativa y política de colaboración y cooperación con el resto del sector público y privado) con el fin de definir una estrategia turística nacional..."* (Bote, Marchena y Cases, en Pellejero, 1999:160).

El mayor mérito de estos planes fue contribuir a la innovación de la política turística, que pasará a formar parte del conjunto de espacios que son gestionados desde una nueva óptica pública.

En relación con las organizaciones, Turespaña, que no pertenece al núcleo administrativo del Gobierno Central, sale potenciada y recogiendo los esfuerzos realizados durante la fase anterior:

> *La función atribuida a la Administración Turística del Estado de diseño y desarrollo de una estrategia nacional en materia de turismo, en coordinación con las Comunidades Autónomas, hace recaer en Turespaña— elemento de confluencia de todo el sector— la promoción de proyectos piloto de actuación, que sirva de guía para el sector. Los planes... prevén diferentes instrumentos de actuación, en los que la aportación de asistencia técnica directa al sector por parte de la Administración del Estado se constituye en un elemento claramente diferenciador frente a etapas anteriores* (*FUTURES* II: 1996-1999:12) .

Y se recupera dentro de este esquema al Instituto de Estudios Turísticos, ya que la función del Gobierno Central de dar apoyo técnico a otras unidades quiere potenciarse.

> *Los años 1995-1996 se pueden considerar como los años de consolidación del Instituto de Estudios Turísticos, por varios motivos: se define y aprueba un plan de investigación a corto y medio plazo, se renuevan las dos operaciones estadísticas sobre la demanda turística: FRONTUR y FAMILITUR; se inicia una política sistemática de cooperación institucional con las Comunidades Autónomas, con las Adminis-*

traciones Públicas y con los Organismos Internacionales y se rees-
tructura el organigrama y se comienza, tras una cuidadosa planifica-
ción, el proceso de informatización del Instituto (RODRÍGUEZ,
1997:207) .

2.2. Rasgo sustantivo: el hallazgo del entorno

El rasgo sustantivo de la fase de *innovación* es haber considerado el
entorno del turismo y de la arena turística como la clave de la política.

Superar la visión interna del turismo (o de la industria turística o del
sector turístico) permitió reconocer unas capacidades de interacción muy
productivas. Por otro lado, cooperar con otros niveles de gobiernos y
otros agentes del turismo confirmó la posibilidad de que el Gobierno
Central asumiera un nuevo papel en la arena turística. La territoria-
lización de los fondos previstos para subvenciones en el Futures II y el
convencimiento de que debían ser gestionados por las Comunidades
Autónomas no supone la pérdida de protagonismo del Gobierno Central, sino la ratificación de que éste ha encontrado un papel distinto que
se relaciona con la coordinación y el apoyo mediante acciones que se
beneficien de un nivel territorial superior al de la Comunidad Autónoma.

En la fase de *innovación* de la política turística también cambia el
modelo de relación entre actores, tanto entre actores privados y públicos, como entre actores que pertenecen a distintos niveles territoriales o
competenciales.

> *El abordar estas estrategias corresponde, por una parte, al que*
> *podríamos denominar sistema empresarial turístico, (..) pero también*
> *se ven afectadas decisivamente por lo que podríamos denominar efec-*
> *tos externos de las políticas de las distintas administraciones públi-*
> *cas.*
>
> *Por esta razón, una línea importante de mi Departamento, será*
> *abordar, en primer lugar, la coordinación interministerial* (Compare-
> cencia del Ministro de Transportes, Turismo y Telecomunicaciones,
> Sr. Aranzadi Martínez, ante la Comisión de Industria, Obras Públicas
> y Servicios, el 24 de abril de 1991) .

Se recupera la Comisión Interministerial y se institucionaliza la Conferencia Sectorial que, existente, sólo se había convocado en una ocasión. A partir del II Plan *Futures*, se profundiza en un modelo en que el

Gobierno Central ocupa una posición de interlocución e intermediación entre actores, creándose el Consejo Promotor de Turismo, con representantes de las Administraciones Públicas y del sector privado.

El Plan supone el diseño de un nuevo esquema de cooperación entre la Administración turística del Estado y las Administraciones Autonómicas que permita reforzar las políticas desarrolladas por todas ellas concentrando esfuerzos. Asimismo, desarrolla las bases de una interlocución más estrecha con los agentes sociales, propiciando su mayor protagonismo en las cuestiones que afectan al sector (*FUTURES*. 1992-1996:11) .

Se impone, especialmente a partir de 1993, un estilo de consenso en donde un conjunto de instrumentos articula, después de años de conflictos abiertos, las relaciones de la arena política y permite que la Administración Central recupere un protagonismo importante en la política turística que impregna las acciones de otros niveles de gobierno, con los que comparte filosofía.

Por otro lado, los Planes *Futures* suponen observar, desde la posición global de los decisores, los problemas y las tendencias que deberán corregirse mediante los instrumentos previstos en los programas. Esto permite caracterizar a la política de la fase de innovación de anticipativa y proactiva, favoreciendo que también el sector participe más en las propuestas que se han elaborado.

Capítulo 9
LA COOPERACIÓN (1996-2004)

El Partido Popular resulta vencedor en las elecciones de junio de 1996. Con esta victoria da comienzo lo que podríamos llamar cuarta etapa del periodo constitucional (tras los años de transición, los gobiernos de UCD y los gobiernos del PSOE) y la última de las fases de la política turística del periodo estudiado, que finaliza en marzo de 2004, término de la segunda legislatura del PP.

En su primera legislatura el PP gobierna con mayoría simple, lo que le obliga a pactar con otros grupos parlamentarios. Los pactos, por las características del sistema político español, se acordarán con partidos políticos de ámbito no estatal (fundamentalmente Convergencia i Unió y Coalición Canaria, aunque en una primera etapa también con el Partido Nacionalista Vasco).

Las elecciones de marzo de 2000 cambian la situación: el Partido Popular obtiene mayoría absoluta en las urnas y podrá gobernar en solitario.

Durante estas dos legislaturas el turismo dependerá sucesivamente del Ministerio de Economía y Hacienda y del Ministerio de Economía, bajo el mandato de un mismo titular en ambas legislaturas: el Ministro Rato Figaredo.

1. PRINCIPALES ACTUACIONES DEL PERIODO

El Gobierno del PP decide trasladar la materia a la Secretaría de Estado de Comercio, Turismo y Pymes, dentro del Ministerio de Economía y Hacienda, argumentando que se trataba de acercar la política turística y la política de Pymes, ya que el sector turístico está compuesto mayoritariamente por pequeñas empresas.

Durante la segunda legislatura el Ministerio de Economía y Hacienda es separado en dos Departamentos Ministeriales y el turismo quedará encuadrado en el Ministerio de Economía.

Los años que transcurren desde 1996 hasta 2004 presentan una coyuntura turística desigual. Hasta el año 2000 la situación económica mundial es de crecimiento y el turismo mundial vive una etapa muy favorable. La desaceleración de la economía generalizada que se producirá a partir de 2001 se complica para el sector turístico por los acontecimientos del 11 de septiembre. España tiene una posición privilegiada que le ha permitido que el turismo sufra con menor intensidad los efectos de ambas cuestiones: es un "destino refugio" para los principales países emisores de turismo cuando enfrentamientos bélicos o problemas internos apartan a otros países del mediterráneo de las opciones posibles como destinos.

1.1. Rodrigo Rato Figaredo (junio 1996 - marzo 2000)

El Ministro Rato será el responsable de la materia turística durante ocho años.

Dentro del primer "macro-ministerio" el turismo será competencia de una Secretaría de Estado, junto con las materias de Comercio y Pequeña y Mediana Empresa. En su segundo mandato, como veremos, se procede a un nuevo diseño que concede una mejor posición institucional a la materia; comparte Secretaría de Estado, pero sólo con Comercio y, tras haber permanecido con una única Dirección General, se recupera la Secretaría General de Turismo.

Este primer mandato puede caracterizarse por una gran actividad de la Secretaría de Estado en relación con la aprobación de planes generales. Se aprueban, de manera sucesiva, tres documentos que suponen compromisos de actuación de la Administración Central: el Plan de Actuaciones de la Administración General del Estado, las 23 Medidas de Actuación y el Plan de Calidad del Turismo Español (PICTE).

a) Instrumentos organizativos

En mayo, mediante Real Decreto 758/1996, se lleva a cabo una reestructuración de los departamentos ministeriales por la que se suprime el Ministerio de Comercio y Turismo, atribuyéndose sus competencias al nuevo Ministerio de Economía y Hacienda, cuyo titular es, además, Vicepresidente Segundo del Gobierno.

Es la primera vez desde el año 1951 que desaparece, definitivamente, la palabra "turismo" de las denominaciones de los Departamentos Ministeriales.

Unos días más tarde se crea la **Secretaría de Estado de Comercio, Turismo y de la Pequeña y Mediana Empresa.**

Las quejas no se hacen esperar: además de la simbólica desaparición del término turismo, la Secretaría de Estado asume competencias sobre asuntos de enorme importancia y se tiene la impresión de que se ha diseñado un órgano mal dimensionado[148] (del Secretario de Estado dependerán cinco Direcciones Generales: Comercio Exterior, Comercio Interior, Política Comercial e Inversiones Exteriores, Política de las Pymes y Turismo).

Se suprime la Secretaría General de Turismo y la **Dirección General de Turismo** pasa a ser el órgano encargado de:

- La elaboración de los planes generales que faciliten el fomento de productos turísticos y contribuyan a la mejora de la calidad y tecnificación de las empresas turísticas y de la cooperación internacional.

- La identificación de nuevos recursos turísticos, el diagnóstico y valoración de factores de toda índole y el diseño de estrategias del sector turístico nacional.

- La aprobación de las directrices de ejecución y desarrollo de la política turística del Gobierno sobre promoción exterior del turismo y las de colaboración y cooperación con las Comunidades Autónomas, entes locales y sector turístico.

- La determinación de criterios generales, la dirección y ejercicio inmediato de las relaciones institucionales turísticas de carácter nacional o internacional.

- La evaluación y control de calidad de actuaciones de la Administración Turística del Estado, y

---

[148] *"No llegamos a entender cómo en un país como el nuestro, tan importante en el turismo mundial, ha desaparecido un órgano superior con competencia específica sobre el turismo, rebajándose a la categoría de Dirección General, ya que la Secretaría de Estado se nos antoja como un totum revolutum que engloba comercio, turismo y Pymes, es decir, nos parece de una excesiva amplitud material, además de excesivamente compleja* (Calonge, 2000:63).

– Las funciones de dirección de la Escuela Oficial de Turismo.

Se divide en dos Subdirecciones Generales: de Cooperación y Coordinación Turística y la de Competitividad y Desarrollo Turístico, que integran las tres que existían anteriormente.

De la Secretaría de Estado pasa a depender **Turespaña**. En dicho organismo se suprimen las dos Direcciones Generales en las que se organizaba y se crea una única **Dirección General del Instituto de Turismo de España**.

Turespaña se encargará de la formulación, coordinación y desarrollo de los Planes de promoción y de apoyo a la comercialización del turismo español; diseño de estrategias para la difusión del producto turístico español en los medios de comunicación internacionales; desarrollo de sistema de comunicación e información turística; análisis y estudio de mercados emisores y competidores; realización de actividades para la promoción de empresas turísticas, coordinación y control de gestión de las Oficinas Españolas de Turismo.

La Presidencia la asume el Secretario de Comercio, Turismo y Pymes, y se establecen dos Vicepresidencias: el Director General del Instituto y el Director General de Turismo. De la Dirección General del Instituto dependen la Subdirección General de Comercialización Exterior y de Oficinas Españolas en el Extranjero; la Subdirección General de Medios de Promoción Turística y la Subdirección General de Gestión Económico-Administrativa.

El **Instituto de Estudios Turísticos** se adscribe directamente a la Secretaría de Estado de Comercio, Turismo y Pymes, con nivel de Subdirección General, dependiendo del Secretario de Estado. En la nueva etapa se definen como prioritarias las siguientes líneas de actuación: potenciar la investigación turística, participación activa del Instituto en Organismos Internacionales (OMT, EUROSTAT...), cooperación con los responsables estadísticos de las Comunidades Autónomas; optimizar recursos mediante la colaboración con el Instituto Nacional de Estadística e implantar una política de difusión de los resultados (Rodríguez Salmonés, 1997:208). Dentro de estas acciones se revisa la metodología de los instrumentos de observación estadística *FRONTUR* y *FAMILITUR* que habían sido implantadas en 1993. En cuanto a *FAMILITUR* se modifica en 1999 para generar información no sólo de nivel nacional sino regional, siendo posible cuantificar el flujo de españoles entre Comunidades Autónomas o los viajes a segundas residencias (Instituto de Estudios Turísticos, 2003:7 y 8).

Por otro lado, y en relación con los instrumentos de cooperación, se modifica, mediante Real Decreto 248/1997, la composición de la **Comisión Interministerial de Turismo** para adecuarla al nuevo mapa ministerial del país.

En 1997 se reestructura el **Consejo Promotor de Turismo**, adoptándose dos medidas básicas *"establecer como preceptivos los informes del Consejo sobre los criterios básicos y las líneas generales de los planes y programas dirigidos al fomento del sector turístico y a la promoción y comercialización exterior del turismo español. En segundo lugar, amplía, de siete a diez, el número de representantes de los empresarios del sector turístico, con el fin de conseguir una mayor representatividad y participación del sector"* (Recoder, 1998:193).

El Pleno pasa a tener treinta y cuatro miembros: Presidente (Presidente de Turespaña), Vicepresidente 1.º (Director General de Turespaña), Vicepresidente 2.º (Director General de Turismo), Secretario (Subdirector General de Comercialización Exterior) y treinta vocales: seis representantes de la Administración General del Estado, nueve representantes de Comunidades Autónomas, cinco representantes de Ayuntamientos y diez representantes del empresariado turístico.

Se crea, en 1998, el **Observatorio del Turismo**, órgano colegiado de carácter asesor en el que están representados la totalidad de agentes involucrados en el turismo: representantes del Estado, de las Comunidades Autónomas, de las corporaciones locales, asociaciones empresariales, profesionales, sindicatos asociaciones de consumidores y usuarios, Cámaras de Comercio, Industria y Navegación, medios de comunicación social, universidades y escuelas públicas y privadas de turismo.

Las funciones son: producir información sobre aspectos concretos que incidan sobre el turismo y valorar la información existente; elaborar estudios y realizar seguimiento de políticas desarrolladas por las Administraciones Públicas; realizar estudios sobre la evolución del sector; elaborar un informe anual del turismo español, elevar propuestas y proponer medidas y servir de foro de diálogo, participación y colaboración.

La composición es: Presidente (Secretario de Estado de Comercio, Turismo y Pymes), Vicepresidente 1.º (Director General de Turismo),

Vicepresidente 2.º (Director General de Turespaña), Secretario (Subdirector General de Cooperación y Coordinación) y cincuenta y nueve vocales: siete representantes de la Administración General del Estado, diecinueve representantes de Comunidades Autónomas, siete representantes de Ayuntamientos, siete representantes de las organizaciones empresariales del tejido turístico, tres vocales entre los empresarios turísticos más representativos, dos vocales de asociaciones empresariales, un vocal de las asociaciones de consumidores y usuarios, dos vocales en representación de las Cámaras de Comercio, Industria y Navegación, dos vocales de medios de comunicación, dos vocales del ámbito de la formación turística y cinco expertos de reconocido prestigio. Hasta el momento actual, a pesar de las previsiones, no ha tenido ninguna actividad.

b) Planes Generales

El Plan *Futures* 1996-1999 había sido aprobado por la Conferencia Sectorial del Turismo muy poco tiempo antes de que comenzara a gobernar el Partido Popular. Era difícil frenar una iniciativa negociada por los principales actores turísticos y apreciada por el sector así que el Gobierno decide mantenerlo y las subvenciones para el desarrollo de las acciones se aprueban mediante Orden de 25 de abril de 1996.

Aún así, el Gobierno del PP se muestra muy activo en la elaboración de documentos que imprimieran un nuevo carácter a la etapa. Durante una Jornada de Turismo, celebrada en febrero de 1997, presenta el **Plan de Estrategias y Actuaciones de la Administración General del Estado en Materia Turística**, documento que contiene las actuaciones que el Gobierno Central se comprometía a realizar, además de las obligaciones asumidas en el mandato anterior.

El Plan aparece como la nueva guía de actuación en política turística de este Ministerio:

> *≥ La idea de cooperación pretende sustituir los criterios de coordinación que habían mantenido anteriores Gobiernos para definir las relaciones entre la Administración General del Estado y las Comunidades Autónomas. El reconocimiento pleno de las competencias autonómicas en materia de turismo hace que pierda sentido el concepto de coordinación* (Plan de Estrategias y Actuaciones. Ministerio de Economía y Hacienda, 1997:11) .

Esta idea de cooperación con otros agentes se convierte en una pieza clave en la conceptualización de la política turística del mandato. El documento establece trece estrategias y que serán perseguidas por la Administración turística mediante el desarrollo de diversas acciones.

CUADRO 9.1.: PLAN DE ESTRATEGIAS Y ACTUACIONES (1997)

ESTRATEGIA 1. CONSOLIDACIÓN DE LA COOPERACIÓN ADMINISTRATIVA	
ACTUACIONES	– *Intensificar las reuniones de carácter técnico de la Mesa de Directores Generales de Turismo.* – *Impulsar la cooperación de la Administración General del Estado con los Entes Locales.* – *Potenciar la Comisión Interministerial de Turismo.* – *Reorganizar el Consejo Promotor de Turismo, aumentando sus funciones y modificando su composición a favor de las Comunidades Autónomas y del sector privado.*

ESTRATEGIA 2. REFORZAMIENTO DEL PAPEL DE TURESPAÑA COMO EJE DE PROMOCIÓN Y COMERCIALIZACIÓN TURÍSTICA	
ACTUACIONES	– *Desarrollar una unidad de acción promocional, bajo una imagen de marca única.* – *Realizar actuaciones conjuntas y cofinanciadas con el sector privado en materia de promoción y comercialización en el exterior.* – *Abordar las campañas de promoción turística internacional como campañas de publicidad centralizadas.* – *Diseñar una nueva creatividad publicitaria más centrada en los productos turísticos.* – *Crear un sistema de información turística y consulta telefónica.* – *Diseñar una estructura modular de información en Internet.* – *Elaborar planes anuales de apoyo a la comercialización exterior del turismo insistiendo en la diversificación de los productos y buscando la desestacionalización.* – *Unificar el Plan de Actividades y el Plan de Comercialización de las Oficinas Españolas en el Exterior (OETs).* – *Consolidar las OETs como instrumento fundamental de la promoción turística internacional.* – *Reconsiderar la distribución territorial de las OETs abriendo nuevas oficinas en mercados emergentes.* – *Adecuar las funciones de las OETs potenciando labores de apoyo a la comercialización, es estudio y seguimiento de los mercados y el asesoramiento de empresas.* – *Dedicar especial atención a las relaciones con los principales touroperadores internacionales.*

328 *María Velasco González*

ESTRATEGIA 3. PERFECCIONAMIENTO DEL SISTEMA DE ESTADÍSTICAS TURÍSTICAS Y MEJORA DE DIFUSIÓN DE INFORMACIÓN E INVESTIGACIÓN DEL INSTITUTO DE ESTUDIOS TURÍSTICOS

ACTUACIONES	– *Completar los sistemas de información basados en movimientos turísticos en fronteras (FRONTUR) y de las vacaciones de los españoles (FAMILITUR).* – *Desarrollar herramientas de análisis sobre turismo y desarrollo territorial, indicadores económicos y análisis de la demanda.* – *Reforzar la colaboración de los Organismos del Estado e Internacionales que trabajan en ese campo.* – *Difundir el fondo estadístico y de investigación del IET.* – *Organizar reuniones periódicas de información.* – *Realizar análisis cíclicos sobre evolución del sector, la situación de los mercados y sus tendencias.*

ESTRATEGIA 4. IMPULSO A PRESENCIA Y PARTICIPACIÓN DEL TURISMO ESPAÑOL EN LAS INSTITUCIONES DE LA UNIÓN EUROPEA

ACTUACIONES	– *Reforzar la presencia de los representantes españoles en los puestos claves de las distintas Instituciones comunitarias.* – *Propiciar la inclusión de funcionarios de nacionalidad española en los puestos clave de la gestión turística de la Comisión Europea.* – *Liderar la coordinación de actuaciones de las Administraciones turísticas del Sur de Europa en defensa de los intereses comunes del turismo receptivo.* – *Captar ayudas comunitarias hacia las empresas y los destinos turísticos españoles participando en el Consejo Rector de Incentivos Regionales.* – *Impulsar la participación de las Comunidades Autónomas en el diseño y desarrollo de las acciones comunitarias en materia de turismo.*

ESTRATEGIA 5. ESTABLECIMIENTO DE UN SISTEMA DE FORMACIÓN TURÍSTICA

ACTUACIONES	– *Elevar los estudios turísticos al máximo nivel académico apoyando el establecimiento de una Licenciatura Universitaria en Turismo.* – *Abordar el traspaso e integración de la Escuela Oficial de Turismo en la Universidad.* – *Elaborar un programa formativo anual cofinanciado por el Fondo Social Europeo.* – *Aprobar un plan de becas destinado a los titulados para su especialización en turismo.*

ESTRATEGIA 6. APOYO A LA MEJORA DE LA COMPETITIVIDAD DE LAS EMPRESAS TURÍSTICAS ESPAÑOLAS

ACTUACIONES	– *Desarrollar el Plan Marco de Competitividad del Turismo Español 1996-1999.* – *Continuar aplicando las líneas de ayuda a las empresas turísticas, asociaciones empresariales y profesionales e instituciones del sector.* – *Territorializar a las Comunidades Autónomas una parte sustancial de los fondos para que gestionen el régimen de ayudas.* – *Impulsar la Oferta Pública de Servicios de asistencia Técnica en materia de calidad, de formación, tecnificación e innovación y nuevos productos.* – *Cooperar con las organizaciones empresariales y las Comunidades Autónomas en la implantación de una red integral de información y gestión empresarial.*

**ESTRATEGIA 7. POTENCIACIÓN DE LA DIVERSIFICACIÓN DE LA OFERTA
TURÍSTICA ESPAÑOLA**

ACTUACIONES	– *Mejorar la adecuación del producto tradicional "sol y playa" a las nuevas tendencias de la demanda, incentivando el alargamiento de la temporada.* – *Intensificar la captación de turismo de negocios, convenciones y congresos por su elevada calidad y rentabilidad.* – *Apoyar los productos con alto potencial de crecimiento, como el turismo deportivo, el cultural, el de salud, el rural y el de naturaleza.*

**ESTRATEGIA 8. DESARROLLO DEL CONCEPTO DE SOSTENIBILIDAD
MEDIOAMBIENTAL**

ACTUACIONES	– *Realizar un programa de actuación conjunta con el Ministerio de Medio Ambiente.* – *Impulsar la implantación de Planes Integrales de Turismo Sostenible en destinos turísticos.* – *Promover la incorporación en las empresas turísticas de sistemas de gestión medioambiental.*

**ESTRATEGIA 9. ENFATIZACIÓN DEL CONCEPTO DE CALIDAD TURÍSTICA
ESPAÑOLA**

ACTUACIONES	– *Propiciar la creación de sistemas de aseguramiento de calidad turística específicos para el sector.* – *Intensificar las reuniones de carácter técnico de la Mesa de Directores Generales de Turismo.* – *Apoyar la participación de las organizaciones empresariales españolas en los Organismos Internacionales de Normalización.* – *Favorecer el objetivo de los subsectores turísticos de implantar marcas de calidad de aplicación voluntaria que mejoren la calidad de instalaciones y servicios.*

**ESTRATEGIA 10. INTERNACIONALIZACIÓN DE LA EMPRESA TURÍSTICA
ESPAÑOLA**

ACTUACIONES	– *Difundir a nivel internacional la experiencia y la capacidad de las empresas y profesionales del turismo español.* – *Potenciar las líneas de incentivos a las empresas turísticas españolas que deseen implantarse en los distintos mercados emisores de turismo hacia España.*

**ESTRATEGIA 11. PERFECCIONAMIENTO DEL PROGRAMA DE ACTUACIONES
EN DESTINOS CONSOLIDADOS Y EMERGENTES**

ACTUACIONES	– *Continuar y perfeccionar el programa de Planes de Excelencia Turística en destinos tradicionales maduros que desean mantener su competitividad.* – *Impulsar los Planes de Dinamización Turística para el desarrollo de destinos turísticos emergentes con fuerte potencial de atracción turística.*

ESTRATEGIA 12. FACILITACIÓN DEL ANÁLISIS Y DE LA ADOPCIÓN DE MEDIDAS DE APOYO A LOS DISTINTOS SUBSECTORES EMPRESARIALES Y PROFESIONALES	
ACTUACIONES	– Canalizar las peticiones de reducción de costes fiscales. – Impulsar la mejor de las relaciones laborales en el sector. – Buscar soluciones para la optimización de las infraestructuras aeroportuarias. – Fomentar la gastronomía española. – Estimular el asociacionismo empresarial y profesional. – Consolidar un modelo estable de relación entre la Administración General del Estado y los distintos agentes sociales.

ESTRATEGIA 13. REFUERZO DE LA SOCIEDAD ESTATAL PARADORES DE TURISMO DE ESPAÑA	
ACTUACIONES	– Actuar con los principios se rentabilidad y eficacia empresarial – Crear oferta hotelera de alta calidad. – Actualizar el marco de relaciones entre Paradores y Turespaña modificando el pliego de concesión. – Contribuir a la conservación y restauración del Patrimonio Histórico Español. – Catalizar el desarrollo turístico de determinadas regiones de alto potencial turístico con escasa oferta hotelera. – Replantear la composición de la Red de Paradores con criterios de calidad y rentabilidad y construir nuevos Paradores.

(Fuente: Secretaría de Estado de Comercio, Turismo y Pymes, 1997)

Unos meses más tarde, en el Congreso Nacional de Turismo celebrado en noviembre de 1997[149] y en el momento de lectura de las conclusiones del Congreso, la Administración Central se compromete a realizar un conjunto de acciones, las que se denominaron las **"23 medidas de actuación"**. En su exposición se hacía referencia al instrumento organizativo encargado de su consecución.

---

[149] En el Congreso se trabajó en cuatro paneles: "Información, promoción y comunicación", "Mercados, productos y calidad", "Turismo y territorio" y "La empresa turística: fiscalidad, empleo y formación", presentándose también conclusiones finales de cada panel.

CUADRO 9.2.: LAS 23 MEDIDAS DE ACTUACIÓN (1998)

Por la Dirección General de Turismo:
1. *Implantación de un sistema de información y señalización turística homogénea, mediante un acuerdo con el Ministerio de Fomento.*
2. *Realización de un programa de turismo sostenible, mediante la firma de un Acuerdo Marco con el Ministerio de Medio Ambiente.*
3. *Apoyo en la Unión Europea al mantenimiento del actual tipo reducido del IVA.*
4. *Creación del Observatorio de Turismo.*
5. *Potenciación del Programa de Internacionalización de la empresa turística.*
6. *Implantación de nuevas fórmulas de turismo social.*
7. *Implantación y generalización de la imagen de marca de la "Calidad turística española".*
8. *Promoción de un programa de formación e información sobre el euro para el sector turístico.*
9. *Inventario de enseñanzas turísticas, junto con la Escuela Oficial de Turismo*

Por la Dirección General de Política de la Pequeña y Mediana Empresa:
10. *Definición de un entorno fiscal más atractivo para la Pyme turística.*
11. *Apoyo en materia de cooperación e información interempresarial, diseño e innovación y financiación.*
12. *Apoyo a las inversiones en modernización y nuevas instalaciones de las Pymes.*

Por el Instituto de Estudios Turísticos:
13. *Programa trianual sobre sistema de indicadores estadísticos para el análisis de la economía del turismo (SINTUR).*

Por Turespaña:
14. *Plan de coordinación e informatización de la información turística.*
15. *Desarrollo y promoción de productos interregionales.*
16. *Definición de fórmulas flexibles para el desarrollo de cofinanciación pública y privada de acciones de promoción turística.*
17. *Creación de nuevas Oficinas Españolas de Turismo*
18. *Elaboración de un plan de publicidad, a través del Consejo Promotor del Turismo.*
19. *Promoción internacional de la gastronomía*
20. *Optimización de la eficacia de las inversiones en mercados objetivos y en la difusión de los productos comercializados, si así se aprueba por la Conferencia Sectorial de Turismo.*
21. *Establecimiento de un procedimiento de actuación para situaciones de crisis, si así se aprueba por la Conferencia Sectorial de Turismo.*
22. *Creación de un grupo de trabajo para la difusión de informaciones y datos sobre el sector turístico en los medios de comunicación, a través del Consejo Promotor.*

Por la Sociedad Paradores de Turismo:
23. *Plan trianual 1998-2000 de inversiones para la red de Paradores de Turismo de España, S.A.*

(Fuente: Fernández Noriella, 1998:171)

Durante la primera legislatura del Gobierno del Partido Popular encontramos, por segunda vez en nuestra democracia, la constitución de una Ponencia en las Cortes Generales para el análisis de la situación del sector turístico en España. En abril de 1997 se acuerda, dentro de la Comisión de Industria, Comercio y Turismo, la creación de un grupo de trabajo dentro del Senado para estudiar la situación del turismo. Durante la elaboración del estudio se invita a comparecer, para exponer su opinión sobre el sector y sus problemas, a los siguientes actores:

- Representantes públicos: Director General de Turismo (en esta Legislatura no existe la figura del Secretario General de Turismo), Director General de Turespaña; responsables de turismo de las Comunidades Autónomas, Alcaldesa de municipio turístico (Calviá), Directora Instituto Estudios Turísticos, Director General Bellas Artes y Alcaldes de las Ciudades Patrimonio de la Humanidad.

- Expertos: Director Servicios de Estudios del Banco de España; Ex Consejero de Turismo de las Islas Baleares, Ex Ministro de Comercio y Turismo; Asesor Cabildo Insular Lanzarote, Catedrático de Economía Aplicada y Presidente Fundación Barceló.

- Representantes de sindicatos: Secretario de la Federación de Turismo y Hostelería de CCOO y Secretario de la Federación de Turismo y Hostelería de UGT.

- Representantes del sector: Presidente de la Asociación Española de Compañías Aéreas y Presidente de ZONTUR.

Los resultados del trabajo se presentan en diciembre de 1999.

La Ponencia recomienda impulsar una nueva propuesta estratégica para el periodo 2000-2006 que persiga los siguientes objetivos:

1. Garantizar la sostenibilidad (*"entendemos la sostenibilidad como vía para garantizar la solidaridad interterritorial e intergeneracional desde un enfoque global de esta actividad en el marco de un proceso democrático y de cambio progresivo en la calidad de vida de los ciudadanos"*. Informe de la Ponencia, 1999:6).

2. Diversificación de la oferta.

3. Conservar y gestionar los recursos naturales y culturales con un ordenado uso del territorio.

4. Desestacionalización.

5. Mejorar las infraestructuras de transporte, comunicación y recursos hídricos.

6. Crear las mejores condiciones para el desarrollo del empleo, incentivando la inversión, impulsando la mejora de la calidad de las empresas y elevando la cualificación profesional.

7. Investigar, innovar y mejorar el conocimiento del sector y del mercado.

8. Contribución y colaboración de todos los sectores implicados (*"el turismo ha estado infravalorado. No ha existido el necesario impulso por parte de las diferentes Administraciones para propiciar un gran debate sobre nuestra industria turística (...) será por ello conveniente proponer la constitución de una Comisión de Turismo de carácter permanente en el Senado"*. Informe de la Ponencia, 1999:9).

9. Trabajar por una comunicación, promoción y una comercialización con una visión estratégica.

10. Reconocer e impulsar la dimensión local y autonómica en la ordenación, promoción y planificación turística.

El trabajo no tiene ni la dimensión ni el impacto del Informe de la Ponencia de 1991 y, además, se estaba elaborando al mismo tiempo en que el Ministerio preparaba el siguiente plan general, por lo que parte de los objetivos propuestos no llegaron a incorporarse, ni a ser tenidos en cuenta por los decisores turísticos.

El 5 de octubre de 1999, antes de ser presentado el Informe, se aprueba en la Conferencia Sectorial el **Plan Integral de Calidad del Turismo Español (PICTE)**.

El PICTE, se concibe como el instrumento que sustituye a los Planes *FUTURES*. Si en aquellos el concepto básico, determinado por la coyuntura existente, era el de "competitividad", las nuevas circunstancias, una vez recuperada la posición del sector, aconsejan sustituirlo por el de "calidad". La calidad se convierte en el *"principio estratégico"* y el PICTE se construye sobre el concepto de "calidad turística española" que pretende vertebrar la oferta y configurar una imagen en los mercados emisores.

Los objetivos generales del Plan son:

1. Consolidación de la posición de liderazgo del turismo español a medio y largo plazo.

2. Incremento de la rentabilidad.

3. Sostenibilidad sociocultural y medioambiental de la actividad turística.

4. Diversificación de la oferta y la demanda.

5. Mayor distribución territorial de los flujos turísticos.

6. Aumento de la calidad del empleo del sector.

7. Aumento de la presencia internacional de la empresa turística española.

8. Consecución de indicadores completos de la actividad turística.

9. Reconocimiento del sector turístico por el resto de los sectores económicos e integración del mismo en los esquemas de financiación, exportación, etc.

CUADRO 9.3.: PLAN PICTE (2000)

PROGRAMA CALIDAD EN DESTINOS	
ACTUACIONES	– *Planes de Excelencia Turística en destinos tradicionales maduros* – *Planes de Dinamización Turística para el desarrollo de destinos turísticos emergentes con fuerte potencial de atracción turística.* – *Modelos de gestión integrada de los servicios turísticos (asistencia técnica para la mejora de la gestión municipal).*

PROGRAMA CALIDAD EN PRODUCTOS	
ACTUACIONES	– *Creación de campos de golf abiertos al público.* – *Reforzamiento del programa de estaciones náuticas.* – *Consolidación de las bases empresariales del turismo activo y de aventura y regulación de su ejercicio.* – *Reorientación de los programas de ayudas del turismo rural y coordinación en lo referente a tipología y calidad.* – *Desarrollo de productos de turismo cultural.* – *Turismo termal.*
Instrumentos	– *Coordinación en la Comisión Interministerial.* – *Coordinación en la Conferencia Sectorial, tanto en la armonización entre Comunidades Autónomas, como en la asistencia técnica y el apoyo a la comercialización y promoción de los productos.* – *Financiación tripartita: Administración Central, Autonómica y Local, a través de Convenios de colaboración.*

PROGRAMA CALIDAD EN SECTORES	
ACTUACIONES	– *Diseño e implantación de sistemas en los distintos sectores turísticos.* – *Ayudas a las empresas para implantación y certificación.* – *Creación del Instituto de la Calidad Turística Española (ICTE).* – *Promoción de la marca de calidad*

PROGRAMA FORMACIÓN EN CALIDAD	
ACTUACIONES	– *Definición de modelos formativos y coordinación con el ámbito universitario.* – *Seguimiento y coordinación con organismos que realizan acciones de formación ocupacional y continua. Formación de formadores.* – *Acciones formativas en mejora de la calidad en destinos (responsables municipales) y en sectores (directivos y personal)* – *Apoyo a la formación de postgrado, la especialización y la investigación en turismo.*
Instrumentos	– *Relaciones Universidad-Empresa, a través del Observatorio de Turismo, que elevará la Conferencia Sectorial y a la Comisión Interministerial, recomendaciones e informes sobre necesidades formativas.* – *Creación en el CIDET de un centro de formación de formadores.* – *Continuación del programa Becas Turismo de España.* – *Programas de formación a empresarios y gestores públicos.*

PROGRAMA DE INNOVACIÓN Y DESARROLLO TECNOLÓGICO	
ACTUACIONES	– *Incorporación, como área sectorial, del turismo en el Plan Nacional de I+D.* – *Tecnologías de la información: sistemas de información y reservas, gestión y correo electrónico.* – *Tecnologías de la calidad: soportes a la implantación, establecimiento y medición de indicadores.* – *Tecnología medio ambiental: ahorro de recursos y fomento de energías y procesos alternativos y limpios.* – *Desarrollo de productos de alto contenido tecnológico: parques temáticos, centros de interpretación...* – *Definición de modelos de arquitectura, ingeniería y urbanismo, aplicables a destinos y productos turísticos.*
Instrumentos	– *A través del Observatorio de Turismo, que elevará la Conferencia Sectorial y a la Comisión Interministerial, recomendaciones e informes sobre necesidades tecnológicas del sector.* – *Apoyo del CIDET.*

PROGRAMA DE INTERNACIONALIZACIÓN DE LA EMPRESA TURÍSTICA

ACTUACIONES	– *Información a las empresas: guía del Inversos y Guía del Conocimiento Turístico.* – *Encuentros entre empresas: Foros de Internacionalización de la Empresa Turística.* – *Estudios de viabilidad de mercados.* – *Asesoramiento y asistencia de la OETs* – *Becas de alta dirección.* – *Recopilación de información sobre inversiones y posibilidades de negocio por la Dirección General de Turismo, Turespaña y las OETs.* – *Subvenciones para la financiación de una parte de los gastos de implantación.*

PROGRAMA DE COOPERACIÓN INTERNACIONAL

ACTUACIONES	– *Reforzar la presencia española en foros internacionales.* – *Trabajar en la obtención de financiación comunitaria para el sector turístico.* – *Mejorar la calidad de la cooperación turística que se presta a través de la AECI.* – *Apoyo a los proyectos de cooperación internacional de contenido turístico.*
Instrumentos	– *Colaboración con la AECI* – *La Dirección General de Turismo, Turespaña y las OETs canalizará los proyectos turísticos.* – *Reactivación de los convenios bilaterales.* – *Difusión de información sobre necesidades de cooperación existente.* – *Cesión de productos turísticos de titularidad estatal a terceros países, a través de la firma de protocolos, con finalidades de cooperación e internacionalización del conocimiento turístico.*

PROGRAMA DE INFORMACIÓN ESTADÍSTICA Y ANÁLISIS ECONÓMICO

ACTUACIONES	– *Conocimiento de la economía turística* – *Sistema Nacional de Indicadores* – *Cuentas Satélites* – *Investigación de mercados: publicación de estudios de mercados y productos turísticos, distribución semestral del informe de coyuntura.* – *Ampliación a nivel regional de las actuales estadísticas.* – *Familitur* – *Fontur* – *Creación de cuentas satélites regionales* – *Sistema de información de datos estadísticos y documentales.*

PROGRAMA DE PROMOCIÓN

ACTUACIONES	– *Campaña de publicidad* – *Acciones en colaboración con las Comunidades Autónomas y Cámaras de Comercio.* – *Campañas especiales de la Q de calidad y de apoyo a la internacionalización.* – *Información turística.* – *Potenciación del portal de Internet* – *Creación de un centro unificado de información telefónica.* – *Plan editorial.*

PROGRAMA DE APOYO A LA COMERCIALIZACIÓN DE PRODUCTOS TURÍSTICOS EN EL EXTERIOR	
ACTUACIONES	– *Participación en Ferias de carácter profesional y especializado.* – *Potenciación de la presencia española en Congresos, Asambleas y Conferencias de carácter profesional. Penetración en el mercado de los incentivos.* – *Desarrollo de jornadas profesionales, inversas y directas.* – *Viajes de familiarización para turoperadores y agentes.* – *Seminario para agentes sobre destinos o productos concretos.*
Instrumentos	– *Plan de Apoyo a la Comercialización (PAC), a través del Consejo Promotor de Turismo, basado en las propuestas de Turespaña.*

(Fuente: Secretaría General de Turismo 2000a).

La calidad es un concepto que supone algunas condiciones previas: es un "estilo" en el desarrollo de las actividades que desarrollan las organizaciones, es un compromiso individual de éstas con los clientes o ciudadanos, es una "orientación al servicio"... Podemos afirmar que la calidad puede inducirse, pero no imponerse. Así que para desarrollar una política basada en este concepto es imprescindible la colaboración decidida del sector, lo que supone la utilización de los instrumentos de cooperación establecidos y un giro hacia el reconocimiento de un nuevo papel de los actores privados, a cambio de que la política turística del Gobierno Central pierda liderazgo.

El PICTE supone la activación de diversas líneas de acción que pueden resumirse en dos: los sistemas de calidad turística subsectoriales y las acciones de calidad en destinos. "*La primera línea de trabajo persigue la implantación de sistemas de calidad en los distintos subsectores. (...) La segunda línea de trabajo se refiere a los planes de calidad en destino y comprende programas de Turismo Sostenible (ECOTUR, Municipio Verde), los Planes de Calidad en destino (Montaña de Navarra y Valle de Benasque), los Planes de Dinamización, los Planes de Excelencia y, por último, el Modelo de Gestión Integral de la Calidad en Destino*" (Matas y Martín, 2001:57). Veremos cómo ha evolucionado la primera línea de trabajo. Respecto de la segunda, al tratarse de programas, los expondremos en el epígrafe siguiente.

La implantación de sistemas de calidad en los diferentes subsectores tiene una historia propia que sobrepasa el presente trabajo, aunque haremos un pequeño resumen de lo acaecido.

Desde la primera crisis del sector turístico en nuestro país, la calidad ha sido el concepto clave para explicar el único futuro posible del sector. La promoción de la calidad fue considerada objetivo prioritario en el Informe de la Ponencia sobre el Turismo Español del Congreso de los Diputados del año 1991. El primer Plan *Futures* de 1992 incorporó un programa de calidad específico en el que se planteaban objetivos de información, formación, apoyo a acciones concretas y *"la creación de Comités de Calidad Turística con instituciones, así como con agentes socio-económicos e interlocutores sociales, para el desarrollo y la promoción de la calidad en el sector"*. El segundo Plan *Futures* de 1996 lo convirtió en una de sus seis líneas de acción y se diseñaron tres programas: el de asesoramiento, el de mejora de infraestructuras y el denominado "sistemas de calidad", que perseguía que los diferentes subsectores se dotaran de planes de calidad específicos.

Todas las previsiones políticas señalaban la necesidad de que fueran los propios subsectores los que se dotaran de los instrumentos necesarios para establecer los estándares de calidad aplicables y los posteriores sistemas de verificación.

En 1994, en el Puerto de la Cruz (Tenerife), dio comienzo una experiencia piloto con la participación de 25 hoteles para desarrollar un borrador de la actual Norma de Calidad para Hoteles y Apartamentos Turísticos y en 1996 comienzan las primeras auditorías creándose la marca "Calidad Turística". En febrero de 1997 se crea el ICHE (Instituto para la Calidad Hotelera Española[150]), *"la metodología utilizada para la consolidación de su sistema de calidad fueron los referentes para el desarrollo de los sistemas del resto de subsectores, de forma que se adoptaron las mismas herramientas y se asimilaron sus procedimientos de trabajo"* (ICTE, 2003).

A partir de ese momento la administración pública prestó la asistencia técnica necesaria para desarrollar sistemas de calidad en los diversos subsectores:

- ATUDEM (Asociación Turística de Estaciones de Esquí y Montaña) comenzó el desarrollo del sistema de calidad para su sector en septiembre de 1997 y su desarrollo se extendió hasta diciembre de 1998 con la participación inicial de 14 estaciones. Una vez consolidada la norma de calidad para estaciones de esquí y montaña se realizaron las primeras auditorías en marzo de 1999 y se certificaron las primeras estaciones utilizando la estructura certificadora del ICHE.

---

[150] Se crea por las dos grandes asociaciones hoteleras: FEH y ZONTUR.

- El INCAVE (Instituto para la Calidad de las Agencias de Viajes Españolas) es constituido por AEDAVE, AMAVE y FEAAV en febrero de 1998 después de haberse realizado la celebración de jornadas de sensibilización en toda España y una vez comenzados los primeros trabajos para el desarrollo del sistema de calidad de agencias de viajes. En septiembre de 1998 se presenta la primera edición de la Norma de calidad de este sector y se incorporan las primeras agencias al proyecto de implantación del sistema.

- El ICRE (Instituto para la Calidad de la Restauración Española) es constituido por la Federación Española de Hostelería en septiembre de 1999, momento en que se publica la primera edición de la norma de calidad para su sector. El sistema se elabora durante los años 1997 y 1998 con la participación de 100 establecimientos piloto.

- El ICCE (Instituto para la Calidad de los Campings Españoles) fue constituido por la Federación Española de Campings y Ciudades de Vacaciones en septiembre de 1999.

- La ACTR (Asociación para la Calidad del Turismo Rural) fue constituida en los primeros meses del año 1998 por el acuerdo de las asociaciones territoriales de turismo rural y con el objetivo de desarrollar y consolidar el sistema de calidad turística para las casas rurales.

Esos seis sectores *"creyeron en la conveniencia de la creación de un ente gestor único, con carácter intersectorial, que velara por la adecuación de los objetivos comunes, permitiendo un ahorro considerable de esfuerzos y reforzando la coherencia del sistema, facilitando finalmente la credibilidad y la promoción necesaria a la Marca de Calidad Turística Española. Nació de esta manera el Instituto de Calidad Turística Española, que fue definitivamente constituido el 14 de abril del año 2000"* (ICTE, 2003). El ICTE es responsable, desde ese momento, de la aprobación de la normativa de calidad y de los procesos de certificación.

c) Programas

Se continúa con el programa **"Escuelas Viajeras"**, para alumnos de 5.º y 6.º curso de educación primaria y el programa **"Becas Turismo de España"**.

A partir de la temporada 1999/2000 el Programa Vacaciones para la Tercera Edad modifica su estructura de gestión (se gestionarán de forma común los subprogramas que lo componen) y cambia su nombre pasando a denominarse "**Programa de Vacaciones para mayores y para mantenimiento del empleo en zonas turísticas**" y se incorpora una nueva variedad en las ofertas que lo componen, "Turismo de naturaleza" (Muñiz, 2001:144-145).

Se continua con los Planes de Excelencia, a los que se añaden los **Planes de Dinamización**. Si los primeros estaban pensados para destinos turísticos maduros, caracterizados por haberse especializado en el segmento de sol y playa, los Planes de Dinamización, se orientan a destinos que están en fase de desarrollo turístico, bajo los mismos principios de co-participación de los tres niveles territoriales implicados y de acometer intervenciones globales en el municipio, complementarias con las inversiones de otros Departamentos. Se pretende que los destinos se conviertan en focos de turismo cultural o natural, por lo que se tiene en cuenta el patrimonio histórico o el natural existente en el municipio. Otra característica del programa es que la actividad turística debe tener algún grado de desarrollo inicial, especialmente del subsector de alojamientos (con lo que se diferencia de los primeros planes de turismo alternativo)[151].

Por otro lado, da comienzo el Programa de Turismo Sostenible cuya acción central es el **Proyecto Municipio Verde** que se desarrolla en cooperación con la Federación Española de Municipios y Provincias y el Ministerio de Medio Ambiente. El V Programa Marco de la Unión Europea consideró al turismo como uno de los cinco sectores clave sobre los que había que actuar para la protección del medio ambiente, especificando diversos aspectos problemáticos (usos de suelo, construcciones ilegales, automóviles, ruido, aguas, emisiones a la atmósfera, riesgo de zonas sensibles...). Con este objetivo la Administración Turística decide impulsar la implantación de un Sistema de Gestión Medioambiental en los municipios turísticos tomando como modelo el diseñado en un Reglamento comunitario y denominado Sistema Comunitario de Ges-

---

[151] Durante los años 1997 y 1998, se firmaron convenios que afectaban a los siguientes municipios: Benasque, Cuéllar, Tena, Boí, Conil, Tarifa, Trives, Valle del Trubia, Zafra, Águilas, Aranjuez, Baix Empordá, Cartagena, Cuenca, Mazarrón, Peñafiel, Sierra de Guadar y Trujillo.

ción y Auditoría Medioambientales (EMAS)[152]. También da comienzo el proyecto de definición de un "Sistema de gestión medioambiental para hoteles" basado en el mismo reglamento. En el mismo orden de cosas da comienzo el "Sistema de Calidad Turística en Espacios Naturales Protegidos", junto con EUROPARC-España.

El programa de **promoción** sigue estructurado en dos grupos de acciones: las campañas y el plan de marketing, por un lado, y las acciones de apoyo a la comercialización, por otro.

En relación con las campañas sólo destacar que, desde 1997 hasta el año 2001 se harán bajo el eslogan "Bravo España".

Para el apoyo a la comercialización se intensifican las labores de análisis. El Consejo Promotor de Turismo, en su Plan 97/98 se propone completar la serie de Estudios de Mercados Turísticos Emisores, hasta 26 estudios, con información sobre 34 mercados. Dichos estudios se reeditan cada dos años. Además se publican dos informes de coyuntura anuales (verano e invierno) y comienza una serie de análisis del Instituto de Estudios Turísticos llamada "Estudios de Productos Turísticos" (los análisis son realizados por consultoras externas). También se pone en marcha a partir de 1999, junto con la Federación Española de Municipios y provincias, un sistema de medición estadística del mercado de turismo de reuniones en España, el sistema METURE (Instituto de Estudios Turísticos, 2002; Spain Convention Bureau, 2003).

Con todos los datos el Consejo Promotor del Turismo elabora el Plan de Apoyo a la Comercialización Turística, en el que incorpora las sugerencias que cualquier miembro del sector trasmita sobre qué productos y en qué mercados harían más efectiva y eficaz la acción de promoción. *"La elaboración del Plan de Apoyo a la Comercialización Turística (PAC) se realiza en base a un procedimiento en el que se integra la actuación de los miembros del Consejo desde la iniciación del Proyecto del Plan. En este primer periodo se solicita a los miembros que reflejen, en una ficha, sus criterios y prioridades por mercados y productos. En una segunda fase, estas fichas, unidas a un documento en el que se establecen los criterios básicos de comercialización por áreas de producto, se remiten*

---

[152] Reglamento CEE 1836/93 del Consejo, de 29 de junio de 1993, por el que se permite que las empresas del sector industrial se adhieran con carácter voluntario a un Sistema Comunitario de Getsión y Auditoría Medioambientales (EMAS).

a las Oficinas Españolas de Turismo en el exterior para que confeccionen un proyecto de plan en relación con su mercado específico, con esos proyectos, los servicios centrales del Instituto de Turismo de España elaboran el proyecto PAC que se eleva al Consejo Promotor" (Estévez, 1999:194).

d) Instrumentos normativos

Se aprueba, mediante Ley 42/1998, de 15 de diciembre, los **Derechos de Aprovechamiento por turno** de bienes inmuebles de uso turístico y sus normas tributarias. La ley será modificada mediante un procedimiento peculiar: se incorporan dos nuevos apartados a los artículos 8.2 y 9.1 mediante su inclusión en el artículo 95 de la Ley de Política Económica (Medidas Fiscales, Administrativas y de Orden Social). El objetivo de esta Ley, según su Exposición de Motivos, es aprobar diversas medidas para ejecutar más eficazmente el programa económico del Gobierno contenido en la Ley de Presupuestos Generales. Si el PSOE incorporaba previsiones legales en la Ley de Presupuestos, el PP las agrupa en una norma genérica, la Ley de Política Económica, que somete a aprobación de forma conjunta.

Por Real Decreto 607/1998, de 16 de abril, se aprueba el reglamento **del seguro de responsabilidad civil para embarcaciones de recreo o deportivas.**

e) Instrumentos financieros

Por Real Decreto 2346/1996, de 8 de noviembre, se establece el régimen de ayudas y sistema de gestión, en aplicación del Plan Marco de Competitividad del Turismo Español 1996-1999 y se desarrollan las distintas líneas de subvención contempladas en el mismo.

Mediante órdenes de 25 abril de 1996 y 3 de junio de 1998, se establecen las subvenciones para la **internacionalización de la empresa turística.** Se trata de ofrecer un *"apoyo a la internacionalización, manteniendo el programa de subvenciones, fijando una plataforma que facilite a nuestras empresas el establecimiento de enlaces y espacios de conocimiento y de negocio con países que ofrecen un fuerte potencial de desarrollo turístico, a través del I Foro sobre Internacionalización de la Empresa Turística Española, celebrado en 1998 y difundiendo los proyectos de inversión turística en terceros países entre el sector"* (Feito y Pernas, 1999:184).

f) Otras acciones

Tras la Jornada de Turismo celebrada en febrero de 1997, en donde se presenta el Plan de Estrategias y Actuaciones de la Administración General del Estado en Materia Turística, se decide convocar "*un gran debate nacional sobre turismo, en el que estuvieran involucrados todos los actores, tanto públicos como privados, del sector turístico español, que pudiera definir dicha política turística integral*" (Díaz, 1998:25).

De manera similar a como funcionaron las Asambleas Nacionales de Turismo, se trabajó en Jornadas preparatorias en diez Comunidades Autónomas pero, a diferencia de aquéllas en las que no participaba el sector privado, en esta ocasión se incorporan representantes del mismo, no sólo en dichas jornadas preparatorias, sino, especialmente en las reuniones bilaterales que se mantuvieron.

Dichas reuniones bilaterales se celebraron con el Consejo de Turismo de la CEOE, la Comisión de Turismo de la Federación Española de Municipios y provincias, la Comisión Nacional de Turismo del Consejo Superior de Cámaras, los sindicatos, la prensa especializada, etc.

Además, el Consejo Promotor de Turismo organiza reuniones en distintos lugares de la geografía española entre sus miembros. Con todos estos trabajos se prepara un documento que resume las principales conclusiones a las que se ha llegado en torno a cuatro paneles: "Información, Promoción y Comunicación", "Mercados, productos y Calidad", "Turismo y Territorio" y "La empresa: fiscalidad, empleo y formación", que serán la base del **Congreso Nacional de Turismo**. Del Congreso saldrán las conclusiones y Plan de 23 medidas de actuación de la Administración Central del Estado, ya comentados.

Se celebran las Jornadas Técnicas de Planificación convocadas también por el Consejo Promotor del Turismo.

Se celebra en Madrid el II Encuentro de Calidad, en mayo de 1999. La calidad es un área de trabajo fuertemente impulsado desde la Secretaria de Estado, que se apoya en el sector empresarial para su desarrollo y gestión. De las conclusiones del encuentro nacerá el PICTE, expuesto en el epígrafe anterior.

Se convocan los Premios Nacionales de Turismo, que no se habían convocado desde 1991: "Premio Vega Inclán", al texto literario; "Premio Ortiz Echagüe", a la imagen y "Premio Marqués de Villena", promoción de gastronomía.

1.2. Rodrigo Rato Figaredo (abril 2000 - marzo 2004)

En este segundo mandato, que se corresponde con la Séptima Legislatura, el turismo recupera cierta posición institucional.

La Administración Turística se centra en el desarrollo de programas, dejando a un lado la fase de redacción de documentos de planificación generales y, como veremos, se aprueban varios con objetivos muy diversificados y de gran interés.

a) Instrumentos organizativos

Tras las elecciones del año 2000 se lleva a cabo una reestructuración ministerial que modifica la administración turística en profundidad.

Se separan el Ministerio de Economía y Hacienda y, en el nuevo Departamento, se inserta una Secretaría de Estado aligerada y convertida en la **Secretaría de Estado de Comercio y Turismo** (Reales Decretos 557/2000 y 689/2000).

Se recupera la **Secretaría General de Turismo**, aumentando de este modo el rango del máximo centro decisor en la materia. Las funciones que el Real Decreto 1371/2000 de 19 de julio le encomienda son:

a) Definir, proponer, impulsar y, sin perjuicio de las competencias de la Comisión Interministerial del Turismo, coordinar la política turística del Gobierno.

b) Elaboración de los planes que generales que faciliten el fomento de los productos turísticos y contribuyan a la mejora de la calidad y a la innovación tecnológica de las empresas turísticas y de la cooperación interempresarial. Asimismo, le corresponde la identificación de nuevos productos turísticos, el diagnóstico y valoración de factores que afectan a la oferta turística y el diseño de estrategias encaminadas al desarrollo y mejora de los productos y destinos turísticos.

c) Ejercer las funciones de cooperación con las Comunidades Autónomas, entes locales, Ministerios y sector turístico, en general, para la elaboración de las bases y planificación general de la política del sector turístico.

d) La investigación de los factores que inciden sobre el turismo así como la elaboración y recopilación de estadísticas.

e) Definir estrategias, planes y proyectos de presupuestos del Instituto de Turismo de España.

f) La evaluación y control de calidad de las actuaciones de la Administración Turística del Estado.

g) Las relaciones turísticas institucionales de la Administración del Estado con organizaciones internacionales, públicas y privadas, y la cooperación turística internacional, en coordinación con el Ministerio de Asuntos Exteriores.

Las nuevas Subdirecciones recibirán el nombre de Calidad e Innovación y de Cooperación y Coordinación.

En relación con **Turespaña**, por Real Decreto 810/2000, se modifica la estructura orgánica, suprimiendo la Dirección General y sustituyéndolo por una Subdirección General, y se adapta al nuevo entorno institucional.

El **Instituto de Estudios Turísticos** se integra en la Secretaría General de Turismo, pasando a depender del Secretario General (antes lo hacía del Secretario de Estado). Como principales acciones del periodo hay que destacar la puesta en marcha de una tercera estadística: la Encuesta de gasto Turístico (*EGATUR*) que nace de los trabajos derivados del Grupo de Trabajo para estimar las rúbricas "Turismo y Viajes" de la Balanza de Pagos y de "Consumo de los no residentes" de la Contabilidad Nacional[153]. Los primeros trabajos de campo se realizan en 2001 y la estadística, por su complejidad, está aún en proceso de validación.

Por otro lado, se presentan en junio de 2002 los primeros resultados de la *Cuenta Satélite del Turismo*, sistema de medición macroeconómica auspiciada por la OMT, la OCDE y EUROSTAT que también ha sido ya implantada en otros países.

Finalmente, mediante Acuerdo de Consejo de Ministros de 20 de septiembre de 2002 se decide transformar la Sociedad Estatal de Transi-

---

[153] Convenio firmado en enero de 1999 entre la Secretaría de Estado de Comercio, Turismo y Pymes, el INI y el Banco de España (Instituto de Estudios Turísticos, 2003:11).

ción al Euro S.A., en la **Sociedad Estatal de Gestion de la Información Turística S.A. (SEGITUR)**, cuyas funciones serán la creación de un portal de internet para promocionar España como destino turístico, gestionar la información relevante para la difusión del turismo y establecer canales de comunicación para cumplir estos objetivos.

b) Planes Generales

Durante este segundo mandato del Ministro Rato no se aprueba ningún plan general. Hay que tener en cuenta que el Plan PICTE está aún vigente.

c) Programas

La actividad planificadora ocupó a los decisores públicos en los cuatro años anteriores y los programas concentran el mayor interés de este mandato. Los programas son acciones o conjuntos de éstas diseñadas para incidir en un subsector turístico concreto, un producto turístico específico, un perfil de turista específico o un aspecto concreto del turismo[154].

Los programas de mayor importancia en el periodo son los programas de turismo sostenible, los programas de calidad en destino y el programa de apoyo al turismo cultural e idiomático.

Los **programas de turismo sostenible** son un conjunto de acciones que tratan de fomentar que los principios del desarrollo sostenible impregnen la actividad turística. El Proyecto Municipio Verde, puesto en marcha durante el Gobierno anterior (y que buscaba proporcionar un modelo para la gestión de los municipios turísticos desde el punto de vista medioambiental) cambia su nombre por el de "municipio turístico sostenible" y va mejorándose, tratando de corregir aspectos poco operativos que resultaban, fundamentalmente, de que son los municipios quienes deben someterse a una certificación de calidad inicialmente diseñado para otro tipo de estructuras. Tras las primeras experiencias, y como conclusiones de un seminario de trabajo celebrado el 27 de noviembre de 2003, se propone valorar la introducción de algunos cam-

---

[154] Utilizamos la descripción del concepto de "programa" elaborada en el Capítulo II del libro, donde se amplía la explicación.

bios como la posibilidad de certificar ámbitos de gestión municipal concretos, o la de diferenciar entre municipios grandes y pequeños.

También en la línea de las relaciones del turismo con el medio ambiente se firma un Convenio con el Instituto para la Diversificación y Ahorro de la Energía (IDAE) en el 2001 para el estudio del ahorro energético y el uso de energías renovables y alternativas en establecimientos hoteleros, como consecuencia del mismo se organiza una Jornada Informativa sobre "Eficiencia Energética y energías renovables en el sector hotelero" en diciembre de 2003.

Los **programas de calidad en destinos** son un conjunto de acciones que la administración turística pone en marcha y cuyo objetivo común es la gestión coordinada del destino, mediante la utilización de parámetros de calidad que pueden ser aplicados tanto a los distintos subsectores turísticos, como a los agentes diversos que intervienen en la gestión del mismo. Por orden de aparición el primero de los programas de actuación en destino son los Planes de Excelencia, tras estos aparecen los Planes de Dinamización, más tarde los Planes de Turismo Sostenible, seguidos de los Planes de Calidad en Destino.

El último paso en este desarrollo es el programa denominado **Modelo de Gestión Integral de Calidad en Destinos Turísticos**, la idea del programa es trabajar en el destino teniendo en cuenta que en la calidad percibida del mismo participan los factores turísticos junto a otros que no lo son. El modelo trata de desarrollar sistemas que permitan diseñar un plan estratégico para el destino basado en fórmulas de medición y seguimiento de la calidad en cuatro entornos: sectores turísticos que actúan en el destino (y para los que ya existen sistemas de calidad específicos), otros sectores de servicios que interactúan con los turísticos, servicios municipales turísticos y servicios municipales no turísticos. Se trataría de captar las imágenes horizontales que configuran la opinión sobre el destino de los visitantes. El Modelo se desarrolla en nueve destinos de distinta tipología con intención de generar guías que puedan aplicarse con posterioridad a cualquier destino (Calviá, Santiago, Lanzarote, Zaragoza, Menorca, Segovia, Barcelona, Valle Benasque, Montaña Navarra) (Matas y Martín, 2001).

Por último queremos señalar la aprobación en julio de 2001 del **Plan de impulso al turismo cultural e idiomático (2002-2004)**. El Plan nace en el seno de un órgano de cooperación vinculado a la política cultural, la

Comisión Delegada del Gobierno en Asuntos Culturales, y se apoya para su implantación tanto en la Administración turística como en el Instituto Cervantes, como institución de reconocida en la enseñanza de español en el extranjero. Supone, tras el Convenio firmado entre el Ministerio de Comercio y Turismo en 1994, la iniciativa más interesante del sector público de considerar de forma autónoma la tipología de turismo cultural, que ha crecido de manera sostenida desde la década de los ochenta.

Contiene diversas medidas agrupadas en los siguientes ejes de actuación:

- Creación de oferta turística cultural[155] (como la aprobación se sistemas de calidad en la gestión de recursos culturales, la mejora en la gestión de eventos o la ampliación de horarios en recursos culturales).

- Sensibilización respecto del turismo cultural y estructuración del sector (con la declaración del año 2002 como Año del Turismo Cultural en España, la celebración de un congreso internacional y la impartición de módulos formativos).

- Gestión de la información cultural y aprovechamiento de las nuevas tecnologías (mediante la realización de un inventario de recursos y productos culturales y la creación de un sistema de información).

- Plan marketing de turismo cultural (que incluirá una campaña de publicidad, una de relaciones públicas y con los medios, el apoyo a determinadas marcas culturales, apoyo a la comercialización e investigación del turista cultural).

- Enseñanza de español como recurso turístico (con un programa de fortalecimiento de la oferta de centros docentes y títulos oficiales y un plan de marketing específico).

---

[155] Según el monográfico publicado por el Instituto de Turismo de España sobre el turismo cultural, los *recursos culturales* (museos, colecciones, monumentos, festivales...) pueden considerarse *productos culturales* si tienen un plan de accesibilidad (pueden visitarse, realizarse actividades en ellos...) y se convierten en *oferta cultural* sólo si son promocionados fuera de la localidad en donde se ubican (Instituto de Turismo de España, 2001).

- Coordinación (se pretende crear un Consejo Promotor de la Enseñanza del Español en España) (Instituto de Turismo de España, 2002).

El programa de **promoción** sigue la estructura que se ha convertido en tradicional: las campañas y el plan de marketing, por un lado, y las acciones de apoyo a la comercialización, por otro. Es destacable, en relación con las campañas, que en el año 2002 se renuevan bajo el eslogan "España marca", y en relación con la financiación de estos programas, la intensificación en las peticiones de colaboración al sector, ya que Turespaña pretende que la cofinanciación de las acciones de promoción llegue a ser del 33% (Porras, 2001).

d) Instrumentos normativos

No se aprueba ningún instrumento normativo en el cuatrienio.

e) Instrumentos financieros

No se aprueba ninguno específico, manteniéndose los anteriores.

f) Otras acciones

En 2001 se consigue financiación de la iniciativa europea *INFO XXI para el desarrollo de la sociedad de la información* para el diseño y construcción de un "Portal del Turismo para la promoción turística en internet". En la actualidad se está haciendo un esfuerzo notable por mejorar las capacidades que ofrece esta herramienta y porque la organización turística del Gobierno Central sea ejemplar en el uso de la misma.

2. EL ANÁLISIS DE LA FASE

Los años de la etapa son de crecimiento sostenido en cifras de entradas de visitantes. En 1996 aumentó en un 5,26%. En 1997, año record de ésta fase, creció un 8,98%, cifra similar a la de 1998, 8,57%. En 1999, se incrementó un 6,34% y en el año 2000, un 3,33%. La cifra más baja es la del año 2001, que sólo crece un 1,63%, recuperándose en los años

2002 y 2003. En este último año llegaron a España ochenta y dos millones y medio de visitantes.

CUADRO 9.4.: EVOLUCIÓN ENTRADA DE VISITANTES DURANTE LA FASE DE COOPERACIÓN (1996-2003)

AÑOS	ENTRADAS TOTALES	INCREMENTO
1996	57.270.534	5,26%
1997	62.414.977	8,98%
1998	67.761.833	8,57%
1999	72.060.291	6,34%
2000	74.461.889	3,33%
2001	75.678.173	1,63%
2002	80.024.367	5,74%
2003	82.592.015	3,21%

(Fuente: Instituto de Estudios Turísticos)

2.1. Referentes básicos

La política turística de la fase de cooperación se caracteriza por un enfoque en que el protagonismo de los actores privados se convierte en el referente básico y no porque la colaboración con otros actores públicos se predique en menor medida, sino porque, de hecho, se invierten mayores esfuerzos y hay mejores resultados. La calidad, como idea central, se hace efectiva mediante la aprobación de sistemas de calidad estructurados por subsectores por lo que deben ser las propias organizaciones quienes asuman su desarrollo y sólo al final del periodo se trabaja por una idea de calidad que supere las estructuras empresariales mediante los programas de calidad en destino.

La cooperación con otros decisores públicos, Comunidades Autónomas y municipios, fundamentalmente, se articula intentando potenciar los órganos creados al efecto.

a) La imagen del turismo como actividad económica

En la fase de *cooperación* hay un nuevo componente de la imagen del turismo que cobra especial importancia a partir del PICTE. Se trata de las transformaciones que están afectando a las empresas del sector turístico que, aunque ya han demostrado en los últimos cincuenta años una gran capacidad de adaptación, se enfrentan ahora a retos complejos por las tendencias empresariales que deberían modificarse: frente a la empresa turística familiar, la globalización supone la radicación de grandes empresas extranjeras en el país; frente a la producción integral del producto ofertado, se impone la subcontratación de parte de las actividades que lo componen; pero, al igual que se tiende a la desagrupación del proceso productivo, se dan procesos de interacción horizontal; o, frente a la oferta individual, el rápido proceso de integración que viven las empresas de intermediación provoca una gran concentración de la demanda.

Además, la sensación de enfrentarse a un periodo de cambios profundos se potencia por la velocidad con que estos cambios ocurren[156] y por la inseguridad que su desarrollo futuro genera, como la extensión de la comercialización del viaje a través de Internet.

La pieza clave para combatir las dificultades que se derivan de estas situaciones es la calidad, el instrumento de comunicación es la imagen de "calidad turística española" y el argumento básico es la rentabilidad empresarial de la idea:

> *...Puesto que el turismo es una actividad económica, el planteamiento de una estrategia basada en la calidad integral debe examinarse lógicamente desde el punto de vista de la rentabilidad de las inversiones necesarias* (Plan PICTE, 2000) .

El concepto de rentabilidad debe conjugarse con el principio de sostenibilidad aunque la redacción del Plan sitúe en el futuro la consecución de ésta.

> *Aunque los resultados económicos sean satisfactorios, para poder afianzar y mantener unos determinados beneficios económicos del sector turístico, habrá que impulsar una nueva forma de entender y encarar esta actividad que no es otra que la noción de calidad integral*. (Plan PICTE, 2000) .

---

[156] El Prof. Dorado ilustra la situación con un ejemplo: la extensión del teléfono móvil ha supuesto que un servicio obligatorio en los alojamientos que dejaba beneficios significativos —la telefonía fija de las habitaciones— se haya convertido en un gasto para éstos en menos de tres años, una circunstancia imposible de prever.

b) Diferentes Planes

Cuando llegan al Gobierno los nuevos responsables de la política turística se encuentran con que la Conferencia Sectorial acaba de aprobar el Plan *Futures II*, plan general cuya implantación se prevé en los años 1996-1999. Por un lado, no tenía sentido proponer la modificación de un Plan que había construido una política turística coherente, consensuada y eficaz, pero por otro, el Plan *Futures* se identifica políticamente con una etapa de Gobierno anterior.

Los decisores buscan construir una política turística propia e identificable, evitando la simple continuación de las acciones de la etapa anterior; para ello aprueban sucesivamente tres documentos que contienen objetivos políticos y compromisos de actuación de la Administración Turística. El primero de ellos es el Plan de Actuaciones de la Administración General del Estado en Materia Turística, aprobado en febrero de 1997; el segundo son las "23 actuaciones y medidas para el sector turístico" que se presentan en las conclusiones del Congreso Nacional de Turismo en noviembre de 1997 y, el tercero y último, el Plan para la Calidad Turística Española (PICTE) presentado en octubre de 1999, que se convertirá, definitivamente, en el plan general de referencia del Gobierno del Partido Popular para el turismo.

El Plan de Actuaciones de la Administración General del Estado en Materia Turística tiene un fin claramente comunicativo: se trata de trasladar al sector, convocado en una Jornadas, que se mantienen las acciones iniciadas en la fase anterior y que la nueva Administración turística pretende implantar un estilo de política basado en los compromisos específicos.

Éste nuevo carácter se corrobora con las tareas asumidas en las "23 medidas y actuaciones" que se comunican tras la exposición del grado de cumplimiento de cada una de las acciones previstas en el Plan de Actuaciones.

El PICTE tampoco modificará sustancialmente los contenidos de la política de la fase anterior, aunque cambia la perspectiva al sustituir el concepto de competitividad de los Planes *Futures* por el concepto de calidad, pero sí contiene el elemento conceptual que desencadenará la característica más importante de la política de la etapa. En los *Planes Futures* el concepto de competitividad situaba en primer plano al entorno y sus componentes económicos, sociales y medioambientales, perdiendo protagonismo las empresas individualmente consideradas; por el contrario, con el concepto de calidad se destaca en primer término la organización o la empresa. El Plan *Futures* se construye desde una visión de la industria turística y su entorno, el PICTE desde una visión de la empresa turística y del sector empresarial.

Este enfoque determinará las nuevas perspectivas que irán configurándose como contenidos de la política del cuadrienio 1996-2000 que sin embargo, y en relación con su estructura, mantiene las variables básicas de los Planes Futures.

Si reflejamos en un cuadro los programas que componen el PICTE y los que componían los documentos de planificación anterior observamos una destacable continuidad.

≈ Muchos de los objetivos que hemos planteado en los últimos cuatro años siguen vigentes en estos momentos. Son objetivos que tardaremos muchos años en consolidar, como los que ya he dicho de la descentralización y la desconcentración espacial, pero también cuestiones relacionadas con la calidad, la educación la formación y la diversificación del producto son esenciales (Comparecencia del Ministro de Economía, Sr. Rato Figaredo, ante la Comisión de Economía y Hacienda, el día 7 de junio de 2000)

≈ Las prioridades son: la consolidación del liderazgo español a través de la calidad; el desarrollo sostenible del turismo; la diversificación, desde la doble perspectiva de conseguir mejorar la presencia española en mercados emisores distintos a la Unión Europea, donde tenemos baja cuota de mercado y aumentar en mercados o en otros productos turísticos con motivaciones distintas al tradicional sol y playa (Comparecencia del Secretario de Estado de Comercio y Turismo, Sr. Costa Climent, ante la Comisión de Economía y Hacienda, el día 21 de noviembre de 2000) .

CUADRO 9.5: COMPARACIÓN DE LOS PROGRAMAS QUE COMPONEN EL PICTE Y LOS PLANES ANTERIORES

PICTE (2000)	PLAN DE ACTUA-CIONES (1997)	FUTURES II (1996)	FUTURES I (1992)
CALIDAD DE LOS DESTINOS	*Actuaciones en destinos*	DESTINOS TURÍSTICOS	*FUTURES*-EXCE-LENCIA
CALIDAD EN LOS PRODUCTOS	*Diversificación oferta turística*	NUEVOS PRODUC-TOS	NUEVOS PRODUC-TOS
CALIDAD EN SECTORES EMPRESARIALES	*Medidas de apoyo al sector*	CALIDAD	MODERNIZACIÓN
FORMACIÓN DE CALIDAD	*Formación turística*	FORMACIÓN	
DESARROLLO E INNOVACIÓN TECNOLÓGICA	*Mejora de la competitividad*	TECNIFICACIÓN E INNOVACIÓN	MODERNIZACIÓN
INTERNACIONA-LIZACIÓN DE LA EMPRESA TURÍSTICA	*Internacionalización de la empresa*	COOPERACIÓN E INTERNACIONA-LIZACIÓN	
COOPERACIÓN INTERNACIONAL	*Presencia en la UE*	COORDINACIÓN	COORDINACIÓN
INFORMACIÓN ESTADÍSTICA Y ANÁLISIS ECONÓMICO	*Perfeccionar estadísticas*	I+D	
PROMOCIÓN			PROMOCIÓN
APOYO COMER-CIALIZACIÓN	*Reforzamiento Turespaña*		

(Fuente: Elaboración propia)

c) Calidad, empresa y cooperación

Pero si no parece que existan grandes giros estratégicos en la política turística respecto de la etapa anterior y sólo discusiones que afectan a aspectos secundarios, y que parecen responden a reajustes formales del cambio de Gobierno, ¿qué nos permite afirmar que estamos en una nueva etapa de política turística? La nueva etapa se caracteriza por un movimiento, que se consolidará de forma definitiva en la segunda legislatura, de retirada de la Administración Turística del Gobierno Central hacia espacios de menor conflicto político.

La idea de la calidad que hace descansar el liderazgo en los actores privados, la idea de la cooperación como emblema de funcionamiento y la potenciación de los "pequeños programas" frente a una "gran política" tienen dos lecturas, una primera que destaca el acierto de los tres elementos básicos —implicación de todos los agentes, cooperación de todos los actores y soluciones concretas para casos específicos— y una segunda lectura que detecta el repliegue del Estado de la arena turística y refuerza la imagen de abandono del espacio político para no enfrentar los dilemas que suponen los impactos generados por la actividad turística. Ambas lecturas tendrán defensores y detractores.

La calidad hace necesaria la participación de los actores privados. Desde los primeros años de la política turística se había defendido que la acción de los decisores públicos debía coordinarse no sólo con responsables públicos de materias colindantes, sino con el sector privado que sustentaba el desarrollo de la actividad empresarial ya que parece desafortunado gobernar para el turismo sin tener en cuenta al sector. Bajo el Ministerio de Gómez-Navarro, el último de los Ministros del PSOE con responsabilidad en la materia, se constituye el Consejo Promotor de Turismo, en el que se incorpora, por primera vez, representantes empresariales en el diseño de acciones promocionales del Gobierno Central. El Gobierno del PP modifica la composición del Consejo Promotor de Turismo aumentando la participación del empresariado y su protagonismo en la definición de algunos programas, especialmente el de promoción. En este mismo sentido se creó el Observatorio de Turismo que, con fines de investigación, nunca ha funcionado. En cambio, el impulso del sector ha sido muy productivo en la creación de sistemas de calidad organizados por subsectores y articulados todos bajo el Instituto de Calidad Turística Española (ICTE).

> ⸗*La calidad debe ser cada vez en mayor medida el rasgo que diferencia el producto turístico español y nos estamos refiriendo a una concepto amplio de calidad que comprende no solo la calidad del servicio turístico en sentido estricto— es decir, la calidad de los hoteles y restaurantes— sino también la calidad de los destinos y su con-*

> *junto: el entorno medioambiental, los servicios públicos, las infraestructuras, la seguridad...»* (Comparecencia del Ministro de Economía, Sr. Rato Figaredo, ante la Comisión de Economía y Hacienda, el día 7 de junio de 2000) .

La cooperación como modelo de relación con otros actores, utilizando la Conferencia Sectorial de Turismo o la Mesa de Directores, ha dado buenos resultados en el trabajo en común de actores de diferentes niveles gubernamentales, pero ha sido menos exitosa cuando se trataba de cooperar con actores de otros ámbitos competenciales. Los acuerdos con el Ministerio de Medio Ambiente han sido puntuales y no han tenido gran impulso, los programas de sostenibilidad medioambiental acabaron reconduciéndose a programas en destinos sin un apoyo financiero sustantivo[157].

> *«Una de la líneas básicas de la nueva política va a ser la* ***cooperación, que no la coordinación, con las Comunidades Autónomas*** *... instrumentada principalmente a través de la conferencia sectorial del turismo, cuyo objeto es sincronizar las políticas y organizar los marcos legislativos en el ámbito de las competencias de cada una de las administraciones.*
>
> *Además de las Comunidades Autónomas, dicha cooperación se debe impulsar también* ***con los municipios turísticos*** *... en estrecha colaboración con la comisión de la Federación de Municipios y Provincias.*
>
> *Otro de los instrumentos de cooperación que va a ser mantenido y potenciado es la* ***comisión interministerial de turismo*** *... procurará incorporar a representantes del sector empresarial con objeto de que las decisiones que se acuerden en dicha comisión sean consensuadas con los distintos órganos de la Administración y que en ellas se involucren los distintos agentes sociales que participan en el desarrollo del sector turístico.*

---

157 El Ministro defiende que el Ministerio de Medio Ambiente dedica 80.000 millones de pesetas a proyectos medioambientales estrechamente vinculados con el turismo (Comparecencia del Ministro Rato Figaredo ante la Comisión de Economía y Hacienda el 7 de junio de 2000) pero no se especifican si se consideran como proyectos turísticos desaladoras o depuradoras que sirven a un municipio y a los turistas como residentes ocasionales. Como mantenemos en el resto del trabajo, no todo puede ser etiquetado de "programa o actuación turística", sólo aquello cuyo objetivo sea fundamentalmente el turismo.

*El tercer instrumento de cooperación es el **consejo promotor de
turismo** que tiene por finalidad favorecer la participación de los empresarios, de las corporaciones locales y de las comunidades autónomas en las funciones de la promoción turística internacional que le
corresponde a la administración turística del Estado. El Consejo Promotor de turismo está siendo reorganizado después de revisar la participación de organismos públicos y de equilibrar la participación del
sector privado en el mismo con objeto de que su incidencia en las
decisiones pueda ser proporcional al peso económico que representa*
(Comparecencia del Secretario de Estado de Comercio, Turismo y
Pymes, Sr. Fernández Noriella, ante la Comisión de Industria, Energía y Turismo, el día 9 de octubre de 1996) .

Esta idea de cooperación ha cristalizado también en las fórmulas de
funcionamiento de los programas centrados en destinos, conjunto de
iniciativas de altísimo interés que tienen como mayor acierto el acercar
la acción de los gobiernos al espacio en donde se implantarán las acciones.

≤ *La colaboración institucional entre el sector turístico y las administraciones es muy amplia; hay una gran colaboración entre ayuntamientos, comunidades autónomas y el Gobierno de la nación* (Comparecencia del Ministro de Economía, Sr. Rato Figaredo, ante la Comisión de Economía y Hacienda, el día 24 de junio de 2003) .

Y si en la etapa anterior se fortalece Turespaña, en ésta se refuerza el
órgano administrativo tradicional: la Dirección General de Turismo.

≤ *La nueva organización separa las actividades en dos áreas bien
definidas. Por un lado, el desarrollo de todas las acciones de política
turística, que ha sido encomendadas a la Dirección General de turismo. Por otro lado, la ejecución de las competencias en materia de
promoción turística internacional, como misión exclusiva del organismo autónomo Instituto del Turismo de España, Turespaña. Por tanto,
Turespaña queda liberada del peso que supone el desarrollo de las
políticas turísticas relacionadas con los agentes sociales, las comunidades autónomas, los municipios turísticos y las relaciones internacionales, competencias que pasan a formar parte de las actividades
directas de la Dirección General de Turismo* (Comparecencia del
Secretario de Estado de Comercio, Turismo y Pymes, Sr. Fernández
Noriella, ante la Comisión de Industria, Energía y Turismo, el día 9 de
octubre de 1996) .

2.2. Rasgo sustantivo: la incorporación del sector

El rasgo más característico de la etapa de *cooperación* es que la relación entre actores se convierte en la pieza central del modelo de política. Una cita del Ministro que explica la bonanza de los resultados turísticos del año anterior ejemplifica, de manera idónea, el referente básico que estructuró la acción pública en materia de turismo:

> *Estos resultados son sin duda alguna fruto de la modernización que ha llevado a cabo el sector, que es el gran protagonista al que podemos apuntar el éxito del turismo en España y creo que las administraciones públicas, y en esto la Administración General del Estado comparte muy importantes responsabilidades tanto con las Comunidades Autónomas como con las administraciones locales, y entre todos hemos sido capaces de implantar un sistema de trabajo de coordinación y colaboración que está respondiendo al dinamismo del sector privado* (Comparecencia del Ministro de Economía, Sr. Rato Figaredo, ante la Comisión de Economía y Hacienda, el día 7 de junio de 2000) .

La coherencia se centra en el desarrollo parcial por los diferentes agentes públicos y privados del concepto de calidad; en todos los casos se trata de decidir, entre iguales, cómo mejorar. Si el objetivo de la fase fue implantar la imagen de marca "calidad turística española" es posible afirmar (aunque es demasiado precipitado) que se ha avanzado mucho en ese camino.

Por el contrario, la parte de calidad que implica que los Gobiernos tengan que decidir sobre cuestiones en conflicto (como la construcción en zonas que aún estaban sin explotar o de acciones paliativas en espacios turísticos saturados) está aún por hacer. La retirada del Gobierno de la política turística ha permitido un menor desarrollo de las capacidades de gestión pública de asuntos controvertidos.

En relación con el estilo que ha dominado las actuaciones podría calificarse de anticipativo y proactivo, ya que se han tratado de construir instrumentos que permitieran a otros agentes realizar acciones antes de que los problemas se presentaran. En cualquier caso, también en esto debemos de esperar algún tiempo para que una mayor perspectiva temporal nos permita hacer una mejor valoración de qué supuso realmente la etapa del Gobierno Popular para la política turística del país.

Parte Tercera
EL ANÁLISIS DE LA
POLÍTICA TURÍSTICA

INTRODUCCIÓN

Llamar a esta parte "análisis" no significa que las dos anteriores carezcan del mismo. La reflexión ha sido fundamental para poder construir nuestras propuestas. Pero en esta tercera parte observaremos todo lo que hemos expuesto desde nuevas perspectivas, lo que nos permitirá nuevas interpretaciones que enriquezcan las anteriores.

De este modo, la tercera parte se compone de un primer capítulo en el que se indaga sobre la evolución de cada uno de los instrumentos de política individualmente considerado.

Una vez que conocemos las modificaciones en los instrumentos trataremos de observar si pueden relacionarse con hechos externos a la política turística comprobando cómo inciden algunas variables políticas, económicas e institucionales en el rediseño de los objetivos o instrumentos de los decisores públicos.

Por último, expondremos las conclusiones sobre los diferentes puntos del trabajo.

Capítulo 10
LOS INSTRUMENTOS DE POLÍTICA TURÍSTICA

En los Capítulos anteriores hemos descrito las principales acciones de política turística llevadas a cabo por el Gobierno Central. Para su exposición, como ya hemos comentado, las agrupamos conforme a dos criterios: un criterio temporal (los datos se han expuesto utilizando como referencia cronológica el mandato de los sucesivos ministros responsables de la materia) y un criterio sustantivo o de contenido (la exposición se ha ordenado tomando como referencia conceptual las categorías de instrumentos de política turística elaboradas en el Capítulo 3). Ahora tenemos datos suficientes como para poder cambiar la perspectiva y analizar la información utilizando las reflexiones sobre cuestiones generales de política turística que hicimos al comienzo del libro.

Para conocer qué ha ocurrido observaremos, en primer lugar, la evolución de cada uno de los instrumentos (cuándo y cómo se utilizan por los decisores públicos, cuando se desechan, cuáles son los objetivos que persiguen...) considerando que el comportamiento de éstos puede señalar una modificación de la política turística.

1. INSTRUMENTOS ORGANIZATIVOS: UN ENTORNO INSTITUCIONAL ITINERANTE.

La Administración Turística en España se ha enfrentado, desde su nacimiento, a dos problemas que encaran todas las organizaciones públicas dedicadas al turismo en el resto del mundo. Por un lado, el cambio continuo de adscripción a diferentes Departamentos Ministeriales, itinerancia que tiene su origen en la propia naturaleza multifacética de la actividad: el turismo engloba un conjunto de aspectos sociales variado y la intensidad con la que un gobierno quiera destacar uno de ellos condiciona su adscripción a uno u otro Departamento[158]. Y por otro lado, lo que podríamos denominar la tensión público-privado.

El turismo es un hecho social impulsado por un sector que desarrolla su actividad en el mercado y basado en el aprovechamiento de recursos públicos y privados. La decisión pública inicial de intervenir en la materia se debió a su capacidad de generar divisas y, por ello, el objetivo principal de la intervención estatal ha sido el impulso de la actividad. El crecimiento del turismo fortalecía el argumento de la intervención del gobierno ya que, si inicialmente el interés público era potenciar el desarrollo de una actividad que permitía el ingreso de divisas, una vez que la actividad exportadora se consolidaba y aumentaba la llegada de turistas la economía del país era más dependiente del sector turístico y más necesaria resultaba una acción pública decidida. De esta manera, si el fin era apoyar al sector privado en la consecución de sus objetivos, el empresariado presionaba para que la administración trabajara con estructuras, tiempos y modos similares a los suyos. Pero la obtención de divisas no es la única responsabilidad del gobierno, y sería discutible que fuera su función básica: la ordenación de los diferentes subsectores, las acciones de diversificación del producto, el desarrollo según criterios sostenibles o la racionalización del crecimiento urbanístico, son objetivos públicos primordiales en los que la administración puede trabajar desde organizaciones públicas tradicionales.

Este doble dilema podría explicar, al menos en parte, que la característica más sobresaliente del entorno institucional del turismo en los últimos cincuenta años haya sido la continua modificación de las organizaciones públicas turísticas.

Como podemos ver en el cuadro siguiente, en la práctica totalidad de los mandatos ministeriales se ha creado, modificado o suprimido alguno de los instrumentos organizativos existentes.

---

[158] Por poner un ejemplo de otro país, en 1985 el Gobierno de Gran Bretaña consideró que la capacidad del turismo para generar empleo era un factor de tanta importancia que trasladó la materia desde el Departamento de Comercio e Industria, al Ministerio de Empleo.

CUADRO 10.1. MODIFICACIÓN DE INSTRUMENTOS ORGANIZATIVOS

+ GARCÍA   + BARÓN

✳ ARIAS ✳ FRAGA ✳ SÁNCHEZ ✳ LIÑÁN ✳ CABANILLAS ✳ HERRERA ✳ REGUERA ✳ GARCÍA ✳ ÁLVAREZ + GAMIR ✳ BARÓN ✳ CABALLERO ✳ BARRIONUEVO ✳ ARANADI ✳ GÓMEZ ✳ RATO (I) ✳ RATO (II)

✕ CABALLERO

✕ FRAGA   ✕ RATO (I)

✕ BARÓN

| ETAPA FRANQUISTA | UCD | PSOE | PP |

| ✳ Creación | ✕ Supresión, privatización | + Transferencias |

(Fuente: Elaboración propia)

Analizaremos con detalle qué ha ocurrido en el entorno organizativo a través de cinco cuestiones:

- El cambio de adscripción de la materia a distintos Departamentos Ministeriales;

- La unidad que ha sido, en los diferentes momentos, el máximo órgano administrativo con competencias en la materia;

- La evolución de las estructuras para la investigación y formación turística;

- Los diversos instrumentos que han permitido que el Estado se convirtiera en un empresario turístico y, por último,

- Las diferentes instituciones de coordinación diseñadas para integrar a los diversos actores que intervienen en el turismo.

1.1. Los diferentes departamentos ministeriales

En 1951 se crea el **Ministerio de Información y Turismo**. Es un departamento cuya misión es el control ideológico cultural por parte del Régimen[159] y, para ello, reúne las competencias sobre prensa, imprenta, cultura popular, cine, teatro, espectáculos, radio, televisión, publicidad y turismo. Existen varias hipótesis para explicar porqué el Régimen franquista decidió adscribir al turismo junto a estos asuntos en un mismo departamento ministerial. En primer lugar, por la propia historia del turismo; el turismo nació como un producto vinculado a la idea de cultura y su primera adscripción fue a organismos administrativos relacionados con ella, estos primeros años pudieron condicionar su ubicación posterior. Otra idea sería que la promoción turística del país en el exterior se consideraba una actividad de propaganda del Régimen (la imagen de España que se proyectaba en el extranjero) y el Ministerio de Información y Turismo tenía las competencias sobre ese asunto. Y, por último, estaría la hipótesis de que con un solo Ministerio se trataba de controlar, desde un mismo espacio institucional, todas las actividades que supusieran difusión y comunicación. Como hemos visto, el turismo también fue concebido en el Régimen Franquista como un elemento social de comunicación entre visitantes y residentes. En cualquier caso, durante veinticuatro años existió el Ministerio de Información y Turismo.

Durante la Transición, en 1977, se crea el **Ministerio de Comercio y Turismo** que será reestructurado bajo el Gobierno de UCD tras las primeras elecciones democráticas.

En octubre de 1980 las competencias de turismo pasan a encuadrarse en el Ministerio de Transportes y Telecomunicaciones. La palabra "turismo" desaparece momentáneamente del nombre del departamento ministerial, cinco meses mas tarde la denominación del Ministerio cambia a la de **Ministerio de Transportes, Turismo y Comunicaciones**[160].

---

[159] El control se ejercía en todos los niveles y se realizaba de manera sistemática a través de órganos administrativos dedicados expresamente a tal actividad, como la Junta de Censura y Apreciación de Películas Cinematográficas o la Junta de Censura de Obras Teatrales.

[160] Es posible que la presión de los representantes del sector para que no desapareciera del nombre del Ministerio, fuera la causa de la rectificación, que se explicó como un error.

En 1991, once años después y bajo el tercer mandato del Gobierno del PSOE, se reubica la materia, pasando a formar parte del **Ministerio de Industria, Comercio y Turismo.**

Transcurridos sólo dos años, en 1993, se decide de nuevo modificar los departamentos ministeriales y se recupera la idea de un **Ministerio de Comercio y Turismo.**

Finalmente, en el primer Gobierno del PP, las competencias de turismo pasan a depender, en la primera Legislatura, del **Ministerio de Economía y Hacienda** y, tras las elecciones de 2000, del **Ministerio de Economía.** En esta etapa del Partido Popular la palabra "turismo" deja de figurar en la denominación del departamento ministerial en el que la materia se inserta.

CUADRO 10.2.: MINISTERIOS DE LOS QUE HA DEPENDIDO EL
TURISMO (1951-2004)

INFORMACIÓN Y TURISMO	COMERCIO Y TURISMO	TRANSPORTES, TURISMO Y TELECOMUNICACIONES	INDUSTRIA, COMERCIO Y TURISMO	COMERCIO Y TURISMO	ECONOMÍA Y HACIENDA	ECONOMÍA

(Fuente: Elaboración propia)

En 1993 la OMT realiza una encuesta que nos permite comparar qué pasa en otros países. A la pregunta sobre la estructura administrativa del turismo en los diferentes países, los resultados que se obtienen son[161]:

(a) En trece Estados de los que contestaron existía un ministerio exclusivamente dedicado al turismo.

(b) En otros treinta y tres Estados, existía un ministerio responsable de turismo, junto a otros ámbitos competenciales relativos a diferentes sectores sociales o económicos.

(c) En el último grupo, otros diecinueve, existía un ministerio que desarrollaba diferentes actividades entre las que se incluía el tu-

---

[161] A la encuesta contestaron sesenta y siete países de las seis regiones con las que trabaja la OMT: África, América, Asia Oriental y Pacífico, Europa, Oriente Medio y Asia Central. Esta encuesta es también comentada por Lickorish y Jenkins (2000).

rismo, aunque ésta competencia no figuraba de forma expresa en la denominación del departamento.

(d) De las dos últimas categorías, en las que el turismo comparte departamento ministerial con otras materias, el turismo se vinculaba mayoritariamente a objetivos económicos, esencialmente comercio e industria (veinticinco Estados). En el resto se vincula a cultura (en ocho Estados), medio ambiente (en seis Estados) y transportes (en cuatro Estados). (OMT, 1993:81).

Los datos ratifican la idea de que la materia es adscrita a diferentes ministerios sin que exista un criterio único y nos permiten comparar las opciones tomadas en otros países con lo que ha ocurrido en el nuestro.

En España, a pesar de la importancia que el turismo ha tenido para la economía del país, nunca ha existido un Ministerio cuya única responsabilidad fuera la materia turística, opción que sí se ha escogido en otros países; el turismo se ha incorporado siempre a entornos institucionales compartidos con otros sectores.

En el periodo democrático ha permanecido vinculado al ámbito del comercio en dos ocasiones; en una tercera ocasión al ámbito de la industria y, por último, se ha insertado en el Ministerio de Economía y Hacienda. En estas cuatro ocasiones estaría dentro del grupo que la OMT identificó como "materias vinculadas a objetivos económicos".

Además, en otra ocasión, se vinculó al sector de transportes y comunicaciones, opción minoritaria de los países que sitúan al turismo bajo el mandato de un ministro que comparte dichas responsabilidades con otras áreas competenciales.

Bajo el gobierno del Partido Popular nuestro país pertenecería al grupo caracterizado porque el ámbito del turismo "carece de mención expresa en la denominación del Departamento", aunque figure en un departamento vinculado a objetivos económicos.

Pero ¿tiene importancia el nombre del departamento ministerial?, la tiene en la medida en que el nombre del ministerio va más allá de la mera etiqueta: refleja cuál es la idea que el Gobierno tiene del turismo y con qué otras cuestiones lo relaciona.

Como ejercicio teórico nos preguntamos que ocurría en el nivel competencial de las Comunidades Autónomas; los nombres de los departamentos con mayor rango en materia de turismo de los diecisiete sistemas político-administrativos en enero de 2004 refleja la diversidad de opciones que hemos expuesto y nos permiten ilustrar las distintas imágenes que los decisores del nivel autonómico tienen del turismo.

CUADRO 10.3.: COMPARACIÓN DE LAS DENOMINACIONES DE LOS ORGANISMOS RESPONSABLES DE TURISMO EN LAS COMUNIDADES AUTÓNOMAS (ENERO 2004)

ORGANISMO EXCLUSIVAMEN-TE DEDICADO AL TURISMO		– Baleares: Consejería de *Turismo*	
ORGANISMO COMPARTIDO CON OTRAS MATERIAS		**Figura "turismo" de forma expresa en la denominación junto a otros ámbitos**	**No figura de forma expresa "turismo" en la denominación**
	Economía (Industria / Comercio)	– Castilla-León: Consejería de *Indus-tria, Comercio y Turismo* – Cataluña: Consejería de *Industria, Comercio y Turismo* – País Vasco: Consejería de *Industria, Comercio y Turismo* – Valencia: Consejería de *Industria, Comercio y Turismo* – Ciudad Autónoma de Melilla: Consejería de *Economía, Empleo y Turismo*	– Madrid: Consejería de *Economía e Innovación Tec-nológica* – Navarra: Departamento *Industria y Tecnología, Co-mercio y Trabajo* – Castilla-La Mancha: Consejería de *Cultura* – Ciudad Autónoma de Ceuta: Consejería de *Educación y Cultura*
	Cultura	– Aragón: Departamento de *Cultura y Turismo* – Asturias: Consejería de *Cultura, Comunicación Social y Turismo* – Cantabria: Consejería de *Cultura, Turismo y Deporte* – Galicia: Consejería de *Cultura, Co-municación Social y Turismo*	
	Medio Ambiente	– La Rioja: Consejería de *Turismo y Medio Ambiente*	
	Transporte	– Canarias: Consejería de *Turismo y Transportes*	
	Otros	– Andalucía: Consejería de *Turismo y Deporte* – Extremadura: Consejería de *Obras Públicas y Turismo* – Murcia: Consejería de *Turismo y Ordenación del Territorio*	

(Fuente: Elaboración propia)

Ya sabemos que el concepto del turismo que tengan los decisores públicos y la idea de cuál es el papel que el Gobierno debe asumir en este ámbito son factores determinantes en el desarrollo de políticas específicas para el sector. A su vez parece argumentable que la idea de qué es el turismo y qué funciones pueden asumirse desde el sector público se verá muy influenciada por los ámbitos de decisión con los que se acompaña; por los datos de la OMT vemos que en determinados países el turismo se vincula al departamento de cultura, ¿no tendrá influencia en la configuración de las políticas que el ministro responsable decida sobre estas dos cuestiones?; y ¿será indiferente que el turismo se equipare en un ministerio al transporte y las telecomunicaciones, o al comercio? Los datos empíricos sobre lo que ha ocurrido en nuestro país nos permiten afirmar que el entorno institucional concreto tiene una influencia determinante en la política turística.

Por otro lado, en los Gobiernos del PP se suprime la referencia al turismo; la pregunta en este caso es si la supresión es relevante o no. La desaparición del nombre "turismo" de entre las denominaciones de los departamentos ministeriales tiene una lectura simbólica ya que muestra una idea de cuáles son los asuntos que el Gobierno considera que merecen una administración propia —sería imposible pensar que otros se suprimieran—. Aunque también podría ser reflejo del nuevo papel de la Administración Central en la materia tras la aprobación de la Constitución y la asignación de la competencia a las Comunidades Autónomas: su posición de coordinador precisaría un menor aparato administrativo[162]. Por último, también sería posible acudir a razones puramente pragmáticas para defender la situación anterior: la posición en la pirámide administrativa supone unos mayores o menores medios en términos de recursos humanos, técnicos y económicos y en momentos de disminución del gasto público hay que acometer reducciones.

1.2. El rango del máximo órgano de dirección política

Si la vinculación a uno u otro ministerio puede suponer un factor importante en el diseño de la política turística, también parece intere-

---

[162] Si mantuviéramos esta hipótesis deberíamos poder demostrar que ocurre lo contrario si observamos la incorporación de la materia "turismo" entre los nombres de las consejerías de las Comunidades Autónomas.

sante conocer qué tipo de órgano, dentro de cada ministerio, estaba encargado de ésta.

La Administración es una organización en la que se reparten recursos presupuestarios y humanos entre diferentes unidades; el principio de jerarquía establece un orden formal que nos permite suponer, aunque sea una imagen demasiado simplificada de la realidad, que cuanto más alto esté el órgano en la pirámide de decisión, de más recursos dispondrá[163].

En el periodo preconstitucional, dentro del Ministerio de Información y Turismo, la Dirección General de Turismo era el órgano administrativo de mayor rango encargado del turismo (sin tener en cuenta al titular del ministerio). El Informe del Banco Mundial sugirió que se creara una unidad de mayor peso político y con más medios, como una subsecretaría, para otorgar un papel más preeminente al turismo dentro de la Administración (Banco Mundial, 1962:82)[164]. Esta recomendación lleva a crear la **Subsecretaría de Turismo** en 1962 de la que dependerán una Secretaría General Técnica, una Asesoría Jurídica propia y dos Direcciones Generales, de Promoción del Turismo y de Empresas y Actividades Turísticas. La creación de un aparato administrativo fuerte permitió, sin ninguna duda, reforzar el papel del Estado en el sector y los años en que la Subsecretaría existió fueron los más productivos de la etapa franquista en relación con determinados aspectos, baste como ejemplo la producción normativa de la etapa en que se dispone de Asesoría Jurídica propia: una veintena de normas aprobadas en cinco años[165] de

---

[163] Un Director General de un ministerio no tendrá el mismo presupuesto, ni el mismo número de efectivos, ni la misma importancia política que un Secretario de Estado del mismo ministerio. Pero, además, el nivel de los puestos que deben ser cubiertos tiene importancia para el reclutamiento de los mejores profesionales para el desempeño de la dirección política turística. En la carrera administrativa resulta de mayor importancia el cargo específico que se ocupa que el contenido de éste, por lo que un funcionario que pretenda ascender en su carrera profesional tendrá en cuenta el nivel administrativo del puesto, independientemente de que las tareas de dirección política se centren en una u otra materia.

[164] Ver Capítulo III del presente libro.

[165] La Subsecretaria de Turismo se crea en septiembre de 1962 y se suprime en noviembre de 1967. En esos cinco años se aprueban las siguientes normas (no hemos incluido las que crean o modifican una organización, como la Escuela Oficial de Turismo o el Instituto de Estudios Turísticos):

una alta calidad, la cifra más alta de cualquier otro periodo. La Subsecretaría será suprimida en 1967, como consecuencia de un plan de reducción del gasto público, y vuelta a implantar en el año 1975. Pero si la Subsecretaría aparece y desaparece, no ocurre lo mismo con las dos Direcciones Generales, que se mantendrán durante los veinticinco años de

- Orden del Ministerio de Información y Turismo, del 7 de noviembre de 1962, de Operación Precios para Hostelería.
- Real Decreto 35/1962 de 27 de diciembre, por el que se crea la Orden del Mérito Turístico y Orden de 21 de enero de 1963 por la que se desarrolla.
- Orden Ministerial de 28 de junio de 1963, sobre concesión de créditos a Corporaciones Locales radicadas en zonas turísticas.
- Ley 48/1963, de 8 de julio, sobre competencias en materia turística.
- Ley 197/1963, de 28 de diciembre de Centros y Zonas de Interés Turístico Nacional.
- Orden del Ministerio de Información y Turismo de 31 de enero de 1964 sobre Actividades Informativas Turísticas Privadas.
- Orden de 20 de marzo de 1964, por la que se crea el Diploma Nacional de Servicios distinguidos al Turismo.
- Orden del Ministerio de Información y Turismo, de 31 de marzo de 1964, por la que se crea el Registro de Denominaciones Geoturísticas.
- Decreto 1893/1964, de 25 de junio, de reorganización de la Comisión Interministerial de Turismo.
- Decreto 3404/1964, de 22 de octubre, del Seguro Turístico
- Orden del Ministerio de Información y Turismo de 13 de agosto de 1964, regula la declaración de "Libro de Interés Turístico"
- Orden del Ministerio de Información y Turismo de 20 de noviembre de 1964, sobre Registro de empresas y actividades turísticas
- Decreto 4297/1964, de 23 de diciembre, que aprueba el Reglamento de Centros y Zonas de Interés Turístico Nacional
- Decreto 321/1965, de 14 de enero, regulador del Estatuto Ordenador de Empresas y Actividades Turísticas Privadas.
- Orden del Ministerio de Información y Turismo, de 18 de enero de 1965, de Cafeterías.
- Orden del Ministerio de Información y Turismo, de 17 de marzo de 1965, de Restaurantes.
- Orden del Ministerio de Información y Turismo de 10 de julio de 1965, regula la declaración de "Libro de Interés Turístico".
- Orden del Ministerio de Información y Turismo, de 17 de enero de 1967, sobre Apartamentos, Bungalows y alojamientos turísticos no hoteleros.
- Orden Ministerial de 2 de febrero de 1967, por el que se regula los Premios Nacionales de Turismo para Estaciones de servicio en carretera.
- Orden Ministerial, de 10 de junio de 1967, del Estatuto de Directores de Empresas Turísticas.

la etapa franquista consolidando dos espacios que se convertirán en las competencias básicas de la intervención pública en turismo: la ordenación del sector y la promoción del turismo.

En la etapa constitucional, los órganos unipersonales administrativos de dirección política que ocupan las cúpulas de los ministerios tienen un doble cometido: de dirección y gestión y de apoyo a la dirección política[166].

En 1977 se crea la **Secretaría de Estado para Turismo**, equivalente, en medios, a la Subsecretaría del periodo anterior. Se mantiene la estructura de dos ámbitos competenciales: la Dirección General de Empresas y Actividades Turísticas y la Dirección General de Promoción de Turismo, estructura que permanecerá estable durante los mandatos de los distintos ministros de UCD.

En 1983, en el mandato del primer gobierno del PSOE, se crea la **Secretaría General de Turismo**. El nuevo órgano tiene menor rango y, como consecuencia de la pérdida de nivel, se le suprime la Intervención Delegada, la Asesoría Jurídica y la Asesoría Económica propia. La Secretaría General de Turismo será el órgano unipersonal de dirección política para el turismo, inmediatamente inferior al ministro, durante todos los gobiernos del PSOE. Si observamos la reestructuración socialista podríamos argumentar que se trata de un proceso coherente con el progresivo traspaso de la materia a las Comunidades Autónomas: se reduce el peso que la materia tiene en el Gobierno Central y, por ello, se disminuye el rango del órgano responsable a una Secretaría General. Pero hay que considerar la reestructuración de manera global para tener una imagen más completa.

---

[166] El sistema administrativo español actual existe una estructura piramidal en la que, jerárquicamente inferiores al ministro, podemos encontrar los siguientes órganos unipersonales (alguna de las figuras que lo componen tienen un "perfil borroso", Santamaría, 1988:1001):
De dirección y gestión:
– Secretario de Estado.
– Secretario General (adjunto al Ministro, coordina Direcciones Generales).
– Direcciones Generales (Gerente político de sector competencial).
De apoyo a la dirección política:
– Subsecretario (Jefe servicios generales e instrumentales del Departamento).
– Secretarios Generales Técnicos.
– Gabinetes.

En los mandatos de ministros socialistas se producen modificaciones más profundas, como la ruptura con la división tradicional de dos direcciones generales, ordenación y promoción, y su sustitución en 1985 por la Dirección General de Política Turística. De las dos actividades características de la Administración Turística la relativa a ordenación no tiene sentido mantenerla, puesto que la Constitución determinó que era una materia de competencia exclusiva de las Comunidades Autónomas. En relación con la promoción, el asunto es más controvertido por las distintas posiciones sobre quién tiene competencia en la promoción internacional y con qué carácter —exclusivo o compartido—. La postura del Gobierno Central se refleja en la conversión de la antigua Dirección General de Promoción en un organismo autónomo, el Instituto Nacional de Promoción Turística (INPROTUR, que un año más tarde pasará a llamarse TURESPAÑA). La nueva forma jurídica pretende agilizar el funcionamiento de la estructura institucional encargada de trabajar en un ámbito muy competitivo: la promoción internacional. Esto también supone la retirada de la administración tradicional de la materia; el nuevo modelo organizativo sigue el ejemplo de muchas de las agencias de promoción turística que existen en países de nuestro entorno.

El movimiento de retirada de la administración tradicional de la materia turística llega a una situación extrema en el año 1990. Durante el periodo socialista, el Gobierno utilizó con frecuencia las Leyes de Presupuestos Generales del Estado —que tienen como fin la aprobación de la estructura financiera anual— para la creación o supresión de diversos instrumentos organizativos[167]. En la Ley 4/1990 de aprobación de los Presupuestos Generales del Estado para 1990 se preveía que TURESPAÑA (que había sido creado a su vez por el mismo procedimiento) asumiría "*bajo la superior dirección del Ministro, todas las competencias de la Administración General del Estado en materia turística y, por consiguiente, sustituye la actual organización administrativa centralizada, que que-*

---

[167] Fue un modo de actuación profundamente criticado por los juristas y los politólogos. Ante las críticas, el Gobierno respondía que entre los presupuestos vinculados a un área y los órganos encargados de su gestión existía relación substantiva, por lo que no era reprobable el crear un órgano para un determinado fin presupuestario, además, argumentaba, el instrumento legal que lo creaba tenía las máximas garantías: era una ley, aunque fuera la de presupuestos.

dará suprimida" (artículo 81). Esto significaba, de hecho, el fin de la administración tradicional y el traspaso a un Organismo Autónomo del papel que la Administración Central podría desarrollar en relación con el turismo[168]. La previsión nunca fue implantada y un año más tarde, de nuevo en una ley presupuestaria (Ley 31/1991 de Presupuestos Generales del Estado para 1992), se modifica la disposición manteniéndose la Secretaría General de Turismo como el órgano de la Administración que ostenta la titularidad de las competencias del Estado en materia de Turismo.

Una hipótesis sería que la reducción de la presencia del Estado en el sector turístico durante los gobiernos socialistas respondía a que éste apoyaba una creciente asunción de competencias por las Comunidades Autónomas, pero no es esa la postura del Gobierno Central en aquellos años. Por el contrario, son los momentos de mayor enfrentamiento con éstas, por lo que deben existir otros argumentos que se sumen al nuevo reparto competencial. El periodo en que se reduce progresivamente la existencia de un órgano dentro de la Administración Central tradicional dedicado al turismo coincide con la máxima difusión del movimiento intelectual y político neoliberal que aboga por la reducción del tamaño del Estado y la retirada de éste del mayor número posible de ámbitos de actuación y es posible que estas ideas influyeran de manera decisiva en las decisiones políticas que acabamos de describir[169]. Desde el año 1991 los gobiernos socialistas no volverán a modificar el rango del máximo órgano de decisión política turística, los decisores públicos considera-

---

[168] Los organismos autónomos, como es el caso de Turespaña, pertenecen al conjunto de instituciones que conforman la administración pública y están sometidos a todos los controles y garantías de las organizaciones públicas y a la dirección, en sentido genérico, de un ministro. Pero, por su naturaleza, están más orientados a trabajar en el tráfico jurídico privado y sus fines y procedimientos se diferencian de los de la administración tradicional. Como hemos visto ya, determinados objetivos de política turística, como la promoción en el exterior, pueden precisar de estructuras competitivas similares a las organizaciones privadas, ya que compiten en el mercado por consumidores con otras organizaciones. Pero otros objetivos, como la sostenibilidad ambiental del desarrollo turístico o el control de un desarrollo territorial equilibrado, necesitan de organizaciones que trabajen desde la lógica de lo público y no desde la lógica del mercado.

[169] Rawls, J. (1979); Dahrendorf, R. (1982); Rose (1984); Metcalfe, L. y S. Richard (1989), Nozick, R. (1990); Osborne, R. y T. Gaebler (1997).

rán que otros instrumentos tienen mayor importancia que las organizaciones y será el momento de los planes.

Con la llegada del PP se produce un doble movimiento: por un lado, se crea una **Secretaría de Estado de Comercio, Turismo y Pymes** (con lo que parece que aumenta el rango del órgano decisorio) y por otro, se suprime la Secretaría General, convirtiéndose la Dirección General de Política Turística en **Dirección General de Turismo** (con lo que se reduce la importancia de éste).

Es la primera vez en la historia de la política turística que se considera que la materia no tiene entidad suficiente como para que exista un órgano superior específico: con la creación de la Secretaría de Estado no se está recuperando la Secretaría de Estado para el Turismo de la etapa de UCD, se están unificando, bajo un mismo órgano, los asuntos relativos al comercio, a la pequeña y mediana empresa y al turismo. El gobierno del PP al disminuir la importancia en recursos personales y materiales del turismo en la Administración Central, reduce de hecho la capacidad de actuación de ésta, lo que se completa con la potenciación de otros órganos como el Consejo Promotor de Turismo, en los que está presente el sector privado.

Las críticas, o la propia experiencia, llevaron a que en la segunda legislatura del PP se aligera la Secretaría de Estado, creándose la Secretaria de Estado de Comercio y Turismo y, al mismo tiempo, se recupera la **Secretaría General de Turismo**.

CUADRO 10.4.: POSICIÓN MÁXIMO ÓRGANO ADMINISTRATIVO,
SEGÚN GOBIERNOS

	Gobiernos UCD	Gobiernos PSOE	Gobiernos PP
MINISTRO			
Secretario de Estado			
Secretario General (Coordina Direcciones Generales)			
Direcciones Generales (Gerente político de sector competencial)			

(Fuente: Elaboración propia)

1.3. La investigación y la formación

Si observamos el mapa de las distintas organizaciones públicas que han perseguido distintos objetivos en el desarrollo y consolidación del sector turístico en nuestro país destacan dos con una misión fundamental: las dedicadas a la investigación y la docencia. Su importancia y singularidad radica precisamente en su larga trayectoria en solitario, lo que en ocasiones las convirtió en elementos centrales en la toma de decisiones y, en otras, en organizaciones demasiado aisladas y desatendidas para la labor que tenían encomendada. La misión de cada una de las instituciones era distinta y ambas sufrían las contradicciones del propio sector[170].

La investigación y la docencia están profundamente vinculadas (de hecho, en el mundo universitario son dos caras de una misma moneda) pero en el caso del turismo han estado separados más de cincuenta años. Veamos la evolución de ambas.

La **investigación** fue considerada una actividad a desarrollar por el sector público desde los inicios del turismo. Los gobiernos necesitaban conocer las cifras de la actividad y, desde la década de los cincuenta, varios organismos internacionales trabajaron en la elaboración de estadísticas internacionales en contacto directo con los órganos responsables de la materia de los diferentes países.

En el caso de España, el Informe del Banco Mundial insistía en la necesidad de contar con datos empíricos para poder realizar una planificación del sector. El mismo problema se había puesto de manifiesto en la redacción del Plan Nacional de Turismo de 1953, cuyas acciones se

---

[170] En relación con la formación, fue el sector una pieza clave en la presión que se ejerció para conseguir que los estudios de turismo se incorporan a la universidad. Defendían que la complejidad y especificidad del mismo precisaban de personal formado con rango universitario y que el turismo necesitaba de una mayor inversión en investigación. Paradójicamente es el mismo sector el que aún defiende un modelo de carrera profesional en el que conocimiento se adquiere solamente en el puesto de trabajo; "desde conserje a director de cadena hotelera" sigue siendo una imagen repetida por gran parte de los empleadores. En relación con la investigación, las características de un sector formado mayoritariamente por pymes y en el que la tradición de formación continua y utilización de resultados de investigación es muy baja, ha hecho que sólo un porcentaje mínimo de éste reclamara una mayor inversión en el capítulo de investigación.

habían diseñado en base a suposiciones e hipótesis que no eran posibles de comprobar[171]. Con este fin se crea en 1962 el **Instituto de Estudios Turísticos**, dependiente de la Subsecretaría de Turismo, bajo la fórmula de "servicio público centralizado" lo que le dotaba de cierta autonomía funcional respecto del núcleo de la administración turística. En un primer momento, el objetivo del Instituto fue el análisis del turismo, sus componentes y tendencias; en 1970 aumentan sus funciones, y con ellas su autonomía, encargándosele además la elaboración de dictámenes y de planes de asistencia técnica.

Ya en el periodo constitucional, el primer gobierno de UCD reestructura el organismo pretendiendo que se asemejara en todo lo posible a un instituto de investigación. Para ello el Instituto se organiza en "gabinetes de estudio", creándose tres: de economía y empresa, de sociología y jurídico, de ecología y problemas de los asentamientos turísticos. Además se establece un servicio de lo que hoy denominaríamos formación continua para el sector: la Sección de Perfeccionamiento Profesional y de Asistencia Técnica. Por último, se decide potenciar el Centro de Documentación Turística, que se convertiría en el mejor del país.

Con la llegada del primer Gobierno del PSOE, se suprime la iniciativa del Gobierno anterior y el Instituto se transforma en la Subdirección General del Instituto de Estudios Turísticos, dependiente de la Dirección General de Política Turística, reduciéndose su actividad y replegándose a una posición más tradicional. A partir de ese momento, los responsables públicos comienzan a encargar investigaciones a agentes externos, normalmente consultoras, que asumirán un creciente protagonismo en el sector del conocimiento turístico. A partir del año 1991 el entonces partido en la oposición, el PP, pide información sobre el resultado de los mismos en el Parlamento con una clara intención de mostrar el elevado número de estudios que son contratados a empresas externas[172].

---

[171] Ver Capítulo III.
[172] A lo largo de la Cuarta Legislatura, el PP recaba información sobre los siguientes informes:
   – Informe sobre "Estudio de la capacidad de alojamiento y explotación" de los años 1987, 1988 y previsión para 1989.
   – Informe sobre "Plan Nacional de turismo Combinado" de los años 1987, 1988 y previsión para 1989.

– Estudio sobre grado de satisfacción de la demanda turística y extranjera realizado en 1990 y adjudicado a CONSULTUR.
– Estudio sobre precios de los paquetes turísticos verano 1990, realizado en 1990 y adjudicado a Análisis Estadístico de Datos.
– Plan de aprovechamiento turístico de la Ruta Vía de la Plata, realizado en 1990 y adjudicado a IBISA.
– Estudio sobre modelos de previsión de las series de turismo español y análisis de coyuntura, realizado en 1990 y adjudicado a PRICE WATHERHOUSE.
– Encuesta sobre turismo alemán, realizado en 1990 y adjudicado a Studienkreis Für Tourismus.
– Encuesta sobre turismo británico, realizado en 1990 y adjudicado a BTA.
– Estudio sobre turismo europeo en 18 países, realizado en 1990 y adjudicado a European Travel Data Center.
– Estudio sobre precios entre zonas turísticas españolas y Holanda, realizado en 1990 y adjudicado a SOFEMASA.
– Plan de Marketing del Turismo Español, realizado en 1990 y adjudicado a T.H.R..
– Estudio sobre turismo europeo en 18 países, realizado en 1989 y adjudicado a European Travel Data Center.
– Estudio sobre turismo norteamericano en España, realizado en 1989 y adjudicado a P.D. Institute for Tourism.
– Estudio sobre precios de los paquetes turísticos 1989, realizado en 1989 y adjudicado a Análisis Estadístico de Datos.
– Estudio sobre modelos de previsión de las series de turismo español y análisis de coyuntura, realizado en 1990 y adjudicado a Análisis Estadístico de Datos.
– Estudio sobre situación técnica y de innovación del sector hotelero español, realizado en 1989 y adjudicado a CONSULTUR.
– Estudio sobre capacidad potencial de absorción del turismo litoral español, realizado en 1989 y adjudicado a PRICE WATHERHOUSE.
– Estudio sobre el Libro Blanco del Turismo Español, realizado en 1989 y adjudicado a T.H.R.
– Estudio sobre evaluación y consecuencias de la oferta extranjera en la industria turística española, realizado en 1989 y adjudicado a CONSULTUR.
– Estudio sobre criterios para la racionalización de los recursos turísticos del Norte de España, realizado en 1989 y adjudicado a PRICE WATHERHOUSE.
– Estudio sobre directrices y estrategias del turismo español, realizado en 1989 y adjudicado a PRICE WATHERHOUSE.
– Encuesta sobre turismo alemán, realizado en 1989 y adjudicado a Studienkreis Für Tourismus.
– Estudio sobre precios de los paquetes turísticos invierno 1989-1990, realizado en 1989 y adjudicado a Análisis Estadístico de Datos.
– Encuesta sobre turismo británico, realizado en 1989 y adjudicado a BTA.
– Encuesta sobre el Plan de Marketing del Turismo Español 90, realizada en 1989 y adjudicado a T.H.R.
– Estudio sobre transformación jurídico-administrativa del organismo Autónomo Administración Turística Española, realizado en 1988 y adjudicado a PRICE WATHERHOUSE.

Como Subdirección General se mantendrá durante el mandato de cuatro ministros del PSOE. En 1994, bajo el Ministerio Gómez-Navarro, se restituye a su fórmula primitiva, recupera el nombre y se vincula a Turespaña.

Con el Gobierno del PP, el Instituto de Estudios Turísticos pasará a depender de la Secretaría de Estado de Comercio, Turismo y Pymes y, más adelante, de la Secretaría General. La nueva orientación del Instituto es recuperar su función investigadora, de apoyo a la formulación de políticas públicas y al sector privado. Los Gobiernos del PP potencian también el papel investigador de otras dos nuevas instituciones: el Consejo Promotor del Turismo, que asumirá un papel creciente en la elaboración de los análisis orientados a la promoción y comercialización de los productos turísticos y el Observatorio de Turismo. El Observatorio se creó para producir información sobre aspectos concretos que incidan sobre el turismo y valorar la información existente; elaborar estudios y realizar seguimiento de políticas desarrolladas por las Administraciones Públicas; realizar estudios sobre la evolución del sector; elaborar un informe anual del turismo español, elevar propuestas y proponer medidas

---

– Encuesta de banco de datos estadísticos del turismo, realizada en 1988 y adjudicado a TEMA.

– Encuesta sobre la eficiencia económica de la demanda económica de la demanda turística extranjera, realizado en 1988 y adjudicado a CONSULTUR.

– Encuesta sobre posibles escenarios técnicos, jurídicos, políticos y económicos influyentes, realizada en 1988 y adjudicado a T.H.R.

– Encuesta sobre ampliación del estudio "Los viajes profesionales y el turismo", realizada en 1988 y adjudicado a T.H.R.

– Encuesta sobre viajes de los españoles al extranjero, realizada en 1988 y adjudicado a DYMPANEL.

– Encuesta sobre el Plan de Marketing del Turismo Español 1989, realizada en 1988 y adjudicado a T.H.R.

– Encuesta sobre valoración, formación y cualificación de los recursos humanos del turismo español, realizada en 1988 y adjudicado a ASEP, S.A.

– Encuesta sobre viajes de los españoles de la tercer edad, realizada en 1988 y adjudicado a DELPHI.

– Encuesta sobre gasto de turismo de los españoles, realizada en 1988 y adjudicado a SOFEMASA.

– Estudio sobre precios de los paquetes turísticos 1988, realizado en 1988 y adjudicado a Análisis Estadístico de Datos.

– Estudio sobre modelos de previsión de las series de turismo español y análisis de coyuntura, realizado en 1988 y adjudicado a Análisis Estadístico de Datos.

y servir de foro de diálogo, participación y colaboración. Quizá lo endiablado de su composición, o la dificultad de hacer convivir al Instituto, el Observatorio y el resto de instituciones de investigación que varias Comunidades Autónomas han creado, explique porqué el Observatorio de Turismo no ha llegado a ser una realidad.

La labor del Instituto de Estudios Turísticos ha sido extensa, continuada y muy interesante. Pueden distinguirse los siguientes tipos de estudios (Costa y Jiménez, 2000:482): estudios parciales de la actividad turística; estudios de determinados recursos y productos turísticos de varias Comunidades Autónomas, estudios de segmentos turísticos especializados de ámbito nacional y estudios dirigidos a configurar series anuales de datos sobre actividad turística.

La **formación** también es una necesidad sentida desde los años iniciales de la actividad. En 1963 se crea la **Escuela Oficial de Turismo**, dependiente del Instituto de Estudios Turísticos, que se encargará de impartir el plan de estudios de turismo y de examinar a todos los alumnos que cursaran los estudios en los centros legalmente reconocidos por el Ministerio. De esa manera se convierte en el órgano central de la formación turística del país: diseña los programas, determina los contenidos y se convierte en el agente de control del aprendizaje turístico.

En el periodo democrático, la Escuela Oficial de Turismo se transforma en Organismo Autónomo y en 1980 se regulan las enseñanzas turísticas especializadas pasando a denominarse Técnico en Empresas y Actividades Turísticas (TEAT). En 1990 cambia su estatuto jurídico por el de Entidad de Derecho Público. Con la incorporación en 1996 de los estudios turísticos a las Universidades, con el título oficial de diplomatura de turismo, la Escuela Oficial de Turismo desaparece, integrándose en la Universidad Rey Juan Carlos.

1.4. Instrumentos organizativos de participación directa del Estado en la actividad

En los comienzos de la actividad turística, tras la Segunda Guerra Mundial, la práctica totalidad de los Estados occidentales crearon diversos instrumentos que les permitieron intervenir en el mercado turístico como un empresario más. La posterior retirada se ha realizado en tiempos distintos.

En España, a la corriente intervencionista de los años iniciales del despegue del turismo se suman las características del Régimen Franquista, que construyó una gigantesca industria estatal con un gran protagonismo en sectores muy diversos. El Estado español actuó como empresario turístico, con distinta intensidad, en diversas actividades turísticas: las tendentes a facilitar el alojamiento y manutención de los turistas, las que tienen por objeto la organización y facilitación del viaje y las que realizan de hecho el transporte.

a) El Estado como hotelero

La tradición hotelera del Estado viene de lejos. La Comisaría Regia, creada en 1911, acomete la construcción del primer Parador Nacional de Turismo en el Parque Nacional de Gredos. El Patronato Nacional de Turismo asumirá la gestión de éste, así como del Hotel de Mérida y de la Casa de los Tiros en Granada. Estos tres alojamientos constituirán el núcleo inicial de la Red Nacional de Paradores y Albergues que tiene en sus comienzos el doble objetivo de proveer de infraestructura hotelera las zonas de tránsito de visitantes, poco atractivas para la iniciativa privada, y rehabilitar bienes de patrimonio histórico para tal fin.

Durante el Régimen Franquista, en 1958, se crea el Organismo Autónomo, **"Administración Turística Española" (ATE)**, encargado de la explotación turística y la gestión de los alojamientos propiedad del Estado, la gestión de los cotos de caza y pesca, y la puesta en marcha de itinerarios turísticos. ATE asumiría, por tanto, el desarrollo de actividades propias del subsector hotelero y de gestión de servicios complementarios.

El Informe del Banco Mundial de 1962 recomendaba que el Estado sólo asumiera funciones empresariales cuando se tratara de impulsar el desarrollo de un área geográfica que resultara de poco interés para la inversión privada, por lo que sus funciones de hotelero debían de centrarse en ese objetivo, deshaciéndose de aquellos alojamientos que pudieran ser gestionados por la iniciativa privada (Banco Mundial, 1962:81). Pero en este punto la política desarrollada por la administración turística del franquismo se aparta de la recomendación y no sólo se impulsa la actividad de ATE, sino que en 1963 crea la **Empresa Nacional de Turismo (ENTURSA)**, integrada en el INI, cuyos objetivos eran la construcción y gestión de alojamientos y de establecimientos deportivos, como estaciones de montaña o campos de golf, y cuyo medio de financiación consistiría en la compra de terrenos adyacentes a los espacios de urbanización y su posterior venta cuando se hubieran revalorizado[173]. ENTURSA llegó a tener doce hoteles y ATE ochenta y nueve. Esto supone que a comienzos de los años ochenta el Estado gestionaba un centenar de alojamientos de naturaleza muy diversa (desde hoteles en edificios monumentales, a hoteles de ciudad o establecimientos en destinos turísticos de playa consolidados).

Los Gobiernos de UCD mantuvieron la actividad empresarial hotelera del Estado y sus dos instrumentos, ATE y ENTURSA, incorporando modificaciones en su estructura, pero manteniendo su naturaleza.

En 1986, durante el mandato del segundo ministro responsable de turismo del PSOE, se privatiza ENTURSA, dentro de una política más amplia de privatización industrial y empresarial[174]. ATE sobrevive a las privatizaciones, e incluso mantiene de ENTURSA tres Paradores de especial valor artístico o estratégico[175], pero la empresa sufre pérdidas notables y comienza a valorarse la oportunidad de su transformación. El saneamiento económico y financiero de la cadena se convierte en un objetivo político de los Gobiernos del PSOE que, en 1990, transforma a ATE en la sociedad estatal "Paradores de Turismo de España". En la actualidad, "Paradores de Turismo" es un ejemplo utilizado en otros países de cómo un instrumento estatal puede aunar la rehabilitación de patrimonio histórico-artístico con la gestión eficaz de una cadena hotelera, recuperándose el espíritu original de la idea.

---

[173] Para un estudio en profundidad del papel del Estado como empresario turístico, especialmente en la etapa franquista, ver los interesantes trabajos de Pellejero (1992, 1996).

[174] Pellejero explica que el proceso de privatización da comienzo con la llegada a la dirección del INI, a finales de 1984, de una nueva dirección que plantea, entre otras medidas de recuperación, un movimiento de racionalización basado en tres criterios *"1) enajenación de empresas cuyo negocio estaban fuertemente internacionalizados (...) 2) venta de empresas cuya línea de negocio no era de interés para el grupo y 3) disolución de las empresas en casos de inviabilidad manifiesta"* (1992:86). El hecho de que ENTURSA sólo hubiera obtenido beneficios durante dos años desde su creación y la dificultad que suponía la modernización de los hoteles, fueron argumentos que favorecieron la decisión de privatizarla.

[175] Ver Capítulo IV.

b) El Estado como agencia de viajes

En el subsector de la intermediación del viaje el Estado fue un empresario más modesto. En 1949 se crea la empresa pública **Autotransporte Turístico Español, S.A. (ATESA)**, que se integra en el INI. ATESA inicia su actividad como empresa de transportes y de alquiler de coches y en 1961 amplía sus actividades comenzando a prestar servicios como agencia de viajes. En 1964 refuerza este aspecto con la compra de la agencia Viajes Marsans.

En el periodo constitucional ATESA continúa su actividad hasta que, en 1983, es privatizada durante el primer Gobierno del PSOE. Un año más tarde, se privatiza la agencia Viajes Marsans, que formaba parte de la misma. El Estado se retira de la actividad de agente de viajes.

c) El Estado como empresario del transporte

Las empresas públicas de transportes, por tierra, mar y aire, han sido hasta fechas recientes comunes en los Estados occidentales. Las fuertes inversiones que precisaba la actividad, junto al desarrollo paralelo de las infraestructuras necesarias, parecían conllevar que fuera el propio Estado quien asumiera su explotación y gestión.

El sector de los transportes constituye un espacio sustantivo con una política pública propia que ha merecido la atención de diversos análisis singulares[176]. Como ya hemos argumentado, no es posible analizar la política turística incorporando en la investigación la dirección y gestión de la totalidad de los ámbitos económico-sociales que determinan y están determinados por el turismo. Resulta difícilmente imaginable hablar del turismo sin considerar, por ejemplo, el transporte aéreo; pero reconociendo la profunda relación entre ambos sectores, no sería posible incorporar en un análisis como el planteado en el presente trabajo lo ocurrido en el sector de los transportes en nuestro país desde el año 1951 hasta nuestros días[177].

---

[176] Segura, J. (1989); Martín, C., Ed. (1992); Myro, R. (1993); Petitbó, A. (1993); Castañer, X. (1998).

[177] La recién mencionada ATESA, tiene una dimensión completamente diferente a IBERIA o RENFE, por poner un ejemplo, y su actividad de alquiles de vehículos y de agencia de viajes la sitúa de manera clara en el entorno de la actividad turística.

Por último, sirva como argumento que en el núcleo sustantivo de la política turística en nuestro país nunca se incorporó la política de transportes, ni siquiera en la época en que ambas materias pertenecían a un mismo ministerio. Estas razones nos llevan a no incluir en este trabajo el análisis de la misma sugiriendo, sin embargo, que sería extremadamente interesante investigar la relación que ha existido entre ambos campos de políticas públicas.

d) El Estado y la organización de actividades complementarias

El subsector de alojamientos y restauración, el de intermediación y comercialización del viaje y el del transporte son ámbitos claramente identificados compuestos por empresas homogéneas o, al menos, con fines empresariales similares. Junto a estos empresarios surgen otros muy heterogéneos que se dedican a objetos empresariales variados: alquiler de canoas, organización de cursos de buceo, cacerías, recorridos por parques naturales, observación de animales, parques temáticos... Lo único que se puede afirmar de este conjunto de actividades es que se realizan en el destino turístico y suponen la prestación de servicios que facilitan o enriquecen la estancia. Pertenecen al sector turístico, dependen de un núcleo turístico —incluso, en ocasiones, son este tipo de actividades las que lo crean[178]— y su público objetivo son turistas o visitantes.

El Estado no ha participado como empresario en este subsector por varias razones. Siempre se argumentó que la participación del Estado en el tráfico empresarial tenía por objeto estimular la inversión del sector privado o bien en determinados sectores, o bien en determinados espacios geográficos. Los primeros hoteles se construyen para dotar de una oferta hotelera de mejor calidad a ciudades que ya tenían una primera demanda turística; los primeros paradores se construyen para que

---

[178] Son los casos, por ejemplo, de los municipios de Sort, en Lleida (el descenso del río Noguera Pallaresa ha generado la aparición de diversas empresas de turismo de aventura que, a su vez, han atraído más visitantes que han de pernoctar, comer...) o de Tarifa, en Cádiz (la práctica del windsurfing, y otras actividades deportivas derivadas de éste, ha supuesto un flujo de visitantes suficiente como para que se abrieran escuelas de windsurfing, tiendas especializadas, hoteles, campings...).

determinadas zonas alejadas de las rutas turísticas iniciales dispongan de un primer recurso que permita la atracción de forasteros y el desarrollo de la actividad... y las actividades complementarias se han consolidado en una etapa de desarrollo turístico más avanzado.

El producto sol y playa, hegemónico durante varias décadas, no precisaba de actividades complementarias; el ocio consistía en la playa, el paseo, la comida... Pero esta forma de realizar el turismo de sol y playa se ha ido enriqueciendo progresivamente dando paso a un ocio más activo que requiere de nuevas actividades que completen la estancia (festivales de música, cine de verano, cursos en las playas...). Otros productos turísticos (turismo rural, cultural, deportivo...) no sólo han de comprender alguna de estas ofertas complementarias, sino que además han de hacer un esfuerzo para que el turista llene sus horas de ocio con alguna actividad, sustituyendo con otras ofertas el papel que cumplía la playa. En ambos casos, tanto en el turismo de sol y playa como en los demás productos turísticos, las necesidades de actividades complementarias se manifiestan en momentos en los que el Estado no tiene ya vocación de empresario turístico y no hubiera tenido ningún sentido su participación.

1.5. Instituciones de coordinación

Los gobiernos agrupan en organizaciones singulares (ministerios) conjuntos de cuestiones que consideran homogéneas. Cada uno de estos departamentos ministeriales tiene responsabilidad, propia y excluyente, sobre las materias que le corresponden y no puede actuar en un campo afectado a otro ministerio. Este principio general de especialización por materia funciona perfectamente cuando las áreas de trabajo tienen contornos fácilmente identificables —sanidad, obras públicas, defensa...— pero presenta complicaciones cuando se trata de asuntos que en un plano teórico resultan un objeto unificado y coherente y en la realidad precisan de la acción conjunta de varias organizaciones para que las políticas concretas obtengan algún resultado. Son aquellas materias que se denominan "horizontales" como el medio ambiente, el género o el turismo[179].

---

[179] Por ejemplo, el éxito de la política del Ministerio de Medio Ambiente está profundamente condicionada a la colaboración del Ministerio de Industria —capaz de impo-

Como el turismo es un fenómeno social multifacético, los responsables públicos de la materia han de preocuparse por arbitrar todos los mecanismos que sean necesarios para coordinar los diversos aspectos que intervienen en el desarrollo de la actividad turística. Es evidente que un Ministerio encargado del turismo no podrá asumir labores de promoción de una zona que carezca de vías de comunicación, o que su trabajo estará seriamente afectado si la contaminación en las zonas de costa llegase a ser un problema preocupante, o que necesitará que el responsable de empleo comprenda las características de un sector que tiene niveles de actividad dispares a lo largo del año. La política turística ha de ser por tanto una política horizontal. Deberá ser liderada desde centros de decisión concretos, pero el grado de éxito dependerá del apoyo institucional de otros departamentos ministeriales del Gobierno Central.

Además, desde la entrada en vigor de la Constitución las Comunidades Autónomas han creado sus propios centros de decisión, implantando políticas turísticas en sus territorios. Esto supone un aumento de la eficiencia de la política turística, ya que se acercan los procesos de elaboración e implantación de planes y programas a una realidad territorial más cercana y, por tanto, mejor conocida. Pero ello no debe impedir que exista un espacio en donde puedan generarse dinámicas de intercambio de experiencias e información o acciones de coordinación o cooperación, si fuera el caso.

Y, por último, la política turística pretende intervenir en una actividad que es la base de un sector económico, por lo que también debería colegirse que es necesaria una buena comunicación con los actores privados a través de los instrumentos institucionales más adecuados.

Son, por tanto, distintas las instituciones encargadas de facilitar los espacios de coordinación, ya que son diferentes tipos de relación:

- Relación entre los distintos departamentos de un mismo nivel territorial cuya actividad pueda afectar al turismo (en el caso que nos ocupa, entre ministerios).

---

ner a la industria determinadas prescripciones de protección del medio ambiente—, del Ministerio de Agricultura —responsable del modelo agrario—, o del Ministerio de Educación —único competente para incorporar a los planes de estudio materias de sensibilización sobre los problemas y soluciones medioambientales que permitan nuevas conductas sociales—.

- Relación entre los distintos órganos de gobierno con responsabilidad turística de distintos niveles territoriales (Comunidades Autónomas en materia de turismo, entre sí y con el Gobierno Central).
- Y relación entre los representantes de las Administraciones Públicas con los actores del sector privado.

En los tres espacios han existido, o existen, instrumentos organizativos con estas funciones de cooperación institucional.

CUADRO 10.5. TIPOLOGÍA DE INSTITUCIONES DE COORDINACIÓN TURÍSTICA

	Otros departamentos de la Administración Central	Centros de decisión turística de las Comunidades Autónomas	Representantes del sector privado
Centro de decisión turística del Gobierno Central	*Comisión Interministerial de Turismo*	*Conferencia Sectorial de Turismo*	*Órganos de cooperación mixtos*

(Fuente: Elaboración propia)

Veamos el desarrollo de estos tres tipos de instituciones.

a) Instituciones para la coordinación entre los distintos departamentos de un mismo nivel territorial

La primera de ellas, una organización que permitiera la coordinación entre los diversos departamentos ministeriales del Gobierno Central que pueden desarrollar actividades que afecten al turismo, se reclama desde los primeros años (como muestran el Anteproyecto de Plan Nacional de Turismo de 1952 y en el Plan Nacional de 1953). En 1954 se creará la **Comisión Interministerial de Turismo** que, con sucesivas modificaciones, se mantiene hasta 1984, año en que es suprimida, para volver a rehabilitarse en 1994. El objeto de la Comisión Interministerial siempre ha sido potenciar acciones conjuntas o apoyar desde otros ministerios al mejor desarrollo turístico del país.

Pero, más allá de sus objetivos, su composición es lo que permite deducir si un trabajo en común es viable o no, según el número y la naturaleza de los participantes que han de ser convocados y que se encargarán de implantar las acciones que pudieran decidirse.

La Comisión Interministerial de 1954 contaba entre sus miembros con los más altos mandatarios de los Ministerios, lo que dificultaba la capacidad real de trabajo.

CUADRO 10.6.: COMISIÓN INTERMINISTERIAL DE TURISMO (1954)

Pleno
- SUBSECRETARIO DE PRESIDENCIA DE GOBIERNO
- MINISTRO DE ASUNTOS EXTERIORES
- MINISTRO DE HACIENDA
- MINISTRO GOBERNACIÓN
- MINISTRO OBRAS PÚBLICAS
- MINISTRO DE COMERCIO
- MINISTRO DE INFORMACIÓN Y TURISMO

Podían constituirse **Ponencias** con representación de:
- Subsecretaría de la Marina Mercante
- Instituto Español de Moneda Extranjera
- Secretaría General Técnica de Comercio
- Secretaría General Técnica de Turismo
- Dirección General de Asuntos Consulares, de Aduanas, de Seguridad, de Carreteras, de Prensa, de Información, de Radiodifusión, de Cinematografía y Teatro, de Turismo, de Aviación Civil, de Montes, Caza y Pesca Fluvial y Bellas Artes.
- Secretaría General para la Ordenación Económica y Social
- Telefónica
- Campsa
- Sindicatos Nacionales de Hostelería y de Transportes y Comunicaciones

---

(Fuente: Elaboración propia)

El Informe del Banco Mundial recomendó reducir el número de representantes o formar una Comisión permanente de la que sólo formaran parte *"además del representante del Ministerio del ramo, los de los Ministerios de Comercio, Hacienda y Obras Públicas y del Sindicato de Hostelería"* (BANCO MUNDIAL, 1962:79), es decir: cuatro ministros y un representante del sindicato vertical.

Desoyendo la recomendación, la Comisión de 1964, modificada bajo el Ministerio de Fraga, está compuesta por el Subsecretario de Turismo, el Director General de Promoción y treinta y cinco miembros. En nuestra opinión, esto dificultó que se abordara algún trabajo relevante.

CUADRO 10.7.: COMISIÓN INTERMINISTERIAL DE TURISMO (1964)

Presidente
        SUBSECRETARIO DE TURISMO
Vocales (35)
- Director General de Promoción del Turismo
- Director General de Empresas y Actividades Turísticas
- Director General de Asuntos Consulares
- Director General de Aduanas
- Director General de Patrimonio del Estado
- Director General de Seguridad
- Director General de Política Interior y Asistencia Social
- Director General de Administración Local
- Director General de Bellas Artes
- Director General de Sanidad
- Director General de Colonización y Organización Rural
- Director General de Carreteras y Caminos Vecinales
- Director General de Navegación Aérea (M.º defensa)
- Director General de Transportes Terrestres
- Director General de Navegación (M.º Comercio)
- Director General de Correos y Telecomunicaciones
- Director General de Puertos y Señales Marítimas
- Director General de Urbanismo
- Director General de Arquitectura
- Director General de Monte, Caza y Prensa
- Director General de Prensa
- Director General de Cultura Popular y Espectáculos
- Secretario General Técnico del Ministerio de Industria
- Secretario General Comisaría Plan desarrollo
- Secretario General Técnico del Ministerio de Industria
- Secretario General Técnico del Ministerio de Información y Turismo
- Secretario General Técnico del Ministerio Comercio
- Secretario General Técnico del Ministerio Aviación Civil
- Secretario General Técnico del Ministerio de Transporte Aéreo
- Delegado Nacional de Educación Física y deportes
- Representante de Los Sindicatos Nacionales de Hostelería y Transportes
- Gerente del INI
- Director Gerente de Patrimonio Nacional
- Representante de Renfe
- Representante de Campsa
- Representante de Telefónica
- Director del Instituto de La Moneda

En 1970, el Ministro Sánchez Bella reduce los representantes a diecinueve, pero aún resulta un esquema poco operativo.

CUADRO 10.8.: COMISIÓN INTERMINISTERIAL DE TURISMO (1970)

Presidente
SUBSECRETARIO DEL MINISTERIO DE INFORMACIÓN Y TURISMO
vocales (18)
- Director General de Promoción del Turismo
- Director General de Empresas y Actividades Turísticas
- Director General de Asuntos Consulares
- Director General de Patrimonio del Estado
- Director General de Política Interior y Asistencia Social
- Director General de Bellas Artes
- Director General de Colonización y Organización Rural
- Director General de Carreteras
- Director General de Navegación y Transporte Aéreo (M.º Defensa)
- Director General de Navegación (M.º Comercio)
- Director General de Urbanismo
- Secretario General Técnico del Ministerio de Industria
- Secretario General Comisaría Plan Desarrollo
- Presidente del Sindicato Nacional de Hostelería
- Presidente del Consejo de Administración de Empresa Nacional del Turismo
- Presidente del Consejo de Administración de ATESA
- Presidente del Consejo de Administración de Empresa Nacional de Artesanía
- Director Instituto de Estudios Turísticos

(Fuente: Elaboración propia)

Finalmente, la nueva modificación de 1973, del Ministerio de Liñán, tampoco resuelve el problema quedando la composición en veintinueve miembros.

CUADRO 10.9.: COMISIÓN INTERMINISTERIAL DE TURISMO (1973)

Presidente
SUBSECRETARIO DEL MINISTERIO DE INFORMACIÓN Y TURISMO
Vocales (28)
- Director General de Promoción del Turismo
- Director General de Empresas y Actividades Turísticas
- Director General de Asuntos Consulares
- Director General de Patrimonio del Estado
- Director General de Administración Local
- Director General de Política Interior y Asistencia Social

- Director General de Bellas Artes
- Director General de Carreteras
- Director General de Obras Hidráulicas
- Director General de Navegación y Transporte Aéreo (M.º Aire)
- Director General de Transportes Terrestres
- Director General de Navegación (M.º Comercio)
- Director General de Correos y Telecomunicaciones
- Director General de Puertos y Señales Marítimas
- Director General de Urbanismo
- Secretario General Técnico del Ministerio de Industria
- Secretario General Comisaría Plan desarrollo
- Secretario General Técnico del Ministerio de Industria
- Secretario General Técnico del Ministerio de Información y Turismo
- Secretario General Técnico del Ministerio Comercio
- Presidente del Instituto Nacional de Reforma y desarrollo Agrario
- Presidente del Sindicato Nacional de Hostelería y Actividades Turísticas
- Delegado Nacional de Educación Física y deportes
- Presidente del Consejo de Administración de Empresa Nacional del Turismo
- Presidente del Consejo de Administración de ATESA
- Presidente del Consejo de Administración de Empresa Nacional de Artesanía
- Director Instituto de Estudios Turísticos
- Jefe del Servicio Central de Planes Provinciales de La Presidencia del Gobierno

(Fuente: Elaboración propia)

En la etapa democrática, la Comisión Interministerial no se convoca en ninguna ocasión por lo que se suprime en 1984.

En 1994, bajo el mandato del Ministro Gómez-Navarro, se recupera el instrumento, ahora con diez representantes: del Ministerio de Economía y Hacienda, Ministerio del Interior, Ministerio de Obras Públicas, Ministerio de Trabajo y Seguridad Social, Ministerio de Educación y Ciencia; Ministerio de Transportes y Medio Ambiente, Ministerio de Agricultura, Pesca y Alimentación, Ministerio de Cultura y Ministerio de Asuntos Sociales y un representante de la Presidencia de Gobierno. En esta ocasión sí se crea una Comisión permanente, presidida por el Secretario General de Turismo, más diez Directores Generales nombrados por cada uno de los representantes anteriores.

CUADRO 10.10.: COMISIÓN INTERMINISTERIAL DE TURISMO (1994)

Presidente MINISTRO DE COMERCIO Y TURISMO **Vicepresidente** SECRETARIO GENERAL DE TURISMO **Vocales (10)** *Con Rango de Secretario de Estado o Subsecretario* • Ministerio de Economía y Hacienda • Ministerio del Interior • Ministerio de Obras Públicas • Ministerio de Transportes y Medio Ambiente • Ministerio de Trabajo y Seguridad Social • Ministerio de Agricultura, Pesca y Alimentación • Ministerio de Educación y Ciencia • Ministerio de Cultura • Ministerio de Asuntos Sociales • Un Representante de Presidencia de Gobierno

(Fuente: Elaboración propia)

En 1997, durante el primer Gobierno del PP, se modifica la composición para adecuarla a la nueva organización de los departamentos ministeriales. La única novedad respecto a la propuesta del Gobierno del PSOE es declarar miembros natos al Director de Turespaña y al Director General de Turismo, incorporando así a los dos gerentes políticos de los sectores competenciales de la Administración Central. Durante la segunda legislatura, se modificará en consonancia con el nuevo organigrama, el Presidente será el Ministro de Economía y el Vicepresidente el Secretario de Estado de Comercio y Turismo.

CUADRO 10.11.: COMISIÓN INTERMINISTERIAL DE TURISMO (1997)

Presidente MINISTRO DE ECONOMÍA Y HACIENDA **Vicepresidente** SECRETARIO DE ESTADO DE COMERCIO, TURISMO Y PYMES **Vocales natos:** • Director General de Turismo • Director General del Instituto de Turismo de España **Vocales (7)** *Con Rango de Secretario de Estado o Subsecretario* • Ministerio de Fomento • Ministerio del Interior • Ministerio de Asuntos Exteriores

> • Ministerio de Medio Ambiente
> • Ministerio de Trabajo y Asuntos Sociales
> • Ministerio de Agricultura, Pesca y Alimentación
> • Ministerio de Educación y Cultura

(Fuente: Elaboración propia)

b) Instituciones para la coordinación entre los distintos órganos de gobierno con responsabilidad turística de distintos niveles territoriales

La segunda de las instituciones de coordinación a la que hacíamos referencia responde a la necesidad de que exista un órgano que permitiera el intercambio de información y, en su caso la coordinación o cooperación, entre las diferentes políticas turísticas de las Comunidades Autónomas y la del Gobierno Central. Tal es el caso de la **Conferencia Sectorial del Turismo.**

Creada desde el Gobierno de UCD sólo se reúne en dos ocasiones, hasta que en 1994, bajo el mandato de Ministro Gómez-Navarro, se institucionaliza mediante acuerdo de la Administración General del Estado y las Comunidades Autónomas. La aprobación del Plan *Futures II* es la primera acción concertada de importancia que se aprueba por esta institución con carácter previo a la aprobación por el Gobierno Central. Además de la Conferencia Sectorial, se crea la Mesa de Directores Generales que reúne a representantes de todas las Comunidades Autónomas de ese nivel jerárquico y tiene un carácter más técnico y resolutivo.

c) Instituciones de cooperación entre las administraciones turísticas y el sector privado

La tercera, y última, de las posibles instituciones de coordinación sería aquella que reuniera a representantes del sector público y del sector privado. Esta posibilidad de crear un órgano de trabajo que reuniera a la Administración y al sector empresarial no ha sido considerada por la Administración turística hasta fechas más recientes.

Durante el Régimen Franquista no existían mecanismos de agregación de intereses, de hecho, la supresión de estas instituciones fue un objetivo político mantenido durante toda la Dictadura. Los contactos del sector empresarial con los decisores del Régimen Franquista se basaba en la existencia de relaciones personales y en el desarrollo de mecanismos de influencia no reglados (Gunther, 1996), característica del modelo decisorio perfectamente aplicable al sector turístico.

En el año 1976, antes de la primera legislatura del Gobierno de UCD, el Ministro Reguera Guajardo crea el *Consejo Español de Turismo*, mediante un Decreto aprobado en Consejo de Ministros que nunca fue publicado en el BOE, por lo que la iniciativa de construir un instrumento de cooperación con el sector empresarial quedó aplazada antes incluso de publicarse.

Habrá que esperar hasta el mandato del último Ministro del Gobierno del PSOE, Gómez-Navarro Navarrete, para que la Administración Turística decidiera retomar la cuestión. En 1995 se crea el **Consejo Promotor del Turismo**, dependiente de Turespaña, órgano encargado de informar sobre los planes y programas de fomento, promoción y comercialización del turismo en el exterior; proponer iniciativas de promoción exterior; asesorar sobre los ámbitos y materias que deberían incorporarse en los planes y programas de promoción y del impulso de la coordinación entre la iniciativa pública y privada.

Forman parte del Consejo Promotor del Turismo: el Presidente del Instituto de Estudios Turísticos, el Director General de promoción Turística, el Director General de Estrategia Turística, el Subdirector General de Comercialización Exterior del Turismo; seis representantes de la Administración general del Estado, nueve representantes de las Comunidades Autónomas (cinco fijos de Cataluña, Baleares, Canarias, Andalucía y Valencia) y otros cuatro decididos en la Conferencia Sectorial; siete representantes de los empresarios y cinco representantes de los Ayuntamientos.

CUADRO 10.12.: CONSEJO PROMOTOR DEL TURISMO (1995)

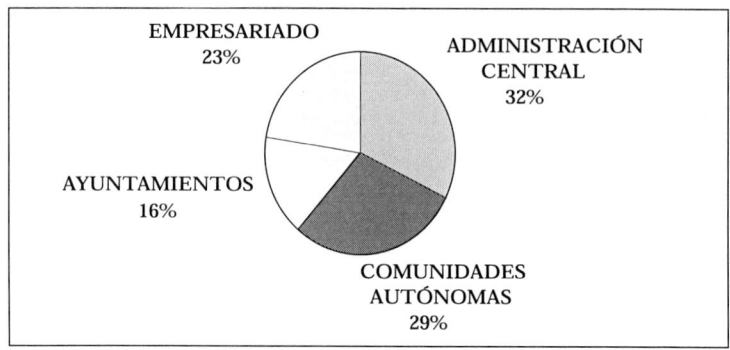

(Fuente: Elaboración propia)

El Gobierno del PP modifica la composición en 1997 aumentando la participación de representantes del empresariado de siete a diez. El Pleno pasa a tener treinta y cuatro miembros: Presidente (Presidente de Turespaña), Vicepresidente 1.º (Director General de Turespaña), Vicepresidente 2.º (Director General de Turismo), Secretario (Subdirector General de Comercialización Exterior) y treinta vocales: seis representantes de la Administración General del Estado, nueve representantes de Comunidades Autónomas, cinco representantes de Ayuntamientos y diez representantes del empresariado turístico.

CUADRO 10.13.: CONSEJO PROMOTOR DEL TURISMO (1997)

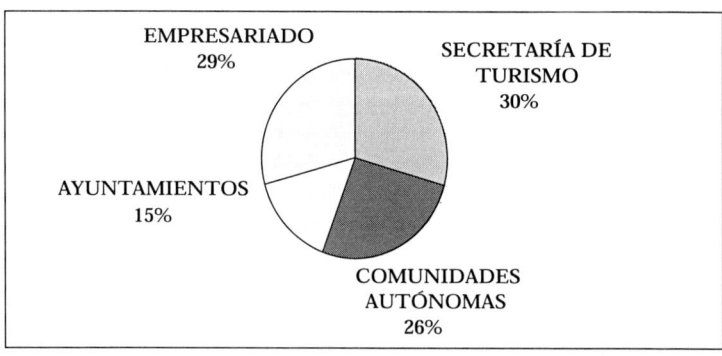

(Fuente: Elaboración propia)

Si bien es cierto que el Consejo Promotor está trabajando principalmente en cuestiones relacionadas con los programas de promoción turística, su existencia supone una experiencia interesante que permitirá,
en unos años, observar si la actuación de un foro como el descrito tiene
impacto en el conjunto de la política turística.

2. PLANES: EL DESARROLLO Y LA SOSTENIBILIDAD

Podemos identificar un Plan general con el esfuerzo de los decisores
públicos por articular las acciones públicas que se pretenden realizar en
un periodo determinado y en un espacio o materia concreta, en un discurso escrito y de manera coherente.

La acción de un gobierno ha de argumentarse. Es necesario que,
mediante el debate público, se entienda la oportunidad, referida al interés general, de que recursos públicos de diverso tipo sean puestos al
servicio de una cuestión social concreta (Majone, 1989). No basta con
que el Estado comprenda que el turismo significa una oportunidad económica para el país, es la sociedad quien debe entender porqué parte de
sus recursos se destinan a éste. Y los argumentos que el Gobierno utilice
pasan a formar parte, no sólo de las intervenciones públicas de los
decisores, sino, de manera esencial, de los planes y programas que se
ponen en marcha y que, generalmente, se presentan como documentos
escritos.

Un Plan representa la esencia escrita del "referente de las políticas"
y su redacción implica, no sólo un esfuerzo de conceptualización, sino,
sobre todo, de argumentación política[180]. Un Plan aprobado, publicado
y difundido, establece un diálogo con los destinatarios de las políticas y
debe convencer a los interlocutores de que el planteamiento básico y las
acciones propuestas sintonizan con la realidad y las necesidades que ellos
viven. Este proceso de argumentación, construido para justificar la in-

---

[180] Hood y Jacckson (1991); Meny y Thoenig, (1992); Fisher y Forester (1993), Majone
(1997).

tervención del Estado en el campo del turismo, ha ido modificándose según lo hacía la propia actividad o la función que asumía el Estado y su evolución puede observarse siguiendo la de algunos aspectos esenciales.

2.1. *Aspectos comunes*

Desde la perspectiva que dan cincuenta años de políticas turísticas, podemos destacar algunas cuestiones comunes[181].

En primer lugar, la intervención del Estado en el turismo siempre ha estado guiada por un Plan general. Esto no significa que los sucesivos Gobiernos hayan acometido la reflexión sobre los objetivos e instrumentos de política turística que podrían en marcha y mas tarde los hayan expuesto en un documento de planificación. Lo que queremos decir, es que el referente de ideas y valores que se establecía en cada uno de los planes se mantenía, de hecho, hasta que no era sustituido por uno nuevo. Y como el primer documento de estas características se redacta en 1952, los decisores públicos en materia de turismo siempre han tenido un referente que determinaba cuál era el concepto de turismo vigente, cuáles eran los problemas que debían enfrentarse y, en simetría, cuáles las posibles soluciones.

En segundo lugar, se observa un cambio de valores en los planes generales de política turística que evolucionan desde el concepto de desarrollo económico, al de sostenibilidad de la actividad. Aunque, como veremos, la sostenibilidad se refiera al desarrollo de la actividad de tal manera que, permitiendo la obtención de beneficios actuales, no suponga la destrucción de beneficios futuros. La sostenibilidad referida a la prioridad en la conservación de los bienes públicos que constituyen el componente fundamental de la actividad económica no ha permeado ni las políticas públicas, ni el modo de funcionamiento del sector.

Por último, la evolución de los documentos de planificación refleja, como no podía ser de otra manera, los cambios en el modo de argumentar y articular los documentos públicos que van sucediéndose en el pe-

---

[181] La descripción exhaustiva de los Planes se ha realizado en los Capítulos anteriores. El objeto del presente epígrafe es ofrecer una visión global de la evolución de este instrumento de política turística.

riodo. Los documentos de política turística van incorporando los términos que nuevos valores sociales elevan al discurso de líderes y medios de comunicación u los nuevos usos que se imponen en las formas de planificar. Por ejemplo, la estructura en Planes, Programas y Medidas del primer Plan *Futures*, refleja una minuciosidad y un orden expositivo acorde con un momento en el que los documentos públicos tratan de comunicar que la reflexión meticulosa y la asignación de tareas y acciones evitará el posterior incumplimiento derivado de la propia vaguedad del plan. En 1992 las teorías sobre los problemas en la implantación de las políticas son bien conocidas por los responsables de elaborar las políticas[182].

2.2. *Planes que ordenan el periodo*

Si observamos el periodo en su conjunto encontramos los siguientes planes:

El **Plan Nacional de Turismo de 1953**, redactado con anterioridad al "boom" turístico, refleja los importantes problemas infraestructurales que tenía el país para el desarrollo de la actividad por lo que el Estado asume claramente el rol que la OCDE denominó de "estímulo".

Los **Planes de Desarrollo Económico y Social**, elaborados para los periodos 1964-1967, 1968-1971 y 1972-1975, contienen un Capítulo dedicado al turismo en donde se establecen como objetivos principales el aumento de visitantes, el crecimiento de la oferta turística (básicamente en alojamiento) y el ingreso de divisas. El turismo se entiende como un factor de desarrollo económico que ha de ser impulsado y ordenado desde el Gobierno. Los documentos reflejan, de manera progresiva, un conocimiento cada vez más perfeccionado de los responsables públicos sobre el turismo. Los análisis de los problemas que enfrenta el sector y de los problemas que genera el turismo son preclaros y, a pesar del tiempo transcurrido, podrían ser suscritos hoy.

En 1974, tras la crisis de 1973 que sumió al sector en una situación muy grave, el Gobierno aprueba el **"paquete de medidas relativas al**

---

[182] Pressman y Wildavsky (1973); Nagel (1984a, 1984b); Younis (1990), Hodwood (1991); Parsons (1995); Aguilar Villanueva (1996 d); Wildavsky (1981); Ingram (1999).

sector turístico". No es un Plan general, sino un conjunto de ocho acciones concretas que tratan de impulsar al sector. A pesar de ello, supone un cambio en la manera en que el Gobierno Central entiende el turismo e implica el reconocimiento, por parte del Gobierno, de la existencia de problemas serios en un sector que se desarrolló de manera incontrolada. El paquete de medidas es la corroboración por parte del Ministerio de Información y Turismo del fracaso de modelo de política turística que se había construido con los Planes de Desarrollo.

Desde 1974 hasta 1992 no se aprueba ningún documento de planificación para el turismo, a pesar de que es continuamente requerido por diferentes actores, pero no existe una propuesta alternativa al modelo de política turística contenido en los Planes anteriores y la indeterminación impide construir referentes elaborados. Desde la perspectiva actual parece como si, tras los Gobiernos de UCD, que centraron sus esfuerzos en otros intereses políticos y que en el campo del turismo dedicaron su atención al traspaso de competencias, los primeros Gobiernos del PSOE hubieran decidido retirarse de la política turística, manteniendo solamente las acciones de promoción. No podía haber un Plan, porque no había un modelo.

Esta situación cambia durante el mandato del cuarto ministro del PSOE responsable de turismo, el Sr. Aranzadi, en el que se aprueba el **Plan Marco de Competitividad del Turismo Español, FUTURES 1992-1995.** El Plan *Futures* propone un nuevo modelo de política turística en donde el Gobierno Central asume que el turismo puede ser observado como un sector industrial y que la Administración Turística debe asumir un importante papel coordinador e impulsor de valores en el sector, así como de incentivador de inversiones en acciones concretas. El Gobierno Central desempeñará una función estrictamente política, en tanto que se convertirá en gestor de valores e ideas, el único papel posible y seguramente el más necesario.

El siguiente ministro del PSOE, Gómez-Navarro, no sólo da continuidad al modelo en su vertiente conceptual, sino que genera espacios de relación con otros actores que permiten la supervivencia del mismo. El **Plan Marco de Competitividad del Turismo Español, FUTURES 1996-1999**, es aprobado previamente en la Conferencia Sectorial del Turismo y la gestión de las subvenciones se traspasa al ámbito territorial autonómico. Esto supuso la crítica de que la Administración Central cedía, de nuevo, el protagonismo a las Comunidades Autónomas, pero

Gómez-Navarro consolidaba el nuevo papel coordinador del Gobierno Central y la nueva fórmula de gestión descentralizada —o territorializada— de los recursos económicos vinculados al *Futures* suponía ahondar en el modelo. Además se crean la Comisión Interministerial y el Consejo Promotor del Turismo. El impacto de los Planes *Futures* es inmenso, dentro y fuera del sector.

El primer Gobierno del Partido Popular mantiene la ejecución del Plan *Futures II*, que tenía aún una vigencia de tres años y presentan un Plan en el que determinan los compromisos que asumen durante su mandato, es el **Plan de Estrategias y Actuaciones de la Administración General del Estado en Materia Turística** de 1997. En éste se ratifican los compromisos del *Futures II* y se incorporan otras acciones, actuaciones muy concretas con las que se trata de aumentar la confianza en el cumplimiento de una gestión más eficiente de los programas. Del cumplimiento de cada una de ellas se da cuenta en 1998, al tiempo que se comunica un segundo documento de compromisos para la puesta en marcha de medidas aún más específicas. Son las **"23 Medidas de Actuación"** que la Secretaría de Estado de Comercio Turismo y Pymes presenta durante el Congreso Nacional de Turismo.

En el año 1999 se aprueba el **Plan de Calidad Turística Española (2000-2006)**, tercer y definitivo documento de planificación del PP, con vigencia durante su segundo mandato. El PICTE se construye sobre un nuevo referente: se ha sustituido el concepto de "competitividad", por el principio de la "calidad". Si en los momentos anteriores a los Planes *Futures* había que mejorar la competitividad y luchar por mantener una posición preeminente en el sector, la nueva coyuntura permite trabajar por consolidar el liderazgo, sin tener que centrarse en competir con otros países. La calidad, concepto que en la última década se ha extendido a todos los ámbitos sociales como una nueva filosofía de trabajo, se convierte en el punto de partida para estructurar las acciones. Su característica básica es que la idea de calidad no puede ser impuesta, debe ser asumida por todos y cada uno de los agentes que intervienen en un proceso; así que el propio concepto conlleva profundizar en los sistemas de cooperación (y determina que el desarrollo del Plan se estructure a través de la Conferencia Sectorial, la Mesa de Directores, o el Consejo Promotor del Turismo, según las acciones) y que se aumente el protagonismo de los actores privados, sin los cuales sería impensable implantar acciones que requieren la participación voluntaria en procesos de mejora del sector. Y si esto tiene una lectura, se potencia al empresariado y el Estado refuerza su papel de "catalizador" del sistema turístico, también tiene otra: se debilita la defensa de la gestión pública de los bienes turísticos y se vuelve a abrir otra etapa de retirada del Estado del turismo en favor del sector privado.

2.3. Problemas que se mantienen y problemas que se solucionan

Vamos a resumir de manera ordenada el principal argumento que utiliza cada uno de los planes para justificar la intervención del sector público en el turismo, los problemas que se han detectado y las soluciones que se proponen (a través de las acciones que se planifican). Esto nos permitirá observar como determinados problemas "desaparecen", es decir, se solucionan, mientras que otros son objeto del esfuerzo público durante los cincuenta años.

CUADRO 10.14.: COMPARACIÓN ENTRE LOS PLANES GENERALES

	IDEA / ARGU-MENTO	PROBLEMAS QUE SE EXPONEN	ACCIONES PREVISTAS PARA SU SOLUCIÓN
PLAN 1953	El turismo supone una oportunidad económica (sector exterior que aporta divisas) y una oportunidad política (modo de lucha contra la propaganda anti-Régimen).	– Baja capacidad alojamiento – Malas redes de comunicación – Problemas medios de transportes	– Incrementar capacidad de alojamiento – Regulación campings – Red Alojamientos propiedad del Estado – Ordenar oferta según objetivos de interés turístico – Crear zonas de interés turístico para su planificación – Turismo de caza y pesca – Escuela de Hostelería – Promoción – Facilitar trámites de fronteras

I Plan Desarrollo Económico y Social	El turismo supone una oportunidad económica (sector exterior que aporta divisas) y una oportunidad política (modo de lucha contra la propaganda anti-Régimen)	– Baja capacidad alojamiento. – Estacionalidad – Problemas infraestructuras en zonas de despegue – Zonas no utilizadas (interior)	– Incrementar capacidad hotelera – Incrementar capacidad extrahotelera – Ampliación crédito hotelero – Regular el mercado turístico: fijación descuentos temporada baja; revisión clasificación hotelera; censo alojamientos extrahoteleros; apoyo a la creación de cadenas hoteleras... – Mas facilidades a las inversiones extranjeras – Actuación directa sector público en la oferta: extensión Red Alojamientos propiedad del Estado; creación Empresa Nacional Turismo; apoyo ATE... – Mejora infraestructuras básicas – Infraestructura turística: inversión – Planeamiento zonas turísticas: Ley Zonas y Centros Interés Turístico. – Nuevos productos: esquí (estaciones invierno) – Potenciar turismo interior (construir instalaciones turísticas de turismo social y crear asociaciones para ello) – Formación profesional – Aumentar programa de promoción; centralizarla en la Admón. Central; ampliar red de Oficinas Turismo Exterior.
II Plan Desarrollo Económico y Social	El turismo es un sector económico con dos aspectos de mucho interés: – Aporta divisas que equilibran la balanza de pagos – Favorece el desarrollo de determinadas zonas	– Falta coordinación administrativa – Comercialización – Mala organización operativa en las empresas turísticas – Problemas de calidad de la oferta – Marco fiscal obsoleto – Reducido nivel gasto por turista – Muchas plazas de Pensión y pocas de categorías superiores – Faltan plazas en campings, apartamentos y ciudades de vacaciones	– Mejorar la coordinación de la acción administrativa – Ordenación servicios alojamiento y de otros servicios turísticos – Ordenación profesional y comercial – Política precios turísticos – Mejoría del tratamiento fiscal y crediticio – Actuación directa sector público en la oferta (Red Alojamientos propiedad del Estado; Empresa Nacional Turismo; ATE...) – Inversión en infraestructura turística (ordenación de costas, clubes náuticos, campos golf, estaciones de esquí, termalismo) – Legislación para la defensa del paisaje – Fomento de formación profesional – Mejorar las estadísticas – Promoción (acciones diversificadas por productos: invernal, estival, cultural, descanso, deportivo, social juvenil) – Exterior e interior

III Plan Desarrollo Económico y Social	El turismo: – Acrecienta la renta nacional – Mejora la distribución territorial de la riqueza – Influye en la balanza de pagos	– Cuádruple concentración: geográfica (mediterráneo e Islas Baleares) temporal (verano), procedencias de los turísticas y motivaciones (sol y playa). – Baja calidad del equipo receptor – Faltan hoteles de gran tamaño, con capacidad de alojar los viajes colectivos. – Poco gasto medio por turista	– Aumento de la oferta de alojamiento: impulso ciudades de vacaciones; creación red nacional "caravaning" – Creación oferta restauración ("mesón español") – Política precios turísticos – Actuación directa sector público en la oferta (Red Alojamientos propiedad del Estado; Empresa Nacional Turismo; ATE...) – Inversión en infraestructura turística (estaciones de esquí, puertos deportivos, estaciones termales) – Ordenación costas y playas – Creación de nuevos productos – Fomento formación profesional – Promoción (acciones diversificadas por segmentos de población)	
IV Plan Desarrollo Económico y Social	Sector económico (con dos ventajas de los anteriores).	– Alto grado de estacionalidad – Inadecuada formación profesional – Degradación de los servicios prestados	– Medidas para un crecimiento cualitativo y cuantitativo de las plazas hoteleras y extrahoteleras – Nueva política fiscal para el sector – Mejora de la comercialización del producto turístico – Plan de formación profesional – Promoción exterior e interior	
Paquete Mdidas	Sector económico en crisis por los errores cometidos en su desarrollo	– Demasiada oferta – Concentración espacial de oferta – Falta de infraestructuras – Estructuras empresariales obsoletas – Problemas en destinos – Degradación del entorno	– Reestructuración del Ministerio de Información y Turismo. – Modernización de los establecimientos hoteleros. – Cambio estatuto empresas turísticas, como empresas exportadoras. – Ordenación Agencias de Viajes – Modificar régimen de préstamos para la venta a extranjeros de viviendas en zonas turísticas. – Potenciar Centros de Iniciativas Turísticas. – Ordenación de la oferta turística.	

Futures I	Actividad económico y social que genera impactos positivos y negativos	– Deterioro de la actividad turística – Pérdida de competitividad – Desarrollo puramente incrementalista – Oferta baja calidad – Concentración de la oferta – Estructuras empresariales obsoletas – Baja rentabilidad empresarial por atomización del sector – Sostenibilidad medioambiental – Problemas en destinos	– Coordinación administrativa y colaboración con interlocutores – Mejora de las estrategias empresariales, de la gestión de recursos humanos y del tejido empresarial – Creación de nuevos productos y estrategias de comercialización – Plan anual de promoción turística – Mejora de información al sector – Mejora de los entornos turísticos naturales y urbanos – Revalorización patrimonio susceptible uso turístico – Sensibilización social hacia el turismo
Futures II	Actividad económico y social que genera impactos positivos y negativos	– Impactos sociales y culturales negativos – Falta competitividad de las empresas por no existir sistemas de calidad – Concentración de la oferta – Baja rentabilidad empresarial por atomización del sector – Estructuras empresariales obsoletas – Sostenibilidad medioambiental – Problemas en destinos – Baja formación de los empleados.	– Coordinación nacional e internacional – Cooperación turística con terceros países – Sistemas de calidad en subsectores y asesoramiento sobre calidad a empresas – Modernización de equipamientos – Proyectos de infraestructura tecnológica y tecnificación de empresas – Creación nuevos productos – Intervención en destinos y planes de excelencia – Programa de I+D – Programas de formación, formación continua y becas
Plan de Estrategias y Actuaciones Administración Central del Estado	Sector económico generador de riqueza y empleo con gran efecto dinamizador	– Hace falta más cooperación entre actores – Falta competitividad de las empresas por no existir sistemas de calidad – Estructuras empresariales obsoletas – Concentración de la oferta – Sostenibilidad medioambiental – Problemas en destinos – Falta investigación	– Cooperación nacional e internacional – Concepto de calidad turística española – Mejora de la competitividad empresarial – Apoyo a la internacionalización de la empresa – Promoción y comercialización a través de Turespaña – Concepto sostenibilidad medioambiental – Creación nuevos productos – Programas en destinos – Mejora sistema estadísticas y difusión de la información – Sistema de formación turísticas

	Sector económico generador de riqueza y empleo cong ran efecto dinamizador	– Baja rentabilidad empresarial por atomización del sector – Falta competitividad de las empresas por no existir sistemas de calidad – Estructuras empresariales obsoletas – Poca diversificación del producto – Sostenibilidad medioambiental – Problemas en destinos – Falta investigación – Falta formación	– Cooperación turística con terceros países – Calidad en sectores – Apoyo a la internacionalización de la empresa – Calidad en productos – Calidad en destinos – Programa de I+D – Mejora sistemas estadísticos y análisis económico – Formación
PICTE			

(Fuente: Elaboración propia)

Hemos tratado de ordenar las propuestas de actuación siguiendo un orden determinado (administración; dirigidas al sector; actividades de ordenación; de planificación; productos; destinos; investigación y formación).

Si comparamos la evolución de la problemática, se han solucionado los siguientes problemas (ya que van desapareciendo de los análisis que se realizan en los planes sucesivos):

– Falta coordinación administrativa.

– Baja capacidad alojamiento.

– Malas redes de comunicación.

– Problemas con los medios de transportes.

– Problemas infraestructuras en zonas de despegue.

– Zonas no utilizadas (interior).

– Marco fiscal obsoleto.

– Muchas plazas de Pensión y pocas de categorías superiores.

– Faltan plazas en campings, apartamentos y ciudades de vacaciones.

– Baja calidad del equipo receptor.

– Faltan hoteles de gran tamaño, con capacidad de alojar los viajes colectivos.

- Deterioro de la actividad turística.
- Pérdida de competitividad.
- Desarrollo puramente incrementalista.
- Oferta baja calidad.

En relación con otras cuestiones señaladas, se han invertido esfuerzos suficientes como para que estén en vías de solución y se aprecie una mejora significativa en los siguientes aspectos:

- Mayor cooperación entre actores.
- Falta de infraestructuras.
- Reducido nivel gasto por turista.
- Cuádruple concentración: geográfica (mediterráneo e Islas Baleares) temporal (verano), procedencias de los turistas y motivaciones (sol y playa).
- Falta competitividad de las empresas por no existir sistemas de calidad.
- Baja rentabilidad empresarial por atomización del sector.
- Mala organización operativa en las empresas turísticas.
- Estructuras empresariales obsoletas.
- Problemas de calidad de la oferta.
- Degradación del entorno.

Y no se ha modificado la estructura del problema, ni los esfuerzos han sido apreciables en relación con los siguientes temas:

- Sostenibilidad medioambiental.
- Impactos sociales y culturales negativos.
- Concentración espacial de oferta.
- Problemas de comercialización.
- Poca diversificación del producto.
- Problemas en destinos.
- Baja formación de los empleados.
- Inadecuada formación profesional.
- Falta investigación.

Este último listado está compuesto por asuntos, algunos de los cuales se arrastran desde los Planes de Desarrollo, que responden a las características de nuestra estructura del mercado turístico y cuya modificación requeriría un impulso político fuerte. Son los asuntos que provocan una mayor incomodidad en la relación entre los intereses públicos y los privados y que representan el núcleo de las decisiones o de las no decisiones de la política turística.

3. PROGRAMAS: EL CRECIENTE PROTAGONISMO

Los programas públicos que la Administración Turística ha liderado en los últimos cincuenta años conforman también un conjunto muy interesante de instrumentos de intervención política.

La primera conclusión que surge al analizar los programas del periodo es que han sido muy pocos los que mantuvieron su impulso aunque, paradójicamente, lo ocurrido muestra que es necesario que transcurra un periodo de tiempo suficiente para conocer si han tenido o no impacto. Programas como "España verde", "Ruta de la Plata", "Turismo para la tercera edad"... son acciones muy valoradas hoy que fueron cuestionadas en sus inicios.

Expondremos los programas más significativos agrupados según su finalidad: programas que persiguen el desarrollo y promoción de tipologías de turismo alternativas al de sol y playa; programas de impulso de algún subsector concreto, fomento del turismo para colectivos determinados o programas cuyo fin es algún objetivo específico que beneficia a la totalidad del sector.

3.1. Desarrollo y promoción de tipologías de turismo

En España el turismo se desarrolla a través del producto de sol y playa. Su hegemonía se mantiene hasta hoy, ocupando una cuota de mercado cercana al ochenta por ciento. Esto supone los riesgos comunes a todo "monocultivo"; implica una excesiva dependencia de esta tipología de turismo —que puede llegar a ser axfisiante— y potencia una problemática concentración geográfica (hay turismo allí donde hay sol y playa); temporal (hay turismo cuando el clima favorece la actividad) y de demanda (los turistas son sólo aquellos que tienen esa motivación).

Como la concentración se produjo desde los años cincuenta, también prontamente se manifiesta la intención del Gobierno Central de modificar ésta tendencia para paliar los riesgos comentados y, además, permitir el desarrollo turístico de otras regiones con diferentes atractivos geográficos. Si observamos los últimos cincuenta años existe una clara discordancia entre las intenciones del Gobierno Central sobre la diversificación de la oferta turística y la realidad.

Divergencia que, consideramos, se ha debido a la suma de varios factores: por un lado la demanda del producto de sol y playa ha resultado bastante rígida hasta los años noventa —década en que se alcanza cierta madurez en el mercado turístico y se diversifica la motivación de los turistas—; además, la industria turística de mayor influencia política y económica ha pertenecido al segmento del turismo de sol y playa y la diversificación resultaba un objetivo menos interesante que la solución de los problemas infraestructurales de las zonas afectadas y el mantenimiento de las cuotas de mercado a través del fortalecimiento de los programas de promoción; por último, tampoco la Administración Turística ha dedicado esfuerzos notables, ni económicos, ni técnicos, al desarrollo de productos alternativos. La tendencia cambiará sólo cuando se modifique la propia demanda, en el momento que los turistas comiencen a buscar nuevos productos.

Veamos los principales programas que han pretendido crear una oferta alternativa en el periodo analizado.

El programa de "**Vacaciones en Casas de Labranza**", iniciado en 1967, podría haberse constituido en el germen de lo que más tarde se denominaría agroturismo pero se le dotó de recursos muy limitados y se agruparon en su diseño dos finalidades que no funcionaron bien. Los objetivos fueron, simultáneamente, construir una oferta en el interior del país vinculada a los entornos rurales y, en conexión con la idea de "turismo social", generar una oferta modesta de alojamiento que pudieran pagar los españoles que, por su nivel de vida, no tenían acceso a los alojamientos de costa. De este modo, parecía que se apostara por una oferta que paliase, no que sustituyera, la imposibilidad de acceder al turismo de sol y playa, lo que la hizo socialmente muy poco atractiva. Sirvió, fundamentalmente, para mejorar algo las penosas condiciones de vida de los pueblos del interior[183]. A pesar de todo, es posible que hubiera tenido un impacto mayor si los decisores públicos hubieran mantenido las subvenciones. El programa, dentro de la etapa democrática, se impulsa bajo el mandato del primer ministro de UCD, pero durante el segundo mandato del Sr. Gamir, en 1981, se suprime la partida presupuestaria que lo sustenta, dándose por terminado.

El programa **"Promoción de Estaciones de Montaña o Turismo de Nieve"** surgió vinculado al segundo de los Planes de Desarrollo Económico de 1968. Su objetivo era fomentar la apertura de estaciones de esquí, paliando con ayudas financieras la construcción de las costosas infraestructuras que necesita un núcleo turístico en zonas de montaña, deshabitadas y de difícil acceso. El programa se mantuvo durante seis años, durante los cuales iniciaron el despegue turístico destinos como Sierra Nevada o el Valle de Arán, hasta que se decidió que las inversiones en infraestructuras dependieran del ministerio competente en esos cometidos. A partir de entonces la Administración turística se centró en la promoción del turismo de esquí especialmente orientado a cubrir la demanda del turismo interior ya que España, por razones puramente orográficas, difícilmente podía competir como destino de nieve con los países europeos vecinos. En los últimos años las estaciones de esquí del país han diversificado su oferta hacia un turismo de naturaleza y deportivo incorporando actividades que pueden practicarse en otras temporadas del año.

En el periodo democrático se ponen en marcha diversos programas de **"Creación de Núcleos de Turismo Rural"**. Dieron comienzo durante el mandato del Ministro Barón, y su objetivo era convertir al turismo en impulsor del desarrollo económico en zonas sin ningún desarrollo turístico que, sin embargo, tuvieran recursos culturales para ello. Un primer modelo se centraba en el desarrollo de núcleos de turismo rural (el más consolidado fue el que se centró en Taramundi), más tarde se apostó por productos que vincularan distintos destinos, en lo que se llamó turismo itinerante, como la "Ruta de la Plata" o la "España Verde", y que se articulaban con la participación de los Ayuntamientos, las Comunidades Autónomas afectadas y el Ministerio. Estos programas

---

[183] Con los fondos del programa, se financió, mayoritariamente, la construcción de cuartos de baño o el solado de las casas rurales (Olmedo y Carmona, 1996).

constituyen el referente de los Planes de Dinamización que impulsa el Gobierno del PP, orientados a destinos en fase inicial de desarrollo turístico que puedan convertirse en núcleos de turismo cultural o natural, con la diferencia de que, en la actualidad, el Plan se centra en municipios concretos y, para garantizar el despegue del programa y una mayor radicación de beneficios económicos en el mismo, se exige que exista, previamente, alguna oferta hotelera.

3.2. Impulso a subsectores

Como ejemplo de programas de impulso a un subsector, hay que referirse a los **"Planes de Modernización Hotelera"** que se aprueban en tres ocasiones: en 1974, 1977 y 1979.

El primero se aprueba como una de acciones que componía el "paquete de medidas de urgencia" del mandato del Ministro Cabanillas que, como vimos, trataban de hacer frente al doble problema del envejecimiento de las instalaciones hoteleras y del exceso de ofertas de plazas en determinadas zonas. La infraestructura hotelera, fundamentalmente la de costa, estaba muy obsoleta por la baja calidad de la construcción de los años sesenta (se construía rápido y muy barato para obtener beneficios en el plazo más corto posible) y por el normal deterioro que sufre este tipo de edificios. Se decidió canalizar fondos para su rehabilitación y, como durante su remodelación había que cerrar los establecimientos, se conseguía a corto plazo reducir la oferta de plazas. Además, se implantaban planes de formación para los trabajadores de los establecimientos para ser impartidos durante ese intervalo temporal.

El III Plan de Modernización Hotelera es menos tosco y con sus fondos podían realizarse mejoras concretas en los alojamientos: medidas de protección contra incendios, abastecimiento de aguas y saneamiento de las residuales, seguridad en las condiciones de trabajo del personal, o construcción de instalaciones destinadas al ahorro de energía.

En opinión de algunos autores, estos planes de modernización hotelera comenzaron a concienciar al sector sobre la necesidad de aumentar la calidad prestando una mayor atención a las demandas del cliente. Parece más acertado defender que, al ser el turismo inicialmente considerado como una actividad económica coyuntural, se generó una cultura especulativa en la que un número alto de inversores perseguían una rápida obtención de beneficios, por lo que la inversión en pasivos tenía que ser baja. El paso del tiempo demostró la estabilidad del turismo, pero las bajas inversiones y el uso intensivo de los edificios, aunque concentrado en unos cuantos meses del año, hicieron necesario el apoyo del Gobierno para remodelar los alojamientos y cambiar de estrategia, imprescindible si se quería mantener la competitividad de la oferta turística del país.

Otro programa que apareció, y desapareció rápidamente, fue el **"Plan de ayudas a mesones turísticos"**, aprobado en 1975. El subsector de la restauración ha ocupado siempre un lugar secundario en la acción pública turística, debido a la difícil distinción entre clientes turistas y no turistas[184]. El programa compartía la filosofía del de vacaciones en casas de labranza, persiguiendo la remodelación de pequeños restaurantes rurales regentados por familias, en sus propios hogares. El mayor valor fue reconocer la gastronomía como un recurso turístico importante del país, idea que años más tarde se ha potenciado.

3.3. Fomento del turismo para colectivos específicos

Nos referimos en este epígrafe a programas diseñados pensando en fomentar el turismo entre colectivos determinados.

Sin ninguna duda el programa de mayor importancia es el **Programa de Vacaciones para la Tercera Edad**. El programa tiene su origen en una iniciativa de turismo social (Muñiz, 2001), aunque en su desarrollo sobrepasa en mucho los objetivos de éste y se convierte en una propuesta innovadora que aúna los intereses sociales del Gobierno con los intereses económicos del sector.

Da comienzo en 1985 bajo el mandato del ministro socialista Abel Caballero y, desde ese momento, ha crecido de forma ininterrumpida, salvando algunas dificultades iniciales de recelo político y de mala gestión. En cerca de veinte años ha aumentado el número de beneficiarios,

---

[184] La restauración es el ejemplo al que se acude con mayor frecuencia cuando se habla de la utilidad de las Cuentas Satélites del Turismo, que permitirán medir la dependencia del turismo de subsectores que dan servicios a residentes y a no residentes.

el número de destinos y la tipología de éstos (además de los destinos tradicionales de sol y playa en temporada baja, se han incorporado destinos del interior bajo la fórmula de "circuitos culturales", o turismo de naturaleza) y se ha convertido en un referente para programas similares de otros países. A partir del año 1999 se cambia su nombre por "Programa de Vacaciones para mayores y para mantenimiento del empleo en zonas turísticas" tratando de destacar los beneficios que se derivan para el sector.

Los programas de salud que se desarrollan en balnearios también se basan en establecer una relación entre el sector turístico y la política social del país, es el caso del denominado **Programa de Termalismo Social.**

Los niños, como futuros turistas, recibieron la atención de una iniciativa puesta en marcha en el primer Gobierno socialista, que se llamó **Programa de Escuelas Viajeras.** Sustentando en un Convenio con el Ministerio de Educación y Ciencia su objetivo era fomentar el viaje mediante actividades a realizar por los escolares y sus profesores en distintos destinos turísticos.

3.4. Objetivos concretos para el conjunto del sector

Hay que destacar, en primer lugar, los Programas de **Promoción.** Estos programas conllevan diferentes actividades: el análisis de la oferta y la demanda —que el campo del turismo se conoce como estudios de la oferta turística y de los mercados emisores—, la elaboración de los planes de comunicación determinando los destinatarios —normalmente países—, las campañas propiamente dichas —anuncios en prensa, en medios de comunicación, viajes de familiarización de periodista o líderes de opinión, etcétera— y las acciones de apoyo a la comercialización de los productos turísticos —viajes de familiarización, respaldo a la presencia de los productos turísticos españoles en ferias, congresos o jornadas profesionales—.

Según han ido evolucionando las técnicas y métodos de investigación y comercialización, los expertos han construido sistemas de promoción del destino "España" cada vez más sofisticados, aunque el aspecto político de estos programas siempre ha sido una cuestión importante.

En primer lugar, porque la promoción es, en sí misma, una eficaz herramienta para conseguir objetivos de política turística. Es, de hecho, el medio para conseguir desconcentrar la oferta, buscando un desarrollo más equilibrado, o modificar las tendencias estacionales, o potenciar nuevos productos, mediante la diversificación.

En segundo lugar, porque el número de visitantes ha sido, durante la segunda mitad del siglo veinte, el único indicador de la eficiencia de la política turística y los programas de promoción han aparecido como causa directa en las variaciones, especialmente si se experimentaba una bajada en la llegada de turistas. La referencia al número de visitantes está presentes en los primeros planes generales y, aunque no existan en los últimos documentos de planificación política, es la cifra más utilizada por los responsables políticos en cualquier intervención pública. No vamos a cuestionar la importancia del dato, pero no son menos indicativas las cifras de ingresos o de gasto medio por turista, entre otras.

Y, por último, aunque relacionado con lo que acabamos de exponer, porque la cantidad de recursos públicos invertidos en promoción es un asunto que, de manera constante, aparece en la arena política como argumento a favor o en contra de los decisores. Algunos actores evalúan el éxito de los programas de promoción relacionando el presupuesto invertido en las campañas por el Estado con el número de turistas llegados[185]. La adecuación de los recursos públicos destinados a la promoción —preocupación que se expresa con mayor insistencia en años en los que desciende la cifra de visitantes— se cifra en la cantidad monetaria que supone atraer a cada uno de los turistas al país y, normalmente, se compara con lo que ocurre con nuestros competidores directos.

En todo caso, la necesidad de que el Estado realizara funciones de promoción del país en el exterior es percibida de manera temprana y aparece recogida entre las competencias del primer órgano público dedicado al turismo en 1905, la *Comisión Nacional para fomentar en España las Excursiones Artísticas y de Recreo del Público Extranjero*. Su propio nom-

---

[185] Por ejemplo: en 2001 se invirtió en programas de promoción X y llegaron al país Y turistas. El resultado de dividir el dinero entre el número de llegadas (X/Y), permitiría saber cuánto supone por cada turista. Así se dice que mientras que a Italia le cuesta 0,05 euros atraer a un turista, a Francia le cuesta 0,25.

bre indica que era ésta su función principal. En los primeros años, la promoción se hacía en los países con renta per cápita más alta, suponiendo que una mayor capacidad adquisitiva facilitaría el viaje. Por ello a partir del Plan Nacional de Turismo de 1953 las campañas se dirigen a Estados Unidos e Inglaterra, en donde se abren las primeras oficinas de turismo en el extranjero, encargadas de coordinar la difusión de la información.

En la etapa de los Planes de Desarrollo comienza a utilizarse la imagen gráfica como reclamo básico en el exterior apoyada en un logo (el más conocido es el de *Spain is different*[186]) y se elabora el Folleto Provincial Unificado, como documento informativo básico, común a toda la geografía española. Durante ese periodo, las campañas se adjudicaban a distintas empresas sin ningún procedimiento, hasta 1974 año en el que se convoca el primer Concurso Nacional de Agencias, sistema que, con alguna variación, se mantiene hasta hoy (Zabía, 1999).

Con la aprobación de la Constitución, al debate de la cantidad invertida en dicho concepto, se suma un conflicto de mayor calado. El Gobierno Central, apoyado por la interpretación de alguna sentencia del Tribunal Constitucional, defiende que la promoción exterior del turismo es competencia de la Administración Central. Sus argumentos son que la materia forma parte de las competencias sobre comercio exterior y que los expertos en comercialización defienden que la unidad mínima que debe publicitarse en el extranjero, para que las campañas sean eficaces, es el país en su conjunto. Mientras el conflicto crece[187] los programas de promoción se orientan, desde 1978, a la captación de turistas con mayor capacidad de gasto y las campañas comienzan a estructurarse por orígenes del mercado. También se incrementa la inversión en campañas de turismo interior, demanda que se había mostrado más fuerte en los años de crisis.

---

[186] En los textos de turismo se advierte que la utilización del logo supuso un enfrentamiento, porque el Sr. Bolín afirmaba haber utilizado la fórmula "Spain is beautiful and different" en los años cuarenta.

[187] En el Capítulo anterior se describen los instrumentos normativos que el Gobierno Central aprueba para regular la promoción exterior y la reacción de las Comunidades Autónomas.

Durante el primer Gobierno socialista, el Ministro Barón inaugura el sistema de campañas de publicidad centralizadas, que afecta a las Oficinas Españolas en el Extranjero, y los planes de marketing del turismo español, que marcarán las líneas de trabajo a desarrollar por Turespaña, instrumento organizativo que asume la promoción como competencia central (Zabía, 1999). A partir de 1990, comienzan a realizarse campañas en las que colaboran empresas, generalmente de transportes.

Con la creación del Consejo Promotor de Turismo en 1994 se pretende, no solo dar por terminada la continua disputa con las Comunidades Autónomas en materia de promoción, sino también que el sector privado tenga un protagonismo destacado en el diseño de los programas de promoción. A partir de la creación del Consejo Promotor, es éste quien elabora los criterios y prioridades que determinan los Planes de Apoyo a la Comercialización Turística y quién dirige las investigaciones de los mercados emisores.

Otro de los programas que queremos destacar es el que dio comienzo en 1976, bajo el mandato del Ministro Reguera, y que tuvo por objetivo realizar un **inventario turístico** que permitiera la ordenación de los recursos y una mejor planificación de su desarrollo. Se tomaron dos unidades administrativas como referencia que representaban dos problemáticas distintas: la provincia interior —con niveles de desarrollo incipientes— era objeto de un plan de aprovechamiento de los recursos y los municipios costeros —con un alto grado de desarrollo turístico— de un plan de ordenación de la oferta existente. El denominado inventario turístico finalizaría en 1980 con la redacción de trabajos de planificación para todo el territorio nacional; estos trabajos no llegaron a ser utilizados tanto por la falta de criterio previo del propio Gobierno Central, como por la dificultad que suponía el hecho de que las competencias finales sobre urbanismo eran de los municipios.

Por último, hay que señalar un programa que se diseñó con el objeto de aumentar el nivel de investigación turística. El **Programa de Becas Turismo de España**, persigue la realización de tesis doctorales que tengan por el objeto el análisis del turismo desde diferentes campos de investigación. Ha supuesto el detonante necesario para que desde la Universidad se dedicaran esfuerzos investigadores a este ámbito de la realidad. El trabajo de los becarios ha permitido que en muchos Departamentos universitarios se asentaran líneas de investigación estables y que se conociera el objeto de análisis por otros investigadores ajenos a la materia.

3.5. *Dinamización de espacios: programas de destinos*

Los programas de destinos nacen cuando la Administración turística incorpora un nuevo destinatario entre los que habían sido siempre los *públicos* de sus programas. Los destinatarios tradicionales de las políticas turísticas eran los subsectores turísticos (alojamiento, restauración, intermediación o transporte), las tipologías de turismo (problemática de los distintos productos turísticos) y el turista potencial (con programas de promoción y, en menor medida, de protección al consumidor).

El destino, como espacio territorial específico en donde se desarrolla una realidad socioeconómica y cultural compleja, fue ocupando de manera gradual un espacio determinado entre los destinatarios de los programas de la Administración turística.

En el primer Plan *Futures*, y dentro del "Programa de Excelencia", se señalaba *"la modernización y competitividad del sector turístico no sólo afecta a las empresas. Un aspecto que se manifiesta especialmente sensible, de cara al atractivo de un destino turístico, es contar con un entorno respetuoso con la naturaleza y un hábitat de calidad"* (Secretaría General de Turismo, 1992:112). Aunque hacían su aparición los conceptos de mayor importancia no se articulaba ningún programa reconocible.

En el Plan *Futures II*, en cambio, se incorpora un programa expresamente denominado "Destinos Turísticos" cuya descripción ya muestra el cambio de perspectiva: *"El programa de destinos turísticos se contempla como un instrumento para afrontar los problemas de un destino determinado desde una perspectiva global integradora de todos los elementos que en él confluyen (...) El programa de destinos se desarrollará mediante proyectos específicos para destinos concretos (...) Los proyectos que se desarrollen dentro de este programa y actúen sobre destinos tradicionales de sol y playa irán dirigidos fundamentalmente hacia la puesta en valor de recursos culturales o naturales no explotados y hacia la desestacionalización de la actividad, la rentabilización de las inversiones y la mejora ambiental del destino. Los proyectos dirigidos hacia nuevos destinos turísticos, especialmente de interior, podrán concentrar sus esfuerzos en la creación de productos turísticos en torno a los cuales se articule la oferta del destino y en la dinamización empresarial de las zonas"*. (Secretaría General de Turismo, 1996:63,64)

Siguiendo en esta línea, el *Plan de Estrategias y Actuaciones de la Administración General de Estado en Materia Turística* de 1996 incorpora, como estrategia a desarrollar, "*el perfeccionamiento del programa de actuaciones en destinos turísticos consolidados y emergentes, en coparticipación con las administraciones autonómicas y locales*" (Secretaria de Estado de Comercio, Turismo y Pymes, 1996:52)

Por último, el PICTE afirma "*El turista elige sus vacaciones en función del destino, por lo que éste es un nivel básico de actuación si se quiere ir hacia la mejora de la calidad del conjunto de la oferta turística española. El destino es más que la suma de sus empresas turísticas, en él participan los servicios prestados por los agentes públicos, la actitud de los residentes, los comercios, los equipamientos e infraestructuras, el medio ambiente etc. La consideración del destino debe hacerse de forma integral, aunque siempre desde un enfoque turístico y por tanto considerando a los turistas como los destinatarios protagonistas del programa (...) El PICTE da continuidad a los Planes de Excelencia Turística (recuperación y regeneración de destinos maduros) y a los Planes de Dinamización (activación económica y potenciación de destinos turísticos emergentes) e incorpora una nueva línea: los planes de gestión integrada de los servicios turísticos (...).Un ejemplo de este tipo de proyectos es el del Municipio Verde abordado por la Secretaría de Estado en colaboración con la Federación Española de Municipios y Provincias*" (Secretaría de Estado de Comercio, Turismo y Pymes, 1999:23,23).

La evolución es clara y permite observar como, poco a poco, se han ido consolidando los principios básicos de los programas en destinos:

- Considerar un destino determinado desde una perspectiva global integradora.
- Trabajar mediante proyectos específicos para destinos concretos.
- Tener en cuenta una realidad diferenciada: destinos tradicionales de sol y playa (Planes Excelencia) y nuevos destinos turísticos (Planes Dinamización).
- Incorporar en la gestión y financiación a las administraciones autonómicas y locales y, en algunos casos, al sector privado.
- Observar el destino turístico como un sistema que sobrepasa la suma de sus empresas turísticas.

Resumiendo, coparticipación de todos los niveles administrativos, a través de la cofinanciación de los programas; tendencia a incorporar a representantes empresariales de los subsectores turísticos y, por último, necesidad de considerar e implicar en un proyecto común al resto del tejido económico y social del destino, aunque no pertenezca de manera directa al sector.

Los programas que, aunque implantados sucesivamente, se dan cita hoy son:

a) Los Planes de Excelencia.

b) Los Planes de Dinamización.

c) Programas de turismo sostenible: Programa Municipio Verde (Sistema de Gestión Medioambiental para municipios turísticos / EMAS).

d) Planes de Calidad en Destinos: Modelo Integral de Calidad en Destinos Turísticos[188].

4. INSTRUMENTOS NORMATIVOS: LA MODIFICACIÓN DEL PAPEL DEL ESTADO

Los instrumentos normativos representan un referente inmediato cuando se realiza una aproximación a la actividad gubernamental en una arena política.

El recurso a las normas, y a su carácter coactivo, para modular la configuración de un sector conforma lo que en el ámbito del turismo se ha denominado tradicionalmente la "ordenación" compuesta por la reglamentación de los subsectores, el sometimiento a autorización de algunas de las actividades turísticas, las órdenes, los mandatos y prohibiciones y las sanciones.

4.1. Cuestiones generales

En relación con los instrumentos normativos queremos señalar dos cuestiones que surgen en las reflexiones sobre este ámbito.

En primer lugar, la polémica sobre la pertinencia de una ley general del turismo. Varios autores han discutido sobre la posibilidad de aprobar una ley que abordara la regulación del turismo con carácter general.

---

[188] Las características de cada uno se explican en los Capítulos 8 y 9.

El debate se reanimó después de la aprobación de la Ley General del Turismo del País Vasco en 1994, a la que siguieron otras similares en varias Comunidades Autónomas. Si es necesaria una Ley General del Turismo, como algunos autores afirman[189], o si las razones que se esgrimen son infundadas, es un debate ajeno al presente trabajo; aunque, no obstante, puede ser de utilidad señalar que la OMT en un estudio comparado entre las legislaciones turísticas de varios Estados miembros concluye que, en el ámbito de la Unión Europea, ningún país ha desarrollado una norma de carácter general, a pesar de que en varios de ellos se ha discutido dicha posibilidad (OMT, 1993).

En segundo termino, la distinción entre legislación directa e indirecta. Los autores hablan de legislación directa cuando las normas se elaboran específicamente para el sector y de indirecta cuando se trata de normas que, dirigiéndose a otros sectores, afectan al turismo. Esta distinción la comentamos cuando hablamos de la diferencia que algunos propugnaban entre política turística directa e indirecta y mantenemos la misma posición que defendimos en el otro supuesto: es evidente que, por la naturaleza transversal de la actividad turística, la normativa aprobada para regular otros ámbitos —costas, transportes, parques naturales...— tendrán impacto en el turismo, pero esto es compatible con la distinción, a efectos analíticos, de ámbitos substantivos de normativa turística. Tratar de agrupar todas las normas que afectan de manera indirecta al turismo para analizar dicho corpus legal —como un conjunto al que pudiéramos etiquetar de normativa indirecta— parece una posibilidad muy complicada y no demasiado operativa.

4.2. Impacto del nuevo orden constitucional

Si observamos la aprobación de instrumentos normativos en el tiempo, utilizando como criterio el número de normas aprobadas por mandato de los sucesivos Ministros[190], se observa como el recurso a este

---

[189] *"Es necesario entender de manera global el sector y para ello es necesario la existencia de una ley que de forma global lo regule"* (Tudela, 2001:141).

[190] En el análisis de los elementos normativos que se realiza en el presente epígrafe no se tienen en cuenta aquellas normas que legitiman el uso de otros instrumentos, es decir, ni las que sustentan los instrumentos organizativos, ni los Planes o Programas, ni las que habilitan los instrumentos financieros.

instrumento es mucho más frecuente durante el Ministerio de Arias Salgado y, en mayor grado, durante el mandato de Fraga. Existe un pico en el mandato de Cabanillas, en el que se aprueba el "Paquete de Medidas" y a partir de entonces, aunque el Gobierno Central recurre a las normas cuando es preciso, la imagen gráfica global es de repliegue del Estado tras el nuevo orden constitucional.

Esta renuncia paulatina del Gobierno Central a los instrumentos normativos para desarrollar sus políticas no fue tanto la consecuencia del reconocimiento del reparto competencial establecido por la Constitución en la materia (y reflejado en los tempranos Decretos de Transferencias), sino la reiterada doctrina del Tribunal Constitucional a favor de las Comunidades Autónomas que, gradualmente, convencieron a los decisores Ministeriales de la necesidad de buscar otros instrumentos para sus políticas.

CUADRO 10.15.: EVOLUCIÓN DE LA UTILIZACIÓN DE
INSTRUMENTOS NORMATIVOS SEGÚN MINISTROS (1951-2000)

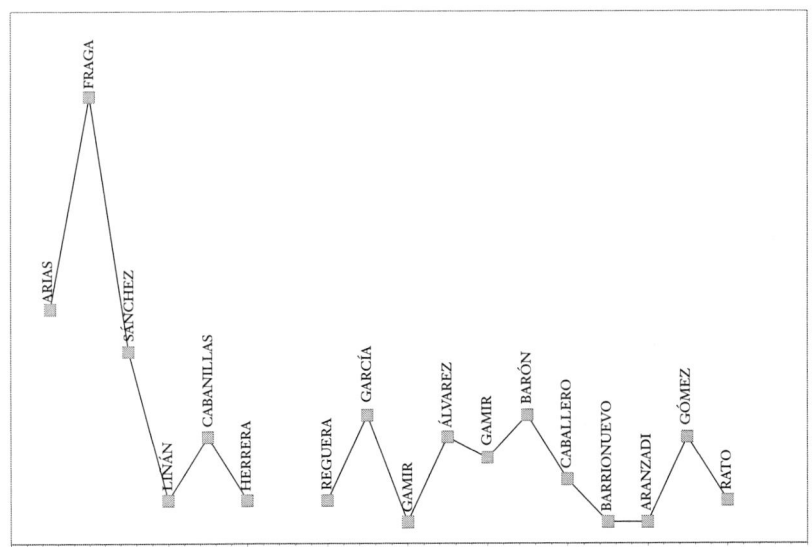

(Fuente: Elaboración propia)

El repliegue del Estado de la actividad normativa se produce al tiempo que se incrementa la producción de las Comunidades Autónomas. Las diferencias entre las regulaciones aprobadas en los diecisiete espacios territoriales ha generado cierta "desordenación" que Blanquer encuentra especialmente grave en relación con dos asuntos: *"las especialidades societarias de las empresas turísticas y las singularidades contractuales orientadas a proteger a los usuarios de los servicios turísticos"* (Blanquer, 2001:314). Este libro no realiza un análisis jurídico sino politológico y, desde ese enfoque, nos interesa destacar dos cuestiones relativas a este asunto: en primer lugar, que la desigual actividad normativa de las Comunidades Autónomas también es una muestra de las diferentes opciones políticas de los órganos decisores implicados. Y, en segundo término, que la "desordenación" del sector no debe atribuirse tanto al desarrollo de las competencias autonómicas, como a la falta de impulsos de coordinación normativa que tenía que haber sabido liderar el Gobierno Central. Cuando los esfuerzos para coordinar la regulación de un área han sido asumidos con decisión política real, buscando cauces adecuados de coordinación, el resultado ha sido satisfactorio, baste el ejemplo de la Ley de Viajes Combinados.

4.3. Propuesta de tipología de instrumentos normativos

Desde un análisis politológico, podemos organizar los instrumentos normativos con un doble criterio:

- Según su contenido: regulan un aspecto singular del turismo o la globalidad del mismo.
- Según su destinatario: alguno de los subsistemas que componen el turismo —el subsistema de actores, el de actividades o el de bienes— o el sistema turístico en su conjunto.

Los instrumentos normativos pueden encuadrarse en cualquiera de las posibilidades de combinar los diferentes valores que pueden adaptar los criterios mencionados: perspectiva y destinatarios.

Si la imagen la representamos en un cuadro, en un extremo de la tabla estaría aquel instrumento normativo que tratara de regular la totalidad del sistema turístico, desde una perspectiva global: una ley general de turismo (que, como comentamos, no ha existido nunca en nuestro país).

Desde esta perspectiva global, las regulaciones que afectan al sistema de actores serían: si afecta al sector público, aquellas cuyo objeto es determinar las competencias de las Administraciones turísticas (como la

Ley de Competencias en materia turística). En el supuesto de que el destinatario fuese el sector privado, las normas que contemplan el desarrollo global de la actividad (como el estatuto de empresas turísticas). Y, por último, si fuera el turista, la normativa de protección del consumidor.

Los instrumentos normativos que inciden en el subsistema de actividades son aquellos que tienen por objeto la ordenación y clasificación de los diferentes subsectores (como las reglamentaciones de clasificación hotelera o la mencionada ley de viajes combinados).

En el supuesto de que afectaran al subsistema de bienes nos encontraríamos con las regulaciones de los diferentes tipos de turismo. Este tipo de normativa no ha sido desarrollada por el Estado y, en cambio, sí ha merecido la atención de los legisladores de las Comunidades Autónomas.

Desde la perspectiva de regular un aspecto concreto del turismo tenemos: en el caso de que el destinatario sea el fenómeno turístico en su conjunto, la normativa que desarrolla cuestiones relacionadas con promoción, planificación, enseñanzas o investigación turística, seguros o régimen disciplinario. Si afecta al subsistema de actores, en el caso del sector público, el conjunto de normas que crean, modifican o suprimen los instrumentos organizativos concretos. En relación con el sector privado, las reglamentaciones de las diferentes profesiones. Y, si su destinatario es el turista, aquellos otros instrumentos que el Estado pone a su servicio, como el servicio de reclamaciones. Cuando afecta al subsistema de actividad, cualquier norma destinada a regular aspectos parciales: requisitos infraestructurales, precios, registros, los viajes combinados... Y, por último, cuando afecta al sistema de bienes, aquellas normas tendentes a regular aspectos tangenciales de las diversas tipologías de turismo, como habilitación de monitores especializados, vías pecuarias, manejo de infraestructura, etc. Tampoco ha sido objeto de la acción del Estado.

CUADRO 10.16.: PERSPECTIVAS Y DESTINATARIOS DE LOS
INSTRUMENTOS NORMATIVOS EN MATERIA DE TURISMO:
EJEMPLOS

		Perspectiva	
		Global	Aspecto concreto
Fenómeno turístico		*Ley General de Turismo (no existe).*	*Promoción. Planificación. Enseñanzas. Investigación. Disciplina (inspección y régimen sancionador), Seguros.*
Subsistema de actores	Públicos	*Competencias.*	*Instrumentos organizativos.*
	Privados	*Registro de empresas y actividades turísticas.*	*Reglamentación profesión.*
	Turista	*Protección consumidor.*	*Reclamaciones.*
Subsistema de actividades	Alojamiento y restauración.	*Ordenación y clasificación de Alojamientos Hoteleros o Extrahoteleros. Ordenación y clasificación de Restaurantes.*	*Infraestructura. Salud e higiene. Prevención de incendios. Precios. Registros de viajeros.*
	Organización del Viajes	*Ordenación y clasificación de Agencias de Viajes.*	*Viajes colectivos. Viajes combinados.*
	Transportes	*Normas reguladoras del transporte por tierra, mar o aire.*	*Requisitos de transportes específicos.*
	Actividades complementarias	*Regulación del ejercicio de actividades turístico informativas*	*Autorización de espectáculos.*
Subsistema de bienes		*Ordenación tipos de turismo*	*Requisitos infraestructurales o técnicos.*

(columna lateral izquierda: Destinatarios)

(Fuente: Elaboración propia)

Con este criterio, podemos comparar la intensidad con el Gobierno
Central ha hecho uso de instrumentos normativos distinguiendo entre

la regulación de aspectos concretos del turismo, la regulación destinada a actores privados y turistas, y la que afecta a la ordenación de las actividades o aspectos concretos de éstas.

5. INSTRUMENTOS FINANCIEROS: LA IMPORTANCIA DE LO TANGIBLE

Si temprana fue la intervención del Estado en el turismo y el desarrollo de los programas de promoción, también fue precoz la utilización de instrumentos financieros para fomentar el crecimiento de la actividad en el país. Ya en los textos legales que creaban los primeros órganos administrativos con competencias turísticas se incorporaba la función de impulso como una de las actividades que deberían desarrollar los poderes públicos ante la iniciativa privada y, desde 1942, se abre una línea de crédito oficial con este fin.

El análisis de los instrumentos financieros desde el punto de vista económico ha sido objeto de investigaciones concretas[191] y nuestra intención en el presente epígrafe es destacar los aspectos relevantes que contienen dichos instrumentos para el análisis de políticas.

5.1. *Aspectos significativos*

En la evolución de los instrumentos financieros, como elementos de política turística, podemos destacar:

a) Los sucesivos gobiernos han desarrollado distintos instrumentos financieros para fomentar la actividad turística. Todos conforman el *crédito turístico*, entendiendo por tal concepto cualquier canalización de recursos públicos de la que son beneficiarias las empresas turísticas y que, bajo diferentes fórmulas, persigue la reducción del coste de financiación a través de entidades financieras.

---

[191] En especial Bote, 1985 y Puerta, 1995. Ver también Bote 1993, 1996a; Cals, 1987; Figuerola 1985, 1993 y Pellejero, 1999.

Pero es tan importante la cantidad destinada al subsector de alojamientos, que el *crédito hotelero* se ha distinguido tradicionalmente del
crédito turístico. La primera línea de crédito que se destina al turismo
se orienta a la construcción de establecimientos hoteleros y, a pesar de
que el turismo es una actividad del sector servicios conformada por diversos subsectores, la tendencia en el uso de los instrumentos financieros ha sido mantener el apoyo a aquella parte del turismo que necesitaba
una mayor inversión: los alojamientos. Aunque la decisión de destinar la
cuantía mayor del esfuerzo financiero del Estado a la construcción de
inmuebles que quedarían radicados en el territorio tuvo la consecuencia
de que el resto de la actividad, la organización del viaje o el transporte,
fuese copada por inversiones extranjeras.

b) Este apoyo financiero se mantiene desde los inicios de la política
turística hasta hoy. Desde 1942 existe el crédito hotelero, ciertamente
con una cantidad muy pequeña que, con oscilaciones, ha supuesto una
vía de financiación blanda para el subsector. Por su lado, el crédito turístico aparece por vez primera en los Planes de Desarrollo y, también
con modificaciones tanto en su cuantía como en los objetivos financiables,
se mantiene hasta hoy.

c) El instrumento se diversifica en diferentes fórmulas: subvenciones, ayudas reembolsables, créditos para objetivos concretos, etcétera.

d) En general, la cuantía ha sido baja y su uso moderado. Algunos
economistas que han trabajado aspectos relacionados con el impacto de
los instrumentos financieros afirman que la rentabilidad del sector ha
permitido acudir a financiación privada, haciéndose poco uso de los instrumentos financieros estatales. Si la cifra era baja, resultaba proporcio-
nada a las peticiones que se realizaban. Otros, en cambio, defienden que
el apoyo del Gobierno a la actividad turística por esta vía ha sido, y
continua siendo, muy insuficiente[192].

5.2. El reflejo del núcleo de la política turística

Los instrumentos financieros reflejan la idea básica de la política turística que se pretende desarrollar. En el Plan Nacional de 1952 el obje-

---

[192] Favieres (1999). Figuerola (1993, 1999).

tivo general explícito es atraer y dar alojamiento a dos millones de turistas, para lo que había que construir alojamientos. En los Planes de Desarrollo el objetivo es convertir al turismo en el factor principal para la obtención de divisas: muchos visitantes, muchos alojamientos, de muchos tipos... A partir de la crisis del petróleo de 1973, los instrumentos se orientan a racionalizar el sector modernizando sus instalaciones, potenciando el crecimiento de las empresas en el extranjero, diversificando la oferta... Con los Planes *Futures* se busca la innovación del tejido empresarial y las subvenciones se orientan a ello. El PICTE configura la calidad como elemento central del Plan y las empresas turísticas no formaran un conjunto separado del resto de Pymes, por lo que recibirán las ayudas que para aquellas existan.

Veamos la evolución de los objetivos:

– En el *Plan Nacional de Turismo* de 1952 se utiliza como principal instrumento financiero el crédito hotelero, diseñado para fomentar la **construcción de nuevos establecimientos.**

– En los *Planes de Desarrollo Económico y Social* el objetivo fundamental es el **desarrollo de la oferta turística**, por ello el principal instrumento sigue siendo el crédito hotelero orientado a la construcción o ampliación de alojamientos cuya explotación se ajustara al contrato de hospedaje. Junto a éste, se abrió otra línea de apoyo a la construcción de oferta extrahotelera: los créditos a constructores y propietarios de viviendas en zonas turísticas para financiar la construcción y venta de edificaciones a extranjeros en zonas turísticas. Otros objetivos contenidos en los Planes, como lo demuestra la menor cuantía de las ayudas financieras vinculadas a su consecución, eran perseguidos con una menor determinación. El objetivo de crear productos alternativos al de sol y playa se sustentaba en el crédito "para construcciones turísticas" (que podía ser aplicado a la construcción de campos de golf, aunque también para compra de equipo o mobiliario en hoteles), en las ayudas para el desarrollo de estaciones de montaña o en el crédito para acondicionamiento de hospedajes turísticos en casas particulares en el medio rural (vinculado al programa de Vacaciones en Casas de Labranza). Por su parte, si existió la voluntad política clara de modificar la política de planificación territorial sólo se sustentó en una línea de crédito mal dotada y de muy difícil gestión (el crédito para financiar obras en Centros o Zonas de Interés Turístico).

- Estos instrumentos se mantienen hasta el verano de 1974. El *Paquete de Medidas* incluye un Plan de Modernización Hotelera, con subvenciones para la **reforma de establecimientos hoteleros**, y la modificación del estatuto de las empresas turísticas que pasan a ser consideradas **empresas exportadoras** y, por tanto, tendrían acceso a los créditos para financiación de capital circulante y a las ayudas crediticias a las inversiones en el extranjero de empresas turísticas (con créditos que disfrutaban de las mismas condiciones de los destinados a la financiación de la exportación).

- Durante los Gobiernos de UCD se modifica el objetivo básico de los instrumentos financieros —se trata de utilizarlos como instrumentos de planificación y ordenación turística del territorio— y se incorporan otros subsectores, además del de alojamiento. Las inversiones que podrían obtener financiación eran la construcción de alojamientos en **zonas de oferta insuficiente** o la modernización y reforma de otros alojamientos; la construcción y modernización de **cafeterías** y restaurantes o la adaptación de edificaciones existentes a las finalidades anteriores; la adaptación de **edificios monumentales** para alojamientos turísticos; la construcción, ampliación o modernización de **puertos deportivos, remontes mecánicos y teleféricos**; la adquisición de mobiliario y equipo; o inversión en infraestructuras en especial en Centros y Zonas de Interés Turístico; o las inversiones para desarrollo de proyectos de marcado interés turístico, cuya puesta en marcha se impulsaría mediante concurso público.

- Durante los primeros Gobiernos socialistas se combina el crédito turístico para Pymes del sector, a través del Instituto de Crédito Oficial, con subvenciones destinadas a la diversificación del producto turístico español.

Se determinó que la concesión del crédito turístico necesitara la declaración previa de proyecto de "Interés Turístico" otorgada por la Secretaría General de Turismo. En 1990 se concretan el tipo de acciones que serían beneficiarias de dicha línea de financiación:

a) La creación de una **oferta geográficamente selectiva** en zonas de potencial turístico escasamente desarrollado, atendiendo preferentemente al mantenimiento del patrimonio histórico-artístico, al aprovechamiento de nuestra diversidad geográfica y climática y a la preservación del medio ambiente.

b) La creación de oferta de alojamientos que contribuyan a satisfacer una **demanda cualitativamente distinta** de la puramente vacacional y de playa (se excluye expresamente la posibilidad de financiar la construcción de alojamientos turísticos en zonas desarrolladas de turismo de sol y playa).

c) La creación de **oferta complementaria** a la existente, atendiendo a la creciente demanda de actividades distintas al mero alojamiento: deportivas, entretenimiento, cultural, etc.

d) La renovación y **modernización** de nuestra actual oferta de alojamientos, en función de un aumento de calidad de la misma.

e) La **mejora y racionalización de los procesos productivos**, así como de la **innovación y aportación de avances tecnológicos**, con especial atención a la mejora de la gestión energética en industrias hoteleras, así como las inversiones en instalaciones que mejoren la seguridad de los turistas y el respeto al medio ambiente y depuración de residuos.

Como expusimos, el Gobierno describe las acciones que consideraría como de modernización hotelera, de mejora de los procesos productivos o de incorporación de avances tecnológicos en la gestión. Las actividades financiables serán: las mejoras energéticas (como el empleo de energías alternativas, el aprovechamiento de energías residuales, la optimización del consumo de energía eléctrica o la optimización de consumos de agua); la implantación de sistemas de seguridad (como control de accesos o cajas de seguridad); los sistemas contra incendios (instalaciones de detección de incendios, mejora de las instalaciones de extinción o escaleras de emergencia); las mejoras en la gestión (informatización de la gestión, informatización del mantenimiento de las instalaciones o centrales telefónicas digitales); las acciones de preservación del medio ambiente (tratamiento de aguas residuales, purificación de residuos sólidos y gaseosos), o la instalación de aire acondicionado.

En 1984 y 1985 las subvenciones se orientan a la creación de **oferta de turismo rural, campings, balnearios, hoteles familiares** y *"para el fomento de las ofertas turísticas especializadas"*.

- A partir de los Planes Futures, los instrumentos financieros reciben fondos provenientes de las arcas comunitarias y, reforzada su cuantía, también nos indican cuáles de los objetivos previstos son inducidos con ayudas reales. Las subvenciones que apoyan al *Plan Futures* de 1992 se destinan a **mejorar las estructuras de las empresas turísticas** (podían ser objeto de subvención el diagnóstico y análisis de empresas; la modernización de las empresas; la cualificación y formación de recursos humanos y la mejora y promoción de la calidad, innovación y fortalecimiento del tejido empresarial) y la **promoción de la oferta turística española** (se subvencionaba la promoción de productos que permitieran alargar las temporadas en zonas turísticas tradicionales, desarrollar nuevos destinos turísticos del territorio nacional o facilitar la comercialización de productos singulares y novedosos).

- El *Plan Futures* 1996-1999 dirige sus ayudas a la **tecnificación de las empresas turísticas** (Pymes o agrupaciones de éstas para proyectos que persiguieran aumentar la capacidad tecnológica del sector turístico; incorporar nuevas tecnologías —relacionadas con seguridad, logística, sistemas de comercialización conjunta—; proyectos de innovación tecnológica que mejoren aspectos medioambientales); **potenciación de nuevos productos turísticos** (cooperación interempresarial, herramientas técnicas para gestionar la iniciativa, estrategias de comercialización especialmente en mercados exteriores...) e **internacionalización de las empresas turísticas** (estudios de viabilidad, elaboración de anteproyectos, gastos de constitución o inversiones para instalación de la empresa y gastos de funcionamiento durante el primer año).

- Durante los Gobiernos del PP se fortalece la línea de subvenciones para la **internacionalización de la empresa turística** y, con la inclusión del turismo en una Secretaría de Estado que también tiene competencias sobre las Pymes, las empresas turísticas se beneficiarán de las ayudas previstas para aquellas.

6. OTRAS ACCIONES: LA FORMACIÓN DE REDES

Durante el análisis de las diferentes iniciativas que el Gobierno Central había asumido durante los últimos cincuenta años, aparecieron un conjunto de acciones cuyo elemento común era la promoción social del turismo a través de diversas acciones de comunicación. Algunas eran hechos puntuales, aunque tuvieron su impacto en el sector (caso de la EXPOTUR, el establecimiento de la sede de la OMT en Madrid o las Asambleas Nacionales de Turismo), pero otras se mantenían a lo largo del periodo. Este era el caso de las que perseguían el reconocimiento social de la labor de los actores turísticos privados o de acciones que procuraban establecer espacios de diálogo y reflexión para mejorar el conocimiento turísticos de los responsables del turismo en la Administración pública.

6.1. La comunicación a la sociedad

El turismo es una actividad muy joven, vinculada a la idea de ocio y que se ha desarrollado gracias a emprendedores que debían abrir camino sin posibilidad de acudir a experiencias previas. Todos estos factores construían una imagen social del turismo como una actividad sencilla basada en un concepto fácil e intuitivo, como la hospitalidad.

La complejidad del turismo, el interés porque se conocieran las distintas actividades que componían y la necesidad de que se reconociera la profesionalidad de todos los expertos en el sector llevó a la creación, en 1963, de un conjunto de premios, medallas y distinciones que continúan hoy vigentes. La lista de galardones iniciales fue creciendo de manera paulatina hasta conformar un grupo asombroso.

Como explicamos, las Medallas al Mérito Turístico se imponían a personalidades cuya trayectoria profesional hubiera contribuido al perfeccionamiento del turismo en el país.

Los premios y distinciones se destinaban a diferentes grupos.

En relación con los **medios de comunicación** la lista de premios estaba compuesta por:

- Premio "Vega Inclán" para periodistas españoles (que luego se denominó Premio Nacional de Turismo de comunicación turística).

- Premio Nacional de Turismo para periódicos y revistas españoles (que más tarde se desagregó en Premio Nacional de Turismo para Revistas Españolas y Premio Nacional de Turismo para Diarios Españoles de Información General)
- Premio Nacional de Turismo para Emisoras de Radio y Televisión Españolas y Extranjeras.
- Premio Nacional de Turismo para periodistas extranjeros (más tarde para escritores y periodistas extranjeros)
- Premio para miembros de la federación Internacional de Periodistas y Escritores de Turismo

Los premios cuyo destinatarios eran **organizaciones turísticas privadas** eran:

- Premio Nacional de Turismo para Centros de Iniciativa y Turismo
- Premios Nacionales de Turismo para Estaciones de Servicio en Carretera.
- Premios Nacionales de Turismo para empresas de alojamientos turísticos que dispongan de instalaciones infantiles especiales.
- Premios Nacionales y Regionales de Turismo para edificaciones de finalidad turística.
- Premio Nacional "Caballo de Oro" para empresarios del mundo del caballo.
- Premio Nacional "Toro de Oro" destinado a ganaderos españoles de reses bravas.

Un tercer grupo, mucho más modesto, tenían como objetivos las **administraciones turísticas públicas**:

- Diploma Nacional de servicios distinguidos al turismo para Diputaciones Provinciales,
- Premios Nacionales de Turismo de Embellecimiento y mejora de los pueblos españoles.

También se crearon un conjunto de galardones que relacionaban el turismo con diferentes **creaciones culturales**:

- Libro de Interés Turístico.

- Premio Internacional de Música (con intención de *"fomentar la atracción artística hacia España... exaltando el interés turístico"*).
- Premios Nacionales de Turismo para películas de corto metraje de carácter turístico.
- Premio Español de Turismo para películas de largo metraje.
- "Fiesta de Interés Turístico" a manifestaciones de patrimonio etnográfico.
- Premios para miembros de la Asociación Española de Escritores de Turismo y
- Concurso de carteles turísticos para las campañas de propaganda y publicidad turística del Ministerio de Información y Turismo.
- Premio Nacional de Gastronomía.
- Premios Nacionales de Fotografía Turística "Ortiz-Echagüe" y "Marqués de Santa María del Villar"

Por último, se aprobaron distinciones destinadas a **alumnos** de diferentes ciclos:

- Premio "Descripción y comentario de un viaje turístico escolar" entre estudiantes de enseñanza primaria y media.
- Premio "Cartilla turística escolar", para alumnos de enseñanza media.
- Premio Nacional de Turismo para alumnos de las Escuelas de Turismo y Hostelería.

En el año 1987 se decide poner orden y las distinciones se reducen a Declaraciones de Interés Turístico (Fiesta de Interés Turístico Nacional o Internacional; Libro de Interés Turístico Nacional y Declaración de Interés Turístico Nacional para películas u otras obras audiovisuales) y Premios Nacionales de Turismo (Premio Nacional de Turismo "Vega Inclán", para medios impresos de comunicación nacionales o extranjeros; Premio Nacional de Turismo "Ortíz de Echagüe" para imágenes fijas o animadas y Premio Nacional de Turismo "Marqués de Villena" para actividades desarrolladas por entidades públicas o privadas para la promoción y fomento de la gastronomía).

6.2. *Los foros de expertos*

La segunda de estas líneas de acción se centra en la difusión del conocimiento del hecho turístico y la creación de espacios de reflexión que permitieran compartir ideas al sector público y al privado. En el periodo hay que destacar dos tipos de acciones, las que reunían a decisores públicos y privados del país y las que tuvieron como espacio territorial la Península Ibérica, los países de Iberoamérica y Filipinas.

De entre las primeras, en la época franquista se convoca la I Asamblea Nacional de Turismo en 1964. Ya comentamos que los asistentes representaban al sector público y que tampoco la sociedad civil hubiera podido participar en un sistema que perseguía cualquier forma de agregación de intereses. Durante esa etapa se convoca una II Asamblea de Turismo que tiene lugar en 1975.

En el periodo democrático no encontramos una iniciativa similar hasta el año 1989 en el que celebran los Primeros Encuentros del Turismo Español, convocándose en 1990 el Segundo Encuentro Nacional de Turismo. Durante el Gobierno del PP, se convocan en 1997 unas Jornadas preparatorias que elaboran los documentos básicos del Congreso Nacional de Turismo, celebrado a finales de ese año.

También en el Régimen Franquista se convocan en 1966, 1969, 1971 y 1973, sucesivas Asambleas Hispano-Luso-Americana-Filipina de Turismo; foro de estudio de representantes públicos de las zonas contempladas en el título, que tuvo impacto en la configuración de la imagen de España como país líder en el conocimiento turístico[193].

---

[193] En la actualidad, el grupo de comunicación NEXO, lidera una acción que recupera parte del espíritu de aquellas Asambleas. Reune, aprovechando el foro que supone FITUR, a los ministros responsables de turismo de los países iberoamericanos con empresarios turísticos.

Capítulo 11
EL IMPACTO DE LOS FACTORES EXTERNOS EN LA POLÍTICA TURÍSTICA

Sabemos que la política turística del Gobierno Central ha cambiado en los últimos cincuenta años y nuestro último objetivo es reflexionar sobre si es posible vincular los cambios con algún hecho político, económico o institucional concreto: ¿se modificó la política turística tras el cambio de Régimen?, ¿son diferentes las políticas turísticas de los gobiernos de UCD, del PSOE o del PP?, ¿acusa la política turística las crisis del sector?, ¿hasta qué punto influye que el turismo esté en un Ministerio o en otro?, ¿el nombramiento de un nuevo ministro supone un cambio en la política turística?...

En el presente Capítulo analizaremos si existe relación entre las modificaciones que se producen en la política turística a lo largo del periodo considerado (inferido del comportamiento descrito de los instrumentos) y algunos factores externos teniendo en cuenta que nuestra intención no es realizar inferencias causales[194], sino describir tendencias.

Las variables que observaremos son:

A) Políticas:

Vi.1) Cambio de régimen político: se trata de determinar el impacto, en la política turística, del cambio de un régimen dictatorial a un régimen democrático. Es necesario advertir de que el Análisis de Políticas

---

[194] Como explicamos en la Introducción, el libro tiene su origen en una investigación que era un estudio de caso centrado en una única unidad de análisis de la que se observan un número alto de características, con el objeto de generar un conocimiento más exacto que pudiera verificarse en investigaciones sucesivas mediante hipótesis posteriores.

ha desarrollado sus herramientas conceptuales para ser aplicadas a la elaboración de políticas en sistemas democráticos, por ello, la etapa franquista se analiza para poder construir el referente del legado político que hereda el primer gobierno democrático en materia de turismo.

Vi.2) Alternancia de Gobierno: se medirá el impacto, en los diferentes indicadores de la política, de la llegada al poder de un partido que no hubiese asumido la responsabilidad del Gobierno con anterioridad. El objetivo es determinar si el cambio en la ideología del partido gobernante, supone una variación en la política turística o, dicho de otra manera, si en la política turística la variable ideológica constituye un referente.

Vi.3) Tipo de Gobierno: mayoritario o minoritario. Se observará si gobiernos mayoritarios desarrollan políticas turísticas diferenciadas de gobiernos en minoría, tratándose de identificar si dicho carácter se refleja en la arena de la política turística.

B) Económicas:

Vi.5) Crisis del sector: se observará si una crisis en el sector turístico, medida en pérdida de visitantes y de ingresos turísticos, provoca un cambio en la política pública diseñada.

C) Variables institucionales:

Vi.6) Variación del Ministerio al que se adscribe la materia. Se tratará de observar si una modificación del entorno institucional inmediato tiene impacto en la dirección de un sector que, durante todo el periodo, comparte los entornos institucionales con otras materias.

Vi.7) Cambio de los máximos responsables ministeriales: se observará si la remoción o el mantenimiento de los máximos responsables (entendiendo por tales el Ministro y los cargos de apoyo a la dirección política en la materia) tienen impacto en la orientación de la política turística.

CUADRO 11.1.: RELACIÓN DE VARIABLES INDEPENDIENTES (Vi)

A) Políticas:	
	Vi.1) Cambio de régimen político
	Vi.2) Alternancia de Gobierno
	Vi.3) Tipo de Gobierno: mayoritario o minoritario
B) Económicas:	
	Vi.4) Crisis del sector
C) Institucionales:	
	Vi.5) Variación del Ministerio al que se adscribe la materia
	Vi.6) Cambio de los máximos responsables ministeriales

(Fuente: Elaboración propia)

1. CAMBIO DE RÉGIMEN POLÍTICO

El cambio de Régimen político (Vi.1) tiene un impacto diverso en los instrumentos políticos. La nueva configuración del sistema político modifica profundamente el sistema de actores: la Constitución determina que la competencia sobre el turismo pase a depender de las Comunidades Autónomas y, en un periodo inferior a tres años, se finalizan las transferencias de la materia y de los recursos aparejados (aunque los conflictos se mantendrán hasta finales de la década de los ochenta).

Para observar qué supone el cambio de Régimen en la evolución de los indicadores, representaremos gráficamente, sobre una línea temporal, la creación de instrumentos organizativos, la supresión o privatización de aquéllos, las transferencias a las Comunidades Autónomas, la elaboración de Planes generales, la puesta en marcha de programas, el recurso a instrumentos normativos, a instrumentos financieros y la puesta en marcha de acciones concretas.

CUADRO 11.2.: IMPACTO DEL CAMBIO DE RÉGIMEN EN LA
EVOLUCIÓN DE LOS INDICADORES

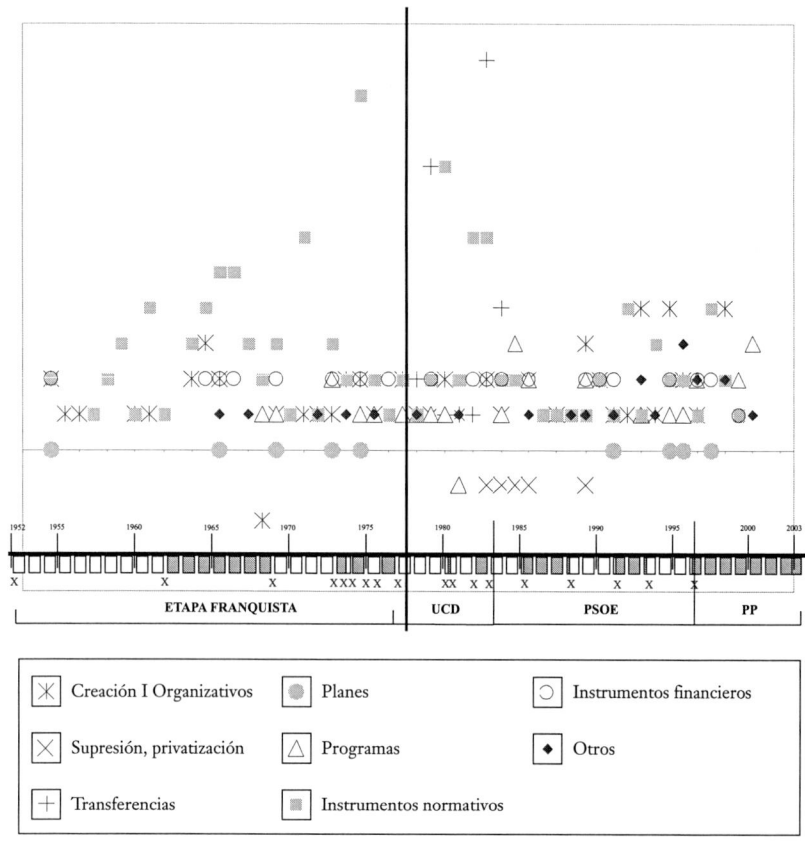

(Fuente: Elaboración propia)

En el cuadro podemos ver que la creación o modificación de los instrumentos organizativos es una constante en la totalidad del periodo.
Todos los Ministros que asumen competencias sobre la materia llevan a
cabo una reestructuración de la Administración turística, creando o al-
terando los diversos órganos de los que se sirve el Gobierno Central
para implantar su política turística (✳, en el cuadro 11.2). Lo más significativo es el periodo de supresiones y privatizaciones que se observa en
los primeros años de Gobierno del PSOE (X, en el cuadro 11.2).

Se advierte, igualmente, que los primeros Gobiernos de la democracia concentran un esfuerzo notable en la negociación de las transferencias a las Comunidades Autónomas, especialmente significativo en los gobiernos de García Díez, primer ministro con UCD y Barón Crespo, primer ministro del PSOE (+, en el cuadro 11.2).

En relación con la elaboración de Planes generales, se observa que durante la etapa franquista se aprueban a un ritmo más constante, reflejo de la planificación indicativa. En la etapa constitucional se recurre al instrumento sólo en los últimos años del periodo en los que, tras catorce años de democracia en los que no existió ningún Plan General, se elaboran e implantan cuatro en un intervalo de ocho años (● , en el cuadro 11.2).

La puesta en marcha de programas es un instrumento cuyo uso aumenta ligeramente entre los años 1974 y 1992, espacio temporal en donde no existe un Plan General que estructure las acciones y a partir de 1999, en donde se comienza a dar cierto protagonismo a la acción concreta frente al plan general (△ , en el cuadro 11.2).

Por otra parte, el establecimiento del régimen constitucional modifica la tendencia del Gobierno Central a recurrir a los instrumentos normativos para intervenir en el sector turístico, consecuencia de haber perdido las competencias relativas a la ordenación del sector (▦ , en el cuadro 11.2).

Tanto la aprobación de instrumentos financieros de apoyo al sector (○, en el cuadro 11.2), como la puesta en marcha de acciones concretas (◆, en el cuadro 11.2) se mantienen sin variación apreciable desde que comienzan a utilizarse en los años sesenta.

Parece, por tanto, que, siendo el cambio de régimen un factor determinante en la nueva configuración de los actores implicados en la elaboración de la política turística, no supone inicialmente una fractura absoluta y un radical cambio de estrategia, manteniéndose los elementos básicos de la intervención pública en la materia durante la totalidad del periodo. Esta primera aproximación, cuantitativa, deberá ser revisada mediante el análisis de otros factores que enriquecerán, cualitativamente, la investigación.

2. ALTERNANCIA DE GOBIERNO

En el periodo analizado en el presente trabajo asumen el poder la Unión de Centro Democrático (UCD), partido que podríamos situar en el centro-derecha, el Partido Socialista Obrero Español (PSOE), socialdemócrata, y el Partido Popular (PP), conservador. UCD gobernará cinco años, PSOE trece años y el PP ocho años. Parecería razonable suponer que las distintas posiciones ideológicas determinaran, en algún extremo, la política turística que se desarrolla en los tres intervalos temporales y que distintos gobiernos hicieran usos diferenciados de los instrumentos estudiados.

Pero si observamos en la representación gráfica (Cuadro 11.3) la evolución de los indicadores, señalando la divisoria de la alternancia en el poder, podemos concluir que no existen grandes diferencias entre ellos.

CUADRO 11.3.: IMPACTO DE LA ALTERNANCIA DE GOBIERNOS EN LA POLÍTICA TURÍSTICA

(Fuente: Elaboración propia)

Lo más significativo es el aparente impacto de la llegada del PSOE al poder en el conjunto de los instrumentos organizativos de los que el Gobierno Central disponía en materia de turismo. Junto con la finalización de las transferencias, que traspasaban los espacios substantivos a otros agentes, se procede a un adelgazamiento creciente del aparato estatal turístico: se privatizan las empresas públicas y se crea un organismo autónomo que asume la promoción, que es, al mismo tiempo, defendida como actividad nuclear de la política turística del Gobierno Central. La progresiva inhibición del Gobierno en la gestión directa de la política turística llega a su punto álgido con la supresión en 1990 de la Secretaría General de Turismo, único órgano de la Administración tradicional con competencias en la materia, y la propuesta de que fuera Turespaña quien asumiera las funciones de aquélla. La previsión no llega a implantarse, revocándose al año siguiente (Cuadro 11.4).

También la llegada del PP supone una impacto significativos en los instrumentos organizativos: modifica todos ellos y crea alguno nuevo (Cuadro 11.4.).

CUADRO 11.4.: IMPACTO DE LA ALTERNANCIA DE GOBIERNO EN
LOS INSTRUMENTOS ORGANIZATIVOS

1977 1978 1979 1980 1981 1982	1983 1984 1985 1986 1987 1988 1989 1990 1991 1992 1993 1994 1995	1996 1997 1998 1999 2000 2001 2002 2003
UCD	PSOE	PP

☐ Creación	■ Supresión	▨ Transferencias

(Fuente: Elaboración propia)

En el comportamiento de los demás indicadores, nada señala que pueda existir un componente ideológico en la política turística. Esto confirma inicialmente la hipótesis de que el turismo se ha extraído de la esfera política considerándose un mero objeto de consumo que es regulado por el mercado, salvo en cuestiones de homogeneización normativa y fomento y apoyo a la actividad.

Pero es también posible plantear la hipótesis de que la industria turística haya conseguido de los distintos Gobiernos, independientemente de su color, que éstos mantuvieran la política turística dentro de determinadas fronteras sustantivas. Esto explicaría por qué en la política turística, y de forma repetida, se excluyen de las agendas cuestiones controvertidas que, sin embargo, aparecen como aspectos contradictorios de la actividad en los propios documentos públicos, como es el caso de los problemas de planificación y control de usos del suelo o de los problemas medioambientales que ocasiona el turismo. Idea que avalaría la opinión de que la política turística es claramente clientelar y, dentro de la lógica de los intereses consensuados por decisores públicos e industria, los Gobiernos pondrían en marcha mecanismos de no-decisión para conseguir que las cuestiones controvertidas queden sistemáticamente apartadas de los ámbitos de decisión.

Ambas hipótesis deberían ser contrastadas analizando el contenido cualitativo del trabajo parlamentario en relación con el turismo. El alcance del debate parlamentario permitirá observar si, aunque se utilicen los mismos instrumentos políticos, los grupos políticos consideran al turismo desde posiciones ideológicas diferenciadas o si, independientemente del partido político, el núcleo del fenómeno turístico se mueve en unos parámetros básicos compartidos: la idea de qué es el turismo, cómo debe ser su desarrollo, el modelo de expansión...

3. TIPO DE GOBIERNO: MAYORITARIO O MINORITARIO

Consideramos como otra cuestión que podría afectar a la política turística el que el Gobierno tuviera carácter mayoritario o minoritario (Vi.3). En el periodo considerado se convocan siete elecciones generales.

Los resultados electorales de las segunda, tercera, cuarta y séptima, permiten al PSOE formar gobiernos de mayoría, asumiendo el proceso de la política turística en solitario en las Legislaturas subsiguientes. Las elecciones del año 2000 también dan como partido con mayoría absoluta al PP.

Por el contrario, en la Primera Legislatura, con distintos gobiernos de UCD, la Quinta Legislatura, en la que asume el gobierno el PSOE, y la Sexta, gobernando el PP, los resultados electorales conllevan la formación de gobiernos minoritarios que, en España, no suponen la formación de gobiernos de coalición, aunque sí el despliegue de mecanismos de coalición, a través de acuerdos explícitamente formalizados.

En el presente epígrafe tratamos de observar si en la arena turística se refleja la necesidad de consenso que preside los gobiernos minoritarios.

En nuestro país los acuerdos de gobierno se han formalizado con partidos de ámbito no estatal: catalanes, canarios y vascos (Reniu, 2001:124). Si tenemos en cuenta que, en la arena de política turística, los aspectos sustantivos eran competencia de los niveles autonómicos, el impacto de los acuerdos derivados de gobiernos en minoría sólo podría traducirse en una mayor apertura del ámbito decisional del Gobierno Central a los responsables autonómicos.

La política turística de la Primera Legislatura es, al igual que ocurre en otros ámbitos, poco significativa: está poniéndose en marcha el nuevo sistema político y cuestiones sistémicas de mayor importancia captan la atención principal de los decisores.

En las legislaturas en las que el PSOE gobierna con mayoría absoluta, un creciente grado de tensión caracteriza las relaciones entre el Gobierno Central y las Comunidades Autónomas. La falta de modelo de política turística del Gobierno Central, la indeterminación constitucional en relación con las competencias de éste y la ausencia de mecanismos de coordinación que funcionen facilitan un clima de tensión que se manifiesta en la sucesiva impugnación por las Comunidades Autónomas de los diversos instrumentos legislativos y financieros que se aprueban por el Gobierno Central.

Por el contrario, en la Quinta Legislatura, en la que gobierna el PSOE en minoría, el Ministro Gómez-Navarro reactiva los instrumentos de coordinación y crea nuevos espacios de participación de las Comunidades en la política turística estatal. En el año 1994 se institucionaliza la Conferencia Sectorial del Turismo que, no sólo aprobará el segundo Plan *Futures*, sino que establecerá los criterios para la distribución de los recursos económicos aparejados. Los recursos serán gestionados por las Comunidades Autónomas y el Gobierno Central acepta que su papel en la política turística debe ser de coordinación y apoyo al desarrollo armónico de las competencias exclusivas de aquellas. En 1995, se crea el Consejo Promotor del Turismo, encargado del diseño de la política de promoción y de generar las directrices básicas de la actuación de Turespaña. Con ello también se reduce el conflicto permanente sobre la competencia de promoción que mantenía enfrentados a los dos niveles territoriales desde 1983. En el Consejo Promotor del Turismo se sientan nueve representantes de las Comunidades Autónomas, de los que cinco son permanentes (Cataluña, Baleares, Andalucía, Canarias y Valencia) y otros cuatro designados por la Conferencia Sectorial.

Ambos órganos se mantendrán en la Sexta Legislatura, con gobierno del PP en minoría. Durante ésta, se modifica parcialmente la composición del segundo de ellos, aumentando la representación del empresariado, que pasa a tener una cuota del 29% de representación, frente a un 26% de las Comunidades Autónomas. El Gobierno del PP introduce el factor de la cooperación con el sector como una de las líneas básicas de trabajo en la política turística en todos sus documentos de planificación. Es precisamente el segundo Gobierno del PP, de nuevo mayoritario, el elemento que nos permite sugerir que en la política turística no tiene impacto que el tipo de gobierno sea mayoritario o minoritario. Aunque existe una segunda hipótesis que cambiaría la forma de mirar este Gobierno del Partido Popular: la baja intensidad política y de acción pública derivada del modelo de política adoptado por el Partido Popular supuso un menor grado de problemas en la arena.

La mayor cooperación con las Comunidades Autónomas en el diseño de la política turística del Gobierno Central se produjo durante el Gobierno del PSOE en minoría, pero parece que fue el cambio en la configuración del papel de la Administración Central en el turismo y la creación de los instrumentos organizativos de cooperación lo que ha modificado las relaciones entre los actores.

CUADRO 11.5.: IMPACTO DEL TIPO DE GOBIERNO EN LOS INSTRUMENTOS DE POLÍTICA TURÍSTICA

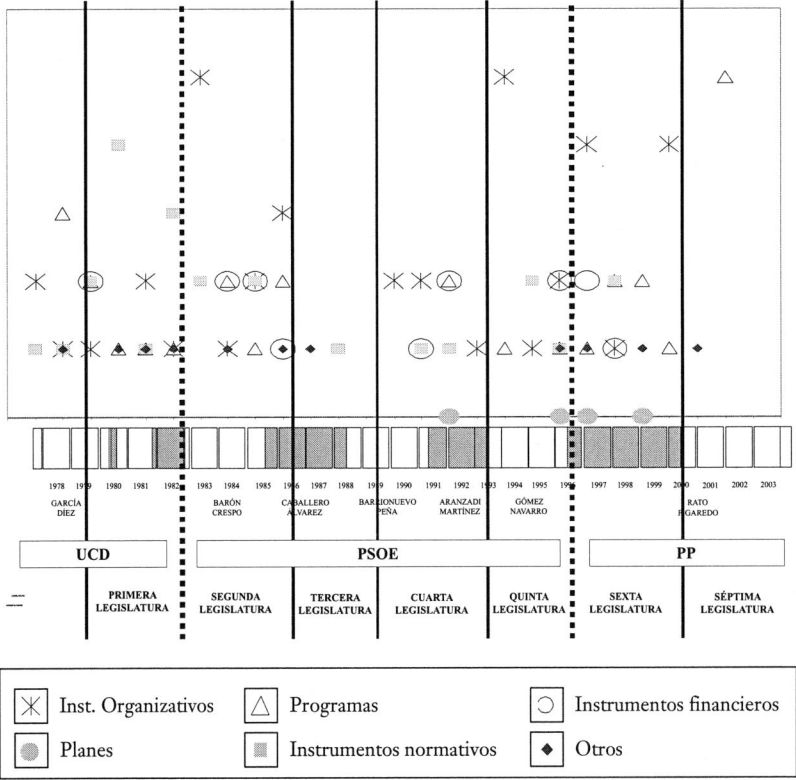

(Fuente: Elaboración propia)

4. CRISIS DEL SECTOR TURÍSTICO

En este epígrafe veremos si la política turística acusa las variaciones que afectan al propio sector turístico, especialmente las crisis (Vi.4).

Tomamos como indicador de la coyuntura turística el número de visitantes que llegan al país por año. El número de visitantes supone un dato relevante, al ser nuestro país eminentemente receptivo. Si observamos el periodo, la tendencia de crecimiento de la actividad resulta el primer dato destacable.

El número de visitantes ha pasado de 750.000 en el año 1951, a 82.592.000 en el año 2003, lo que supone que la cifra se ha multiplicado por más de cien. Durante los años analizados, los momentos de crisis se localizan en los años: 1974, 1975 y 1976; 1979 y 1980; 1983; 1990 y 1995. El año 2001 merece una consideración aparte. En septiembre del año 2001 se producen los atentados terroristas en Nueva York. Es difícil imaginar un hecho que pudiera tener efectos más adversos para el sector: se radicaliza la sensación de vulnerabilidad e inseguridad en el primer país emisor de turistas, a la situación de inestabilidad que supone que Oriente Medio se convierta en una zona en conflicto constante, se suma el que los ataques se producen utilizando un avión. La seguridad se convierte en una obsesión y la inseguridad en la percepción complementaria. A pesar de estas circunstancias, que provocan una seria crisis en el turismo internacional con una caída de visitantes significativa, España no sufre sus efectos. Las razones que hicieron que en los años sesenta despegara como destino mundial (su geografía, su clima, su situación geopolítica como país europeo...) lo han convertido con el paso del tiempo en un "destino refugio".

Cuando los especialistas tratan de explicar la alteración en la llegada de visitantes, recurren a diversos argumentos: recesiones económicas, modificación en las motivaciones, aparición de nuevos destinos, saturación de la demanda, cambios en los comportamientos y, desde luego, inestabilidad social y política como factores que inciden en la percepción de los visitantes. Si observamos los años que registraron caídas de visitantes, es fácil detectar hechos que responden a todos los tipos señalados, aunque siempre existe una situación social compleja (la muerte de Franco, el aumento de atentados terroristas, la transición política, el Golpe de Estado, la Crisis del Golfo...).

CUADRO 11.6.: IMPACTO DE LAS CRISIS DEL SECTOR EN LA POLÍTICA TURÍSTICA

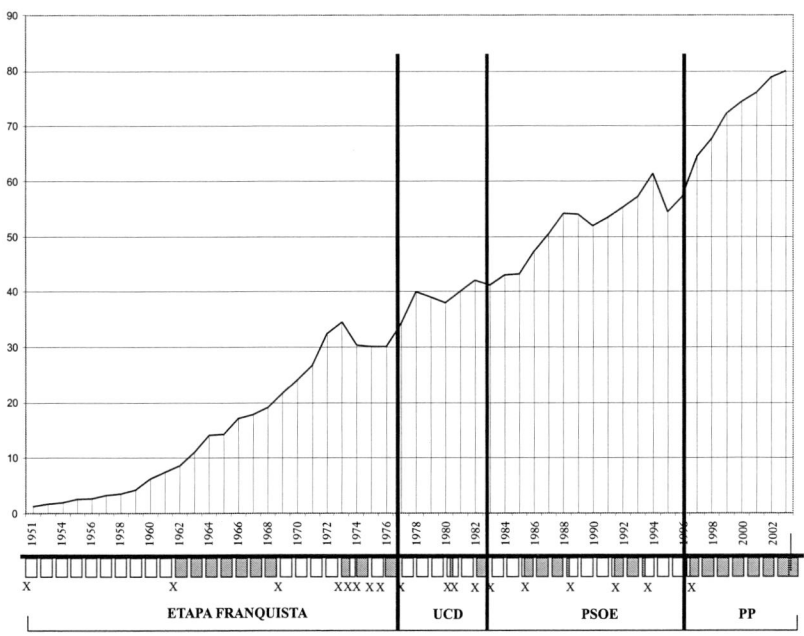

(Fuente: Elaboración propia, basada en datos del IET)

Los años 1974, 1975 y 1976, acusan la crisis del petróleo de 1973, que se suma a la tensión política del país, aunque los problemas del sector se acentúan por el envejecimiento de los alojamientos y los errores del modelo turístico que se había desarrollado en los años sesenta. La reacción del empresariado es contundente: se acusa al Ministerio de la falta de ayudas reales. Los decisores públicos aprueban, en 1974, el "Paquete de Medidas", entre las que hay que destacar el primer Plan de Modernización para el sector hotelero y la incorporación de las empresas turísticas en los Registros de Empresas Exportadoras, con lo que pueden beneficiarse de los recursos que el Gobierno aprueba para éstas.

La crisis de los años 1979 y 1980, la provoca, tanto la segunda crisis del petróleo, como la situación de inestabilidad política que el cambio de Régimen comporta, especialmente en la percepción de los turistas extranjeros. En esta ocasión, no se percibe un cambio significativo en la actuación pública: se aprueba, de nuevo, una iniciativa de apoyo al sector hotelero —III Plan de Modernización Hotelera—, y se mantienen los parámetros básicos de la política turística.

La caída del año 1983 es explicada por la pérdida de competitividad del destino, frente a nuevas ofertas que, en el área del Mediterráneo, están copando cuotas de mercado cada vez más altas. La reacción de los responsables públicos de turismo es abordar un cambio en las acciones de promoción: se crea Inprotur, y se modifican las campañas de difusión, comenzándose los planes de marketing turístico.

La crisis del año 1990, que se califica por los empresarios del sector como estructural, genera una mayor preocupación, se crea la Ponencia parlamentaria para el análisis de los problemas del sector, el turismo pasa al Ministerio de Industria, Comercio y Turismo y, en 1992, se aprueba el Plan *Futures*, que supone un revulsivo importante en la política turística.

Tras la caída de 1994, provocada por un retraimiento general de la economía que entra en un ciclo regresivo, se inicia la elaboración del segundo Plan *Futures*, en el que aparecen dos líneas de actuación que apoyan la internacionalización de la empresa y la recuperación de destinos maduros de sol y playa en fase de deterioro, a través de los Planes de Excelencia.

Podemos afirmar que, una bajada en las cifras de entradas de visitantes y, por ende, en los ingresos turísticos, sí supone un impacto en la política turística. La acción de los decisores públicos sigue siendo valorada en función de las cifras del turismo y, cuando éstas caen, se ven compelidos a actuar.

5. VARIACIÓN DEL MINISTERIO AL QUE SE ADSCRIBE LA MATERIA

En este punto tratamos de observar si una modificación del entono institucional inmediato tiene impacto en la política del turismo (Vi.5). El turismo, como ya hemos dicho, comparte los entornos institucionales con otras materias, por lo que podríamos suponer que el hecho de que la política turística sea diseñada en espacios institucionales compartidos con el área de comercio, industria o transportes, podría implicar la incorporación de perspectivas novedosas que modificaran los referentes políticos básicos.

Si representamos en una gráfica los cambios de ubicación ministerial que ha sufrido la materia turística en el Gobierno Central, que ha sido trasladada en cinco ocasiones, y la evolución de los indicadores que señalamos de política turística, veremos que el primer espacio institucional que ocupa la materia en el periodo constitucional es compartido con el área de comercio; el segundo con transportes y comunicaciones; el tercero, de nuevo con comercio y con industria; de allí, vuelve a compartir espacio con comercio, y finalmente se inserta en un espacio de trabajo junto a economía (primero en el Ministerio de Economía y Hacienda y luego en el Ministerio de Economía).

CUADRO 11.7.: IMPACTO EN LA POLÍTICA TURÍSTICA DE LA MODIFICACIÓN DEL MINISTERIO AL QUE SE ADSCRIBE LA MATERIA

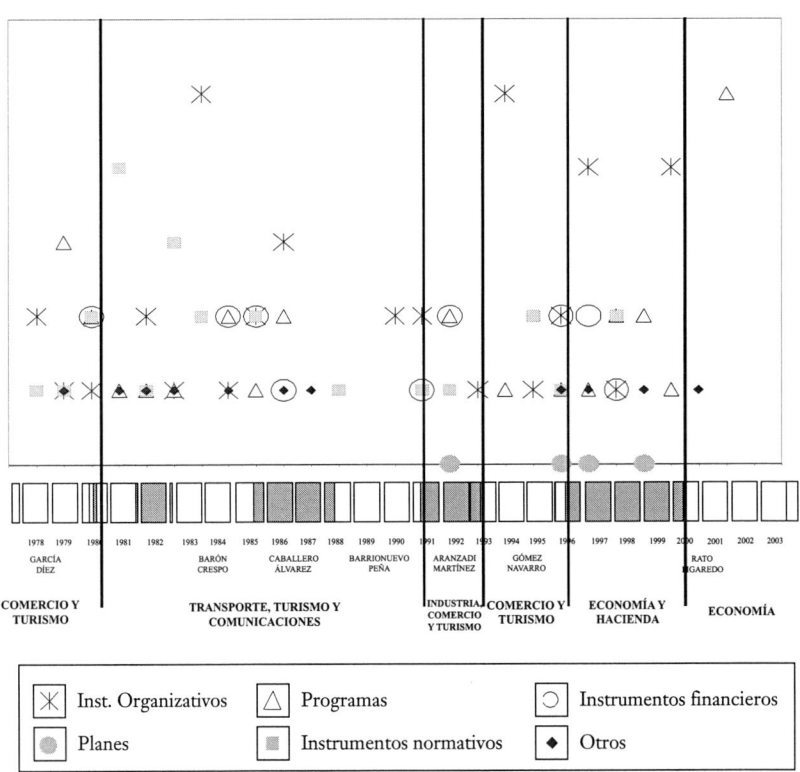

(Fuente: Elaboración propia)

De todos estos cambios, el impacto más evidente se produce con el tercero. La llegada al Ministerio de Industria, Comercio y Turismo, permite que los decisores cambien la perspectiva de trabajo con la que abordar el sector, que pasa a ser analizado como un sector industrial más. De este nuevo enfoque nacerá el Plan *Futures*.

La modificación última, llevada a cabo con el PP, tenía la intención de acercar las políticas turísticas a las que se adoptan para las Pymes, con quienes compartía Secretaría de Estado. En ese periodo se diseña el Plan PICTE basado en la idea de calidad integral inspirado en la filosofía de trabajo implantada en las empresas. Pero en el segundo Gobierno del PP se reduce el ámbito de trabajo de la Secretaría quedándose en comercio y turismo.

Aunque los cambios de entorno inmediato suponen un factor de innovación evidente en la evolución de la política turística, no parece que pueda confirmarse que un nuevo entorno institucional provoca un cambio en el referente político del turismo, al menos si observamos las modificaciones que experimenta la variable en todo el periodo.

6. MODIFICACIÓN DE LOS MÁXIMOS RESPONSABLES MINISTERIALES

En este epígrafe se observará si la remoción o el mantenimiento de los máximos responsables (entendiendo por tales, el Ministro y los cargos de apoyo a la dirección política en la materia) tienen impacto en la orientación de la política turística (Vi.6).

En cuanto a la variación del Ministro responsable de la materia turística no se observa ninguna relación con la modificación de la política. El turismo, como vimos, siempre ha compartido espacios con otras cuestiones y los Ministros responsables se han apoyado en gran medida en los responsables de los órganos de apoyo con competencia directa en la materia.

El turismo nunca ha sido la preocupación central del máximo responsable ministerial, por lo que la llegada de un decisor político nuevo no supone, según los datos, ningún impacto significativo.

CUADRO 11.8.: VARIACIÓN DEL MINISTRO RESPONSABLE DEL TURISMO

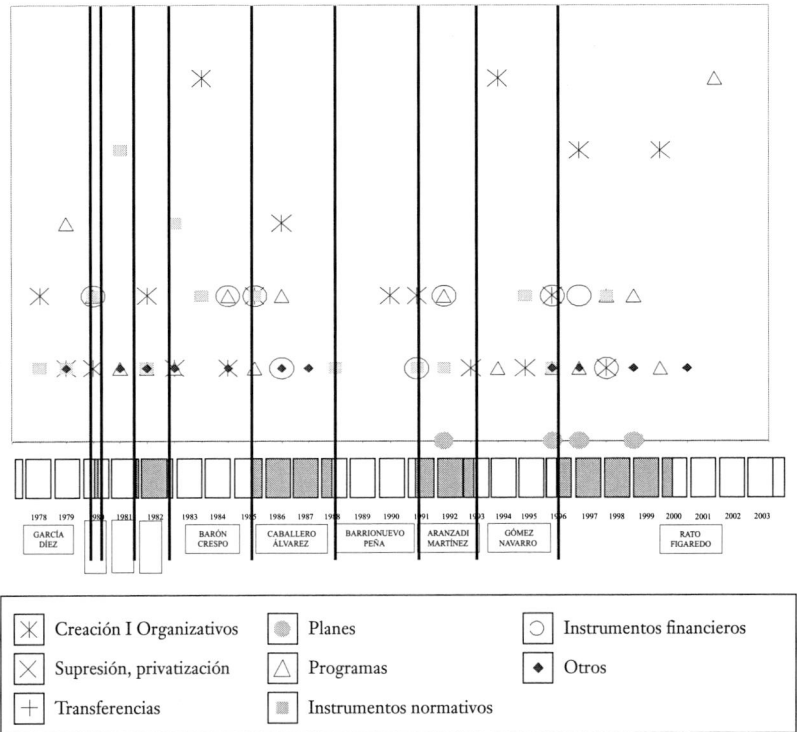

(Fuente: Elaboración propia)

Por el contrario, la figura del Secretario de Estado, Secretario General o Subsecretario, según el caso, si parece estar vinculada a las fluctuaciones de la política turística.

Si representamos cómo se han movido, en los organigramas del Ministerio competente, los cargos antes mencionados, observamos que en muchos casos —sobre todo cuando superan el mandato del Ministro— su permanencia en el cargo explica la continuación de una política turística determinada.

452 *María Velasco González*

CUADRO 11.9.: POSICIÓN DE LOS MÁXIMOS RESPONSABLES EN MATERIA TURÍSTICA (1951-1962)

	MINISTRO	SECRETARIO DE ESTADO	SECRETARIO GENERAL	SUBSECRETARIO	DIRECTORES GENERALES
1951					
1952					
1953					
1954					
1955				M. CERVIÁ	
1956	GABRIEL ARIAS SALGADO			J. L. VILLAR PALASÍ	M. URZAIZ Y SILVA
1957					
1958					
1959					
1960					
1961					

(Fuente: Elaboración propia, basado en datos de F. Bayón, 1999)

En la etapa franquista, durante los once años del Ministerio de Arias Salgado aunque cambia el Subsecretario del Ministerio, figura sin mucha relevancia en relación con el presente análisis, se mantiene el mismo Director General, máximo decisor y gestor de la política turística de ese periodo.

En esa misma etapa, a partir del año 1962, se puede observar que en el Ministerio de Información y Turismo existe un grado alto de cooptación entre personas que hubieran ocupado cargos de responsabilidad en el turismo, para nuevos puestos. Un subsecretario del Ministerio, García y Rodríguez Acosta, pasa a ocupar una Dirección General. Otro Subsecretario, Cabanillas, será Ministro años más tarde, al igual que León Herrera, que asume la cartera tras haber sido Director General (Cuadro 11.10).

CUADRO 11.10.: POSICIÓN DE LOS MÁXIMOS RESPONSABLES EN MATERIA TURÍSTICA (1962-1975)

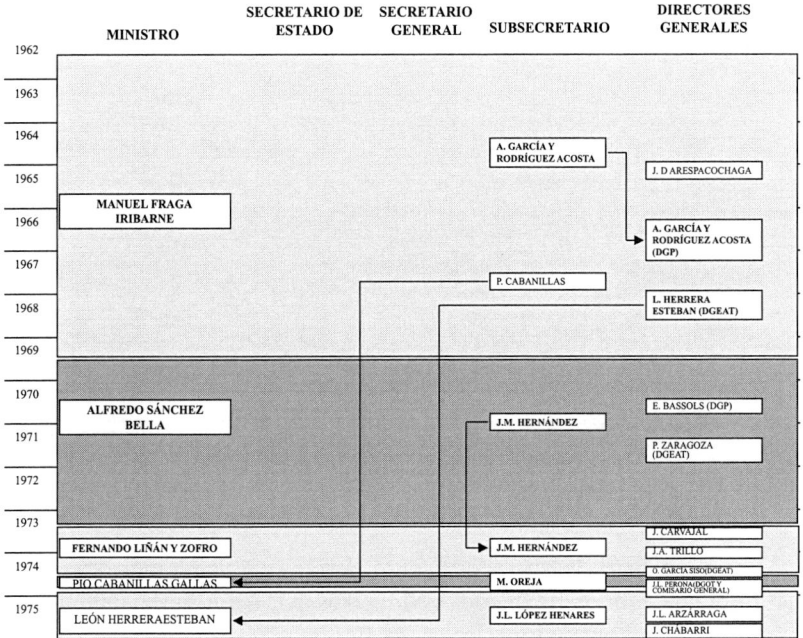

(Fuente: Elaboración propia, basado en datos de F. Bayón, 1999)

Durante la transición y primera etapa constitucional, un mismo Subsecretario, Aguirre Borrel, que luego será nombrado primer Secretario de Estado de Turismo, mantiene la responsabilidad de la decisión y gestión turística, mientras son nombrados cinco ministros distintos. Lo que coincide con una etapa de mantenimiento de la misma política turística.

Por el contrario, en las Direcciones Generales los responsables están sometidos a una política de nombramientos tan ajetreada como la de los propios ministros. (Cuadro 11.11).

454   *María Velasco González*

CUADRO 11.11.: POSICIÓN DE LOS MÁXIMOS RESPONSABLES EN
MATERIA TURÍSTICA (1976-1982)

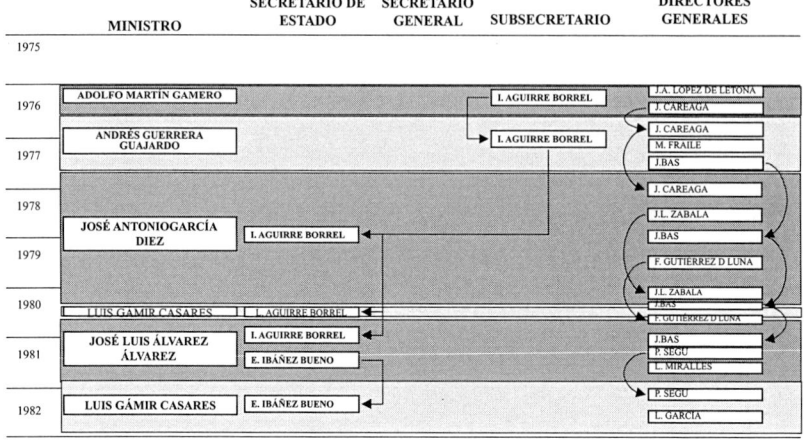

	MINISTRO	SECRETARIO DE ESTADO	SECRETARIO GENERAL	SUBSECRETARIO	DIRECTORES GENERALES
1975					
1976	ADOLFO MARTÍN GAMERO		I. AGUIRRE BORREL		J.A. LÓPEZ DE LETONA / J. CAREAGA
1977	ANDRÉS GUERRERA GUAJARDO		I. AGUIRRE BORREL		J. CAREAGA / M. FRAILE / J.BAS
1978					J. CAREAGA / J.L. ZABALA
1979	JOSÉ ANTONIOGARCÍA DIEZ	I. AGUIRRE BORREL			J.BAS / F. GUTIERREZ D LUNA
1980	LUIS GAMIR CASARES	L. AGUIRRE BORREL			J.L. ZABALA / J.BAS / F. GUTIERREZ D LUNA
1981	JOSÉ LUIS ÁLVAREZ ÁLVAREZ	I. AGUIRRE BORREL / E. IBÁÑEZ BUENO			J.BAS / P. SEGU / L. MIRALLES
1982	LUIS GÁMIR CASARES	E. IBÁÑEZ BUENO			P. SEGU / L. GARCIA

(Fuente: Elaboración propia, basado en datos de F. Bayón, 1999)

Los años de Gobierno socialista muestran una pauta más organizada. El nexo de unión de distintos Ministros, y la explicación del mantenimiento de la política turística, se encuentra en la figura del Secretario
General. Fuejo Lago mantiene el cargo, y el programa, con los ministros Barón, Caballero y Barrionuevo. Con Aranzadi el Secretario General será Panizo Arcos y Con Gómez-Navarro ocupará el cargo Góngora
Benítez de Lugo.

Por otra parte, los Directores Generales que a partir de este momento serán responsables de una Dirección General y de Turespaña son
mantenidos brevemente con la llegada de un nuevo ministro y finalmente removidos de sus cargos y sustituidos por otras dos personas nuevas
en todos los mandatos del periodo (Cuadro 11.12).

CUADRO 11.12.: POSICIÓN DE LOS MÁXIMOS RESPONSABLES EN MATERIA TURÍSTICA (1983-1996)

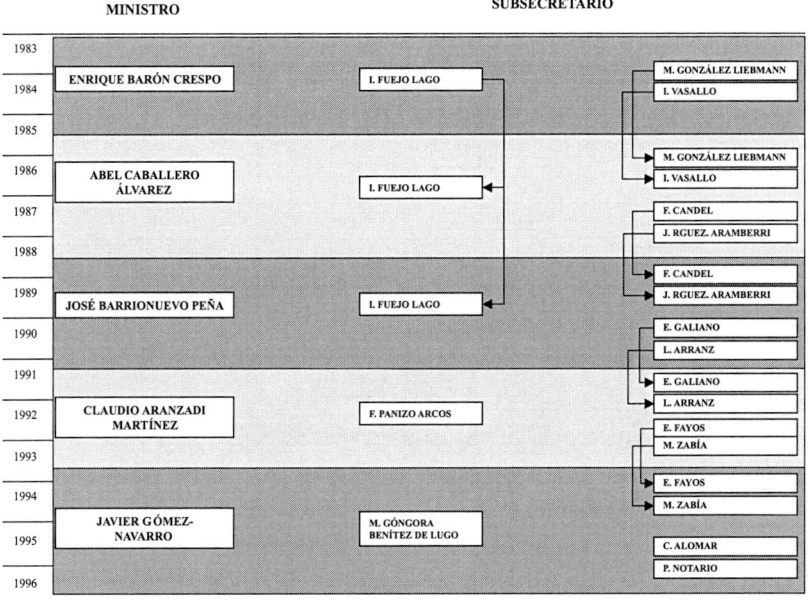

(Fuente: Elaboración propia, basado en datos de F. Bayón, 1999)

La pauta del Gobierno del Partido Popular es también constante, aunque los decisores, salvo el Sr. Porras, son menos estables en sus puestos de dirección de la Administración turística del Gobierno Central, puesto que ninguno permanece un legislatura completa (Cuadro 11.13).

CUADRO 11.13.: POSICIÓN DE LOS MÁXIMOS RESPONSABLES EN MATERIA TURÍSTICA (1996-2004)

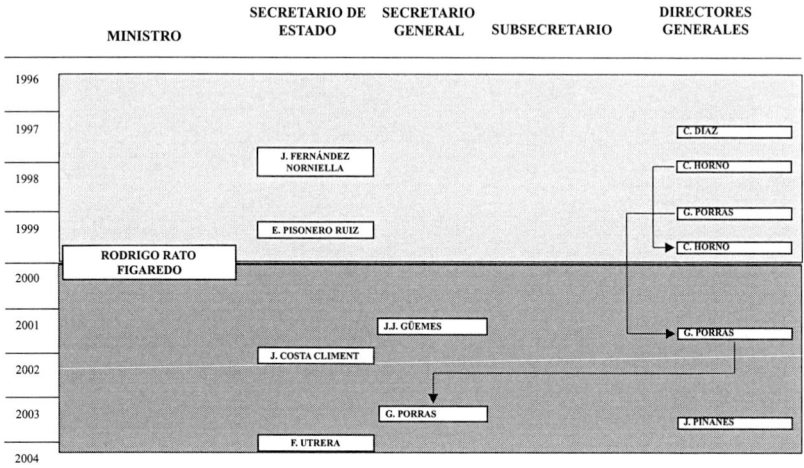

(Fuente: Elaboración propia).

Capítulo 12
CONCLUSIONES

1. SOBRE EL FENÓMENO TURÍSTICO

1. No es posible analizar el fenómeno turístico, desde ningún campo de conocimiento, sin que en el diseño del objeto de investigación se tenga en cuenta, entre sus cualidades definitorias, la magnitud del mismo. No se trata de limitar cuantitativamente la actividad para establecer a partir de qué número de visitantes, ingresos, etcétera, es posible hablar del turismo, sino de poner en primer término, que la dimensión de las cifras es una característica cualitativa del fenómeno. El turismo es un fenómeno de masas y cualquier distinción entre las formas de realizar la actividad supone observar el fenómeno de manera parcial. Por lo tanto, el turismo se ha configurado como objeto social diferenciado desde la II Guerra Mundial y supone una de las actividad características de las sociedades postindustriales. Los antecedentes de la actividad, pertenecen a la **historia del viaje** y, aunque compartan algunas similitudes, es un fenómeno de distinta naturaleza. La escala actual de la actividad debe ser una referencia sustantiva en las investigaciones.

2. La horizontalidad del fenómeno, junto a su relativa juventud, dificultan los procesos de conceptualización. Las definiciones del turismo que han generado mayor consenso se diseñaron para fines estadísticos. Por ello, cualquier disciplina que se enfrente al análisis del fenómeno, deberá reflexionar sobre la **construcción de conceptos con mayor densidad connotativa**, enriqueciendo las propiedades del turismo que interesan al campo concreto de investigación, aunque, en este proceso, los conceptos finales tengan menos sentido en otros campos de investigación. Por lo tanto, las definiciones del turismo habrán de construirse, para fines analíticos, desde los marcos teóricos que pretendan investigar el fenómeno. Una vez extraídas conclusiones, podrán recorrerse el camino contrario, generando discursos más denotativos que puedan ser compartidos por diferentes disciplinas.

3. Proponemos entender el turismo desde una metáfora reticular que contenga las dos perspectivas desde las que se puede abordar la caracterización del objeto: una aproximación más teórica —el turismo es una actividad social y una actividad económica, producidas ambas por el sector público y el sector privado, y que genera impactos socio-culturales y económicos—, y un discurso más descriptivo —el turismo implica la acción de actores públicos, privados y del tercer sector, con intereses en cualquiera de los subsectores empresariales que lo componen, y emplea bienes materiales e inmateriales que constituyen la esencia de los diferentes productos turísticos en los que hoy se diversifica—. De este modo, el **sistema turístico** sería el resultado de las múltiples interacciones que se generan entre el subsistema de actores (públicos, privados, consumidores y comunidad receptora), el subsistema de actividades (alojamiento, viajes, transporte y actividades complementarias) y el subsistema de productos (que estructuran las tipologías de turismo).

4. Es necesaria la búsqueda de una **perspectiva integradora** que defina al fenómeno desde la perspectiva del turista (fuera lugar residencia, periodo inferior a una año, libre, actividad no remunerada...), la perspectiva del destino (singularidad del entorno, problemáticas asociadas...); la perspectiva económica (actividad exportadora, impacto en las economías nacionales, subsectores...) y desde la perspectiva sociológica (motivaciones, necesidad básica, modas...).

5. La falta de investigación ha generado que se hayan extendido una serie de afirmaciones que funcionan como referentes incontrovertidos: se insiste en que la transversalidad del fenómeno lo convierte en un problema singular, al que es difícil aplicar teorías o métodos de investigación, y la misma carencia de datos contrastados, permite reiterar la importancia del fenómeno sólo vinculada a los efectos económicos, sin que se tengan en cuenta otros factores. Por ello, es necesario profundizar en un análisis del turismo para **superar el carácter mítico de las afirmaciones de singularidad e importancia exclusivamente económica** de la actividad.

2. SOBRE EL ANÁLISIS DE POLÍTICAS APLICADO A LA POLÍTICA TURÍSTICA

6. El Análisis de Políticas se configuró como un campo de conocimiento multidisciplinar. La confluencia en al ámbito de la formulación

y decisión de políticas de diferentes disciplinas y enfoques (fundamentalmente el político, el económico y el organizativo, pero además, el sociológico, el jurídico, o, últimamente, los conocimientos expertos de las áreas específicas de trabajo), permitieron que se considerase necesaria la integración de todas las posibles perspectivas. Este carácter pluridisciplinar permite que la naturaleza, también multifacética, del fenómeno turístico no resulte extraña. **El análisis de políticas permite acometer una visión integral de las acciones públicas llevadas a cabo en materia de turismo**, independientemente del ámbito sustantivo de cada una de ellas. De esta manera, un conjunto de herramientas de análisis que basa su coherencia en la confluencia en el objeto teórico de investigación, encaja bien con un conjunto de acciones públicas que basan su coherencia en la confluencia en el objeto social concreto al que se destinan.

7. El campo teórico del Análisis de Políticas provee de un conjunto de herramientas teóricas que permite realizar una investigación estricta de la acción de los gobiernos en materia de turismo. Aún así, los desarrollos teóricos de la disciplina se han centrado más en políticas relacionadas con el núcleo del Estado del Bienestar, construyendo el instrumental analítico sobre el concepto de "problema social" al que los gobiernos tratan de dar solución mediante distintos mecanismos. El turismo, por el contrario, representa una **"oportunidad económica"** para los decisores, que han de convertirla en oportunidad política mediante argumentaciones convincentes.

8. La diferente perspectiva respecto del conjunto de problemas sociales, enriquece el análisis de las políticas clientelares. En la configuración tradicional, las políticas clientelares se caracterizan por suponer costes difusos, asumidos por el conjunto de la ciudadanía y concretados en planes y programas implantados con recursos públicos, y beneficios concentrados en un conjunto claramente identificado de destinatarios. En la política turística la visión de esta relación es bidireccional. Es posible argumentar que **los gobiernos sean, junto al empresariado turístico, beneficiarios netos de los resultados de la actividad.** La polarización de la propuesta teórica entre conjunto de la sociedad/destinatarios concretos de la política, no explica el alineamiento que, en este caso, podría producirse entre ambos extremos. Las propuestas teóricas que mejor se adaptan son las posiciones convergentes entre pluralismo y marxismo que destacan la existencia de zonas cautivas en la formula-

ción de políticas económicas, por su impacto en las posibilidades de reelección del gobierno.

9. Si existe una zona cautiva en la formulación de la política turística
por el doble interés económico de los gobiernos y el empresariado, el
propio crecimiento de la actividad ha convertido al turismo en un factor
que **colisiona con otros valores en paulatina extensión**: la protección de poblaciones expuestas a fuertes procesos de aculturación, en
donde el turismo es uno de los agentes más devastadores; la defensa de
un uso racional de los recursos naturales, base del desarrollo de los productos turísticos; o la necesaria reinversión de parte de los beneficios
que genera la actividad en la conservación de los bienes de patrimonio
cultural que son reclamos turísticos, colocan a la política turística en un
espacio intermedio entre las políticas económicas o industriales y las
nuevas políticas simbólicas relacionadas con estos valores.

3. SOBRE LA REFLEXIÓN ACERCA DE LA POLÍTICA TURÍSTICA

10. Se ha pretendido que la política turística recogiera la idea del turismo como una actividad de consumo, ofertada y distribuida por un sector
productivo y adquirido por un consumidor que selecciona productos. Esta
imagen saca al turismo de la esfera política y lo sitúa en el ámbito del mercado privado. Este concepto tiene necesariamente que ser discutido. Siendo los productos turísticos bienes de consumo, cuentan entre sus componentes esenciales con bienes públicos que constituyen los elementos más
valorados en la elección de los consumidores. El mercado turístico construye sus ofertas sobre bienes públicos, la actividad deja beneficios económicos directos e indirectos en el país, pero la instrumentalización de los
entornos culturales, territoriales y medioambientales, no permiten circuns-
cribir el turismo al ámbito del mercado privado. La política turística debe
construirse sobre el núcleo de la coordinación entre los diferentes valores
en conflicto y abandonar la posición de mero instrumento facilitador de la
actividad económica. La conciencia de los decisores del papel de gestores
de conflictos es aún muy baja.

11. No existen trabajos teóricos que aborden la particular posición política de millones de **ciudadanos ocasionales** que utilizan los servicios

públicos, sin tener posibilidad de expresar su opinión mediante el voto, y sin contribuir, más allá de los impuestos indirectos, al mantenimiento de los servicios que utilizan. La escasa importancia de la protección del consumidor-turista es un reflejo de la posibilidad que tienen los Gobiernos de mantener apartado de la agenda política a uno de los tres grupos de actores fundamentales que, por sus características, no puede dotarse de ningún sistema de articulación de intereses.

12. La falta de una reflexión previa sobre las características del turismo que resultaban coherentes para un análisis de la política turística, ha conllevado que los análisis existentes sobre política turística incorporen la casi totalidad de las actividades socioeconómicas a las que éste afecta, hasta convertirlo en un objeto de análisis amorfo. Pero la interdependencia de las cuestiones sociales no impide la distinción, a efectos analíticos, de ámbitos substantivos de políticas. Es necesario construir **una definición de política turística** que, desde una posición integral, pero con el ámbito sustantivo del turismo como marco, permita avanzar en su investigación. Proponemos entender la política turística como el conjunto, articulado y coherente, de decisiones y actuaciones que llevan a cabo los gobiernos con la intención de alcanzar unos objetivos determinados, en relación con los fenómenos de distinta naturaleza que genera el proceso de atracción, estancia o residencia ocasional de ciudadanos, en el ámbito territorial de su competencia.

13. Si la política turística ha generado poco interés, también puede afirmarse que **el turismo tiene una baja importancia política** en tanto elemento movilizador. Consideramos que la baja importancia política viene determinada por las características del sector: al estar constituido en más de un ochenta por ciento por pequeñas y medianas empresas, no genera una estructura de presión muy vertebrada. La misma razón, hace que el conjunto de trabajadores al que da empleo el turismo, cerca de un diez por ciento del total en el país, tampoco hayan formalizado un grupo vertebrado, con capacidades políticas. De igual manera, y en conexión con lo afirmado con anterioridad, el que se haya defendido su pertenencia a la esfera del mercado, permite que argumente que es un sector de la sociedad en donde no tiene espacio la ideología. Por ello consideramos que la baja importancia política del turismo, construida por las debilidades estructurales del sector y analíticas del concepto, permite una huida de los decisores hacia ámbitos poco comprometidos, ignorando los conflictos importantes que la actividad genera.

14. La baja importancia política del turismo contrasta con la alta importancia económica que la actividad tiene para los Gobiernos. La posición estratégica que el sector ocupa dentro de la economía de nuestro país se ha visto reconocida siempre con la existencia de un espacio ministerial propio, aunque la posición en el **entorno institucional** pueda calificarse de **itinerante**. Esta itinerancia tiene su origen en la propia naturaleza de la actividad: el turismo puede enfocarse desde posiciones variadas y la intensidad con la que un Gobierno quiera destacar alguno de sus componentes, condiciona su vinculación al Departamento al que la materia se adscribe.

4. SOBRE LOS OBJETIVOS DE LA POLÍTICA TURÍSTICA

15. Los objetivos tradicionales de la política turística están profundamente vinculados con la idea del turismo como sector económico del mercado. Por ello han sido los objetivos de fomento de la actividad los que se han mantenido a lo largo del periodo en que se desarrolla y consolida el fenómeno. De igual manera, los objetivos de planificación, vinculados a la idea de utilizar el turismo como instrumento de desarrollo territorial, al partir de un referente similar han jugado un papel parecido. En el momento actual confluyen dos circunstancias que modifican la argumentación tradicional de los objetivos de la política turística; por un lado la necesaria incorporación de los nuevos valores sociales antes comentados, y por otro, la creciente necesidad de explicar por qué un fenómeno entendido como puramente económico ha de ser objeto de recursos públicos. Podemos concluir que el propio error inicial —pretender obviar las facetas políticas del turismo—, se convierte, en momentos en los que se exige la retirada de los Estados de aquellos espacios en que su intervención interfiera con el mercado, en un argumento en contra de la acción de los gobiernos. Por ello, los objetivos de la política turística comienzan a **incorporar una faceta puramente política de gestión de recursos y conflictos**, a través de acciones básicamente coordinadoras.

16. Aún así, parece existir un espacio entre los objetivos declarados y los medios que se implantan para su cumplimiento. El porcentaje más

alto del esfuerzo público se ha concentrado en el desarrollo de un modelo de turismo basado en un número alto de visitantes que disfrutan de un producto concreto, el sol y playa. Las demás actuaciones se convierten en objetivos complementarios a los que se dedican pocos recursos, señalando que existe un acuerdo suficiente para que **los objetivos de la política turística no cuestionen el modo de funcionamiento de los intereses de la industria.**

5. SOBRE LA POLÍTICA TURÍSTICA EN ESPAÑA

17. No existe ningún estudio comparativo que, desde una perspectiva politológica, haya abordado el análisis de la relación causa-efecto entre una política turística decidida y una mayor expansión de la actividad, por lo que no es posible afirmar que la política en España haya sido un factor determinante en el crecimiento del fenómeno turístico. Parece sin embargo obvio que, siendo el turismo un fenómeno complejo, la intervención del Gobierno mediante el desarrollo de distintos instrumentos es, cuando menos, un **factor importante** en el conjunto de circunstancias que han intervenido para que el desarrollo turístico en el país pueda calificarse de manera positiva.

18. Durante el Siglo XX la política turística del Gobierno Central ha variado desde una acción por emulación —cuando los decisores públicos de los primeros años del siglo seguían el referente del tipo de turismo y de consumidor que existía en los países europeos vecinos— hasta un conjunto singular de acciones que componen una política ajustada a la realidad turística de un país líder en el sector que presenta características singulares. Cada una de las etapas de esta evolución ha aportado una perspectiva que, siendo sucesivamente superada, dejaba en la **experiencia acumulada del sector público** una referencia útil para los nuevos retos. Podemos concluir que los cincuenta años de política turística han conformado un campo de acción pública singular, profesionalizado, y se ha acumulado conocimiento experto en los decisores públicos de gran interés.

19. En la política turística pueden localizarse etapas diferenciadas que responden, más que a cambios radicales de estrategias, a **modificaciones en el referente básico que estructura las decisiones públi-**

cas. Los cambios en los referentes que estructuran la política turística de las diferentes fases no pueden explicarse acudiendo a una sola variable; reflejan tendencias multifactoriales en las que, en distintos momentos, algún factor concreto parece asumir un mayor protagonismo frente a otros. De este modo las innovaciones que modifican las funciones que asume el Gobierno Central en la materia o los objetivos que persiguen mediante el diseño de políticas acusan, no con la misma intensidad, las crisis del sector, las modificaciones en los entornos institucionales inmediatos o la renovación de los responsables públicos (siendo, en principio, poco importantes la alternancia política o el cambio en el tipo de Gobierno).

20. En la que denominamos **Fase Inicial** (1951-1962) el núcleo del referente que determina la acción del Gobierno es la promoción de la actividad en el sentido más amplio de fomentar la expansión del turismo. Ni España era un destino turístico, ni el empresariado español se sentía atraído por el turismo.

El rasgo sustantivo de este periodo es el **descubrimiento** del turismo por parte de algunos decisores públicos y, aunque no existe una reflexión madura sobre la actividad turística, sí encontramos que han asumido una doble función: dentro del Gobierno defienden la necesidad de que se construya infraestructura básica y tratan de trasmitir los beneficios que puede procurar el turismo, fundamentalmente el ingreso de divisas; y frente a la sociedad, con un estilo claramente anticipatorio, tratan de fomentar el crecimiento de un sector capaz de gestionar la nueva actividad.

Por todo ello, los primeros decisores públicos en materia de turismo favorecen que el hecho turístico sea considerado, desde sus comienzos, como un sector social en el que la intervención del Gobierno era necesaria y pertinente.

21. La **Fase de Desarrollo** (1962-1974) da comienzo con el impacto de un impulso exterior: el Informe del Banco Mundial introduce en la agenda de Gobierno al turismo desde una perspectiva mucho más ambiciosa que en los años anteriores. En esta etapa es cuando puede afirmarse que los decisores despliegan capacidades de gobierno en el turismo. La actividad de la Administración en la materia es ingente y el crecimiento del turismo extraordinario.

El modelo de política turística apoya un **crecimiento abrumador** que sólo tiene en cuenta los datos cuantitativos, convirtiéndose las cifras en el referente absoluto del éxito y oscureciendo cualquier otra visión del fenómeno.

La valoración de la etapa es ambigua. Por un lado, el turismo fue el motor de desarrollo que permitió el ingreso en España de divisas en cantidad suficiente como para que regiones con un retraso económico inveterado pudieran enfrentar importantes procesos de cambio. El turismo, tal y como habían previsto en la fase anterior, supuso además un gran número de puestos de trabajo y la aceleración de otros sectores económicos que dan servicios a la industria turística.

Pero, por otro lado, el ritmo acelerado generó una brutal especulación que, junto a la construcción masiva en gran parte de la costa del país, hipotecaba el modelo turístico posterior. La industria precisaba, irremediablemente, una llegada masiva de visitantes que cubriera la expansión de la oferta que se había generado. Junto a esto, la dependencia del Régimen de las divisas que le aportaba el turismo, hizo que, al tiempo que se facilitaba al máximo el desarrollo de la oferta, se asumiera cualquier coste social o empresarial que pudiera estarse generando: se impuso una política de control de precios, que aseguraba la competitividad del país en el extranjero, y se obviaron las actuaciones tendentes a garantizar un desarrollo menos agresivo con el entorno social o cultural.

Todo ello permite concluir que el modelo del turismo español tiene su origen en el modelo de política turística que los decisores públicos diseñaron en los años sesenta del Régimen Franquista, modelo que si bien consiguió convertir al país en una potencia turística, introdujo factores políticos que siguen desvirtuando la política turística hasta hoy: la compensación al sector turístico por el uso instrumental que se hace del mismo —en cuanto a su capacidad de generar divisas— mediante la ocultación de los costes sociales, culturales y medioambientales negativos de la actividad; la concentración del interés en el aumento cuantitativo de los indicadores, olvidando los aspectos cualitativos; la renuncia de los decisores públicos a intervenir de forma decidida en los conflictos que causa el modelo turístico, concentrando su actuación en los asuntos que no provocan controversia con el sector privado.

22. En la *Fase de modernización* (1974-1982) se pone de manifiesto el dilema no enfrentado de cómo modificar la tendencia de un turismo

basado en un altísimo número de visitantes, muy productivo en términos de divisas y beneficios económicos a corto plazo, pero muy costoso en términos de degradación espacial, condiciones laborales y mantenimiento de infraestructuras. En esos momentos confluyen dos factores de tensión en la arena turística: un factor simbólico —el derrumbamiento de la imagen de éxito del modelo turístico— y un factor institucional —se hereda una arena política con una estructura institucional poderosa, que ha de ser profundamente modificada por mandato constitucional— lo que genera profundas **incertidumbres** en los decisores públicos del Gobierno Central que se traducen en una patente inactividad política. La inacción permite que se mantengan las bases del modelo heredado, aunque en el referente se asume la necesidad de incorporar la idea de sostenibilidad.

23. En la *Fase de adaptación institucional* (1982-1991) los decisores turísticos recogen las ideas de desregulación y privatización de los años ochenta, modificándose profundamente los instrumentos organizativos del Estado. La creación de Turespaña, como organismo autónomo encargado de la promoción, única competencia que, según el discurso de los propios decisores, ha de ser asumida por el Gobierno Central, es un claro exponente de la tendencia del Estado a **retirarse de la arena turística**. En ningún otro momento el cuestionamiento del papel del Gobierno Central es más profundo: las dificultades, la falta de alternativas y las funciones asumidas por las Comunidades Autónomas, conllevan un repliegue implícito. Pero la dinámica que genera el contar con nuevas organizaciones permite que se puedan producir cambios en la etapa siguiente.

24. La *Fase de Innovación* (1991-1996) supone la generación de un nuevo referente de política turística en donde el Gobierno Central asume un papel de coordinador y catalizador del potencial del país. En este nuevo modelo, que se construye sobre el legado político recibido, el Gobierno recupera su **capacidad de liderazgo**, convirtiéndose, de nuevo, en un estímulo para el crecimiento del turismo; pero, en esta ocasión, tiene la conciencia de los límites que se generó en una fase anterior y un mejor entorno institucional, también creado en otra fase. La construcción del modelo se facilitan por el cambio de la imagen del turismo que tienen los actores públicos, lo que posibilita una nueva perspectiva en la definición de los problemas y una nueva forma de interpretar las relaciones con los demás actores. En la nueva política, la consideración

del turismo como un sector industrial permite hablar de mejora de la competitividad desde un punto de vista más amplio en el que se incluye el entorno social, cultural y medioambiental y nuevos instrumentos de coordinación facilitan una reorganización de la arena política muy productiva.

25. En la *Fase de Cooperación* (1996-2000) los cambios que se defienden se explican mejor como enmarques simbólicos ya que, en la práctica, puede detectarse una suficiente continuidad con la política desarrollada en la fase anterior. La política turística en los últimos momentos de esta fase pretende definir un nuevo modelo cuya diferencia principal es que acentúa, por la propia idea básica de la propuesta —la calidad— el **protagonismo de los actores privados**. Esto tiene dos interpretaciones posibles, un mayor protagonismo de los agentes que son la base de la industria turística o que el movimiento suponga una nueva retirada de la política turística, esta vez no ligada conceptualmente al adelgazamiento del Estado, sino al fortalecimiento del sector privado.

6. SOBRE LOS INSTRUMENTOS DE LA POLÍTICA TURÍSTICA

26. La política turística en España ha utilizado como instrumentos básicos los instrumentos organizativos, los planes generales, los instrumentos normativos y los financieros. En mucha menor medida ha acudido al diseño de programas específicos y a la puesta en marcha de acciones de comunicación para lograr objetivos complementarios.

27. Los **instrumentos organizativos** han estado sometidos a una **continua modificación** que refleja una búsqueda constante, durante todo el periodo, de aquellas formas organizativas mas acordes con la gestión de la acción pública en la materia. Desde un fuerte aparato administrativo reforzado por un conjunto de empresas que prestaban servicios turísticos de manera directa, durante el Régimen Franquista, hasta la desaparición, bajo el Gobierno Socialista, de la Dirección General de turismo y la gestión de la política turística por un organismo autónomo dedicado a la promoción, se han implantado diversos modelos organizativos. Los modelos reflejan, por un lado, los propios marcos conceptuales del Gobierno en el poder sobre el papel del Estado en las

relaciones sociales, y por otro, la posición que los decisores defienden sobre las funciones que el Gobierno puede asumir en la política turística. De esta manera, la acción pública en materia de turismo en España puede situarse en un *continuum* en el que en un extremo encontraríamos una intervención mediante la elaboración de políticas diseñadas e implantadas desde un ministerio y, en el otro, a través de una agencia con mayor autonomía que trabaja en una línea más cercana al sector privado.

28. En la evolución de los instrumentos organizativos, la Administración tradicional ha desarrollado dos espacios sustantivos. Hasta la Constitución fueron la **promoción y la ordenación** del turismo y, a partir del nuevo reparto competencial, la ordenación se sustituye por el apoyo a la elaboración e implantación de la política turística. El doble referente se profundiza cuando el ámbito de la promoción se segrega a un organismo autónomo. Además de estos dos espacios, la Administración turística incorporó la **investigación turística y la formación** a sus competencias en la materia. Para el desarrollo de investigación turística, con un fuerte contenido estadístico, los Gobiernos han tanteado diversos modelos de organización que variaron desde un Instituto con una fuerte autonomía, hasta una Subdirección General, que dependían, según el momento, o del Ministerio o de un organismo autónomo. Según el caso, el tipo de análisis se ha centrado más en la política de promoción o en otros intereses de investigación. La formación, por el contrario, ha mantenido una mayor estabilidad organizativa con la creación de una organización nuclear que estructuraba la formación turística en todo el territorio nacional, cuando los estudios de turismo se han incorporado en la Universidad, una demanda mantenida durante muchos años, la institución se suprimió.

29. Los **instrumentos de coordinación**, absolutamente necesarios para el desarrollo de una política horizontal, en la que además participan los tres niveles territoriales, sólo se han logrado construir a partir de 1994. En la etapa franquista, en la que la única coordinación posible era entre los actores del Gobierno Central, la cúpula decisoria funciona de manera fragmentada y no se interviene en campos sustantivos de acción pública que afecten a otros departamentos, por lo que el concepto de políticas horizontales resulta incompatible con los procesos de decisión. Los Gobiernos de UCD y del PSOE, hasta el último de ellos, minoritario, tampoco consensuaron formas de trabajo en común. La recupera-

ción de la Comisión Interministerial de Turismo, la actualización de la Conferencia Sectorial y Mesa de Directores de turismo y la creación del Consejo Promotor de Turismo bajo el mandato de Gómez-Navarro, suponen la apertura, por vez primera, de canales estables de comunicación que han permitido no sólo el desarrollo de una política horizontal, sino que el Gobierno Central encontrara su papel en la política turística como catalizador del potencial del país.

30. El recurso de los decisores públicos turísticos a **planes generales** que estructuraran la acción pública en la materia es temprano, el primero de ellos es de 1952. La existencia de un Plan determinaba la construcción de un referente político al que la Administración recurría en la gestión de las políticas concretas, por lo que los Planes han construido los diversos modelos de política turística del periodo. La fase que transcurre desde el último Plan de Desarrollo de 1972 y el primer Plan Futures de 1992 carece de documento de planificación general y puede identificarse con la etapa en la que la ausencia de un modelo de política turística resultó más evidente. Los Planes se han utilizado como **soportes de la argumentación política sobre el papel del Estado en el turismo** y la función que asumían las organizaciones públicas para el estímulo del fenómeno del turismo. Los documentos de planificación generaron una importante adhesión del sector, especialmente el Plan Futures que resolvió de manera excelente el recurso argumental de establecer una simetría entre el problema y la solución que se proponía: la pérdida progresiva de capacidad competitiva del sector que habría de combatirse con acciones de investigación, formación, fortalecimiento del tejido empresarial y mejora del producto turístico.

31. Lo más significativo, sin embargo, del análisis de los contenidos de los diferentes planes —nueve, si consideramos el conjunto de acciones que se presentan en el verano de 1974— es la constatación de que se mantiene el discurso de los decisores turísticos sobre varios asuntos que representan los mayores conflictos o problemas en el desarrollo del turismo. Los problemas detectados son de carácter interno —concentración de oferta, de demanda, temporal y espacial— y de carácter externo —todos aquellos que genera la actividad en los bienes públicos sobre los que se construye la oferta— y, mientras que en relación con los primeros sí se acometen acciones decididas, con recursos suficientes, respecto de los segundos se incumplen sistemáticamente las previsiones. Todos los instrumentos, modestos, para paliar los problemas urbanísticos de

las zonas con un desarrollo turístico alto, los problemas medioambientales, las tensiones sobre los bienes de patrimonio cultural y natural, no acaban de funcionar. La **constatación de áreas de conflicto
que aparecen y cuya solución sistemáticamente se incumple** es un
indicador utilizado por los analistas de políticas para observar el funcionamiento del poder mediante el recurso a la no-decisión. Aquellos asuntos
que cuestionan el reparto social de beneficios sociales y quiénes son beneficiarios netos de la actividad turística son, repetidamente, apartados
de las decisiones públicas.

32. Los programas son un instrumento al que la Administración turística ha recurrido de manera irregular, aunque existe una relación entre la ausencia de un plan general y el recurso a programas concretos.
De las diversas acciones que se acometieron a través de programas, dos
han ganado protagonismo suficiente como para ser identificadas por si
mismas: el **turismo de la tercera edad** y la intervención conjunta de los
tres niveles territoriales en municipios concretos, a través de los denominados **planes en destino.** El programa de apoyo al turismo cultural e
idiomático podría convertirse en nuevo modelo de cómo trabajar en
tipologías concretas, pero su juventud no permite generar una opinión
fundada.

33. Los instrumentos normativos fueron el recurso central de la política turística franquista y la ingente labor de ordenación que se realizó
en ese periodo sigue estructurando hoy el **marco normativo del turismo.** Desde la Constitución, cada Comunidad Autónoma ha recurrido a
los instrumentos de ordenación de manera heterogénea y el Gobierno
Central no ha sabido liderar la coordinación de la ordenación general
del sector, única función que podría haber desarrollado en este ámbito.

34. Los instrumentos financieros de apoyo al sector han sido escasos,
aunque igualmente bajo ha sido el recurso de la industria turística a los
mismos. Esto muestra que las perspectivas del negocio turístico en el
país han sido siempre lo bastante buenas como para que las empresas
obtuvieran financiación a través de los mecanismos privados. Aún así,
los **objetivos de financiación** que persiguen los instrumentos financieros señalan los objetivos reales de las políticas y su cuantía indica el
grado de compromiso efectivo que asumen los Gobiernos en su desarrollo.

7. SOBRE EL GRADO DE IMPACTO DE FACTORES EXTERNOS EN LA POLÍTICA TURÍSTICA

35. El **cambio de régimen político** es un factor determinante en la configuración de actores implicados en la política turística y en el papel que el Gobierno Central debería asumir en la política turística a partir de entonces, pero **no implica un radical cambio de estrategia**, sino el mantenimiento, al menos durante los primeros años, de la política turística heredada del Régimen Franquista.

36. La **alternancia de Gobierno** tampoco se refleja en la política turística. El cambio de partido gobernante cuyo impacto se observa con mayor nitidez es la llegada al poder del PSOE y la reestructuración de la Administración turística y privatización de las empresas turísticas públicas. Esto podría confirmar la hipótesis de que el turismo es un fenómeno social que se ha extraído de la esfera política y que las opciones ideológicas del partido gobernante no tienen reflejo por estar delante de un objeto de consumo. Pero también abre un nuevo espacio de reflexión acerca del espacio político de los gobiernos en el turismo. Es posible que la **indiferencia de la política turística a los cambios de gobierno** refleje el acuerdo implícito sobre un espacio de trabajo consensuado entre gobernantes e intereses económicos, siendo esa la causa de que cuestiones controvertidas advertidas desde las primeras acciones públicas, y recogidas como reflexiones en los planes generales, queden, como vimos, sistemáticamente apartadas de las agendas de gobierno, limitándose el proceso de decisión a un conjunto homogéneo de asuntos durante todo el periodo analizado.

37. El impacto en la **modificación del tipo de Gobierno**, mayoritario o minoritario, sólo podría observarse, dadas las características del reparto competencial, en la apertura de los espacios de elaboración de políticas del Gobierno Central a otros actores de niveles competenciales diversos. En el periodo temporal establecido, el primer Gobierno en minoría, de UCD, ofrece poca información útil al presente análisis ya que la política turística durante la transición y Primera Legislatura mantiene la inercia de los años anteriores y los decisores se centran en los cambios sistémicos. El segundo momento en que el tipo de Gobierno pasa de mayoritario a minoritario es durante la Quinta Legislatura, en donde se aprecia, claramente, una modificación en el estilo de Gobierno, con nuevos instrumentos de cooperación en los que las Comunida-

des Autónomas y los municipios participan de las decisiones del Gobierno Central. El primer Gobierno del PP, minoritario, mantiene dicha tendencia. Por el contrario, siendo el segundo Gobierno del PP mayoritario el enfrentamiento en el campo del turismo es muy bajo. Puede mantenerse la hipótesis de que fue el cambio en la modificación del papel que la Administración Central asumía en la política turística, concretado en el Plan Futures, lo que modificó las relaciones con los actores y acabó con las tensiones; o defender que una baja intensidad política y de acción pública, debida al modelo adoptado por el Partido Popular, no ha generado problemas en la arena.

38. El impacto en las decisiones de política turística de las **crisis** que afectan al sector sí parece más evidente, no sólo en la respuesta mediante aprobación de planes o programas concretos para paliar el descenso de visitantes e ingresos, sino en el cambio de orientación de las organizaciones turísticas que, en momentos de recesión, se orientan a aumentar el número de visitantes y, en circunstancias favorables, prestan una mayor atención a los efectos sociales y medioambientales del turismo.

39. La variación de la **adscripción de la materia a diferentes ministerios** en los que comparte entornos institucionales con otras esferas de trabajo, no parece ser una variable significativa. A pesar de esto, la adscripción al Ministerio de Industria, Comercio y Turismo en 1991 es el factor clave en la modificación del marco conceptual de los decisores y esta modificación en la consideración del turismo como un sector industrial más, permite la elaboración del Plan Futures y, con él, de un nuevo modelo de política turística.

40. Tampoco incide de manera significativa la llegada de un nuevo Ministro, pero sí lo hace la figura del **responsable político inmediatamente inferior** a aquél. El mantenimiento del Secretario de Estado o Secretario General determina la supervivencia del modelo de política turística; los valores e ideas que el decisor maneja se reflejan en el modo de entender la función y objetivos del Gobierno Central en la materia. El estilo de reclutamiento de estos decisores cambia durante el periodo analizado, lo que también determina que unas etapas sean más favorables al cambio de referentes que otras: durante el Franquismo el sistema de cooptación entre miembros del propio ministerio mantiene una coherencia en el referente básico. En la Transición y Gobiernos de UDC, la poca permanencia de los Ministros se compensa con la relativa estabilidad en el cargo del Subsecretario, luego Secretario de Estado. En los

Gobiernos del PSOE el Secretario General de Turismo también se convertirá en un factor de consistencia del modelo de política turística. Es más difícil establecer conclusiones respecto del Gobierno del PP en este punto ya que no hay demasiada estabilidad en los decisores, más allá de la permanencia de uno de ellos en puestos directivos durante los ocho años de Gobierno.

Conclusiones finales

41. En general puede afirmarse que la política turística despliega sus actuaciones en un área en que el proceso de crecimiento puede calificarse de éxito. El desarrollo de este espacio ha resultado vital para los Gobiernos, por lo que **el conflicto entre negocios y gobierno se ha mantenido dentro de límites** muy pequeños, desviando los procesos de decisión de las cuestiones controvertidas a los espacios de acuerdo. La relativa falta de conexión de la política turística con otras arenas políticas ha permitido el desarrollo de un área poco cuestionada desde otros ámbitos, aunque ha supuesto renunciar a una acción política más integrada.

42. Si consideramos la totalidad del periodo, desde los años sesenta observamos **problemas que se solucionan,** con mayor o menor acierto: la escasa capacidad de alojamiento hotelero y extrahotelero; los problemas que generaba al sector empresarial la política de control de precios; los problemas fiscales de las empresas turísticas; la falta de coordinación entre administraciones; la baja calidad de la oferta; la concentración en un solo producto turístico; la obsolescencia de las estructuras empresariales o la pérdida de competitividad. Pero existen otros **problemas que se mantienen** desde hace cincuenta años a pesar de que aparecen en todos los planes como objetivos de la política turística, son los problemas de formación de los trabajadores del sector, de planificación ordenada del crecimiento, con las cuestiones aparejadas de especulación y problemas de degradación medioambiental y de poca diversificación de la oferta.

43. El futuro de la política turística debe pasar, sin demonizar el turismo, por enfrentar las contradicciones que la actividad genera y que se desenvuelven en ámbitos que exigen un **papel activo de los decisores públicos**. El equilibrio entre los actores y la ponderación entre el uso

intensivo de bienes públicos y el desarrollo de una actividad económica beneficiosa reclama de los Gobiernos que asuman sus responsabilidades acorde con la función que representan.

Anexo
NORMATIVA TURÍSTICA DEL GOBIERNO CENTRAL (1905-2003)

- Real Decreto, de 6 de octubre de 1905, por el que se crea la Comisión Nacional para fomentar en España las excursiones artísticas y de recreo del público extranjero.
- Real Decreto de 19 de junio de 1911, por el que se crea la Comisaría Regia para el Desarrollo del Turismo.
- Real Decreto 745/1928, 25 de abril, del Patronato Nacional de Turismo.
- Reglamento de 12 de junio de 1932, para establecer en las ciudades extranjeras que así se aconseje, oficinas de información y propaganda.
- Ley de 30 de enero de 1938, por el que se crea el Servicio Nacional de Turismo.
- Ley del 8 de agosto de 1939, se crea la Dirección General de Turismo.
- Decreto de 21 de febrero de 1941, de creación de las Juntas provinciales de turismo
- Decreto-Ley del 19 de julio de 1951, de Reforma Ministerial, por la que se crea el Ministerio de Información y Turismo
- Decreto organizativo de 15 de febrero de 1952, por el que se establece la estructura orgánica del Ministerio de Información y Turismo.
- Decreto de 4 de abril de 1952 sobre albergues y paradores de turismo.
- Decreto de 4 de agosto de 1952 sobre normas y sanciones.
- Ley de 17 de julio de 1953 que aprueba el Plan Nacional de Turismo.
- Decreto de 25 de abril de 1953 que regula las Juntas provinciales y locales de Turismo.
- Decreto de 25 de julio de 1954 por el que se crea la Comisión Interministerial de Turismo.
- Orden Ministerial de 22 de marzo de 1955 sobre agencias de viajes.
- Decreto de 14 diciembre 1956 de reglamentación de Campings.
- Orden Ministerial, de 3 de mayo 1957, que regula el subsector de Cafeterías.
- Orden Ministerial, de 10 de junio de 1957 por el que se aprueba el Estatuto de los Directores de Empresas Turísticas.
- Decreto de 14 de junio de 1957, por el que se aprueba el Reglamento de la Industria Hotelera.
- Decreto de 8 de agosto de 1958, por el que se reorganiza la Dirección General de Turismo y se crea, y hace depender de ésta, como Organismo Autónomo, la Administración Turística Española (ATE) y al Organismo Autónomo de la Póliza del Seguro.
- Decreto-Ley de 21 de julio de 1959, Plan de Estabilización.

- Decreto 735/1962, de 29 de marzo, de Agencias de Viajes.
- Decreto 2297/1962, de 8 de septiembre, de reordenación de los Servicios Centrales del Ministerio de Información y Turismo.
- Decreto 2298/1962, de 8 de septiembre, de creación de la Subsecretaría de Turismo.
- Orden Ministerial, 26 de septiembre de 1962 por la que se estructuran los servicios de la Subsecretaría de Turismo.
- Decreto 2247/1962, de 5 de septiembre, por el que se crea el Instituto de Estudios Turísticos.
- Orden del Ministerio de Información y Turismo, del 7 de noviembre de 1962, de Operación Precios para Hostelería.
- Real Decreto 35/1962 de 27 de diciembre, por el que se crea la Orden del Mérito Turístico.
- Orden del Ministerio de Información y Turismo de 21 de enero de 1963 que desarrolla la Orden del Mérito Turístico.
- Orden Ministerial de 28 de junio de 1963, sobre concesión de créditos a Corporaciones Locales radicadas en zonas turísticas.
- Ley 48/1963, de 8 de julio, sobre competencias en materia turística.
- Decreto 2427/1963, de 7 de septiembre, por el que se crea la Escuela Oficial de Turismo.
- Decreto 3221/1963, de 28 de noviembre, por el que se crea Empresa Nacional de Turismo (ENTURSA).
- Ley 197/1963, de 28 de diciembre de Centros y Zonas de Interés Turístico Nacional.
- Orden del Ministerio de Información y Turismo de 21 de enero de 1964, por la que se convoca I Asamblea Nacional del Turismo.
- Orden del Ministerio de Información y Turismo de 31 de enero de 1964 sobre Actividades Informativas Turísticas Privadas.
- Orden de 20 de marzo de 1964, por la que se crea el Diploma Nacional de Servicios distinguidos al Turismo.
- Orden del Ministerio de Información y Turismo, de 31 de marzo de 1964, por la que se crea el Registro de Denominaciones Geoturísticas.
- Orden del Ministerio de Información y Turismo, de 14 de abril de 1964, del Ministerio de Hacienda, sobre concesión de préstamos para financiar la construcción y venta de edificaciones para extranjeros en zonas turísticas.
- Decreto 1340/1964 de 23 de abril de reorganización del Ministerio.
- Decreto 1893/1964, de 25 de junio, de reorganización de la Comisión Interministerial de Turismo.
- Decreto 3404/1964, de 22 de octubre, del Seguro Turístico
- Orden del Ministerio de Información y Turismo de 13 de agosto de 1964, regula la declaración de "Libro de Interés Turístico"
- Orden del Ministerio de Información y Turismo de 20 de noviembre de 1964, sobre Registro de empresas y actividades turísticas
- Decreto 4297/1964, de 23 de diciembre, que aprueba el Reglamento de Centros y Zonas de Interés Turístico Nacional

- Decreto 321/1965, de 14 de enero, regulador del Estatuto Ordenador de Empresas y Actividades Turísticas Privadas.
- Orden del Ministerio de Información y Turismo, de 18 de enero de 1965, de Cafeterías.
- Orden del Ministerio de Información y Turismo, de 17 de marzo de 1965, de Restaurantes.
- Orden del Ministerio de Información y Turismo de 10 de julio de 1965, regula la declaración de "Libro de Interés Turístico".
- Orden de Presidencia de Gobierno de 20 de octubre de 1965, de Ordenación Crédito Hotelero y Construcciones Turísticas.
- Decreto de 23 de diciembre de 1965, Comisión Interministerial de Turismo, por el que se aprueba el Plan de Ordenación Turística de la Costa de Huelva.
- Orden del Ministerio de Información y Turismo, de 17 de enero de 1967, sobre Apartamentos, Bungalows y alojamientos turísticos no hoteleros.
- Orden Ministerial de 2 de febrero de 1967, por el que se regula los Premios Nacionales de Turismo para Estaciones de servicio en carretera.
- Orden Ministerial, de 10 de junio de 1967, del Estatuto de Directores de Empresas Turísticas.
- Decreto 2149/1967, de 17 de agosto, por el que se suprime el Organismo Autónomo "Administración de la Póliza de Turismo".
- Decreto Ley 2764/1967, de 27 de noviembre, sobre reorganización de la Administración Civil del Estado para la reducción del gasto público.
- Decreto 64/1968, de 18 de enero, de reorganización del Ministerio de Información y Turismo.
- Orden Ministerial, de 19 junio de 1968, para la Clasificación de Establecimientos Hoteleros.
- Orden Ministerial, de 28 de julio de 1968, sobre Campamentos de Turismo.
- Decreto de 27 de julio de 1968, de la Comisión Interministerial de Turismo, por el que se aprueba el Plan de Ordenación Turística de la Sierra de Guadarrama.
- Orden Ministerial, 2 de agosto de 1968, por la que se aprueba el Plan de promoción de estaciones de montaña o de turismo de nieve.
- Orden Ministerial, de 28 de octubre de 1968 sobre Ordenación Turística de las Ciudades de Vacaciones.
- Reglamento de 6 de marzo de 1969, sobre Seguro Obligatorio de Viajeros.
- Orden Ministerial, de 21 de abril de 1969, por la que se regula los Premios Nacionales de Turismo para conductores.
- Orden Ministerial, de 21 de abril de 1969, por la que se regula los Premios Nacionales de Turismo para conductores de vehículos de transporte de mercancías y viajeros.
- Decreto 3456/1970, de 19 de noviembre, de reorganización de ATE.
- Decreto 836/1970, de 21 de marzo, de reorganización del Ministerio de Información y Turismo.
- Orden Ministerial, 3 marzo de 1970, Premios Nacionales y Regionales de Turismo para edificaciones de finalidad turística
- Orden Ministerial, de 19 de junio de 1970, sobre Restaurantes

- Decreto 3050/1970, de 24 de julio por el que se reorganiza la Comisión Interministerial de Turismo.
- Decreto 3520/1970, de 26 de noviembre, de reorganización del Instituto de Estudios Turísticos.
- Decreto 3787/1970, de 19 de diciembre, sobre los requisitos mínimos de infraestructuras y dotaciones mínimas en zonas, centros y establecimientos turísticos.
- Orden del Ministerio de Información y Turismo de 5 de diciembre de 1970 por la que se regula el Premio Nacional de Turismo para Revistas Españolas.
- Orden del Ministerio de Información y Turismo de 12 de diciembre de 1970 por la que se regula el Premio Nacional de Turismo para Diarios Españoles de Información General.
- Orden del Ministerio de Información y Turismo de 5 de diciembre de 1970 por la que se regula el Premio Nacional de Turismo para escritores y periodistas extranjeros.
- Orden Ministerial de 9 de marzo de 1970, por la que se regulan los Premios Nacionales de Turismo para empresas de alojamientos turísticos que dispongan de instalaciones infantiles especiales.
- Orden Ministerial de 22 de abril de 1970 por la que se crean los Premios para miembros de la Asociación Española de Escritores de Turismo.
- Orden Ministerial de 23 de abril de 1970 por la que se crean los Premios para miembros de la Federación Internacional de Periodistas y Escritores de Turismo.
- Orden Ministerial de 12 de diciembre de 1970 por la que se crean el Premio Nacional de Turismo para trabajos trasmitidos por radio y televisión.
- Decreto 3787/1970, de 19 de diciembre, sobre requisitos mínimos de infraestructra en los alojamientos turísticos.
- Orden del Ministerio de Información y Turismo, de 9 de marzo de 1971, sobre determinación de zonas y rutas turísticas.
- Orden Ministerial de 6 de diciembre de 1971, por la que se crea los Premios Nacionales y Regionales de Turismo para edificaciones de finalidad turística.
- Orden Ministerial, de 10 de febrero de 1972 por la que se crea un Grupo de Trabajo y una Comisión de Dirección para el estudio y perfeccionamiento de la actuación administrativa del Ministerio de Información y Turismo.
- Decreto 377/1972, de 24 de febrero, por el que se regulan las funciones y actividades de los Consejeros de Información y Turismo en el exterior.
- Orden Ministerial de 16 de junio de 1972, por la que se convoca, con carácter anual, un Concurso de carteles turísticos para las campañas de propaganda y publicidad turística del Ministerio de Información y Turismo.
- Orden de Presidencia de Gobierno de 31 de julio de 1972 de regulación del Crédito Hotelero y para construcciones turísticas.
- Orden Ministerial, de 12 de febrero de 1972, sobre apartamentos, villas y bungalows.
- Orden Ministerial de 28 de abril de 1972, por la que se modifica la composición del Pleno de la Comisión Interministerial del Turismo.

- Ley 22/1972 de 10 de mayo, de III Plan de Desarrollo Económico.
- Orden Ministerial, de 11 de agosto de 1972 por la que se aprueba el Estatuto de Directores de Establecimientos de Empresas Turísticas.
- Orden Ministerial, de 31 de enero de 1973 por la que se crea la Comisión especial del crédito turístico.
- Decreto 384/1973, de 22 de febrero, por el que se determinan las actividades prioritarias a efectos de concesión de crédito oficial.
- Orden Ministerial de 11 de mayo de 1973 que aprueba el reglamento de la Comisión Interministerial de Turismo.
- Orden Ministerial, de 10 de mayo de 1973 que aprueba el reglamento del Instituto de Estudios Turísticos.
- Decreto de 7 de junio de 1973, sobre actividades de las agencias de viajes.
- Decreto 2.509/1973, de 11 de octubre por el que se reorganizan Servicios del Ministerio de Información y Turismo.
- Orden del Ministerio de Información y Turismo, de 6 de diciembre de 1973, por el que se reorganizan los Servicios del Ministerio de Información y Turismo.
- Orden Ministerial, de 6 de marzo de 1974, por la que se regula los Premios Nacionales e Turismo para Estaciones de la red Nacional de Ferrocarriles Españoles.
- Decreto 3169/1974, de 24 de octubre, por el que se modifica ATE.
- Orden Ministerial, de 25 de junio de 1974, por la que se convoca la II Asamblea Nacional de Turismo.
- Decreto 2532/1974, por el que se refunde y modifica la normativa orgánica del Ministerio de Información y Turismo.
- Decreto 3169/1974 de 24 de octubre, por el que se refunde y modifica la normativa de ATE
- Decreto 2481/1974, de 9 de agosto, de ordenación de los Centros de Iniciativas Turísticas
- Decreto 2482/1974, de 9 de agosto, sobre Medidas de Ordenación de la oferta turística.
- Decreto 2623/1974, de 9 de agosto, I Plan de Modernización Hotelera.
- Decreto 2525/1974, de 9 de agosto, sobre créditos para financiación de capital circulante de empresas turísticas.
- Decreto 2530/1974, de 9 de agosto, sobre ayuda crediticia a las inversiones en el extranjero de empresas turísticas
- Orden Ministerial modificando el régimen de préstamos para la venta a extranjeros de viviendas en zonas turísticas
- Decreto 3229/1974, de 22 de noviembre, se crea una Subsecretaría de Turismo.
- Decreto 3319/1974, de 28 de noviembre, por el que se crean las Delegaciones Provinciales del Ministerio.
- Orden Ministerial, de 14 marzo de 1975, sobre apartamentos, villas y bungalows.
- Orden Ministerial, de 4 junio de 1975, por la que se establece la estructura orgánica de Exposiciones, Congresos y Convenciones de España (ECCE).
- Orden Ministerial, de 8 de julio de 1975, de plan de ayudas a "Mesones Turísticos".

- Decreto 2199/1976, de 10 de agosto, sobre reclamaciones de clientes en establecimientos de empresas turísticas.
- Real Decreto 2003/1976, de 16 de septiembre, por el que se aprueba el II Plan de Modernización Hotelera.
- Decreto 1558/1977, de 4 de julio, que vincula la materia al Ministerio de Comercio y Turismo.
- Real Decreto 2677/1977, de 6 de octubre, por el que se crea Secretaría de Estado para Turismo.
- Orden Ministerial, de 16 de julio de 1977 reguladora del Crédito Turístico.
- Orden de 24 de mayo de 1978, sobre estructura orgánica y funciones de la Secretaría de Estado de Turismo.
- Orden Ministerial de 28 de abril de 1978, por la que se regulan los Premios Nacionales de Turismo para Películas de Cortometraje.
- Real Decreto 1.767/1978, de 2 de junio, por el que se aprueba el Reglamento del Instituto Español de Turismo.
- Orden Ministerial de 8 de junio de 1978, por la que se establece la estructura orgánica del Instituto Español de Turismo.
- Orden Ministerial, de 28 de junio de 1978 sobre cafeterías.
- Orden Ministerial, de 27 de septiembre de 1978, RCL 1978/192146
- Orden Ministerial, de 29 de enero de 1979, por la que se regula la concesión de premios a los Centros de Iniciativas Turísticas.
- Orden Ministerial, de 11 de enero de 1979, por la que se reorganiza el Organismo autónomo "Administración Turística Española".
- Orden de 21 de enero de 1979
- Orden Ministerial, de 29 de enero de 1979, sobre la declaración de Fiestas de Interés Turístico Nacional.
- Orden Ministerial, de 19 de febrero de 1979 por la que se desarrolla la estructura orgánica del Organismo autónomo "Administración Turística Española".
- Orden Ministerial, de 6 de marzo de 1979, para la realización de trabajos de planificación.
- Orden Ministerial, de 26 de marzo de 1979, regula la declaración de "Libro de Interés Turístico".
- Real Decreto 210/1979, de 11 de junio se reorganiza el Organismo autónomo "Administración Turística Española.
- Orden Ministerial de 25 de septiembre de 1979, sobre prevención de incendios en establecimientos turísticos.
- Orden de 25 de octubre de 1979, por el que se regula el crédito turístico.
- Real Decreto 2821/1979, de 7 de diciembre, por el que se aprueba el III Plan de Modernización Hotelera.
- Real Decreto 2842/1979, de 7 de diciembre, créditos para financiación de capital circulante empresas turísticas exportadoras.
- Orden Ministerial, de 4 de abril de 1980, por la que se regula la financiación de inversiones en el exterior para actividades turísticas.
- Real Decreto 865/1980, de 14 de mayo por el que se regulan las enseñanzas turísticas especializadas.

- Orden Ministerial de 13 de junio de 1980, por la que se establece las directrices básicas para la declaración de territorios de preferente uso turístico.
- Decretos de transferencia de competencias de la Administración del Estado a los Entes Preautonómicos.
- Real Decreto 325/191981, de 6 de marzo, de reestructuración de Departamentos Ministeriales.
- Orden Ministerial, de 10 de julio de 1981, sobre restaurantes, que regula el "menú de la casa".
- Orden Ministerial, de 15 de diciembre de 1981, por el que se regulan los Premios Nacionales de Gastronomía.
- Orden Ministerial, de 18 de mayo de 1982, por la que se regulan los Premios Nacionales de Turismo de Embellecimiento y Mejora de Pueblos Españoles.
- Real decreto 2545/1982, de 27 de agosto, sobre planificación de los campamentos de turismo.
- Real Decreto de 3093/1982, 15 de octubre de 1982, sobre clasificación de la Industria Hotelera.
- Real Decreto 2877/1982, de 15 de octubre, sobre apartamentos turísticos y viviendas vacacionales.
- Real Decreto 3579/1982, de 15 de diciembre, de reorganización del Ministerio de Transporte, Turismo y Comunicaciones.
- Orden Ministerial, de 11 de abril de 1983 por la que se regula la normativa de concesión del Premio Nacional de Turismo "Vega Inclán".
- Orden Ministerial, del 11 de abril de 1983 por la que se regula la concesión de los Premios Nacionales de Fotografía Turística "Ortiz-Echagüe" y "Marqués de Santa María del Villar".
- Orden Ministerial, de 30 de abril de 1983, que desarrolla la modificación de la estructura orgánica del Ministerio de Transportes, Turismo y Comunicaciones.
- Real Decreto 1634/1983, de 15 de junio, sobre ordenación de los establecimientos hoteleros.
- Real Decreto 2288/1983, de 27 de julio, por el que se establece la categoría "*Hoteles Recomendados por su calidad*".
- Ley 50/1984, de 30 de diciembre, de Presupuestos Generales del Estado (art. 87.4), por el que se crea Instituto Nacional de Promoción del Turismo (INPROTUR).
- Orden Ministerial, de 28 de febrero de 1984 que establece las normas para concesión de ayudas y subvenciones en materia de turismo.
- Orden Ministerial, de 10 de abril de 1984, por la que se regula la concesión del premio "Caballo de Oro".
- Orden Ministerial, de 8 de mayo de 1984, por la que se regula la concesión de premios a los Centros de Iniciativas Turísticas.
- Orden Ministerial de 31 de mayo de 1984, por la que se regula la concesión del premio "Toro de Oro".
- Orden Ministerial de 5 de junio de 1984, por la que se regula la concesión Premios Nacionales de Turismo para la Prensa Española de Información General.

- Orden Ministerial de 6 de junio de 1984, por la que se regula la concesión de los Premios Nacionales de Turismo para películas de Cortometraje.
- Orden Ministerial de 19 de julio de 1984, por la que se regula las convocatorias de concurso de subvenciones a fondo perdido para la promoción y comercialización del turismo rural.
- Orden Ministerial de 19 de julio de 1984, por la que se regula concurso de subvenciones a fondo perdido para la reforma de establecimientos hoteleros de explotación familiar.
- Orden Ministerial de 19 de julio de 1984, para concesión de ayudas a los proyectos de construcción de campings a realizar en el año 1984.
- Orden Ministerial de 19 de julio de 1984 para concesión de subvenciones a fondo perdido para el fomento de las ofertas turísticas especializadas.
- Ley 33/1984, por la que se regula el contrato de seguro turístico.
- Orden Ministerial de 17 de septiembre de 1984, por la que se regulan los Premios Nacionales de Turismo de Embellecimiento y Mejora de Pueblos Españoles.
- Orden Ministerial de 19 de septiembre de 1984, por la que se regulan los Premios Nacionales de Gastronomía.
- Real Decreto 1209/1985, de 19 de junio, que modifica la estructura orgánica del Ministerio, constituye el Instituto Nacional de Promoción del Turismo (INPROTUR) y suprime varios organismos autónomos adscritos.
- Real Decreto 616/1985, de 23 de marzo, por el que se deroga el Real Decreto que establecía la distinción "Recomendado por su calidad".
- Real Decreto 672/1985, de 19 de abril, sobre promoción exterior.
- Orden Ministerial de 31 de mayo de 1985, que regula el concurso de subvenciones a fondo perdido para la mejora, modernización, dotación de instalaciones complementarias e incorporación de nuevas tecnologías en estaciones termales.
- Orden Ministerial de 31 de mayo de 1985 que regula las convocatorias de concurso de subvenciones a fondo perdido para la promoción y comercialización del turismo rural.
- Orden Premios Nacionales de Fotografía Turística "Ortiz-Echagüe" y "Marqués de Santa María del Villar".
- Orden Premios Nacionales de Turismo "Vega Inclán".
- Orden Premios Nacionales de turismo para Prensa Española de Información General.
- Orden Premio Nacional de Turismo para Escritores y Periodistas Extranjeros.
- Orden Premios Nacionales de Turismo para Películas de Cortometraje.
- Orden Premios Nacionales de Gastronomía.
- Orden Premios Nacionales de Turismo de Embellecimiento y Mejora de Pueblos Españoles.
- Orden Premios Nacionales de Turismo para Centros de Iniciativas Turísticas.
- Orden Premio Nacional de Turismo "Caballo de Oro".
- Orden Premio Nacional de Turismo "Toro de Oro".
- Real Decreto 1209/1985, de 19 de junio, de reorganización del Ministerio de Transportes, Turismo y Telecomunicaciones.

- Orden Ministerial de 6 de febrero de 1986, por el que se regula el crédito turístico.
- Orden Ministerial de 29 de septiembre de 1987, por la que se regula los Premios Nacionales de Turismo.
- Orden Ministerial de 29 de septiembre de 1987, por la que se regula las declaraciones de interés turístico.
- Real Decreto 124/1988, de 12 de febrero, por el que se reorganiza la Secretaría general de Turismo y el Instituto Nacional de Promoción del Turismo.
- Real Decreto 271/191988, de 25 de marzo, por el que se regula el ejercicio de las actividades de las Agencias de Viajes.
- Real Decreto 727/1988, de 11 de julio, de reestructuración de departamentos ministeriales.
- Resolución de la Secretaría general Técnica del Ministerio de Asuntos Exteriores por la que se publican los reglamentos que regularán la participación en la Exposición Universal Sevilla 1992.
- Ley 4/1990, de 29 de junio, de Presupuestos Generales del Estado, por la que se transforma ATE en "Paradores de Turismo S.A.", e Inprotur para a denominarse Turespaña.
- Orden del Ministerio de Relaciones con las Cortes y de Secretaría del Gobierno de 16 de julio de 1990, por la que establecen las normas reguladoras del Crédito Turístico.
- Real Decreto 1211/1990, de 28 de septiembre RCL 1990/192072
- Real Decreto 298/191991, de 12 de marzo
- Real Decreto 420/1991, de 5 de abril por el que se regula la estructura orgánica básica del Ministerio de Industria, Comercio y Turismo.
- Ley 28/1991 de 5 de diciembre que deroga la Ley 197/1963, sobre Centros y Zonas de Interés Turístico Nacional.
- Real Decreto 1766/1991, de 13 de diciembre RCL 1991/192926.
- Órdenes ministeriales de 19 de agosto de 1992, que regulan la concesión de subvenciones del Plan *FUTURES*.
- Real decreto 50/191992, de 24 de enero, por el que se aprueba el Estatuto del Ente Público Escuela Oficial de Turismo.
- Orden Ministerial de 3 de junio de 1993, por la que se regula el Programa de becas "Turismo de España" de estudio, investigación y práctica profesional para la especialización en materias turísticas.
- Real Decreto 898/1992, de 31 de julio. RCL 1992/191829
- Real Decreto 1173/1993, de 13 de julio, de reestructuración de departamentos ministeriales.
- Real Decreto 6/1994, de 14 de enero, de creación de la Comisión Interministerial de Turismo
- Real Decreto 1335/1994, de 20 de junio RCL 1994/191904
- Real Decreto 1693/1994, de 22 de julio, de Organización Turística del Estado.
- Real Decreto 328/1995, de 3 de marzo, el Consejo Promotor del Turismo.
- Ley 21/1995, de 6 de julio, reguladora de Viajes Combinados.

- Orden de 1 de diciembre de 1995 por la que se deroga la Orden de 31 de enero de 1964 de Reglamento de ejercicio de actividades turístico-informativas privadas.
- Real decreto 2076/1995, de 22 de diciembre RCL 1996/19137
- Real Decreto 259/1996, de 16 de febrero por el que se incorporan a la Universidad los estudios superiores de Turismo.
- Real Decreto 758/1996, de 5 de mayo, de reestructuración de departamentos ministeriales.
- Real Decreto 765/1996, de 7 de mayo, se crea la Secretaria de Estado de Comercio, Turismo y de la Pequeña y Mediana Empresa.
- Ordenes ministeriales de 25 de abril de 1996, para la concesión de subvenciones *FUTURES* 1996-1999.
- Real Decreto 1376/1996, de 7 de junio, se suprimen las Direcciones Generales del Instituto de Turismo de España.
- Real Decreto 2615/1996, de 20 de diciembre, de estructura orgánica y funciones del Instituto de Turismo de España.
- Real Decreto 2346/1996, de 8 de noviembre, se establece el régimen de ayudas y sistema de gestión, en aplicación del Plan Marco de Competitividad del Turismo Español 1996-1999.
- Real Decreto 1884/1996, de 2 de agosto, de estructura orgánica básica del Ministerio de Economía y Hacienda.
- Real Decreto 1376/1996, de 7 de junio, por el que se adscribe al Ministerio de Economía y Hacienda el Instituto de la Pequeña y Mediana Empresa Industrial y se modifica la estructura del Instituto de Turismo de España
- Real Decreto 2615/1996, de 20 de diciembre, de estructura orgánica y funciones de Turespaña
- Real Decreto 248/1997, de 21 de febrero, de modificación de la Comisión Interministerial de Turismo.
- Real Decreto 289/1997, de 28 de febrero, que reestructura el Consejo Promotor de Turismo.
- Orden Ministerial de 21 de marzo de 1997, que establece las bases del programa de becas "Turismo de España" para estudio, investigación y práctica profesional para españoles y extranjeros.
- Real Decreto 1116/1998, de creación del Observatorio del Turismo.
- Orden de 20 de enero de 1998 por la que se regulan los Premios Nacionales de Turismo ("Premio Vega Inclán", "Premio Ortiz Echagüe", y "Premio Marqués de Villena").
- Resolución de 3 de junio de 1998, de la Secretaría de Estado de Comercio, Turismo y PYME que regula las subvenciones para la internacionalización de la empresa turística.
- Ley 42/1998, de 15 de diciembre, sobre derechos de aprovechamiento por turno de bienes inmuebles de uso turístico y normas tributarias.
- Real Decreto 557/2000, de 27 de abril, de reestructuración de departamentos ministeriales.

- Real Decreto 810/2000, de 20 de mayo por el que se modifican la estructura y funciones del Instituto de Turismo de España
- Real Decreto 1371/2000 de 19 de julio, por el que se modifica y desarrolla la estructura orgánica básica del Ministerio de Economía.
- Orden del Ministerio de Fomento de 7 de agosto de 2000 por la que se modifican las normas de seguridad para el ejercicio de actividades subacuáticas.
- Ley de Política Económica, medidas fiscales, administrativas y de orden social, publicada en el BOE de 31 de diciembre de 2001.
- Real Decreto 680/2002, de 13 de julio de 2002, por el que se modifica la estructura del Ministerio de Economía.
- Real Decreto 777/2002, de 27 de julio, por el que se establece la estructura orgánica del Ministerio de Economía.
- Acuerdo de Consejo de Ministros de 20 de septiembre de 2002 por el que se encomienda a la Dirección General del Patrimonio del Estado la adaptación de la Sociedad Estatal de Transición al Euro S.A. a una nueva entidad denominada Sociedad Estatal de Gestión de la Información Turística S.A.

BIBLIOGRAFÍA

Abreu Staud, J. y C. Vogeler Ruiz (1999). "Mundiales '82", en F. B. Mariné, Ed. *50 años de turismo español*. Madrid, Centro de Estudios Ramón Areces: 226-234.

Acerenza, M. A. (1984). *Administración del turismo: conceptualización y organización*. México. Trillas.

AECIT (1995a). *La actividad turística española en 1994*. Madrid. Instituto de Estudios Turísticos.

AECIT (1995b). "España, ¿un país turísticamente avanzado?". *I Congreso de la Asociación Española de Expertos Científicos en Turismo*, Madrid. Instituto de Estudios Turísticos.

AECIT (1996). "La administración turística del municipio en España: complejidad y diversidad". *III Congreso AECIT*, Gijón. AECIT.

AECIT (1997a). *La actividad turística española en 1996*. Madrid. AECIT.

AECIT (1997b). "Turismo, ciudad y patrimonio cultural en el sur de Europa e Iberoamérica". *IV Congreso AECIT*, Donostia - San Sebastián. AECIT.

AECIT (1998). *La actividad turística española en 1997*. Madrid. AECIT.

AECIT (1999a). *La actividad turística española en 1998*. Madrid. AECIT.

AECIT (1999b). *V Congreso AECIT*, Palma de Mallorca. AECIT.

AECIT (2000). *La actividad turística española en 1999*. Castellón. AECIT.

AECIT (2001a). *La actividad turística española en 2000*. Madrid. AECIT.

AECIT (2001b). "Nuevas tendencias de ocio y turismo: su especial problemática en destinos singulares". *VI Congreso AECIT*, Ceuta, 27 y 28 de septiembre de 2001.

AECIT (2002). *La actividad turística española en 2001*. Castellón. AECIT.

AECIT (2003). *La actividad turística española en 2002*. Castellón. AECIT.

Aguilar Rossel, Y., H. Marcos Valdueza, et al. (2000). "Turismo de reuniones: ferias, work-shops, congresos e incentivos", en F. Bayón, Ed. *50 años del turismo español*. Madrid, Centro de Estudios Ramón Areces: 673-700.

Aguilar, S., N. Font, et al. (1999). *Política ambiental en España. Subsidiariedad y desarrollo sostenible*. Valencia. Tirant lo Blanch.

Aguilar Villanueva, L. F. (1996 a). *El estudio de las Políticas Públicas*. México. Fondo de Cultura Económica.

Aguilar Villanueva, L. F. (1996 b). *La hechura de las políticas*. México. M. A. Porrua.

Aguilar Villanueva, L. F. (1996 c). *Problemas públicos y agenda de gobierno*. México. M. A. Porrua.

Aguilar Villanueva, L. F. (1996 d). *La implementación de las políticas*. México. M. A. Porrua.

Aguiló Pérez, E. (1996). "Factores de cambio en el turismo: políticas a desarrollar", en L. Valdés y A. V. Ruiz, Eds. *Turismo y promoción de destinos turísticos: implicaciones empresariales*. Oviedo, Universidad de Oviedo.

Aguiló Pérez, E. y G. A. Vich i Martorell (1996). "La investigación en el ámbito de la política turística". *Estudios Turísticos*, 129, pp. 23-35.

Albert Piñole, I. (1999). *Gestión, productos y servicios de las agencias de viajes*. Madrid. Ed. Centro de Estudios Ramón Areces.

Allison, G. T. (1971). *The Essence of Decision: Explaining the Cuban Missile Crisis*. Boston. Little Brown.

Alomar, C. (1994). "Reestructuración administrativa y cooperación con Comunidades Autónomas y administración local", en *La actividad turística española en 1994*. Madrid, AECIT.

Alonso, J. A. y V. Donoso (1996). "Obstáculos a la internacionalización y políticas públicas de promoción: el caso de España". *Papeles de Economía Española*, 66.

Álvarez Fernández, J. (1974). *Regulación jurídico-administrativa del turismo (Tesis Doctoral)*. Facultad de Derecho. (Tesis Doctoral).

Álvarez Sousa, A. (1994). *El ocio turístico en la sociedades avanzadas*. Barcelona. Bosh.

Alvira, F. (1997). *Metodología de la evaluación de programas: un enfoque práctico*. Buenos Aires. Lumen.

Anduiza, E., I. Crespo, et al. (1999). *Metodología de la Ciencia Política*. Madrid. CIS.

Antón i Clavé, S., F. López Palomeque, et al. (1996). "La investigación turística en España: aportaciones de la Geografía (1960-1995)". *Estudios Turísticos*, 129, pp. 165-208.

Apostolopoulos, Y. (1996). *The Sociology of Tourism: Theorical and Empirical Investigations*. Londres. Routledge.

Arcarons Simón, R. (1999). *Manual de Derecho Administrativo turístico*. Madrid. Síntesis.

Arcas de los Reyes, A. (1993). "Turismo deportivo y de eventos". *II Congreso Andaluz de Turismo*, Jerez de la Frontera. Cámara Oficial de Comercio e Industria de Jerez.

Arcos y Cuadra, C. (1970). "De las grandes ventajas económicas que producirá el desarrollo del turismo en España (Edición original de 1909)". *Revista de Estudios Turísticos*, 27.

Arias, X. C. (1996). *La formación de la política económica*. Madrid. Civitas.

Arrillaga, J. I. (1955). *Sistema de Política Turística*. Madrid. Aguilar.

Arrillaga, J. I. (1999). "Primeras Experiencias: 1950-1962", en F. Bayón, Ed. *50 Años del Turismo Español*. Madrid, Centro de Estudios Ramón Areces.

Artículo de prensa (1983). *Política Turística del Gobierno Socialista*. Oro Verde. 134: 64-65.

Artículo de revista (1990). "Actuaciones en política turística a corto y medioplazo". *Infotursa*, 62, pp. 28-29.

Ashworth, G. (1992). "Tourism Policy and Plannig for Urban Quality", en H. Briassoulis and J. Staaten, Eds. *Tourism and the Enviroment, Economic and Policy Issues*. Dordrecht, Kluwer Academic Plublishers.

Ashworth, G. y P. J. Larkham (1993). *Building a new Heritage: tourism, culture and identity in the new Europe*. London. Routledge.

Ashworth, G. y J. E. Tunbridge (1990). *The Tourist-Historic City*. Londres. Bellhaven Press.

Atkinson, M. M. y W. D. Coleman (1992). "Policy networks, policy communities and the problems of governance". *Governance*, 5 (2): 154-80.

Ayre, D. (1993). "European government approaches to tourism". *Tourism Management*, diciembre, pp. 234-244.

Bachrach, P. S. y M. S. Baratz (1970). *Power and Powerty. Theory and Practice.* New York. Oxford University Press.

Baena Alcázar, M. (2000). *Curso de Ciencia de la Administración.* Madrid. Editorial Tecnos.

Ball, S. (1990). *Politics and Policy Making in Education.* Londres. Routledge.

Ballart, X. (1992). *Cómo evaluar programas y servicios públicos: Aproximación sistémica y estudio de caso.* Madrid. MAP.

Bañón i Martínez, R., Ed. (2003). *La evaluación de la acción y de las políticas públicas.* Madrid. Díaz de Santos.

Bañón i Martínez, R. (1993). "La modernización de la administración pública española". *Política y Sociedad*, N.º 13.

Bañón, R. y E. Carrillo (1997). *La nueva Administración Pública.* Madrid. Alianza Universidad Textos.

Bardach, E. (1977). "The Implementation Game. What Happens After a Bill Becomes a Law?".

Bardach, E. C. (1976). "Policy termination as a political process". *Policy Sciences*, 7, (2), june, pp. 123-32.

Bardón Fernández, E. (1990). "Consideraciones sobre el turismo rural en España y medidas de desarrollo". *Estudios Turísticos*, 108, pp. 61-82.

Bartolini, S. (1994). "Metodología de la Investigación Política", en e. a. G. Pasquino, Ed. *Manual de Ciencia Política.* Madrid, Alianza Universidad.

Barzelay, M. (1992). *Breaking through Bureaucracy.* The University of California Press.

Bayón Mariné, F. (1987). *El futuro del turismo: Invertir en Capital Humano.* Madrid. EOT.

Bayón Mariné, F. (1993). *Las competencias en materia de turismo. (Tesis Doctoral).* Facultad de Derecho. Granada. Universidad de Granada. (Tesis Doctoral).

Bayón Mariné, F., Ed. (1999). *50 Años del Turismo Español: Un análisis histórico y estructural.* Madrid. Centro de Estudios Ramón Areces.

Bayón Mariné, F. (1999). "Política Turística", en F. Bayón, Ed. *50 Años de Turismo Español.* Madrid, Centro de Estudios Ramón Areces.

Bayón Mariné, F. y L. Fernández Fuster (1999). "Los orígenes", en F. Bayón, Ed. *50 Años del Turismo Español.* Madrid, Centro de Estudios Ramón Areces.

Bayón Mariné, F. y C. Hernández (1999). "Desarrollo y Transformación: 1982-1991", en F. Bayón, Ed. *50 Años del Turismo Español.* Madrid, Centro de Estudios Ramón Areces.

Beason, K. y S. Selin (1991). "Interorganisational relations in tourism". *Annals of Tourism Research*, 18, 4, pp. 639-652.

Becker, H. S. (1996). *Social problems: A Modern Approach.* New York. John Wiley.

Bensusan Martín, P. (2001). "Turismo y patrimonio cultural". *Documentación Administrativa*, 259-260, pp. 39-54.

Benzo, I. S. (1992). *Régimen de distribución de competencias entre el Estado y las comunidades autónomas: turismo.* Madrid. INAP.

Blackford, M. (2001). *Fragile Paradise: The Impact of Tourism on Maui, 1959-2000.* University Press of Kansas.

Blanco Herranz, F. J. (1996). "Fundamentos de la política comunitaria y española en materia de turismo rural: consideraciones sobre la legislación española". *Estudios Turísticos*, 131, pp. 25-49.

Blanco Herranz, F. J. (1998). "Descentralización y cooperación interadministrativa en el turismo español. Procesos, instrumentos y propuestas de futuro". *Estudios Turísticos*, 137, pp. 67-86.

Blanquer Criado, D., Ed. (1999a). *Turismo. Organización administrativa, calidad de servicios y competitividad empresarial.* Valencia. Tirant lo Blanch - Diputación Provincial de Castellón.

Blanquer Criado, D. (1999b). *Derecho del Turismo.* Valencia. Tirant lo Blanch.

Blanquer Criado, D. (2001). "¿Ordenación o desordenación del turismo?". *Documentación Administrativa*, 259-260, pp. 287-314.

Blanquer Criado, D. (2002a). *El golf. Mitos y razones sobre el uso de los recursos naturales.* Valencia. Tirant lo Blanch.

Blanquer Criado, D. (2002b). *Ordenación y gestión del territorio turístico.* Valencia. Tirant lo Blanch.

Blasco, A. (2001). *Turismo y transporte.* Madrid. Síntesis.

Bodlender, J., C. L. Jenkins, et al. (1991). *Developing Tourism Destinations: Policies and Perspectives.* Harlow. Logman.

Boers, H. y M. Bosch (1996). *La tierra, destino turístico.* Netherlands Institute of Tourism and Transport Studies.

Boix, C. (1991). "Promesas y límites del policy analysis en Estados Unidos". *Documentación Administrativa*, 224-225.

Boniface, P. y P. Fowler (1993). *Heritage and Tourism in the Global Village.* Londres. Routledge.

Borg, V. d. (1994). "Demand for city tourism in Europa". *Annals of Tourism Research*, 21, pp. 832-838.

Bote Gómez, V. (1980). *Estudio sobre los efectos del turismo en la economía de los países receptores y emisores.* Madrid. OMT.

Bote Gómez, V. (1985). *La política de financiación al sector turístico en España: de 1966 a 1981 (Tesis Doctoral).* Facultad de Ciencias Económicas y Empresariales. Madrid. Universidad Complutense. (Tesis Doctoral).

Bote Gómez, V. (1988). *Turismo en espacio rural. Rehabilitación del Patrimonio sociocultural y de la economía local.* Madrid. Ed. Popular.

Bote Gómez, V. (1993). "La necesaria revalorización de la actividad turística española en una economía terciarizada e integrada en la CEE". *Estudios Turísticos*, 118, pp. 2-26.

Bote Gómez, V. (1995). "La estrategia del turismo metropolitano: el caso de Madrid". *Estudios Turísticos*, 126. Número Monográfico, pp. 101-118.

Bote Gómez, V. (1996a). "Política Turística", en V. M. Monfort, A. Pedreño y F. Vera, Eds. *Introducción a la Economía del Turismo en España*. Madrid, Civitas: 295-326.

Bote Gómez, V. (1996b). "La investigación en España sobre Turismo y desarrollo económico". *Estudios Turísticos*, 129, pp. 9-22.

Boullón, R. C. (1996). *Proyectos turísticos: identificación, localización y dimensionamiento*. México. Diana.

Bramwell, B. (1998). "Selecting policy instruments for sustainable tourism", en W. F. Theobald, Ed. *Global Tourism*. Oxford, Butterworth-Heinemann.

Bramwell, B. y B. Lane, Eds. (2000). *Tourism Colaboration and Partnerships: Politics, Practice and Sustainability*. Clevedon. Channel View Publications.

Bramwell, B. y A. Sharman (1999). "Collaboration in local tourism policymaking". *Annals of Tourism Research*, 26, 2.

Braybrooke, D. y C. E. Lindblom (1970). *A Strategy for Decision*. New York. Free Press.

Brown, F. (1998). *Tourism Reassessed: Blight or Blessing?* Oxford. Butterworth-Heinemann.

Brugué, Q. (1996). "La dimensión democrática de la nueva gestión pública". *Gestión y Análisis de Políticas Públicas*, n.º 5-6, pp. 45-57.

Brugué, Q. y R. Gomà, Eds. (1998). *Gobiernos locales y políticas públicas*. Barcelona. Ariel.

Bull, A. (1991). *The Economics of Travel and Tourism*. Melbourne. Longman Chesire.

Bulmer, M. (1978). *Social Policy Research*. London. McMillan.

Butler, R. W. (1980). "The concept of a tourist area cycle of evolution. Implications for management of resources". *Can. Geogr.*, 24 (1), pp. 5-12.

Butler, R. W. (1999). *Tourism and recreation in rural areas*. Chichester. John Wiley & Son.

Butler, R. W. y S. W. Boyd, Eds. (2000). *Tourism and national parks: issues and implications*. Chichester. John Wiley & Sons.

Butler, R. W. y D. G. Pearce, Eds. (1999). *Contemporary issues in tourism development*. London. Routledge.

Calle Vaquero, M. D. L. (2001). *La ciudad histórica como destino turístico*. Barcelona. Ariel.

Calonge Velázquez, A. (2000). *El turismo: aspectos institucionales y actividad administrativa*. Valladolid. Universidad de Valladolid.

Cals, J. (1974). *Turismo y política turística en España: una aproximación*. Barcelona. Ariel.

Cals, J. (1983). "El modelo turístico español". *Revista de Estudios Turísticos*, 80.

Cals, J. (1987). "Turismo y política turística en España 1974-1986", en J. Velarde, J. L. García-Delgado y A. Pedreño, Eds. *El sector terciario de la economía española*. Madrid, Economistas Libros.

Cals, J., A. Matas, et al. (1993). *Evaluación de proyectos: análisis de la rentabilidad social desde la perspectiva del turismo y del ocio*. Madrid. Secretaría General de Turismo.

Cámara Oficial de Comercio, I. y. N. D. A. (1990). *Libro Blanco del Turismo en la Costa Blanca*. Alicante.

Caminal, M., Ed. (1996). *Manual de Ciencia Política*. Madrid. Tecnos.

Campesino Fernández, A. J. (1996). "El turismo cultural en ciudades históricas". *I Congreso AECIT: La administración turística del municipio en España.*, Gijón. AECIT.

Campesino Fernández, A. J. (1998). "Las ciudades Patrimonio de la Humanidad. Estrategias turísticas", en *Turismo urbano y patrimonio cultural: una perspectiva europea*. Sevilla, Patronato Provincial de Turismo: 107-117.

Cano Villar, J. M. (2001). "Turismo náutico". *VI Congreso AECIT: Nuevas tendencias de ocio y turismo: su especial problemática en destinos singulares*, Ceuta. AECIT.

Cárdenas (1982). *Comercialización del turismo: determinación y análisis de mercados*.

Carter, L. (1991). *Manual de evaluación del impacto ambiental*. Madrid. McGraw-Hill.

Castañer, X. (1998). "La política industrial. Ajustes, nuevas políticas horizontales y privatización: 1975-1996", en R. G. y J. Subirats, Ed. *Políticas públicas en España*. Barcelona, Ariel.

Castillo Gutiérrez-Maturana, t. (1999). "La actividad turística española en el contexto internacional", en *La actividad turística española en 1997*. Madrid, Asociación Española de Expertos Científicos en Turismo.

Castroviejo, M. y J. Herrero (1992). *Ecoturismo. Criterios de desarrollo y casos de manejo*. Madrid. Ministerio de Agricultura, Pesca y Alimentación.

Cerra, J., J. A. Dorado, et al. (1990). *Gestión de producción de alojamiento y restauración*. Madrid. Síntesis.

Cerro, F. L. (1993). *Técnicas de evaluación del potencial turístico*. Madrid. Ministerio de Industria y Energía.

Chaqués Bonafont, L. (2001). "Policy networks y política farmacéutica". *Revistas Española de Ciencia Política*, N.º 4, pp. 123-148.

Cohen, E. (1984). "The sociology of tourism: Aproaches, Issues and Findings". *Annual Review of Sociology*, 10, pp. 373-392.

Colino, C. (1997). "Estudio comparativo de las políticas públicas: una subdisciplina en la encrucijada de la ciencia política", en L. L. Nieto, Ed. *Democratización y políticas sociales: estudios sobre España, Hungría y México*. Madrid, UNED.

Comisión de las Comunidades Europeas (1991). *Plan de medidas comunitarias a favor del turismo*. Bruselas.

Comisión Delegada del Gobierno de Asuntos Culturales (2001). *Plan de impulso al turismo cultural e idomático*. Madrid.

Comisión Europea (1994). *Eurotourism: countryside and culture*. Bruselas. DG XXIII.

Comisión Europea (1995). *Libro Verde de la Comisión. El papel de la Unión en materia de turismo*. Bruselas. COM (95), 97 final, 4 abril 1995.

Comisión Europea (1996). *Por una Europa accesible a turistas con discapacidades*. Bruselas. DG XXIII - Unidad de Turismo.

Comisión Europea (2000a). *Seguimiento de las conclusiones y recomendaciones del Grupo de Alto Nivel sobre turismo y empleo*. Dictamen del Comité Económico y Social (CE), DO 2000/C 75/14.

Comisión Europea (2000b). *Incrementar el potencial del turismo como generador de empleo*. Dictamen ante el Comité de las regiones (CE), DO 2000/C 317/14.

Comisión Europea (2001). *Un nuevo marco de cooperación para el futuro del turismo europeo*. Comisión de las Comunidades Europeas COM (2001), 13/11/01.

Comisión Interministerial de Turismo (1955a). *Anteproyecto de ley sobre el plan de albergues y paradores de turismo*. Madrid. Ministerio de Información y Turismo.
Comisión Interministerial de Turismo (1955b). *Anteproyecto de ley de zonas de interés turístico*. Madrid. Ministerio de Información y Turismo.
Comisión Interministerial de Turismo (1955c). *Anteproyecto de ley de fomento y propaganda del turismo*. Madrid. Ministerio de Información y Turismo.
Comisión Interministerial de Turismo (1956a). *Anteproyecto para la reglamentación nacional de la hostelería*. Madrid. Ministerio de Información y Turismo.
Comisión Interministerial de Turismo (1956b). *Anteproyecto para la reglamentación nacional del camping*. Madrid. Ministerio de Información y Turismo.
Comisión Interministerial de Turismo (1963a). *Ordenación, promoción y desarrollo turístico de Sierra Nevada*. Madrid. Dirección General de Promoción del Turismo.
Comisión Interministerial de Turismo (1963b). *Proyecto de promoción turística de la Costa de Huelva*. Madrid. Dirección General de Promoción del Turismo.
Comisión Interministerial de Turismo (1966). *Plan de estaciones invernales*. Madrid. Ministerio de Información y Turismo.
Comisión Interministerial de Turismo (1968). *Repertorio de estaciones de deporte de invierno*. Madrid. Comisión Interministerial de Turismo.
Comisión Interministerial de Turismo (1972). *Proyecto de desarrollo turístico del nucleo central de la Sierra de Guadarrama*. Madrid. Dirección General de Promoción del Turismo.
Consejería de Turismo, Transportes y Comunicación. Junta de Extremadura. (1985). *Plan de acción sobre conservación y desarrollo de recursos turísticos de la Comarca de La Vera (Convenio entre la Junta de Extremadura y el CSIC)*. Cáceres.
Conselleria de Turisme del Govern Balear y Universitat de les Illes Balears (1987). *Llibre Blanc del Turisme a Balears*. Palma de Mallorca.
Consultur S.A. (1988). *Reconocimiento y descripción de cambios e innovaciones necesarias en el producto turístico español*. Madrid. Secretaría General de Turismo.
Cortes Generales (1991). Congreso de los Diputados. *Informe de la Ponencia para el análisis del sector turístico*. BOC, IV Legislatura, serie E, n.º 172 de 16 de octubre de 1991.
Cortes Generales (1999). Senado. *Informe de la Ponencia para el estudio de la actual situación del sector turístico en España*. BOC, VI Legislatura, nº 809 de 22 de diciembre de 1999.
Dahl, R. A. (1961). *Who Goberns? Democracy and Power in an American City*. New Haven-London. Yale University Press.
Dallen, T. y G. Wall (2000). *Tourism and Political Boundaries*. London. Routledge.
Dahrendorf, R. (1982). *El nuevo liberalismo*. Madrid. Tecnos.
Deegan, J. y D. Dineen (1997). *Tourism Policy & Performance*.
DeLeón, P. (1982). "Public policy termination: An end and a begining". *Policy Analysis*, 4, (3), Summer, pp. 369-92.
Dente, B., P. Fareri, et al., Eds. (1998). *The Waste and the Backyard. The creation of waste facilities: success stories in six European countries*. Londres. Kluwer Academic Publishers.

DiMaggio, P. J. y W. W. Powell (1999). *El nuevo institucionalismo en el análisis organizacional.* México. Fondo de Cultura Económica.

Documentación Administrativa (1991). *Número especial "Políticas públicas y organización administrativa".* N.° 224-225.

Dorado, J. A. (1996). *Organización y control de empresas en hostelería y turismo.* Madrid. Ed. Síntesis.

Dorado, J. A. y I. García Isa (1995). *Estructura del mercado turístico.* Madrid. Ed. Centro de Desarrollo de Altos Estudios Turísticos.

Doren, C. (1994). "Tourism research: a state-of-the-art citation analysis (1971-1990)", en *Tourism: the state of the art.* Chichester, John Wiley & Sons: 308-315.

Dowding, K. (1995). "Model or methaphor? A critical review of the Policy Network Approach". *Political Studies,* 48.

Dror, Y. (1989). *Public Policymaking Reexamined.* New Brunswick. Transaction Publisher.

Ducasse Gutiérrez, I. (1989). "La política turística y el medio ambiente". En VV.AA. *Encuentro sobre el Turismo Español,* Madrid.

Dunleavy, P. J. (1991). *Democracy, Bureaucracy and Public Choice.* Hemel Hempstead. Harvester Wheatsheaf.

Duverger, M. (1996). *Métodos de las Ciencias Sociales.* Barcelona. Ariel.

Easton, D. (1990). *The Analysis of Political Structure.*

Easton, D. (1995). *A Framework for Political Analysis.* Englewood Cliffs. Prentice-Hall.

Echtner, C. M. (1997). "The Disciplinary dilemma of tourism studies". *Annals of Tourism Research,* 24, n. 4.

Edgell, D. (1990). *International Tourism Policy.* New York. Vanostrand Reinhold.

Edgell, D. L. (1999). *Tourism policy: the next millenium.* Champaig, Il. Sagamore.

Editorial (1983). *Política Turística del Gobierno Socialista.* Oro Verde. 134: 64-65.

Editorial (1990). "Actuaciones en política turística a corto y medioplazo". *Infotursa,* 62, pp. 28-29.

Elliot, J. *Politics of Tourism. A comparative Perspective.*

Elliott, J. (1997). *Tourism Politics and Public Sector Management.* New York. Routledge.

Elmore, R. (1980). "Backward mapping: implementation research and policy decisions". *Political Science Quarterly,* 94, pp. 601-16.

Elola, J. (2001). *Política sanitaria española.* Madrid. Díaz de Santos, D. L.

Empresa Nacional de Turismo (1963). *Memoria sobre la constitución por el Instituto Nacional de Industria de la Empresa Nacional del Turismo.* Madrid. ENTURSA, Comisión Gestora.

Esteban Chapapría, V., Ed. (2000). *Futuro y expectativas del turismo náutica.* Valencia. Universidad Politécnica de Valencia.

Esteban Talaya, A. (1995). "Los productos turísticos españoles: calidad, promoción y comercialización: punto de vista de la Administración", en VV.AA. *I Congreso AECIT: ¿España, un país turísticamente avanzado?* Instituto de Estudios Turísticos.

Esteve Secall, R. (1978). *Turismo, ¿democratización o imperialismo? (Tesis Doctoral).* Facultad de Ciencias Económicas y Empresariales. Madrid. Universidad Complutense. (Tesis Doctoral).

Esteve Secall, R. (2002). *Turismo y religión: aproximación a la historia del turismo religioso.* Málaga. Universidad de Málaga.

Estévez Eguiagaray, V. (1999). "Política de promoción del turismo", en *La actividad turística española en 1998.* Madrid, AECIT.

Estudios Turísticos (1964-2003). Madrid. Instituto de Estudios Turísticos.

Etzioni, A. (1993). *The Spirit of Community: Rights, Responsabilities and the Communitarian Agenda.* New York. Crown Publisher.

Farazmand, A. (1997). *Modern Systems of Goverment: Exploring the Role of Bureaucrats and Politicians.* Thousand Oaks. California. Sage Publications.

Favieres Palacios, A. (1999), "La financiación de la empresa turística", en F. Bayón (Ed.) *50 años del turismo español.* Madrid. Centro de Estudios Ramón Areces.

Fayos-Solá, E. (1993). "El turismo como sector industrial: la nueva política de competitividad". *Economía Industrial,* 292, pp. 163-172.

Fayos-Solá, E. (1996). "Tourism Policy: a midsummer nights dream". *Tourism Management,* 17(6), pp. 405-412.

Fayos-Solá, E., A. Marín, et al. (1993). "El papel estratégico de las ferias de turismo". *Estudios Turísticos,* 117, pp. 5-22.

Febas, J. L. (1978). "Semiología del lenguaje turístico: investigación sobre los folletos españoles de turismo". *Revista de Estudios Turísticos,* 57-58, pp. 17-203.

Febas, J. L. (1982). *Promoción turística e imagen.* Madrid. Secretaría General de Turismo.

Febas, J. L. y A. Orensanz (1979). *Marco estructural de la promoción turística en Europa y su incidencia en la producción de folletos y carteles.* Madrid. Secretaría de Estado de Turismo. Ministerio de Comercio y Turismo.

Feito Castellano, R. y S. Pernas Riaño (1999). "La administración turística española en el contexto internacional", en *La actividad turística española en 1998.* Madrid, AECIT.

Fernández Fuster, L. (1991). *Historia general del turismo de masas.* Madrid. Alianza Universidad Textos.

Fernández Fuster, L. (1997). *Introducción a la Teoría y Técnica del Turismo.* Madrid. Alianza Editorial.

Fernández Marcos, A. (1959). *El turismo social en España (Tesis Doctoral).* Facultad de Ciencias Políticas, Económicas y Comerciales. Madrid. Universidad Complutense. (Tesis Doctoral).

Fernández Noriella, J. M. (1998). "Actuaciones y medidas para el sector". *Información Comercial Española,* (768), pp. 171-176. Monográfico Congreso Nacional de Turismo.

Figuerola Palomo, M. (1985). *Teoría económica del turismo.* Madrid. Alianza Editorial.

Figuerola Palomo, M. (1993). "Política de Turismo", en L. Gámir, Ed. *Política económica de España.* Madrid, Alianza.

Figuerola Palomo, M. (1999). "La transformación del turismo en un fenómeno de masas". En C. Pellejero Martínez, Ed. *Historia de la economía del turismo en España.* Biblioteca Civitas de Economía y Empresa. Madrid. Civitas.

Fisher, F. (1995). *Evaluating Public Policy.* Chicago. Nelson-Hall Publishers.

496 María Velasco González

Fisher, F. y J. Forester (1993). *The Argumentative Turn in Policy Analysis and Planning*. London. Duke University Press/UCL Press.

Flores, T. (1996). "La gestión turística del municipio: la organización turística municipal". *III Congreso AECIT*, Gijón. AECIT.

Fraile González, F. (2002). "Turismo cultural en destinos de sol y playa". *I Congreso Internacional de Turismo Cultural*, Salamanca. Turespaña.

Fuejo, I. L. (1989). "La situación del mercado turístico, sus proyecciones para los 90 y los objetivos de la política turística". *AEDAVE*, Corfú.

Fullana, P. y S. Ayuso (2002). *Turismo sostenible*. Barcelona. Rubes editorial.

Gadea, F. O. (1989). *Política de fomento del turismo del Gobierno Central en la década de los 90*. Madrid. Secretaría General de Turismo.

Gallardo, F. M. (1977). *El turismo como fenómeno social*. (Tesis Doctoral).

Gallego Bono, J. R. y J. Nácher Escriche (2003). "Consenso y políticas de desarrollo local: una aplicación al caso valenciano". *Estudios Territoriales*, Vol. XXXV. Tercera época. N.° 135., pp. 53-73.

Gamero, E. (1998). "Valoración de la política turística de la Administración", en *La actividad turística española en 1997*. Madrid, AECIT.

Gamir, L. (1982). *Doce ideas sobre política turística*. El Bar. 379.

Gamir, L. (1985). "Algunas ideas sobre el Turismo". *Información Comercial Española*, 620.

Garau Vadell, J. B. (2000). "El turismo activo en destinos turísticos tradicionales", en *La actividad turística española en 1999*. Madrid, AECIT: 587-606.

García Hernández, M. (2003). *Turismo y conjuntos monumentales. Capacidad de acogida turística y gestión de flujos de visitantes*. Valencia. Tirant lo Blanch.

García Reche, A. y J. Nácher Escriche (1999). "Política Turística", en A. G. Reche, Ed. *Política económica sectorial y estructural*. Valencia, Tirant lo Blanch.

Garret, G. y G. Tsebelis (1996). "An institutional critique of intergovernmentalism". *International Organization*, 50(2), pp. 269-299.

Gartner, W. (1996). *Tourism Development: Principles, Processes and Policies*. New York. Van Nostrand Reinhold.

Gartner, W. (1999). "Tourism and multi-sector policy". *49.° Congreso Asociación Internacional de Expertos Científicos de Turismo*, Portoroz. Slovenia.

Gartner, W. y D. Lime, Eds. (2000). *Trends in Recreation, Leiure and Tourism*. London. CABI.

Gaviria, M. (1971). *España a go-go. Turismo charter y neocolonialismo del espacio*. Madrid. Ed. Turner.

Gaviria, M. (1975). *Turismo de playa en España: chequeo a 16 ciudades nuevas de ocio*. Madrid. Ed. Torner.

Generalitat de Catalunya (1983). *Llibre Blanc del Turisme a Catalunya*. Barcelona.

Gestión y Análisis de Políticas Públicas (1994 - hoy). Madrid. INAP, BOE, IEF y EOI.

Gomá, R. y J. Subirats (1998). *Políticas públicas en España: contenidos, redes de actores y niveles de gobierno*. Barcelona. Ariel.

Gómez, A. L. (1988). *Aproximación histórica al estudio de la Geografía del ocio*. Barcelona. Anthropos.

Gómez, J. M. (1995). *CRS y comercialización turística*. Barcelona. Eds. Turísticas S.A.

González, A. L. (1992). *Manual de marketing general y de servicios turísticos*. Madrid. Ed. Síntesis.

González, M. A. (1997). *Fundamentos teóricos y prácticos de las agencias de viajes*. Madrid. Síntesis.

Goodall y Ashworth (1991). *Marketing in the Tourism Industry: the Promotion of Destination Regions*.

Goodin, R. E., Ed. (1996). *The Theory of Institutional Desing*. Cambridge. Cambridge University Press.

Goodwin, M. (1998). "The governance of rural areas: some emerging research issues and agendas". *Journal of Rural Studies*, 14 (1), pp. 5-12.

Graburn, N. H. H. y J. Jafari (1991). "Tourism Social Science". *Annals of Tourism Research*, 18 (1).

Grau, M. y A. Mateos, Eds. (2002). *Análisis de Políticas Públicas en España: enfoques y casos*. Colección Ciencia Política. Valencia. Tirant lo Blanch.

Gray, B. (1989). *Collaborating: Finding Common Ground for Multi-party Problems*. San Francisco. Jossey-Bass.

Güemes Barrio, J. J. (2001). "La política turística española", en L. Valdés Pérez, Ed. *La actividad turística española en 2000*. Castellón, AECIT: 195-203.

Güemes Barrio, J. J. (2002). "La política turística de la administración española", en S. A. Clavé y V. M. M. Mir, Eds. *La actividad turística española en 2001*. Castellón, AECIT.

Gunn, C. A. (1994). *Tourism Planning*. New York. Taylor & Francis.

Gunther, R. (1996). *Spanish Public Policy: from dictatorship to democracy*. Madrid. Instituto Juan March de Estudios e Investigaciones.

Haider, W. y M. Johnston (1992). *Tourism and Community Development*. Annals of Tourism Research. 19, n.º 3: 580-582.

Hall, C. M., Ed. (1991). *Tourism and Economic Development in Eastern Europe and Soviet Union*. London. Belhaven Press.

Hall, C. M. (1994). *Tourism and Politics: Policy, Power and Place*. London. Belhaven Press.

Hall, C. M. (2003). *Ecoturism policy and planning*. Oxon. CABI Publishing.

Hall, C. M. y J. M. Jenkins (1995). *Tourism and Public Policy*. London. Routledge.

Harris, R. y E. Heath (2001). *Sustainable Tourism: a Global Perspective*. Oxford. Butterworth-Heinemann.

Hartley, K. y N. Hooper (1990). "Tourism policy, market failure and public choice". *The Tourism Research into the 1900s*, Durham.

Haywood, K. (1988). "Responsible and responsive tourism planning in the community". *Tourism Management*, junio, pp. 105-118.

Healey, P. (1997). *Collaborative Planning: Shaping Places in Fragmented Societies*. London. McMillan.

Heclo, H. (1974). *Modern Social Politics in England and Sweden*. New Haven. Yale University Press.

Henry, I. P. (1993). *The Politics of Leisure Policy*. Basingstoke. MacMillan.

Henry, I. P. (2001). *The Politics of Leisure Policy*. London. Plagrave.

Heritier, A. W. (1993). "Policy Network Analysis: A Tool for Comparative Political Research", en H. Keman, Ed. *Comparative Politics: New Directions in Theory and Method*. Amsterdam, VU University Press.

Hermida, R. (1971). *El Turismo en el Plan de Desarrollo Económico-Social*. Madrid. Ministerio de Información y Turismo.

Herrera, L. (1999). "La Expansión: 1962-1972", en F. Bayón, Ed. *50 Años del Turismo Español*. Madrid, Centro de Estudios Ramón Areces.

Herrero Anguita (1926). *Estudio de turismo y proyecto para su desarrollo en España mediante la creación de una Consejo Nacional y constitución de la Compañía Hispano-Americana de Turismo*. Barcelona.

Herrero, P. (2000). *Gestión y organización de congresos*. Madrid. Síntesis.

Herrero Prieto, L. C. C. (2000). *Turismo cultural. El patrimonio histórico como fuente de riqueza*. Valladolid. Universidad de Valladolid.

Hirschman, A. O. (1983). *Shifting Involvements. Private Interest and Public Action*. Princeton. Princeton University Press.

Hogwood, B. W. y L. A. Gunn (1991). *Policy Analisis for the Real World*. London. Oxford University Press.

Hogwood, B. W. y B. G. Peters (1985). *The Pathology of Public Policy*. Oxford. Clarendon Press.

Hood, C. (1983). *The Tools of Goverment*. London. MacMillan.

Hood, C. (1990). "Public administration: Lost an empire, not yet found a role", en A. Leftwich, Ed. *New Developments in Political Science*. Aldershot, Edward Elgar/Gower.

Hood, C. y M. Jackson (1997). *La argumentación administrativa*. México. Fondo de Cultura Económica.

Howlett, M. y M. Ramesh (1995). *Studing Public Policy: Policy cicles and policy subsystems*. Toronto. Oxford University Press.

Huescar, A. (1993). "Nuevo marco conceptual del turismo". *Estudios Turísticos*, 117, pp. 23-48.

Huxman, C., Ed. (1996). *Creating Collaborative Advantage*. London. Sage.

Iglesias, J. L. (1995). *Comercialización y servicios turísticos*. Madrid. Ed. Síntesis.

Ingram, H. (1999). "La implementación: una reseña y un marco que se sugiere", en N. B. Lynn y A. Wildavsky, Eds. *Administración pública. El estado actual de la disciplina*. México, Fondo de Cultura Económica.

Inskeep, E. (1990). *Tourism Planning: An Integrated and Sustainable Approach*. New York. Van Nostrand Reinhold.

Institut Turístic Valencià (1990). *Libro Blanco del turismo de la Comunidad Valenciana*. Valencia.

Instituto de Estudios Turísticos (1967). *Año Internacional del Turismo*, Madrid.

Instituto de Estudios Turísticos (1993). *Anuario de Estadísticas de Turismo de España*. Madrid. Secretaría General de Turismo.

Instituto de Estudios Turísticos (1994). *Manual del planificador del turismo rural*. Madrid. Turespaña.

Instituto de Estudios Turísticos (1998). *Memoria de actividades 1998*. Madrid. Secretaría General de Turismo.

Instituto de Estudios Turísticos (2000). *Memoria de actividades 2000*. Madrid. Secretaría General de Turismo.

Instituto de Estudios Turísticos (2002a). *Memoria de actividades 2002*. Madrid. Secretaría General de Turismo.

Instituto de Estudios Turísticos (2002b). *Legislación turística de la Unión Europea*. Madrid. Ministerio de Economía.

Instituto de Turismo de España (1996). *Plan de apoyo a la comercialización turística*. Madrid. Ministerio de Economía y Hacienda.

Instituto de Turismo de España (1998). *Plan de apoyo a la comercialización turística*. Madrid. Ministerio de Economía y Hacienda.

Instituto de Turismo de España (1999a). *Estudios de productos turísticos. N.º 1. Cruceros*. Madrid. Instituto de Turismo de España.

Instituto de Turismo de España (1999b). *Estudios de productos turísticos. N.º 2. Turismo Náutico. [Dirigido por G. Méndez de la Muela]*. Madrid. Instituto de Turismo de España.

Instituto de Turismo de España (1999c). *Plan de apoyo a la comercialización turística*. Madrid. Ministerio de Economía y Hacienda.

Instituto de Turismo de España (2000). *Plan de apoyo a la comercialización turística*. Madrid. Ministerio de Economía y Hacienda.

Instituto de Turismo de España (2001a). *Estudios de productos turísticos. N.º 3. Turismo cultural*. Madrid. Instituto de Turismo de España.

Instituto de Turismo de España (2001b). *Estudios de productos turísticos. N.º 4. Turismo idiomático*. Madrid. Instituto de Turismo de España.

Instituto de Turismo de España (2001c). *Plan de Marketing 2001*. Madrid. Secretaría General de Turismo.

Instituto de Turismo de España (2001d). *Presentación del Plan para impulsar el turismo cultural e idiomático*. Madrid. Ministerio de Economía.

Instituto de Turismo de España (2002a). *Estudios de productos turísticos. N.º 5. Turismo de reuniones*. Madrid. Instituto de Turismo de España.

Instituto de Turismo de España (2002b). *Estudios de productos turísticos. N.º 6. Plan de impulso al turismo cultural e idiomático*. Madrid. Instituto de Turismo de España.

Instituto de Turismo de España (2003a). *El turismo en España durante el 2002*. Madrid. Secretaría General de Turismo.

Instituto de Turismo de España (2003b). *Plan de Marketing del turismo español 2003*. Madrid. Secretaría General de Turismo.

IUOTO (1974). "The role of the State in Tourism". *Annals of Tourism Research*, 1,3, pp. 66-72.

Ivars Baidal, J. (2003). *Planificación del turismo de los espacios regionales en España*. Madrid. Ed. Síntesis.

Jafari, J. (1986). "The tourist system". *The Social and Cultural Impact of International Tourism*, Centre Nacional of the Recherche Scientifique.

Jafari, J. (1994). "La cientifización del turismo". *Estudios y Perspectivas en Turismo*, 3 (1), pp. 7-36.

Jamal, T. B. y D. Getz (1995). "Collaboration theory and community tourism planning". *Annals of Tourism Research*, 22(1), pp. 186-204.

Jeffries, D. (2001). *Governments and Tourism*. Oxford. Butterworth-Heinemann.
John, P. (1998). *Analysing Public Policy*. London. Continuum International Publising Group.
Johnson, P., Ed. (1992). *Tourism research and policy: an overview*. London. Continuum International Publishing Group.
Johnson, P. y B. Thomas, Eds. (1992). *Perspectives on tourism policy*. London. Mansel.
Jordan, A. G. (1981). "Iron triangles, wooly corporatism and elastics nets: images of the policy process". *Journal of Public Policy*, 1, 95, pp. 123.
Jordan, A. G. y J. J. Richardson (1987). *British Politics and the Policy Process: An Arena Approach*. London. Unwin Hyman.
Jordan, G. y K. Schubert (1992). "A preliminary ordering of policy networks labels". *European Journal of Political Research*, 21.
Jordana, J. (1995). "El análisis de los policy networks. ¿Una nueva perspectiva sobre la relación entre políticas públicas y Estado?". *Gestión y Análisis de Políticas Públicas*, n.° 3, pp. 77-89.
Jordana, J. y D. Sancho (1999). *Políticas de telecomunicaciones en España*. Madrid. Tecnos.
Juan y Peñalosa, J. d. y S. Fernández Jiménez (1980). *Historia de la navegación*. Madrid. Ed. Urbión.
Judge, D., G. Stoker, et al., Eds. (1995). *Theories of Urban Politics*. London. Sage.
Junta de Andalucía (1989). *Libro Blanco del Turismo de la Costa del Sol*. Sevilla. Dirección General de Turismo.
Junta de Andalucía (1993). *Plan de desarrollo integral del turismo en Andalucía*. Sevilla.
Jurdao Arrones, F. (1990). *España en venta*. Madrid. Endymion.
Jurdao Arrones, F. (1992). *Los mitos del turismo*. Madrid. Endymion.
Keller, P. (1994). "La politique de l'Etat en matière de tourisme". *94th Congress AIEST*, St. Gall.
Keller, P. (1999). "Futured-oriented tourism policy: Strategic areas of inquiry". *49th Congress AIEST*.
Keller, P. (1999). "La politique internationales du tourisme au tournat du millénaire". *Revue de tourisme*, 1, pp. 2-13.
Kickert, W. J. M., E. H. Klijn, et al., Eds. (1997). *Managing Complex Networks: Strategies for the Public Sector*. London. Sage.
Koster, M. (1984). "The deficiencies of tourism research without political science: comment on Ritcher". *Annals of Tourism Research*, 11, pp. 610-612.
Krippendorf, J. (1982). "Towards a new tourism: the importance of environmental and social factors". *Tourism Management*, 3 (3), pp. 135-148.
Lane, J. E. (1993). *The Public Sector: Concepts, Models and Approaches*. Londres. Sage.
Lanquar (1991). *La economía del turismo*.
Lanquar, R. (1984). "El turismo social y su lógica como servicio de interés público". *Estudios Turísticos*, 81, pp. 21-28.
Lasswell, H. D. (1970). "The emerging conception of the policy sciences". *Policy Sciences*, 1: 3-14.
Lasswell, H. D. (1971). *A Pre-view of Political Science*. New York. Elsevier.
Lasswell, H. D. y A. Kaplan (1950). *Power and Society*. New Haven. Yale University Press.

Lasswell, H. D. y D. Lerner, Eds. (1951). *The Policy Sciences*. Stanford. Stanford University Press.

Latiesa Rodríguez, M. (1999). *Granada y el turismo. Análisis sociológico del turismo en Granada*. Granada. Ed. Urbano.

Latiesa Rodríguez, M. y A. Álvarez Sousa, Eds. (2000). *El turismo en la sociedad contemporánea*. Granada. Proyecto Sur de Ediciones.

Latiesa Rodríguez, M., M. Vela Torres, et al. (2002). "Diversificación de productos turísticos: el turismo deportivo". *IV Congreso de Turismo Universidad Empresa: La diversificación y la desestacionalización del sector turístico*, Valencia. Tirant lo Blanch.

Laufer, R. y A. Burlaud (1989). *Dirección pública: gestión y legitimidad*. Madrid. INAP/MAP.

Lazquín, M. (2001). "Organización local del turismo", en VV.AA. *Actas. IV Congreso de Turismo Universidad Empresa: La diversificación y la desestacionalización del sector turístico*, Valencia. Tirant lo Blanch.

Lavaur, L. (1974). *El turismo en su historia*. Barcelona. Editur.

Law, C. M. (1993). *Urban Tourism: Atraccting visitors to large cities*. London. Mansell.

Leftwich, A. (1986). *¿Qué es la política?* México. Fondo de Cultura Económica.

Leftwich, A., Ed. (1990). *New Developments in Political Sciences*. Aldershot. Edward Elgar/Gower.

Leiper, N. (1979). "The framework of tourism: towards a definition of tourism, tourist and the tourist industry". *Annals of Tourism Research*, 6,4, pp. 390-407.

Lickorish, L. J. y C. L. Jenkins (2000). *Una introducción al turismo*. Madrid. Síntesis.

Lickorish, M. y J. Leonard (1991). *Administrative Structure for Tourism Development*. Harlow, Essex. Longman, Cop.

Lindblom, C. E. (1959). "The science of muddling through". *Public Adminidtration Review*, 19, pp. 79-83.

Lindblom, C. E. (1979). "Still muddling, not yet through". *Public Administration Review*, núm. 37.

Lindblom, C. E. (1991). *El Proceso de Elaboración de las Políticas Públicas*. Madrid. MAP.

Lindblom, C. E. y E. J. Woodhouse (1993). *The Policy-Making Process*. Englewood Cliffs. Prentice-Hall.

Lirola Delgado, I. (1988). "Reflexiones en torno a una política comunitaria de turismo". *RIE*, n.º 3, pp. 807-818.

López, A. (1992). *Manual de marketing general y de servicios turísticos*. Madrid. Ed. Síntesis.

López Nieto, L., Ed. (1997). *Democratización y políticas sociales: estudios sobre España, Hungría y México*. Madrid. UNED.

Lowi, T. (1985). "The State of the in Politics. The Relation Between Policy and Administration", en R. Noll, Ed. *Regulatory Policy and Social Sciences*. London, University of Californian Press.

Lowi, T. J. (1972). "Four systems of policy, politics and choice". *Public Administration Review*, núm. 32, pp. 298-310.

Lucas, A. (1997). "Los grandes eventos y congresos internacionales: un mercado en alza". *Conferencias sobre el Capital Humano en la Industria Turística del Siglo XXI*, Madrid. OMT.

Luengo, J. (1992). *Legislación turística y Derecho Administrativo*. Madrid. Ed. Universitas.

Lukes, S. (1974). *Power: A Radical View*. London. McMillan.

Lynn, N. y A. Wildavsky, Eds. (1999). *Administración Pública. El estado actual de la disciplina*. Fondo de Cultura Económica. México.

MacCannell, D. (1993). *Empty meeting grounds: the tourist papers*. London. Routledge.

Machín, C. A. (1993). *Marketing y Turismo*. Madrid. Ed. Síntesis.

Macintosh, R. W. y G. Ch. (1990). *Tourism: Principles, Practices, Philosophies*. New York. Wiley & Sons.

Madrazos, S. (1984). *El sistema del transporte en España*. Madrid. Ed. Turner.

Magaz, M. (1996). "Patrimonio y Turismo". *Signos Universitarios*, Año XV. Núm. 29. Enero-junio, pp. 119-133.

Maiztegui-Oñate, C. y M. T. Areitio Bertolín (1996). "Spain", en G. Richards, Ed. *Cultural Tourism in Europe*. Oxon, CAB International.

Majone, G. (1997). *Evidencia, argumentación y persuasión en la formulación de políticas*. México. Fondo de Cultura Económica.

Mandell, M. P. (1999). "The impact of collaborative efforts: changing the face of public policy through networks". *Policy Studies Review*, 16 (1) (4-17).

March, J. (1988). *Decisions and Organizations*. Oxford. Basil Blackwell.

March, J. y P. Olsen (1989). *Rediscovering Institutions*. Boston. Free Press.

March, J. y H. Simon (1961). *Teoría de la organización*. Barcelona. Ariel.

March, J. G. y J. P. Olsen (1984). "The New Institutionlism: organizational factors in political life". *American Political Science Review*, 78: 734-49.

March, J. G. y J. P. Olsen (1996). "Institutional perspectives on political institutions". *Governance*, 9 (3), pp. 248-64.

Marchena Gómez, M. (1989). "El turismo en España: razones de Estado, política regional y ordenación del territorio". *Boletín Económico de ICE*, N.° 2197, pp. 3399-3405.

Marchena Gómez, M. (1993). "Turismo y desarrollo regional: el espacio del ecoturismo". *Papers de Turisme*, 11, pp. 113-132.

Marchena Gómez, M. (1995). "Turismo metropolitano: una aproximación conceptual". *Estudios Turísticos*, 126, pp. 7-22.

Marchena Gómez, M., Ed. (1998). *Turismo urbano y patrimonio cultural. Una perspectiva europea*. Colección Documentos. Sevilla. Turismo de Sevilla, Diputación de Sevilla.

Marcos Pérez, D. y D. J. González Velasco, Eds. (2003). *Turismo accesible: hacia un turismo para todos*. Madrid. Ministerio de Trabajo y Asuntos Sociales, Instituto de Migraciones y Asuntos Sociales.

Marín, B. y R. Mayntz (1991). *Policy Networks. Empirical Evidence and Theoretical Considerations*. Frankfurt. Campus.

Marín, M. (1999). "La administración institucional del turismo". *I Congreso Universitario de Turismo*, Valencia. Tirant lo Blanch.

Marsh, D. y R. A. Rhodes (1992). "Policy Communities and Issue Networks. Beyond Tipology", en D. Marsh y R. A. Rhodes, Eds. *Policy Networks in British Government*. Oxford, Clarendon Press.

Marsh, J. G. y R. Rhodes, Eds. (1992). *Policy Networks in British Government*. London. Allen& Unwin.

Martín, C., Ed. (1992). *Política industrial, teoría y práctica*. Madrid. Colegio de Economistas de Madrid.

Martorell Cunill, O. (2002). *Cadenas hoteleras. Análisis del Top 10*. Barcelona. Ariel.

Martos Fernández, P. (1999). *El sistema turístico deportivo de las estaciones de esquí y montañas españolas (tesis doctoral)*. Facultad de Ciencias Políticas y Sociología. Universidad de Granada. (Tesis Doctoral).

Matas, V. y D. Martín (2001). "La calidad y el municipio", en AECIT, Ed. *VI Congreso AECIT: Nuevas tendencias de ocio y turismo: su especial problemática en destinos singulares*. Madrid, AECIT.

Matas, V., D. Martín, et al. (2002). "Gestión Integral de la calidad en los destinos de turismo cultural". *I Congreso Internacional de Turismo Cultural*, Salamanca. Secretaría General de Turismo.

Mazmanian, D. y P. Sabatier (1983). *Implementation and Public Policy*. Glenview. Scott, Foresman and Ly.

Mckercher, B. y H. Du Cros (2002). *Cultural Tourism. The partnership between Tourism and Cultural Heritage Management*. Binghamton, N.Y. The Haworth Hospitality Press.

Mckintosh, R. W., C. R. Goeldner, et al. (1999). *Turismo: planeación, administración y perspectivas*. México.

Medlik, S., Ed. (1991). *Managing Tourism*. Londres. Butterworth-Heinemann.

Medlik, S. (1997). *Understanding tourism*. Oxford. Butterworth-Heinemann.

Meethan, K. (2001). *Tourism in global society. Place, culture, consumption*. New York. Palgrave.

Melgosa Arcos, F. J. (2000). "Turismo de salud: termalismo y balnearios". *III Congreso Universidad y Empresa*, Valencia. Tirant lo Blanch.

Mella, J. M. (1998). *Economía y política regional en España ante la Europa del S. XXI*. Madrid. Akal.

Méndez de la Muela, G. (1998). "El turismo náutico", en *La actividad turística española en 1997*. Madrid, AECIT: 565-575.

Méndez de la Muela, G. (2002). "El turismo náutico", en S. Antón Clavé y V. M. Monfort Mir, Eds. *La actividad turística española en 2001*. Madrid, AECIT: 663-683.

Méndez Muela, G. (2003). "La sociología del turismo como disciplina", en A. Rubio Gil (Ed.). *Sociología del Turismo*. Barcelona, Ariel.

Mény, Y. y J. C. Thoenig (1991). "Políticas públicas y teoría del Estado". *Documentación Administrativa*, 224-225.

Mény, Y. y J. C. Thoenig (1992). *Las políticas públicas*. Barcelona. Ariel.

Merriam, C. E. (1986). *Prólogo a la Ciencia Política*. México. Fondo de Cultura Económica.

Metcalfe, L. y S. Richard (1989). *La modernización de la gestión pública*. Madrid. Instituto Nacional de Administración Pública.

Metra/Seis, E. (1981). *Desviaciones y seguimiento de Planes de Ordenación de la Oferta y Planificación Turística*. Madrid. Secretaría de Estado de Turismo.

Michaud, J. L. (1995). *Les Institutions du tourisme*. París. Presses Universitaires de France.

Ministerio Administraciones Públicas (1992). *Régimen de distribución de competencias entre el Estado y las Comunidades Autónomas*. Madrid. Secretaría de Estado para las Administraciones territoriales.

Ministerio de Información y Turismo (1952a). *Plan nacional de turismo: anteproyecto*. Madrid.

Ministerio de Información y Turismo (1952b). *Estudios para un plan nacional de turismo: memoria*. Madrid.

Ministerio de Información y Turismo (1952c). *Proyecto del plan nacional de turismo*. Madrid. Ministerio de Información y Turismo.

Ministerio de Información y Turismo (1953). *Plan nacional de turismo*. Madrid.

Ministerio de Información y Turismo (1959). *Anteproyecto de bases para un posible nuevo plan de fomento y promoción de turismo*. Madrid.

Ministerio de Información y Turismo (1960). *Capítulo del sector turismo para el II Plan de Desarrollo Económico y Social: 1968-1971*. Madrid.

Ministerio de Información y Turismo (1963). *Referencias al sector turismo en el plan de desarrollo económico: años 1964-67*. Madrid.

Ministerio de Información y Turismo (1964). *I Plan de desarrollo económico y social: años 1964 a 1967. Turismo y servicios de información*. Madrid. Comisaría del Plan de Desarrollo Económico y Social.

Ministerio de Información y Turismo (1965). *Promoción turística realizada por las Oficinas de Turismo en el extranjero durante 1965*. Madrid. Dirección General de Promoción Turística.

Ministerio de Información y Turismo (1966). *Promoción del Turismo*. Madrid. Subsecretaría de Turismo.

Ministerio de Información y Turismo (1967). *II Plan de desarrollo económico y social: turismo*. Comisaria del Plan de Desarrollo Económico y Social.

Ministerio de Información y Turismo (1969a). *Promoción Turística realizada por las Oficinas de Turismo en el extranjero durante 1969*. Madrid. Dirección General de Promoción Turística.

Ministerio de Información y Turismo (1969b). *Vacaciones en Casas de Labranza*. Madrid. Dirección General de Empresas y Actividades Turísticas.

Ministerio de Información y Turismo (1970a). *Informe a la Comisión de Información y Turismo de las Cortes Españolas*. Madrid.

Ministerio de Información y Turismo (1970b). *Memoria del Ministerio de Información y Turismo 1968-1969*. Madrid.

Ministerio de Información y Turismo (1970c). *Promoción del Turismo*. Madrid. Subsecretaría de Turismo.

Ministerio de Información y Turismo (1970d). *Vacaciones en Casas de Labranza*. Madrid. Dirección General de Empresas y Actividades Turísticas.

Ministerio de Información y Turismo (1971a). *10 Años de Turismo Español*. Madrid.
Ministerio de Información y Turismo (1971a). *Asamblea Nacional de Estaciones de Invierno*. Madrid. Ministerio de Información y Turismo.
Ministerio de Información y Turismo (1971a). *Informe sobre ejecución del II Plan de Desarrollo en el Sector Turístico en el bienio 1969-70*. Madrid.
Ministerio de Información y Turismo (1972a). *III Plan de Desarrollo Económico y Social: 1972-1975. Turismo e Información y Actividades Culturales*. Madrid. Comisaría del Plan de Desarrollo Económico y Social.
Ministerio de Información y Turismo (1972b). *Promoción del Turismo*. Madrid. Dirección General de Promoción Turística.
Ministerio de Información y Turismo (1972c). *Vacaciones en Casas de Labranza*. Madrid. Dirección General de Empresas y Actividades Turísticas.
Ministerio de Información y Turismo (1976). *II Asamblea Nacional de Turismo. Ponencias y conclusiones*. Madrid.
Ministerio de Transportes, Turismo y Comunicaciones. (1983). *Los transportes, el turismo y las comunicaciones en 1982 y avance de 1983*. Madrid. Secretaría General Técnica.
Mintzberg, H. (1984). *La estructura de las organizaciones*. Barcelona. Ariel.
Molina Lavado, F. (1996). "El turismo de sol y playa", en *El sector turístico en la provincia de Málaga*. Málaga, Colegio Oficial de Economistas de Málaga.
Mondragón Ruiz de Lezama, J. (2001). "La gestión intergubernamental en España", en B. O. d. Lima, Ed. *La nueva gestión pública*. Madrid, Prentice Hall.
Monfort Mir, V. M. (2000). "La política turística: una aproximación". *Cuadernos de Turismo*, 6, pp. 7-27.
Monfort Mir, V. M. y J. A. Ivars Baidal (2001). "Towards a sustained competitiveness of spanish tourism", en *Mediterranean tourism: facets of socioeconomical development and cultural change*. London, Routledge: 17-38.
Monnier, E. (1991). "Objetivos y destinatarios de las evaluaciones". *Documentación Administrativa*, 224-225.
Monnier, E. (1995). *La evaluación de los poderes públicos*. Madrid. Instituto de Estudios Fiscales.
Montaner Montejano, J. (2002). *Política y relaciones turísticas internacionales*. Barcelona. Ariel.
Morata, F. (1991). "Políticas públicas y relaciones intergubernamentales". *Documentación Administrativa*, 224-225.
Morata, F. (2000). *Política públicas en la Unión Europea*. Barcelona. Ariel.
Morell Ocaña, L. D. (2001). "Realidad y problemas de los municipios turísticos". *III Congreso Universidad Empresa: Municipios turísticos. Tributación y contratación empresarial. Formación y gestión del capital humano.*, Valencia. Tirant lo Blanch.
Mowforth, M. y I. Munt (1997). *Tourism & Sustainability*. London. Routledge.
Muñiz Aguilar, D. (2001). *La política de turismo social*. Sevilla. Consejería de Turismo y Deporte. Dirección General de Planificación turística.
Muñoz de Escalona, F. (1992). *Crítica de la Economía Turística: enfoque de la oferta versus enfoque de demanda. (Tesis Doctoral)*. Facultad de Ciencias Económicas y Empresariales. Madrid. Universidad Complutense de Madrid. (Tesis Doctoral).

Muñoz de Escalona, F. (1992). "Turismo y desarrollo". *Estudios Turísticos*, 115, pp. 23-44.

Muñoz de Escalona, F. (1994). "Turismo rural integrado: una fórmula innovadora basada en un desarrollo científico". *Estudios Turísticos*, 121, pp. 5-27.

Murphy, D. E. (1985). *Tourism. A Community Approach*. London. Methuen.

Murphy, D. E. (1988). "Community driven tourism planning". *Tourism Management*, 9 (2), pp. 96-104.

Myro, R. (1993). "Las empresas públicas", en J. L. G. Delgado, Ed. *España. Economía*. Madrid, Espasa Calpe.

Nácher Escriche, J. (1999). "Competitividad y política turística". *Boletín Económico del ICE*, 2610, pp. 25-34.

Nácher Escriche, J. y J. Caletrio (1999). "Producción de turismo: un análisis institucionalista para el caso de Teruel". *Cuadernos Aragoneses de Economía*, 2.ª época. Volumen 9. N.º 1., pp. 217-226.

Nácher Escriche, J. y P. Szmulewiccz (2001). "Políticas de turismo rural". *Estudios y perspectivas en turismo*, Volumen 10, pp. 42-61.

Nagel, S. S. (1984a). *Contemporary Public Policy Analysis*. Alabama. The University of Alabama Press.

Nagel, S. S. (1984b). *Public Policy: Goals, Means and Methods*. New York. St. Martin's Press.

Nagel, S. S. (1990). "Policy Theory and Policy Studies". *Policy Studies Journal*, 18, 4, pp. 1046-1057.

Neil, J., S. Wearing, et al. (2000). *Ecoturismo. Impacto, tendencias y posibilidades*. Madrid. Síntesis.

Newton (1996). "Tourism and Public Administration in Spain", en J. T. M. Barke, M. T. Newton, Ed. *Tourism in Spain. Critical Issues*. Newcastle, CAB International.

Nigro, L. G., Ed. (1984). *Decision Making in the Public Sector*. New York. Marcel Dekker.

Niskasen, W. A. (1971). *Bureaucracy and Representative Government*. New Yotk. Aldine-Atherton.

Nozick, R. (1990). *Anarquía, Estado y Utopía*. México. Fondo de Cultura Económica.

O.M. T. (1975). *Aims, Activities and Fields of National Tourism Organizations*. Madrid. Organización Mundial del Turismo.

O.M. T. (1980). "Declaración de Manila sobre el Turismo Mundial". *Conferencia Mundial del Turismo*, Manila.

O.M. T. (1985). *Metodología para el establecimiento y la aplicación de planes directores turísticos, con vistas a la integración progresiva de los objetivos recomendados por la Declaración de Manila*. Madrid. Organización Mundial del Turismo.

O.M. T. (1988). *Tourism Development Report: Policy and Trends*. Madrid. Organización Mundial del Turismo.

O.M. T. (1992). *Para un turismo accesible a los minusválidos en los años 90*. Madrid. Organización Mundial del Turismo.

O.M. T. (1996). *Towards New Forms of Public-Private Partnetship. The Changing role, Structure and Activities of the National Tourism Administrations*. Madrid. Organización Mundial del Turismo.

O.M. T. (1997). *Tourism Responsabilities of European Governments*. Madrid. Organización Mundial del Turismo.

O.M. T. (1998a). *Tourism 2020 Vision*. Madrid. Organización Mundial del Turismo.

O.M. T. (1998b). *Travel and Tourism Fairs. Guideliness for Exhibitors*. Madrid. OMT.

O.M. T. (1999a). *The Future of National Tourism Administrations*. Madrid. Organización Mundial del Turismo.

O.M. T. (1999b). *Seminario sobre Estadísticas para la Realización de la Cuenta Satélite del Turismo*. Madrid. Secretaría de Estado de Comercio, Turismo y Pymes.

O.M. T. (1999c). "Tourism and Culture"., Madrid.

O.M. T. (1999d). *Tourism Satellite Account*. Madrid. Organización Mundial del Turismo.

O.M. T. (2000). *Presupuestos de las administraciones nacionales de turismo*. Madrid. Organización Mundial del Turismo.

O.M. T. / ICOMOS (1993). *Tourism at World Heritage Cultural Sites*. Madrid. O.M. T.

O.M. T., A. G. a. (1983). *El marco de responsabilidad del Estado en la gestión del turismo*. Madrid. Organización Mundial del Turismo.

O'Toole, L. J. (1997). "Treating networks seriously: practical and resarch-based agendas in public administration". *Public Administration Review*, 57(1), pp. 45-52.

OCDE (1989). *Informe de Políticas Turísticas y Turismo Internacional*.

Olmedo Guarnido, V. y A. Carmona Vilchez (1996). *Vacaciones en casa de labranza: un programa con buenas intenciones pero carente de realidad*.

Ortega Martínez, E. (1989). "Las vacaciones de los españoles de la tercera edad". *Estudios Turísticos*, 102, pp. 75-111.

Ortega Martínez, E. (ed.) (2003). *Investigación y estrategias turísticas*. Madrid. Thomson.

Ortuño Martínez, M. (1989). "Coordinación interadministrativa: legislación, información, actuaciones". *Encuentro sobre el turismo español: situación y perspectivas*, Madrid. AEDAVE.

Ortuño Martínez, M. (1995). "Turismo cultural, patrimonio y ciudad"., 2, pp. 331-348.

Osborne, R. y T. Gaebler (1997). *La reinvención del Gobierno*. Barcelona. Paidós.

Page, S. (1995). *Urban Tourism*. London. Routledge.

Parentean, A. (1982). *Promoción turística e imagen*. Madrid. Instituto Español de Turismo.

Parsons, W. (1995). *Public Policy*. Cheltenham. Edward Elgar.

Partido Socialista Obrero Español (1982). "Los criterios del PSOE sobre la política turística española. Texto íntegro del dictamen de la subcomisión de turismo del 29 Congreso del PSOE". *Tecno-Hotel. Editur,* Barcelona.

Pasquino, G., S. Bartolini, et al., Eds. (1996). *Manual de Ciencia Política*. Madrid. Alianza Universidad Textos.

Pastor, M., Ed. (1989). *Ciencia Política*. Madrid. McGraw-Hill.

Pearce, D. G. (1992). *Tourist Organisations*. Harlow. Logman.

Pearce, D. G. (1996). "Regional tourist organizations in Spain: emergence, policies and consequences". *Tourism Economics*, 2 (2), pp. 119-136.

Pearce, D. G. (1997). "Tourism and the autonomous communities in Spain". *Annals of Tourism Research*, 24 (1), pp. 156-177.

Pearce, D. G. y R. W. Butler, Eds. (1993). *Tourism research: critiques and challenges*. London. Routledge.

Pellejero Martinez, C. (1992). *La intervención pública del Estado en el sector turístico: de la Comisión Nacional a la Empresa Nacional de Turismo*. Sevilla. Consejería de Turismo y Deporte. Junta de Andalucía.

Pellejero Martínez, C. (1994). "La promoción del turismo en España durante la primera mitad del siglo XX: el papel del Estado". *Información Comercial Española*, 730, pp. 127-146.

Pellejero Martínez, C., Ed. (1999). *Historia de la economía del turismo en España*. Biblioteca Civitas de Economía y Empresa. Madrid. Civitas.

Pellejero Martínez, C. (2000). *El Instituto Nacional de Industria en el sector turístico. ATESA (1949-1981) y ENTURSA (1963-1986)*. Málaga. Servicio de Publicaciones. Universidad de Málaga.

Perea Soto, J. M. (1991). *Nuevo Ministerio, ¿Nueva política?* Editur: N.º 1627.

Pérez Guerra, R. (1997). *Régimen jurídico-administrativo del turismo: organización y competencias. (Tesis Doctoral)*. Facultad de Derecho. Almeria. Universidad de Almeria. (Tesis Doctoral).

Pérez Navarro, F. (2002). "La importancia del turismo idiomático". *I Congreso Internacional de Turismo Cultural*, Salamanca. Secretaría General de Turismo.

Peters, B. G. (1999). *Institutional Theory in Political Science. The "New Institutionalism"*. Londres. Continuum Publishing Group.

Peters, B. G. (1999). *La política de la burocracia*. México. Fondo de Cultura Económica.

Petitbó, A. (1993). "Globalización, política industrial y competencia". *Economía industrial*, julio-agosto, pp. 15-30.

Polsby, N. (1980). *Community Power and political Theory*. New Haven. Yale University Press.

Pompl, W. y P. Lavery (1993). *Tourism in Europe. Structures and Development*. London. Cabi Publishing.

Porras Olalla, G. (2000). "La política turística española: retos y respuestas", en *La actividad turística española en 1999*. Madrid, AECIT: 191-200.

Porras Olalla, G. (2001). "La política de promoción exterior del turismo", en L. Valdés Pérez, Ed. *La actividad turística española en 2000*. Castellón, AECIT.

Prats, F. (1994). *Turismo y medio ambiente. La sostenibilidad como referencia*. Madrid. Secretaría General de Turismo.

Prentice, R. (1993). *Tourism and Heritage Atractions*. London. Routledge.

Pressman, J. y A. Wildavsky (1973). *Implementation*. Berkeley. University of California Press.

Puchalt Sanchis, J. (2000). "El turismo de negocios, ferias y reuniones", en *La actividad turística española en 1999*. Madrid, AECIT: 533-544.

Puerta, A. (1995). *La financiación al turismo en España a través de Fondos Públicos. (Tesis Doctoral)*. Facultad de Filosofía y Letras. Granada. Universidad de Granada. (Tesis Doctoral).

Quade, E. S. (1989). *Análisis de formación de decisiones políticas*. Madrid. Instituto de Estudios Fiscales.

Ramió, C. (1993). *Teoría y práctica del cambio organizativo en la Administración Pública*. Facultad de Ciencias Políticas y Sociología. Barcelona. Universidad Autónoma. (Tesis Doctoral).

Ramió, C. y X. Ballart, Eds. (1993). *Lecturas de Teoría de la Organización. Vol. I*. Madrid. MAP.

Ramió, C. y X. Ballart, Eds. (1993). *Lecturas de Teoría de la Organización. Vol. II*. Madrid. MAP.

Rawls, J. (1979). *Teoría de la Justicia*. Madrid. Fondo de Cultura Económica.

Razquin Lizarraga, M. M. (2000). "Organización local del turismo". *III Congreso Universidad Empresa*, Valencia. Tirant lo Blanch.

Recoder de Caso, C. (1998). "Política de promoción del turismo", en *La actividad turística española en 1997*. Madrid, AECIT.

Reed, M. G. (1997). "Power relations and community-based tourism planning". *Annals of Tourism Research*, 24 (3), pp. 566-591.

Richards, G. (1995). "The politics of national tourism policy in Britain". *Leisure Studies*, 14, pp. 153-173.

Richards, G. (1996). *Cultural Tourism in Europe*. Oxon. CAB International.

Richardson, J. J. y A. G. Jordan (1979). *Governing Under Pressure*. Oxford. University Press.

Richter, L. K. (1985). "State-Sponsored Tourism: A growth field for Public Administration?". *Public Administration Rewiew*, 45. Nov/dec.

Robledo, M. A., Camacho, et al. (1995). *Marketing Management in the Tourism Industry*. Palma de Mallorca. Confederación de Asociaciones Empresariales de Baleares.

Robledo, M. A., A. Serra, et al. (1995). *Tourism Marketing and Management: An Introduction*. Palma de Mallorca. Confederación de Asociaciones Empresariales de Baleares.

Roca Roca, E., M. M. Ceballos Martín, et al. (1998). *La regulación jurídica del turismo en España*. Almería. Universidad de Almería/Instituto de Estudios Almerienses.

Rodríguez Aramberri, J. (1989). "Reflexiones sobre la política de promoción del turismo". *Encuentro sobre el turismo español: situación y perspectivas*, Madrid. AEDAVE.

Rodríguez Aramberri, J. (2001). "La trampa del anfitrión. Un paradigma en la teoría del turismo". *Annals of Tourism Research (en español)*, 3 (2), pp. 259-286.

Rodríguez Míguez, L. (2003). "Turismo de salud: hidroterapia, talasoterapia, crenoterapia". *III Jornadas de Turismo y Medio Ambiente: El reto del desarrollo sostenible*, Pontevedra. Concello de Sanxenxo.

Rodríguez Salmones, N. (1997). "Política de investigación, estudios e información de la Administración Central: El Instituto de Estudios Turísticos", en *La actividad turística española en 1996*. Madrid, AECIT.

Rose, R. (1984). *Understanding Big Government*. London. Sage.

Rosenbloom, D. H. (1986). *Public Administration*. New York. Random House.

Rossi, P. H. y H. E. Freeman (1982). *Evaluation: A Systematic Approach*. London. Sage.

Rubio Gil, A. (Ed.) (2003). *Sociología del turismo*. Barcelona. Ariel.

Sabatier, P. A. (1986). "Top-down and bottom-up approaches to implementation research: a critical analysis and suggested synthesis". *Journal of Public Policy*, 6: 21-48.

Sabatier, P. A. (1991). "Toward better theories of the policy process". *PS: Political Sciences and Politics*, 24: 147-56.

Sabatier, P. A. (1999). *Theories of the policy process*. Boulder. Westview.

Sabatier, P. A. y H. Jenkins-Smith, Eds. (1993). *Policy Change and Learning*. Boulder. Westview Press.

Salgado Castro, A. (1996). "La distribución de competencias en materia de turismo". *Revista Aragonesa de Administración Pública*, n.º 9.

Sanz Menéndez, L. (2001). "¿Por qué cambian las políticas?: La política europea de investigación y desarrollo tecnológico". *Revista Española de Ciencia Política*, N.º 4, pp. 97-123.

Sartori, G. (1995). *La política: lógica y método en las Ciencias Sociales*. México. Fondo de Cultura Económica.

Saval, V. (1978). "España y su turismo de masas". *Información Comercial Española*, 533, enero 1978, pp. 35-43.

Scharpf, F. W. (2000). "Institutions in Comparative Policy Research". *MPIfG Working Paper 00/3*.

Sebastián, C. (1999). "El turismo de convenciones y reuniones", en *La actividad turística española en 1998*. Madrid, AECIT: 563-567.

Secretaría de Estado de Comercio Turismo y de la Pequeña y Mediana Empresa (1997). *Plan de Estrategias y actuaciones de la Administración General del Estado en materia turística*. Madrid. Ministerio de Economía y Hacienda,.

Secretaría de Estado de Comercio Turismo y Pequeña Empresa (1999). *Segundo Encuentro Nacional de Calidad en Turismo. Conclusiones*. Madrid.

Secretaría de Estado de Comercio Turismo y Pequeña Empresa (2000). *Jornada de presentación del Plan Integral de Calidad del Turismo Español (2000-2006): PICTE*. Madrid.

Secretaría de Estado de Comercio Turismo y Pymes (1998a). *Planes de Excelencia y Dinamización turística*. Madrid. Ministerio de Economía y Hacienda.

Secretaría de Estado de Comercio Turismo y Pymes (1998b). *Financiación de las organizaciones nacionales de turismo*. Madrid. Ministerio de Economía y Hacienda.

Secretaría de Estado de Comercio Turismo y Pymes (1999a). *Guía de gestión medioambiental para municipios turísticos*. Madrid. Ministerio de Economía y Hacienda.

Secretaría de Estado de Comercio Turismo y Pymes (1999b). *Sistema de calidad para casas rurales: plan de actuaciones 1998-99 [realizado por Desarrollo e Investigaciones Turísticas]*. Madrid. Ministerio de Economía y Hacienda.

Secretaría de Estado de Comercio Turismo y Pymes (1999c). "Jornada sobre el sector turístico y el efecto 2000"., Madrid. Ministerio de Economía y Hacienda.

Secretaría de Estado de Comercio Turismo y Pymes (1999d). *Turismo y desarrollo sostenible*. Madrid. Fondo Social Europeo.

Secretaría de Estado de Turismo (1978). *Sobre la creación de un touroperador nacional*. Madrid. Ministerio de Comercio y Turismo.

Secretaría General de Economía y Planificación (1985a). *Programa económico a medio plazo 1984-87. Políticas sectoriales: Turismo*. Madrid. Ministerio de Economía.

Secretaría General de Turismo (1985b). *Turismo cinegético en España [realizado por METRA-SEIS]*. Madrid. Dirección General de Política Turística.

Secretaría General de Turismo (1986). *Plan de Marketing de Turismo 1986*. Madrid. Secretaría General de Turismo.

Secretaría General de Turismo (1987a). *Estudio económico de la demanda de golf*. Madrid. Dirección General de Política Turística.

Secretaría General de Turismo (1987b). *Estudio sobre el turismo cinegético en Andalucía*. Madrid. Dirección General de Política Turística.

Secretaría General de Turismo (1988). *Créditos subvencionados a las empresas turísticas*. Madrid. Secretaría General de Turismo.

Secretaría General de Turismo (1990a). *Libro Blanco del Turismo Español*. Madrid. Ministerio de Comercio y Turismo.

Secretaría General de Turismo (1990b). *Grado de la demanda turística nacional y extranjera en relación con el producto turístico español*. Madrid. Ministerio de Comercio y Turismo.

Secretaría General de Turismo (1992). *Plan Marco de competitividad del turismo español: 1992-1996*. Madrid. Ministerio de Industria, Comercio y Turismo.

Secretaría General de Turismo (1993). "El turismo social en Europa y su futuro en España [realizado por Consultur]". *Estudios Turísticos*, 119-120, pp. 139-151.

Secretaría General de Turismo (1994a). *Informe sobre el sector turístico español: situación, evaluación y perspectivas*. Madrid. Ministerio de Comercio y Turismo.

Secretaría General de Turismo (1994b). *Turismo y medio ambiente: la sostenibilidad como referencia*. Madrid. Ministerio de Comercio y Turismo.

Secretaría General de Turismo (1995a). *Plan Marco de Competitividad del Turismo Español: 1996-1999*. Madrid. Ministerio de Comercio y Turismo.

Secretaría General de Turismo (1995b). *Programa turismo, desarrollo y medio ambiente: la sostenibilidad como referencia: informe final*. Madrid. Secretaría General de Turismo.

Secretaría General de Turismo (1996). *Memoria de ejecución del Plan Marco de Competitividad del Turismo Español: 1992-1995*. Madrid. Ministerio de Comercio y Turismo.

Secretaría General de Turismo (2000a). *Plan Integral de Calidad del Turismo (PICTE)*. Madrid. Ministerio de Economía y Hacienda.

Secretaría General de Turismo (2000b). *Modelo de formación turística*. Madrid. Ministerio de Economía y Hacienda.

Secretaría General de Turismo (2001). *Estudio sobre el turismo de golf: el impulso a nuevos campos. [Estudio realizado por GMM Consultores Turísticos].* Madrid. GMM Consultores Turísticos.

Secretaría General de Turismo (2002a). *Plan de calidad de estaciones de esquí y de montaña. [Trabajo realizado por Novotec Consultores y Norcontrol].* Madrid. Secretaría General de Turismo.

Secretaría General de Turismo (2002b). *Implantación del sistema de calidad en campings [Deloitte & Touche y Grupo Galgano].* Madrid. Secretaría General de Turismo.

Secretaría General de Turismo (2002c). *Consolidación del sistema de calidad turística española en agencias de viajes [Grupo Gálgano].* Madrid. Secretaría General de Turismo.

Secretaría General de Turismo (2002d). *Plan de calidad del subsector de bares [Novotec Consultores y Norcontrol].* Madrid. Secretaría General de Turismo.

Secretaría General de Turismo (2002e). *Consultoría y asistencia técnica para la consolidación del Sistema de Calidad Turística Española: nuevo enfoque del Modelo SCTE-ICTE [Desarrollo e Investigaciones Turísticas, S.A.].* Madrid. Ministerio de Economía.

Segura, J. (1989). "La empresa pública: teoría y realidad". *Papeles de Economía Española*, 38, pp. 2-17.

Simon, H. A. (1977). *The New Science of Management Decision.* Englewood Cliffs. Prentice-Hall.

Smelser, N. (1976). *Comparative Methods in the Social Sciences.* Englewood Cliffs. Prentice Hall.

Smith, V. L. (1992 (ed. castellano). *Anfitriones e invitados.* Madrid. Endymión. Colección turismo y sociedad.

Sousa, A. Á. (1992). *Estructura social y consumo turístico. Los viajes de los españoles: segmentación, tendencias y comparación con los paises comunitarios (Tesis Doctoral).* Facultad de Ciencias Políticas y Sociología. Madrid. Universidad Complutense. (Tesis Doctoral).

Spain Convention Bureau (1997,1998,1999, 2002, 2003). *Sistema METRE. Informe estadístico turismo de reuniones (anual).* Madrid. Federación Española de Municipios y Provincias.

Suay Ramón, J. y M. P. Rodríguez González (1999). "Las competencias turísticas de los municipios. En particular, la categoría de los municipios turísticos". *I Congreso Universitario de Turismo. Turismo: organización administrativa, calidad de servicios y competitividad empresarial,* Valencia. Tirant lo Blanch.

Subirats, J. (1988). "Notas sobre el Estado, la Administración y las Políticas Públicas". *Revista de Estudios Políticos*, 29.

Subirats, J. (1991a). "La Administración pública como problema. El análisis de políticas públicas como propuestas". *Documentación Administrativa*, 224-225.

Subirats, J. (1991b). "El proceso de formación de políticas en España. Algunas hipótesis". *Revista del Centro de Estudios Constitucionales*, 9, mayo-agosto.

Subirats, J. (1992). *Un problema de estilo: la formulación de políticas.* Madrid. Centro de Estudios Constitucionales.

Subirats, J. (1994a). *Policy Instruments, Public Deliberation and Evaluation Processes.* Madrid. Instituto Juan March de Estudios e Investigaciones.

Subirats, J. (1994b). *Análisis de políticas públicas y eficacia de la administración.* Madrid. MAP.

Subsecretaría de Planificación (1976). *IV Plan Nacional de Desarrollo: Turismo.* Madrid. Presidencia de Gobierno.

TAU Consultores (1981). "La Planificación Turística en la década de los 80. Problemas y oportunidades". *Symposium de Planificación turística*, Madrid.

Tisdell, C. A. y K. C. Roy (1998). *Tourism and Development: Economic, Social, Political and Enviromental Issues.* London. Nova Science Publishers.

Tovar, J. L. I. (1995). *Comercialización y servicios turísticos.* Madrid. Ed. Síntesis.

Troitiño Vinuesa, M. A. (1996). *Turismo y desarrollo sostenible en ciudades históricas.* Madrid. Instituto de Turismo de España.

Tudela Aranda, J., Ed. (1997). *Estudios sobre el Régimen Jurídico del Turismo.* Huesca. Diputación Provincial de Huesca.

Tudela Aranda, J. (1999). "Turismo de montaña y estaciones de esquí", en *Régimen jurídico de los recursos turísticos.* Zaragoza, Gobierno de Aragón: 483-515.

Tudela Aranda, J. (2001). "La ley y el reglamento en el Derecho del turismo". *Documentación Administrativa*, 259-260, pp. 95-142.

Tyler, D., Y. Guerrier, et al., Eds. (1998). *Managing tourism in cities: policy, process and practice.* Chichester. John Wiley & Sons.

U.S. Government Printing Office (1978). *National tourism policy study: final report.* Washington.

Urry, J. (1990). *The Tourist Gaze.* London. Sage Publications.

Ussel, J. I. D. y G. Meil Landwelin (2001). *La política familiar en España.* Barcelona. Ariel.

Valdés Peláez, L. (1996). "Actuaciones en materia turística de la Unión Europea", en *Turismo y promoción de destinos turísticos: implicaciones empresariales.* Oviedo, Servicio de Publicaciones de la Universidad de Oviedo.

Valdés Peláez, L. (2000). "El turismo rural en España", en *La actividad turística española en 1999.* Madrid, AECIT.

Valdés Peláez, L. (2002). "La política turística de la Unión Europea: nuevas orientaciones". *IV Congreso Andaluz de Turismo*, Jaén. Junta de Andalucía.

Valdés Peláez, L. (2003). "Estrategias de desarrollo turístico sostenible". *III Jornadas de Turismo y Medio Ambiente: El reto del desarrollo sostenible*, Pontevedra. Concello de Sanxenxo.

Valdés Peláez, L. y Pérez Fernández, J. M. (2003). *Experiencias públicas y privadas en el desarrollo de un modelo de turismo sostenible.* Oviedo. Fundación Universidad Oviedo.

Valenzuela Rubio, M., Ed. (1997). *Los turismos de interior: en retorno a la tradición viajera.* Madrid. Ediciones UAM.

Valle Doistua, R. S. S. (2000). *Políticas de ocio: cultura, turismo, deporte y recreación.* Bilbao. Universidad de Deusto.

Valle Tuero, E. (2002). "Congresos y eventos", en *La actividad turística española en 2001.* Madrid, AECIT: 685-697.

514 *María Velasco González*

Vallés, J. M. (2000). *Ciencia Política*. Barcelona. Ariel Ciencia Política.

Vasallo, I. (1999). "Crisis y Consolidación: 1972-1982", en F. Bayón, Ed. *50 Años de Turismo Español*. Madrid, Centro de Estudios Ramón Areces.

Veal, A. J. (2002). *Leisure and tourism policy and planing*. Oxon. CABI Publishing.

Vera Rebollo, F. (1996). "El municipio como producto turístico: un enfoque integral". *III Congreso AECIT*, Gijón.

Vera Rebollo, F. y M. Dávila (1995). "Turismo y Patrimonio Histórico Cultural". *Estudios Turísticos*, 126, pp. 161-178.

Vera Rebollo, F.; F. López Palomeque; M. J. Marchena y S. Antón. (1999). *Análisis territorial del turismo*. Barcelona. Ariel.

Vera Rebollo, F. y M. Marchena Gómez (1990). "Turismo y desarrollo: un planteamiento actual". *Papers de Turisme*, 3, pp. 59-84.

Vera Rebollo, J. F. (1991). "La oferta complementaria en el turismo de sol y playa: una respuesta al agotamiento del modelo masivo en la Costa Blanca", en *Ordenación y desarrollo del turismo en España y Francia*. Madrid, Casa de Velázquez: 91-99.

Verdung, E. (1997). *Evaluación de políticas y programas*. Madrid. Ministerio de Trabajo y Servicios Sociales.

Vila Fradera, J. (1997). *La gran aventura del turismo en España*. Barcelona. Editur.

Vogeler, C. (2000). *El mercado turístico: estructura, operaciones y procesos de producción*. Madrid. Ed. Centro de Estudios Ramón Areces.

VV.AA. (1959-1986). *Congreso Nacional de Agencias de Viajes*, Madrid.

VV.AA., Ed. (1963). *Juicio crítico del Informe del Banco Mundial*. Madrid. Revista de Occidente.

VV.AA. (1983). *I Jornadas de Turismo Cinegético*, Almagro. Dirección General de Empresas y Actividades Turísticas.

VV.AA. (1985). *II Jornadas de Turismo Cinegético*, Córdoba. Dirección General de Política Turística.

VV.AA. (1986). *Ponencias*. Madrid. Jornadas Técnicas Tercera Edad.

VV.AA. (1988). "Special Issue. Metodological issues on Tourism Research". *Annals of Tourism Research*, 15,1.

VV.AA. (1989). *Cómo rentabilizar la asistencia a una feria de turismo*. Madrid. Fitur / Fundación Universidad-Empresa.

VV.AA. (1992). *Encuentros europeos sobre turismo y tercera edad*, Alicante.

VV.AA. (1993). *Primeros Encuentros Internacionales sobre Turismo de la Tercera Edad*, Madrid.

VV.AA. (1994). *Interpretación ambiental y turismo rural*. Madrid. Centro Europeo de Formación Ambiental y Turística.

VV.AA. (1995). *Congreso de Turismo Rural y Turismo Activo*, Ávila. Junta de Castilla y León. Consejería de Industria, Comercio y Turismo.

VV.AA. (1995). "La experiencia británica y norteamérica en cuanto a la revisión de sus políticas turísticas en los años setenta". *Estudios y perspectivas en Turismo*, Vol. 4, n.º 4.

VV.AA. (1995). *Las oficinas de Turespaña al servicio del sector turístico*. Barcelona. Eds. Turísticas.

VV.AA. (1997). *Congreso Internacional: Turismo para todos - turismo de calidad*, Madrid, 27 y 28 de enero 1997.

VV.AA. (1997). "El Gobierno y la Administración". *Documentación Administrativa*, n.º 246-247.

VV.AA. (1998). *I Congreso Universitario de Turismo. Turismo: organización administrativa, calidad de servicios y competitividad empresarial*, Valencia. Tirant lo Blanch.

VV.AA. (1999). *II Congreso Universitario de Turismo: Comercialización de productos, gestión de organizaciones, aeropuertos y protección de la naturaleza.*, Castellón. Tirant lo Blanch.

VV.AA. (1999). *1er Congreso Mundial de Turismo de Nieve y Deportes de Invierno*, Andorra, 16-18 de abril de 1988. OMT.

VV.AA. (1999). *III Congreso Turismo Universidad Empresa: Municipios turísticos. Tributación y contratación empresarial. Formación y gestión del capital humano.*, Valencia. Tirant lo Blanch.

VV.AA. (1999). *Régimen jurídico de los recursos turísticos*. Zaragoza. Gobierno de Aragón.

VV.AA. (2001). *IV Congreso de Turismo Universidad Empresa: La diversificación y la desestacionalización del sector turístico*, Valencia. Tirant lo Blanch.

VV.AA. (2002). *V Congreso de Turismo Universidad Empresa: La calidad integral del turismo*, Valencia. Tirant lo Blanch.

VV.AA. (2002). *I Congreso Internacional de Turismo Cultural*, Salamanca, 5 y 6 de noviembre 2002. Ministerio de Economía, Secretaría General de Turismo, Turespaña, Fondo Europeo de Desarrollo Regional.

VV.AA. (2002). *Turismo sostenible*. Madrid. Iepala Editorial.

VV.AA. (2003). *Turismo y sostenibilidad*. Madrid. Universidad Nacional de Educación a Distancia.

Wahab, S. y C. Cooper, Eds. (2000). *Globalization and Tourism*. London. Routledge.

Wahab, S. E. A. (1997). "Tourism and sustainability: policy considerations", en S. W. a. J. Pigram, Ed. *Tourism, development and growth: the challenges of sustainability*. London, Routledge.

Warden, F. V. (1992). "Dimensions and types of policy networks". *European Journal of Political Research*, 21.

Weaver, R. K. y B. R. Rockmann (1993). *Do Institutions Matter? Government Capabilities in the Unites States and Abroad*. Washington. Brookings Institution.

Weiler, B. y C. M. Hall (1992). *Special Interest Tourism*. London. Belhaven Press.

Weiss, C. H. (1998). *Evaluation*. New Jersey. Prentice Hall.

Wildavsky, A. (1981). *The Art and Craft of Policy Analysis*. London. McMillan.

Wildavsky, A. (1984). *The Politics of the Budgetary Process*. Boston. Little and Brown.

Williams, A. M. y G. Shaw, Eds. (1998). *Tourism and Economic Development*.

Wilson, J. (1988). *Politics and Leisure*. Boston. Unwin Hyman.

Wright, D. S. (1988). *Understanding Intergovernmental Relations*. Harcourt Brace y Co.

Ybáñez Bueno, E. (1980). "Una política turística para la década de los ochenta". *Actualidad Turística*, pp. 12-17.

Ybáñez Bueno, E. (1997). "Respuestas españolas en las diversas fases del fenómeno turístico". *Estudios Turísticos*, 133, pp. 41-76.

Younis, T., Ed. (1990). *Implementation in Public Policy*. Aldershot. Dartmouth.

Zabía Lasala, M. (1995). "Turespaña y la promoción del turismo en 1994", en *La actividad turística española en 1994*. Madrid, AECIT: 139-147.

Zabía Lasala, M. (1999). "Marketing turístico institucional", en F. B. Mariné, Ed. *50 años del Turismo Español*. Madrid, Centro de Estudios Ramón Areces: 421-440.

Zapata Campos, M. J. (1998). "Procesos de colaboración entre el sector público y privado en el ámbito turístico local: un enfoque desde la sociología política". *VI Congreso Español de Sociología: ponencias y comunicaciones de sociología del turismo*, A Coruña. FES.

OTROS TÍTULOS DE LA COLECCIÓN